Histoire parlementai

(Volume

Recueil complet des discours prononcés dans les chambres de 1819 à 1848

CW00666153

François Guizot

Alpha Editions

This edition published in 2023

ISBN : 9789357930611

Design and Setting By
Alpha Editions
www.alphaedis.com
Email - info@alphaedis.com

As per information held with us this book is in Public Domain.
This book is a reproduction of an important historical work. Alpha Editions uses the
best technology to reproduce historical work in the same manner it was first
published to preserve its original nature. Any marks or number seen are left
intentionally to preserve its true form.

Contents

LXXIX

Discussion du paragraphe de l'adresse relatif aux affaires d'Espagne.

—Chambre des pairs.—Séance du 10 janvier 1837.—

La session de 1837 fut ouverte le 27 décembre 1836. À la Chambre des pairs, dans la discussion du paragraphe du projet d'adresse relatif aux affaires d'Espagne, on contesta que la politique du cabinet du 6 septembre 1836, présidé par le comte Molé, fût, à cet égard, en harmonie avec celle du cabinet du 11 octobre 1832, présidé par le maréchal Soult. Je pris la parole pour combattre cette assertion, et établir l'identité de la politique de la France à ces deux époques.

M. GUIZOT, *ministre de l'instruction publique.*—Messieurs, au point où en est arrivée la discussion, je n'ai nul dessein de la prolonger; mais je tiens à établir, sur le même terrain sur lequel s'est placé hier M. le président du conseil, quelle est la politique du cabinet actuel, et la parfaite identité de cette politique avec celle du cabinet du 11 octobre. J'y suis personnellement intéressé: j'ai eu l'honneur de siéger dans le cabinet du 11 octobre 1832; j'ai pris part à toutes ses résolutions, à tous ses actes; ce qu'il a fait, je l'ai fait; j'y adhère encore aujourd'hui complétement. J'ai besoin de prouver que ce que nous faisons aujourd'hui, il l'eût fait également, et que notre politique est une conséquence naturelle, nécessaire, de la politique qu'il avait adoptée.

Je ne rappellerai pas à la Chambre des actes et des faits qui lui sont parfaitement connus; je la prie seulement de remarquer que le cabinet du 11 octobre a été constamment dirigé par deux idées: la première, donner au gouvernement de la reine Isabelle un appui à la fois indirect et sincère et efficace; la seconde, ne jamais engager la France dans les affaires intérieures de l'Espagne, conserver toujours à la France sa liberté d'action, la liberté de s'arrêter dans l'appui indirect donné au gouvernement de la reine Christine, de s'arrêter au point où elle trouverait ses propres intérêts compromis.

Ces deux idées ont été la boussole constante de la politique du cabinet du 11 octobre.

On se répand aujourd'hui en distinctions, en nuances, en variantes. On distingue la coopération de l'intervention; on dit que ce que je viens d'appeler l'appui indirect donné à la reine d'Espagne par le cabinet du 11 octobre est une coopération réelle. Hier, on repoussait l'intervention, on la repoussait absolument; on disait que personne n'y avait jamais songé; aujourd'hui on se montre beaucoup plus disposé à l'accueillir: si le gouvernement y était disposé lui-même, on n'y ferait, dit-on, aucune objection. Il y a donc des partisans réels de l'intervention active, immédiate; c'est donc bien l'intervention qu'au fond de sa pensée on désire et on accepterait... Je me contente de mettre ce fait en évidence, et j'arrive à la coopération. C'est sur la coopération qu'on insiste.

Avant d'examiner ce qu'elle est réellement, je demande à la Chambre la permission de lui lire un fragment d'une dépêche officielle adressée par le président du dernier conseil, l'honorable M. Thiers, à notre ambassadeur d'Espagne. Cette dépêche, du 30 avril 1836, est postérieure par conséquent à la proposition d'intervention ou de coopération qui a été adressée par l'Angleterre à la France en mars dernier, et à laquelle le ministère d'alors s'est refusé.

«L'intervention armée, de quelque nom qu'on la couvre, dans quelques limites qu'on propose de la restreindre, dût-elle même se borner à l'occupation du Bastan, est encore repoussée en ce moment par les mêmes considérations qui, jusqu'à présent, ne nous ont pas permis d'y consentir. Sans rien préjuger sur les changements que des circonstances différentes pourraient apporter plus tard dans nos déterminations, nous devons déclarer que, tant que les choses resteront dans l'état où elles sont aujourd'hui, les démarches qu'on ferait pour obtenir de nous une coopération armée seraient sans résultat. Ces démarches, qui, comme celles qui ont déjà eu lieu, ne tarderaient pas à devenir publiques, seraient une imprudence tout à fait gratuite, puisqu'en mettant dans un nouveau jour la détresse du gouvernement de la reine, et en l'exposant à un refus pénible, elles ne pourraient avoir d'autre effet que de diminuer encore ce qui lui reste de force morale. Ses amis ne peuvent donc trop lui conseiller de s'en abstenir.»

La Chambre le voit clairement: dans l'esprit du dernier président du conseil lui-même, l'intervention ou la coopération armée était la même chose. Il se sert indifféremment des deux mots pour repousser l'une et l'autre. M. le dernier président du conseil n'adopte donc pas les idées au nom desquelles on vient de défendre tout à l'heure la politique du cabinet du 22 février.

J'écarte les mots et je viens au fond des choses.

Oui, le cabinet du 11 octobre a donné au gouvernement de la reine Christine un appui indirect qui a varié selon les temps.

En même temps qu'il se refusait à l'intervention, à la coopération armée, il appuyait la reine d'Espagne, tantôt par le blocus sur la frontière, tantôt en autorisant le gouvernement espagnol à recruter en France et à lever lui-même, en son propre nom, par sa seule action, à lever, dis-je, dans la population ou parmi les militaires en congé, des corps de volontaires, comme l'a été la légion Schwartz; tantôt, enfin, en autorisant la légion étrangère licenciée à passer au service de l'Espagne, à devenir un corps espagnol; car il était bien formellement stipulé, dans la convention, que ce corps n'était plus au service de la France, qu'il devenait un corps espagnol, sous les ordres du général en chef espagnol. Oui, messieurs, tous ces appuis indirects ont été successivement accordés, par le ministère du 11 octobre, à la cause de la reine; et aujourd'hui, pour mon compte, je n'en répudie aucun.

Qu'a voulu, après la dépêche que je viens de lire tout à l'heure, qu'a voulu y ajouter le cabinet du 22 février?

D'une part, il a voulu rendre beaucoup plus considérable la force du corps ou des corps qui servaient en Espagne comme volontaires ou sous le nom de légion étrangère. De plus, il s'est chargé lui-même du recrutement en France: c'est M. le ministre de la guerre qui, par des circulaires et des instructions émanées de lui, par des officiers envoyés par ses ordres, a provoqué et dirigé ce recrutement; ce n'est plus l'ambassadeur d'Espagne seul, ce n'est plus le gouvernement espagnol seul qui a recruté et enrôlé des volontaires en France, ainsi qu'on l'y avait autorisé lors de la formation de la légion Schwartz: c'est le ministre de la guerre de France qui a écrit, qui a ordonné, qui a fait voyager les officiers, qui a recruté et formé les corps d'armée sur le territoire français.

Est-ce là une seule et même chose, messieurs? est-ce là le même appui indirect que le cabinet du 11 octobre avait accordé?

Je continue: voici une autre circonstance qui n'est pas moins grave.

Ce n'est pas seulement dans la population, parmi les militaires en congé illimité, c'est dans les régiments français mêmes, et non-seulement dans les régiments stationnés sur la frontière, mais même dans des divisions éloignées de la frontière que ce recrutement a eu lieu. Le ministre de la guerre français, par des instructions officielles, par des officiers envoyés par lui, recrutait dans les régiments français, dans nos régiments organisés, les soldats qui devaient aller en Espagne, sous la cocarde espagnole, sous le drapeau espagnol, il est vrai, mais en quelque sorte par l'action directe et personnelle du gouvernement français, pour servir dans l'armée de la reine. N'y a-t-il là, messieurs, entre l'appui indirect accordé par le cabinet du 11 octobre et cette nouvelle forme d'action, aucune différence essentielle? Bien que le drapeau français ne dût pas flotter sur le corps d'armée envoyé en Espagne, n'y a-t-il rien là qui engage beaucoup plus avant, beaucoup plus directement, plus profondément, la responsabilité du gouvernement français?

Voulez-vous que je vous prouve, messieurs, indépendamment de ces faits, qu'effectivement la responsabilité du gouvernement se trouvait beaucoup plus engagée? En voici une preuve irrécusable. Ces circonstances nouvelles, ce nouveau mode de procéder que le cabinet du 22 février a ajoutés à l'appui indirect accordé par le cabinet du 11 octobre, le cabinet du 11 octobre les avait repoussés, formellement repoussés.

Je vais mettre sous les yeux de la Chambre les dépêches de mon honorable ami, M. le duc de Broglie, alors président du conseil.

«Le gouvernement du roi,» écrivait M. le duc de Broglie à M. le duc de Frias, le 26 juin 1835, «de gouvernement du roi a déjà eu bien souvent l'occasion de s'expliquer sur la véritable portée du traité du 22 avril, et d'établir qu'en s'engageant à concourir, autant qu'il dépendrait de lui, à la pacification de la péninsule, il avait entendu se réserver, pleinement et sans restriction ni modification quelconque, le droit qui lui appartient d'apprécier, dans son propre intérêt et dans celui de l'Espagne, la convenance et l'opportunité des divers moyens qui pourraient être proposés dans ce but.....

«Toutes les facilités désirables seront données, tant pour augmenter, par voie de recrutement, la force de la légion étrangère, que pour lever d'autres corps composés de Français. Quant à l'armement de ces corps, le gouvernement français entend qu'il ne puisse s'opérer que sur le territoire espagnol.....»

Voici une autre dépêche, écrite à l'occasion d'un avis donné, par erreur, par le préfet de la Seine, et auquel a fait allusion l'honorable orateur qui m'a précédé. M. le duc de Broglie crut devoir, dans une dépêche, dissiper tous les doutes auxquels pouvait donner lieu cet avis de la préfecture de la Seine. Il mandait, le 1er juillet 1835, à M. de Rayneval:

«Vous lirez dans les journaux, monsieur le comte, un avis de la préfecture de la Seine, provoquant à de nouveaux enrôlements dans la légion étrangère: cela veut explication. Un des premiers actes du maréchal Maison, en prenant la direction du département de la guerre, avait été de suspendre tout accroissement de la légion par voie d'enrôlement. Lorsque nous résolûmes de la céder à l'Espagne, il fut convenu que cet ordre suspensif serait révoqué. Le maréchal écrivit circulairement dans ce sens à MM. les préfets, mais c'est par une interprétation très-inexacte de ce contre-ordre que l'avis de la préfecture de la Seine lui a donné le caractère d'un appel aussi direct à des engagements nouveaux. Je m'en suis expliqué ce matin avec M. le duc de Frias. Il doit être bien entendu que tous ceux qui se présenteront pour entrer dans la légion étrangère au service d'Espagne seront adressés à l'ambassadeur de Sa Majesté Catholique.»

Voici une troisième dépêche, et celle-ci se rapporte à la légion étrangère elle-même; elle est du 8 juillet 1835:

«Une convention,» écrivait M. le duc de Broglie à M. de Rayneval, »a fait passer la légion étrangère au service de l'Espagne. Avant la conclusion de cet arrangement, le recrutement de la légion étrangère, interrompu depuis quelque temps, avait été repris en vertu d'un ordre formel dont la pensée était de fortifier d'avance le corps que l'Espagne allait prendre à sa solde. Aujourd'hui, le recrutement ne peut être continué que pour le compte de l'Espagne et par des agents espagnols; le gouvernement français doit évidemment rester étranger à des opérations qui ne le regardent plus, puisque le corps dont il s'agit a cessé de lui appartenir.»

Où trouverait-on, messieurs, des textes plus catégoriques? N'est-il pas évident que le cabinet du 11 octobre, en même temps qu'il accordait à la reine d'Espagne un appui indirect, avait soin de le limiter et de se retenir lui-même d'avance sur la pente sur laquelle il était placé? Le cabinet du 11 octobre ne s'est jamais fait illusion à cet égard: il a fort bien compris qu'en accordant un tel appui indirect à la reine, il se plaçait sous l'influence de causes qui tendraient à le pousser beaucoup plus loin, à lui faire dépasser ce que permettait l'intérêt de la France. Aussi s'est-il, dès les premiers moments, mis en garde contre ces influences; il a dit d'avance et sous toutes les formes, dans ses déclarations de politique générale comme dans les correspondances et les discussions spéciales qui ont eu pour objet, soit la légion étrangère, soit l'autorisation de recrutement accordée à l'ambassadeur espagnol, il a dit d'avance: «Le gouvernement français reste étranger à tout cela; sa responsabilité n'y est pas engagée. On ne pourra jamais s'en prévaloir contre lui; on n'ira pas plus loin.»

Eh bien, messieurs, c'est cette limite que le cabinet du 22 février a cru devoir dépasser: il a fait faire le recrutement par le ministre de la guerre lui-même, dans les régiments français eux-mêmes; en sorte que, sans sortir encore de l'appui indirect, et ici je fais sa cause meilleure que ne la faisait tout à l'heure le préopinant lui-même, il a cependant fait un pas, un pas immense, un pas qui devait plus tard rendre inévitable la coopération armée ou l'intervention, comme on voudra l'appeler, d'autant plus inévitable, permettez-moi de le dire, que le chef même du cabinet du 22 février, dans ses convictions les plus sincères, avait toujours été partisan de l'intervention, au sein même du cabinet du 11 octobre; d'autant plus inévitable que, lorsque le cabinet du 11 octobre avait refusé l'intervention, l'honorable M. Thiers avait manifesté une opinion différente de celle qui avait prévalu dans l'intérieur du conseil.

Voilà donc un pas nouveau, un grand pas fait par le cabinet du 22 février, sous la direction d'un président partisan de l'intervention, et vous voudriez que tout cela fût insignifiant, que tout cela ne fût pas autre chose que ce qu'avait fait le cabinet du 11 octobre? Vous ne verriez pas là une accélération rapide sur cette pente qui menait nécessairement à l'intervention, si on ne s'y arrêtait pas fermement? Messieurs, il faut aller au fond des choses, comme disait le préopinant, il faut mettre de côté les mots, les apparences; il faut voir ce qu'on voulait, ce qu'on cherchait, ce qui serait arrivé, quand même peut-être on ne l'eût pas cherché ou voulu. L'intervention, la coopération armée étaient au bout de ces actes, et c'est à cause de cela que, pour mon compte, nous n'en avons pas voulu, pas plus dans le cabinet du 11 octobre que dans le cabinet du 6 septembre. Nous avons toujours eu devant les yeux et déterminé avec un grand soin la limite à laquelle la France s'arrêterait. Sans prononcer d'une manière irrévocable, absolue, que toute intervention était à tout jamais impossible, nous nous sommes toujours proposé, non-seulement de ne pas poussera l'intervention, mais de l'éviter. Les limites que le cabinet du 22 février a voulu dépasser, nous nous y sommes renfermés. Le cabinet du 6 septembre s'est formé pour s'y tenir encore renfermé, comme avait fait le cabinet du 11 octobre, ainsi que je viens, je crois, de le démontrer irrésistiblement à la Chambre. (*Mouvement.*)

Je n'ajouterai que quelques réflexions fort courtes et un peu plus générales.

Nous sommes, messieurs, placés ici entre deux classes d'adversaires; les uns nous reprochent d'avoir fait, d'avoir exécuté le traité de la quadruple alliance; les autres de l'avoir abandonné. Les uns nous demandent de revenir sur nos pas, de sortir de la mauvaise voie où nous nous sommes engagés; les autres d'y entrer plus avant, d'aller jusqu'au bout.

Messieurs, nous ne ferons ni l'un ni l'autre; nous garderons notre situation et notre nom de politique de *juste-milieu.* Il s'est fait en Espagne une grande tentative pour y fonder la monarchie constitutionnelle; cette tentative, comme le disait hier mon honorable ami, le duc de Broglie, a été le résultat de la situation intérieure de l'Espagne, d'événements auxquels nous sommes restés étrangers, que nous n'avons ni amenés ni provoqués, mais que nous avons dû accepter. Une fois la tentative commencée, il était et il est de notre devoir d'y soutenir l'Espagne, d'aider, autant que le permettront les intérêts propres de la France, au succès de la fondation d'une monarchie constitutionnelle dans un État voisin de nous et lié à nous par tant d'intérêts. Nous avons constamment pratiqué cette politique; nous la pratiquerons encore. Mais, en même temps, nous nous sommes promis de ne pas engager dans cette entreprise difficile, incertaine, la fondation d'un gouvernement constitutionnel au milieu d'un pays où il rencontre tant d'obstacles et si peu d'habitudes favorables, nous nous sommes promis, dis-je, de ne pas engager dans cette entreprise que nous aimons, que nous servons, de n'y pas engager la force, la prospérité, la destinée de la France. (*Très-bien!*)

M. le duc de Noailles, avec la parfaite convenance et la justesse d'esprit qui le caractérisent, nous invitait hier à rentrer enfin en possession de notre liberté, à sortir des liens dans lesquels le traité de la quadruple alliance nous enlaçait. Mais, messieurs, par les faits que je viens de rappeler à la Chambre, par ce qui se passe en ce moment même, n'est-il pas évident que le gouvernement du roi, dans cette grande question, a constamment fait preuve de liberté? Il n'a été entraîné par personne, dominé par personne; il ne s'est mis à la suite de personne, pas même à la suite de la cause qu'il aimait et servait, ce qui est si difficile et si rare: il ne s'est pas laissé entraîner par ses propres inclinations, par ses propres sentiments.

Nous avons servi la cause de la monarchie constitutionnelle en Espagne; nous lui avons donné tout l'appui indirect qui nous a paru compatible avec les intérêts de la France. On nous a demandé davantage: l'Espagne a demandé l'intervention, l'Angleterre a demandé la coopération armée; nous avons refusé; nous avons usé de notre liberté pour refuser comme nous en avions usé pour agir.

Aujourd'hui on voudrait nous pousser plus loin; un cabinet a eu l'envie d'aller plus loin: le gouvernement du roi s'est arrêté, il est resté dans les limites de la politique du 11 octobre. En ceci encore il a fait acte de liberté; il a montré que rien ne l'entraînerait trop loin sur cette pente, qu'il résisterait au besoin, qu'il avait en lui-même, dans sa situation, dans ses antécédents, la force de résister. En acceptant donc la recommandation très-sage que M. le duc de Noailles nous a adressée, je me dois, je dois à mes collègues, à mes amis, de lui faire remarquer à mon tour que nous ne l'avons pas attendue, que nous avons fait preuve constante, preuve éclatante de liberté, et que notre passé est, à cet égard, le meilleur garant de notre avenir.

Mais parce que nous avons su nous arrêter, parce que nous ne nous sommes pas laissé entraîner, un autre honorable préopinant nous disait tout à l'heure: «Vous ne marcherez donc plus, vous allez rester tout à fait stationnaire! Vous ne ferez plus que des vœux, vous ne concevrez plus que des espérances! La politique du cabinet du 11 octobre était une politique d'action, la vôtre va être une politique inerte!»

Messieurs, je demande à l'honorable préopinant de chercher parmi les actes du cabinet du 11 octobre, parmi les témoignages d'appui indirect qu'il a donnés à la cause de la reine Christine, et d'en citer un seul que le cabinet actuel ne continue pas: il n'en trouvera aucun; tout ce qui a été fait par le cabinet du 11 octobre, est maintenu et continué par le cabinet actuel. Il est vrai que le cabinet actuel n'a pas cru devoir y ajouter toutes les démarches, toutes les mesures nouvelles que le cabinet du 22 février avait voulu y ajouter. C'est là, entre lui et nous, la différence; différence que nous acceptons complétement, de grand cœur, mais qui n'empêche pas que nous ne persistions à marcher, à agir comme le cabinet du 11 octobre a agi et marché.

Ce que nous faisons suffira-t-il? Notre appui suffira-t-il à fonder définitivement, régulièrement, la monarchie constitutionnelle en Espagne? Nous l'espérons; mais nous ne le savons pas, personne ne le sait. On nous a accusés de nous en remettre à la Providence, de livrer tout au hasard. Messieurs, nous ne voulons pas tout livrer au hasard; mais nous n'avons pas la prétention de prendre à notre compte le rôle de la Providence, de régler et de décider nous-mêmes toutes choses en Espagne, à tout prix, à tout risque, les institutions comme les événements; non, nous n'avons pas cette prétention; nous la regardons comme déraisonnable, comme dangereuse pour les intérêts et la sûreté de la France. Et quoi qu'il arrive, le gouvernement fera ce que votre Adresse lui recommande, ce qu'exigeront la sûreté et l'honneur de la France. La France est toujours sûre de se suffire à elle-même;

mais c'est à une condition, à la condition qu'elle ne sera pas chargée de suffire à tout pour les autres. (*Nombreuses marques d'approbation.*)

LXXX

Discussion du projet d'adresse sur la question des affaires d'Espagne et de la politique d'intervention ou de non-intervention française dans ce royaume.

—Chambre des députés.—Séance du 16 janvier 1837.—

La question de l'intervention française en Espagne fut, à la Chambre des députés comme à la Chambre des pairs, la principale dans le débat de l'adresse. Je défendis la politique de non-intervention, en en déterminant avec précision le caractère et les limites, et en établissant qu'elle avait été, depuis l'avénement de la reine Isabelle, la politique du gouvernement du roi.

M. GUIZOT, *ministre de l'instruction publique.*—Messieurs, ce n'est pas moi qui contesterai la gravité de la question qui se débat devant vous. Je suis convaincu que l'erreur, dans cette circonstance, aurait, pour notre pays et pour son gouvernement, les conséquences les plus funestes. Aussi je ne l'aborde, pour mon compte, qu'avec un véritable recueillement.

Je ne contesterai pas davantage la sincérité des convictions qui diffèrent de la mienne; je sais croire à la sincérité, et l'honorer, même dans mes adversaires. L'honorable M. Thiers a cru devoir rappeler avant-hier, à la tribune, quelques paroles d'une conversation particulière qui eut lieu entre lui et moi, lorsque l'intervention fut demandée pour la première fois au cabinet. Je ne retire aucunement ces paroles; la Chambre comprendra sans peine qu'à cette époque, redoutant dans l'intérieur du cabinet une séparation que je n'ai jamais cherchée et que je regretterai toujours, j'aie employé, dans mes conversations particulières comme ailleurs, quelques paroles qui me semblaient propres à la prévenir. (*Très-bien! très-bien!*)

J'ajouterai que mon opinion sur cette question n'a pas été, dès le premier jour, complète et absolue, comme d'autres peut-être. Elle s'est formée, elle s'est affermie progressivement et en présence des événements. Mais l'honorable M. Thiers sait, aussi bien que personne et que moi-même, que, toutes les fois qu'il a fallu prendre une résolution, se prononcer pour ou contre l'intervention, je me suis prononcé contre; c'est le seul fait que je tienne à rappeler en ce moment.

À l'époque dont je parle, messieurs, je me suis prononcé contre l'intervention. Je ne l'aurais certainement pas fait si j'avais cru que nous fussions engagés par nos paroles envers la reine d'Espagne, au moment de la mort de Ferdinand VII, et par les traités conclus plus tard. Je suis de ceux qui pensent que les traités engagent, et qu'ils doivent être exécutés à tout risque quand une fois ils ont été conclus. Mais je pense et j'ai toujours pensé que, ni les paroles données à la reine au moment de la mort de Ferdinand, ni les traités conclus plus tard, n'avaient engagé le gouvernement français dans l'intervention ou dans la coopération armée, et qu'il avait toujours conservé la pleine liberté de ses résolutions et de ses actes sur cette question. Je ne reviendrai pas sur la discussion qui s'est prolongée à cette tribune quant au sens des traités; je n'ajouterai rien à ce qu'a dit mon honorable collègue M. Hébert; je ne convaincrais pas ceux qu'il n'a pas convaincus... (*Très-bien!*) Mais je demande la permission de joindre aux preuves qu'il a données une nouvelle preuve, une preuve de fait que la Chambre regardera comme convaincante: c'est l'opinion constante du gouvernement français depuis la conclusion des traités jusqu'à ce jour, opinion que non-seulement le gouvernement français avait pour son compte, mais qu'il proclamait tout haut: non-seulement il ne s'est jamais tenu pour engagé, mais il l'a dit à toutes les époques; il a averti ses alliés qu'il se considérait comme libre, et que, lorsqu'on parlerait d'intervention ou de coopération, il se réservait le droit de juger si elle était dans l'intérêt de la France. C'est la preuve de ce fait que je vais mettre sous les yeux de la Chambre; et je prie la Chambre de ne pas craindre que j'apporte à cette tribune des dépêches dont la publicité pourrait avoir des inconvénients; les pièces que je vais lire se rapportent à des faits accomplis, et démontreront ce que j'avance, sans inconvénient pour la France ni pour aucun de ses alliés.

Presque au moment même où la France venait d'adresser à la reine d'Espagne les paroles dont on se prévaut aujourd'hui pour considérer le gouvernement comme engagé, M. le duc de Broglie écrivait à l'ambassadeur de France en Espagne:

«Nous n'avons aucune envie d'intervenir à main armée dans les affaires d'Espagne. Tout au contraire, ce serait pour nous une bien fâcheuse extrémité. Nous ne prétendons pas non plus soutenir le gouvernement actuel de l'Espagne quoi qu'il fasse et quoi qu'il arrive, quelque ligne de conduite qu'il suive, et dans quelque position que les événements le placent. Nous avons voulu simplement avouer tout haut ce gouvernement, lui donner force et courage en lui déclarant qu'il pouvait compter sur notre amitié, et nous montrer disposés à écouter favorablement ses demandes s'il était réduit à nous en adresser; mais sans nous dessaisir du droit inhérent à tout gouvernement d'en apprécier l'opportunité, la nature et la portée.» (*Sensation.*)

Cette dépêche est du 20 octobre 1833.

M. HAVIN.—Personne ne conteste cela.

M. le ministre de l'instruction publique.—Je crois que vous contesterez quand vous aurez tout entendu. (*On rit.*)

Le 13 novembre 1833, M. le duc de Broglie écrivait encore:

«Lorsque, informés de la mort de Ferdinand VII, nous avons eu à délibérer sur l'attitude à prendre et sur la marche à suivre, il a été décidé d'abord que nous manifesterions notre intérêt pour la cause de la jeune reine Isabelle, par quelque chose de plus qu'une simple reconnaissance. Désirant ensuite qu'on n'interprétât point à Madrid notre empressement à nous déclarer en faveur de cette cause comme impliquant le projet de dominer le gouvernement de la régente et de l'entraîner malgré lui dans des voies qui lui répugneraient, nous avons résolu de n'agir dans aucun cas que sur la demande expresse de ce gouvernement, et de ne rien entreprendre en définitive que de la manière et dans la mesure qu'il jugerait lui-même convenable. Mais en même temps nous avons positivement établi que nous entendions demeurer libres d'examiner, de discuter ou de refuser ce qui pourrait nous être demandé par l'Espagne.»

M. ISAMBERT.—C'est avant le traité.

M. le ministre de l'instruction publique.—J'ai dit la date en commençant. J'en viendrai au traité. On a voulu tirer notre engagement non-seulement du traité, mais des premières paroles données au gouvernement de la reine après la mort de Ferdinand VII. J'établirai que, soit dans ce premier moment, soit après les traités, nous n'avons pris aucun engagement de ce genre, que nous nous sommes toujours considérés comme libres. J'en donnerai des preuves qui se rapportent aux différentes époques. Je reprends.

«Nous avons positivement établi que nous entendions demeurer libres d'examiner, de discuter ou de refuser ce qui pourrait nous être demandé par l'Espagne; et c'est dans ce but que vos instructions devaient ne rien spécifier relativement à la nature de l'appui que vous serez chargé d'offrir à Sa Majesté Catholique.»

Voici, après le traité, une première dépêche de M. le comte de Rigny, en date du 16 juillet 1834:

«Il importe que, de votre côté, vous vous attachiez à prévenir, dans l'esprit du cabinet de Madrid, des espérances qu'il ne dépendrait pas de nous de réaliser. J'ajouterai que vous ne sauriez mettre trop de soin, non-seulement à décliner toute demande qu'on viendrait à vous faire d'une intervention effective de notre part, mais encore à empêcher, s'il est possible, que l'idée même ne s'en présente au ministère espagnol.»

Voici une seconde dépêche du 12 décembre 1834; elle est encore de M. le comte de Rigny:

«Si, pour nous contester le droit de discuter l'opportunité d'une pareille demande, on voulait se prévaloir des promesses que nous avons faites au moment de la mort de Ferdinand VII, notre réponse serait facile. Le traité du 22 avril, la convention du 18 août, tant d'autres actes qui les ont précédés ou suivis sont certes plus que suffisants pour attester que notre parole n'a pas été vaine. Il serait d'ailleurs absurde de supposer que le gouvernement français, en offrant spontanément son appui à l'Espagne, sans lui demander aucun retour, eût abdiqué à jamais le droit d'examiner, lorsque cet appui lui serait demandé, par quels moyens, dans quelles formes il devrait être accordé, pour concilier les intérêts des deux pays. Une telle abnégation serait certainement sans exemple.» (*Sensation.*)

Voici, messieurs, une dernière dépêche du 23 janvier 1836; c'est l'un des derniers actes de M. le duc de Broglie dans son second ministère:

«Intervention armée et secours pécuniaires, ce sont là deux points à l'égard desquels le cabinet de Madrid, je le dis franchement, ne doit rien attendre du gouvernement du roi. Il y aurait impossibilité pour nous.....» M. le duc de Broglie parle dans le présent, comme un gouvernement parle toujours; un gouvernement ne parle jamais dans l'avenir; il n'engage point à tout jamais sa conduite ni ses actes; il s'occupe du présent, pour les circonstances présentes, et il serait insensé de se conduire autrement. (*Très-bien!*)

Une voix à gauche.—Mais en pensant à l'avenir.

M. le président.—N'interrompez pas!

M. le ministre de l'instruction publique.—Je continue:

«Il y aurait impossibilité pour nous à accueillir l'une ou l'autre de ces demandes. Nous sommes loin de nous dissimuler combien la situation de l'Espagne est grave; il n'y a ni optimisme ni indifférence dans notre attitude envers elle; mais nous avons nos nécessités comme elle a les siennes, et nous ne saurions l'aider en dehors des voies où, bien des fois déjà, nous lui avons déclaré vouloir nous maintenir.»

Je crois, messieurs, qu'il est impossible de produire des textes plus formels, des textes qui prouvent plus clairement que, non-seulement le gouvernement français ne s'est pas considéré comme engagé, mais qu'il n'a pas voulu qu'on s'y trompât, qu'il s'est conduit dès l'origine et dans tout le cours de cette affaire avec une complète loyauté, donnant toujours l'appui qu'il croyait pouvoir donner dans l'intérêt de la France, mais ne voulant pas s'engager, et avertissant bien jusqu'à quel point on pouvait compter sur lui et non pas au delà.

Voilà, messieurs, par les actes, par notre conduite même, voilà le sens des traités; voilà comment nous les avons entendus, appliqués et fait entendre.

L'honorable M. Thiers a soutenu que, si les traités ne nous engageaient pas à une coopération armée ou à une intervention effective au profit de l'Espagne, quand elle nous le demanderait, les traités n'étaient rien, notre promesse était vaine; il a même été jusqu'à dire que c'eût été une moquerie, une tromperie envers l'Espagne et l'Europe.

Messieurs, je demande à l'honorable M. Thiers la permission de lui rappeler des paroles qu'il a prononcées, il y a un an, comme président du conseil du 22 février, le 2 juin 1836, à cette tribune; et ici je le prie d'être bien convaincu que ce n'est pas de ma part une malice; une malice en pareille matière serait indigne de lui comme de moi. Je vais lire ses propres paroles.

Le 2 juin 1836, comme président du conseil, l'honorable M. Thiers disait, en répondant, si je ne me trompe, à M. Mauguin:

«On a dit: Vous avez fait un acte énergique, c'est celui de reconnaître la reine; mais vous vous êtes arrêtés, et depuis vous n'avez rien fait. Je répondrai: Si, nous avons beaucoup fait. Nous avons d'abord donné à l'Espagne l'appui moral de la France et de l'Angleterre, et c'était beaucoup. Et si vous connaissiez aussi bien que nous, ce qui est difficile, quelque bien renseigné que vous soyez, puisque vous n'êtes pas aux affaires, si vous connaissiez le mouvement général des choses en Europe, vous sauriez que c'était beaucoup que cet appui moral de la France et de l'Angleterre.»

Il est donc bien reconnu, bien établi, messieurs, qu'un appui moral a été donné, et que l'appui moral était beaucoup. Je continue:

«Mais les Anglais ont donné un corps auxiliaire. La France a également donné un corps auxiliaire, non pas obscurément, mais ostensiblement. Enfin nous avons établi le long des Pyrénées un blocus très-rigoureux qui, sans doute, n'a pas empêché la contrebande de se faire, puisqu'il n'y a pas de lignes de douanes au monde qui puissent l'empêcher absolument, mais qui a empêché les grandes expéditions qu'on n'aurait pas manqué de faire passer par la frontière française. Sans ce blocus, vous auriez vu, non pas seulement des infiltrations, mais un second Coblentz espagnol sur la frontière de France. Tous les carlistes de l'Europe auraient envoyé par là des secours considérables qui auraient rendu la guerre civile plus redoutable qu'elle ne l'est.

«Enfin, après avoir signé ce traité de la quadruple alliance, après avoir donné à l'Espagne l'appui moral, le blocus et la légion étrangère, que restait-il à lui donner? Vous prononcez tous le mot pour moi, messieurs. Il restait à lui donner une armée française. Eh bien, permettez-moi de le dire, c'est là une question immense; c'est à cette question seule que le gouvernement s'est arrêté; et s'il ne s'y était pas arrêté, il serait en ce moment accusé devant vous de la hardiesse avec laquelle il l'aurait résolue. Il ne l'a pas résolue; et dans une aussi grande affaire, s'il était jamais amené à s'en occuper, ce que rien n'annonce aujourd'hui, il ne ferait que ce que lui conseilleraient la dignité, l'intérêt de la France, l'intérêt même de l'Europe, et j'ajouterai, le vœu bien connu, bien constaté, du pays.» (*Sensation prolongée.*)

Eh bien, messieurs, c'est là ce que nous faisons aujourd'hui. Nous recherchons ce vœu du pays; nous travaillons à le constater. Mais avant d'entrer dans l'examen de la question même, il faut qu'il soit bien reconnu, reconnu par nos adversaires comme par nous-mêmes, que le cabinet français ne s'est jamais considéré comme engagé, que non-seulement il ne s'est pas considéré comme engagé, mais qu'il l'a dit, qu'il l'a répété dans toutes les occasions; que ni l'Espagne, ni l'Europe n'ont pu s'y tromper; et, de plus, que ce qu'il a fait était beaucoup, qu'il n'est point exact de dire qu'il n'ait rien fait, qu'il n'ait pas tenu sa promesse, et qu'il a été au contraire établi par M. le président du conseil du 22 février, comme par tous les ministres des affaires étrangères qui se sont succédé, que nous avons fait beaucoup de choses, et des choses qui ont empêché jusqu'à présent le progrès des carlistes en Espagne.

Nous sommes donc libres, messieurs; la France est libre, la Chambre est libre, le gouvernement du roi est libre; nous pouvons examiner en toute liberté la question de la coopération armée ou de l'intervention, comme vous voudrez l'appeler; nous ne sommes pas liés par des paroles, par des traités; il s'agit seulement de savoir si cette mesure est conforme à l'intérêt de la France, si l'intérêt de la France le permet ou l'exige aujourd'hui. (*Au centre: Très-bien!*) Je répète à la Chambre que c'est pour aujourd'hui que je parle, pour le présent et non pour un avenir inconnu, pour un temps indéterminé, dont ni vous ni moi nous ne disposons. (*Voix à gauche:* C'est une nouvelle édition.) Je prie la Chambre et les honorables députés qui siégent sur ces bancs (*l'orateur désigne la section de gauche*) de prendre mes paroles au pied de la lettre; je les dis toutes sérieusement, avec une conviction profonde, et je n'entends en retirer aucune.

J'aborde maintenant la question en elle-même; et ici je remercie l'honorable M. Thiers d'avoir attaché, comme il le faisait avant-hier, peu d'importance à la distinction, sur laquelle on a tant disserté, entre la coopération et l'intervention. M. Thiers, avec la fermeté de son esprit, s'est prononcé nettement pour l'intervention; il a dit qu'il préférait l'intervention et ne croyait la coopération bonne qu'autant qu'elle suppléait à l'intervention et pouvait en tenir lieu. Il faut donc se rendre un compte exact, précis, complet, dans l'intérêt de la France d'abord, de l'Espagne après (*Très-bien!*), il faut, dis-je, se rendre compte de ce que c'est que la coopération armée et de ses conséquences.

Eh bien, pour moi, l'intervention, la coopération armée, c'est la France engagée dans les affaires intérieures de l'Espagne, la France attachant sa responsabilité aux destinées intérieures de l'Espagne, la France s'obligeant à une occupation plus ou moins prolongée de telle ou telle partie du territoire espagnol, à une influence plus ou moins cachée, mais prépondérante, sur le gouvernement espagnol, et acceptant la responsabilité qui s'attache partout à l'influence prépondérante. Voilà ce qu'est pour moi l'intervention ou la coopération armée.

On a dit que tous nos ambassadeurs, tous les hommes considérables et éclairés qui avaient été en Espagne, avaient regardé l'intervention, non-seulement comme bonne, comme nécessaire pour l'Espagne, mais comme facile, comme devant amener des résultats prompts et décisifs. Je demande à la Chambre la permission de mettre encore sous ses yeux pour rectifier les faits, pour qu'ils soient bien connus d'elle, et qu'en examinant la question elle ne soit dominée par aucune illusion, de mettre, dis-je, sous ses yeux l'opinion de l'ambassadeur que nous avons eu pendant plusieurs années en Espagne, et qui, en effet, était favorable à l'intervention. Voici quelle était son opinion sur ce point. Il examinait les différentes hypothèses, les divers modes d'après lesquels l'intervention pourrait avoir lieu, et, laissant de côté la question purement militaire pour s'occuper de la question politique, il ajoutait:

«Les passions que la lutte des partis et la guerre civile ont excitées ne peuvent être calmées en un instant; il paraît nécessaire que l'armée française, pour consolider son ouvrage, occupe, pendant un espace de temps plus ou moins long, le pays qu'elle aura pacifié. Le feu se rallumerait indubitablement, ou dans les provinces du nord ou sur quelques autres points de l'Espagne. Il faut convenir d'avance du temps que durera l'occupation, et de plus stipuler d'une manière bien positive que les troupes françaises ne quitteront le territoire espagnol, même après l'expiration de ce terme, que par suite d'une délibération prise en commun par les deux gouvernements, et non sur la simple demande du gouvernement espagnol. Il est résulté beaucoup d'embarras pour nous et beaucoup de mal pour l'Espagne de la faculté laissée, en 1823, au roi Ferdinand de faire cesser à son gré l'occupation du pays par nos troupes. Il ne faut pas que la même faute se renouvelle. N'oublions jamais qu'on doit s'attendre à des caprices perpétuels de la part d'une administration espagnole, et à des caprices capables de renverser en un instant tout ce que nous aurons fait pour assurer la tranquillité de la péninsule. Nous devons prendre nos mesures en conséquence.

«Ceci me conduit naturellement à parler de la conduite que nous devons nous prescrire à l'égard du gouvernement espagnol. Il ne peut évidemment, du moins jusqu'à la majorité de la reine, surmonter les difficultés inhérentes à sa nature et à sa situation qu'en s'appuyant sur nous. Notre coopération actuelle ne doit pas être un fait isolé, mais le premier pas que nous ferons dans un système nouveau...

«Tout en traitant l'Espagne en pays parfaitement indépendant, il est de toute nécessité de la tenir plusieurs années sous notre tutelle. C'est ainsi seulement qu'elle pourra entreprendre la réforme réelle de ses lois et de ses mœurs, calmer les passions violentes qui fermentent dans son sein, et se préparer un avenir de paix et de prospérité.»

Je n'entends pas examiner, quant à présent, le fond de la question; je n'ai voulu que vous faire connaître l'opinion de notre ambassadeur en Espagne, qui jugea qu'il était de son devoir d'en bien instruire le gouvernement du roi au moment où il croyait l'intervention possible.

La question n'est donc pas si simple, ni l'entreprise si facile qu'on voudrait vous le persuader. Je sais qu'on peut dire que tout ceci n'est qu'une conjecture, que l'intervention n'ayant pas eu lieu, on n'en saurait connaître les pesantes conséquences. Je ferai la même réponse à nos adversaires; je leur dirai que l'intervention n'ayant pas eu lieu, ils ne peuvent savoir non plus si elle aurait produit les résultats prompts et faciles qu'ils en attendent. Nous sommes à deux de jeu sur cette question. Mais la partie étant ainsi égale, il y a quelque chose à consulter; il y a des faits qui se sont passés en Espagne depuis quatre années; elle a une histoire qu'il faut examiner. Eh bien, je vous demande en grâce de vous rappeler tout ce qui s'est passé depuis la mort de Ferdinand VII.

Jamais gouvernement nouveau ne s'est établi et n'a passé les premiers moments de sa vie sous des auspices plus favorables ni entouré de meilleures circonstances.

Il s'est établi légalement, en vertu du droit, au nom du principe monarchique, si puissant en Espagne; au moment où il s'est établi, il n'a été contesté sérieusement par personne. Dans tout le pays, non-seulement il a été sur-le-champ le gouvernement légal, le gouvernement de droit, comme il l'est strictement et toujours; mais il a été reconnu, immédiatement reconnu par tous ses voisins, par les puissances qui pouvaient influer directement et efficacement sur ses destinées. Et non-seulement il a été reconnu, mais il a été soutenu moralement, comme je vous le montrais tout à l'heure, par la reconnaissance et par l'appui qui lui a été offert. Il a été soutenu matériellement par des envois d'armes, de munitions, de troupes, la légion étrangère française et la légion anglaise. En fait, je le répète, jamais gouvernement nouveau n'a été mieux soutenu en naissant ni entouré de circonstances plus favorables que celui de l'Espagne. Rappelez-vous ce qui s'est passé parmi nous au moment où le gouvernement de Juillet a été fondé. Est-ce que les circonstances lui ont été aussi favorables? Est-ce qu'il a été vu d'aussi bon œil par tous ses voisins? Est-ce qu'il n'avait pas les embarras intérieurs qui naissent d'une grande commotion, d'un grand emploi de la force nationale? Ces difficultés, messieurs, qui nous ont tant frappés, qui ont tant pesé sur nous, que nous avons en tant de peine à surmonter, le gouvernement de la reine ne les a pas rencontrées en Espagne.

Et cependant est-il parvenu aujourd'hui au même degré de fermeté, d'autorité, d'influence que le gouvernement français? Non, certainement non. Pourquoi? Il y a ici une cause intérieure, une cause que l'honorable M. Thiers signalait lui-même avant-hier: c'est la difficulté, l'extrême difficulté d'établir en Espagne un gouvernement régulier, efficace, qui s'empare de la population, qui la possède et la mène à son but. M. Thiers vous disait avant-hier, en vous parlant du juste-milieu espagnol, que ce qui lui manquait, c'était un gouvernement capable de le rallier et de le conduire. C'est là, messieurs, en effet, c'est là qu'est la véritable difficulté pour l'Espagne; c'est là le mal qu'il faut guérir, l'obstacle qu'il faut surmonter si l'on veut donner réellement à l'Espagne ce qui lui manque.

Eh bien, messieurs, ce que vous demandent, ce que vous proposent les partisans de l'intervention, c'est de vous charger de cette entreprise, c'est de donner au juste-milieu espagnol le gouvernement qui lui manque, de lui donner le temps et la force de l'acquérir.

Messieurs, je ne veux pas affirmer que l'entreprise est impossible; mais certainement elle est bien grande et bien difficile. Ce n'est pas la première fois que des gouvernements étrangers, que la France elle-même essayent d'influer sur l'Espagne, de la réformer, de diriger son gouvernement. Louis XIV l'a essayé, Napoléon l'a essayé, Louis XVIII l'a essayé. Il ne se fera jamais une intervention plus facile, qui ait rencontré moins d'obstacles, qui ait été plus promptement accomplie que celle de 1823. Elle a marché des Pyrénées à Cadix sans obstacle; elle a pris en peu de temps Cadix qui avait résisté à la toute-puissance de Napoléon, et tout cela accompli, quand la France a voulu influer efficacement sur le gouvernement espagnol, quand elle a voulu introduire dans ses conseils, dans ses actes, l'ordre, la modération, la sagesse, l'efficacité, ce qui fait les gouvernements enfin, elle a échoué.

Louis XVIII s'est conduit envers l'Espagne, à cette époque, d'une façon prudente et modérée; il lui a donné de bons et sages conseils; ils ont été à peu près sans vertu, et, trois ans après, il était sur le point de se brouiller avec l'Espagne et de rappeler son ambassadeur.

Est-ce donc là, messieurs, une entreprise facile? Est-ce là une chose que l'on puisse faire en quelques mois, en se jouant, sans y engager toute la force, toute l'autorité, toute la destinée de la nation? Non, messieurs; il est clair que c'est une affaire immense, une de ces affaires dont on ne se charge pas pour le compte d'autrui.

Et, pensez-y bien, messieurs, quel est le gouvernement que vous iriez aujourd'hui vous charger, je ne dis pas d'établir, mais de faire réussir en Espagne, d'assurer et de garantir? Louis XVIII avait affaire à Ferdinand VII, à un roi absolu, à une forme de gouvernement plus simple, plus expéditive que les formes constitutionnelles. Ce que vous iriez vous charger de faire réussir en Espagne, et avec grande raison, car vous n'en devez protéger aucun autre, c'est le gouvernement constitutionnel, un gouvernement libre, un gouvernement de publicité et de discussion, un gouvernement où l'élection joue un rôle immense. Connaissez-vous rien de plus difficile et de plus beau à la fois?

On vous parle, messieurs, de la fatigue et de la faiblesse comme des seules causes de l'existence du *juste-milieu* et de son empire. Messieurs, pour fonder un gouvernement de juste-milieu, il faut plus de courage, il faut plus de persévérance et de dévouement que pour aucune autre forme de gouvernement et aucune autre entreprise. (*Très-bien! très-bien!*)

Non certes, il n'est pas vrai que le juste-milieu et son empire soient l'effet de la fatigue et de la faiblesse. Sans aucun doute, le désabusement général y concourt. Je ne me fais pas plus illusion que vous sur ce qu'il peut y avoir aujourd'hui d'erreur et de mal dans l'état moral de mon pays; je sais qu'il y a dans ce désabusement général, dans ce scepticisme général, de la fatigue et de la faiblesse, j'en conviens; mais si nous n'avions trouvé que cela parmi nous, jamais vous ne seriez venus à bout de faire ce que vous avez fait; jamais le gouvernement, jamais le juste-milieu, jamais la révolution de Juillet n'auraient réussi. Ce n'est pas à nos défauts, ce n'est pas à ce qui nous manque, c'est à nos qualités, à notre expérience, à notre intelligence, à notre fermeté, à notre persévérance que le succès du juste-milieu a été dû en France; il vous faudrait rencontrer en Espagne les mêmes éléments pour réussir; et pour réussir, comment? par la main de l'étranger! (*Très-bien! très-bien! Mouvement prolongé.*)

Je conjure la Chambre, comme je le disais tout à l'heure, de prendre toutes mes paroles à la lettre, et de ne leur donner ni plus ni moins d'étendue que je ne leur en attribue moi-même. Ce que je conclus de tout ceci, c'est uniquement que l'entreprise est très-difficile, qu'elle exige les plus grands efforts, qu'elle lie la responsabilité et le sort de la France aux affaires intérieures et aux destinées de l'Espagne. Il faut donc, pour que la France s'y engage, un intérêt immense, un de ces intérêts dominants, prépondérants, auxquels les nations doivent quelquefois tout sacrifier. Cet intérêt existe-t-il? Je pense que non, et je demande à la Chambre la permission de lui en dire les raisons.

On a apporté, pour prouver tout l'intérêt que doit porter la France aux destinées actuelles de l'Espagne, des considérations de divers genres, les unes puisées dans la politique générale et permanente de la France, les autres dans sa politique actuelle et spéciale, dans l'intérêt du gouvernement de Juillet.

Je parcourrai rapidement les unes et les autres.

On a parlé de Louis XIV; c'est en effet le grand exemple et la grande autorité. Je prie la Chambre de se demander ce que sont devenues après Louis XIV, après ce grand acte de la fin de son règne sur l'Espagne, ce que sont devenues, dis-je, la conduite et la situation de la France dans les grandes affaires de l'Europe, dans tout le cours du XVIIIe siècle. La réponse est facile et connue de tout le monde: une inertie rare, une faiblesse évidente, peu d'influence et peu d'action dans les affaires générales de l'Europe, telle a été l'histoire de la France dans le XVIIIe siècle.

Une voix.—De l'Espagne?

M. le ministre de l'instruction publique.—De la France: c'est de la France que je parle.

Vous n'avez qu'à vous rappeler, messieurs, les grands événements politiques du XVIIIe siècle, la guerre de la succession germanique, la guerre de Sept ans, le partage de la Pologne; vous savez tous quel petit rôle la France y a joué. Pourquoi? Parce que la France était fatiguée, épuisée, et surtout lasse moralement des longues guerres de Louis XIV, de ces efforts si prolongés, si douloureux, de ces succès si incomplets. C'est là la vraie cause qui a laissé, pendant tout le XVIIIe siècle, la France inerte et peu puissante dans les événements généraux de l'Europe. Tout le monde l'a dit, ce n'est pas moi qui l'invente. Que serait-il arrivé, à cette époque, si le gouvernement français, méconnaissant ce grand fait, cet état de son pays, avait engagé la France dans de grandes et périlleuses entreprises? Messieurs, il serait peut-être arrivé de grands revers, et très-probablement de grandes inconséquences, des entreprises légèrement conçues, promptement abandonnées, et ce défaut de consistance, d'énergie qui s'attache aux actes, aux démarches, quand l'esprit général du pays et de l'époque n'y poussent pas, n'y soutiennent pas le gouvernement. C'est là, j'en suis convaincu, ce qui serait arrivé à la France du XVIIIe siècle.

Les ministres français de cette époque, le cardinal de Fleury en particulier, furent plus prudents; ils maintinrent la paix, ils firent de la paix la tendance générale de la politique de la France. Je ne pense pas qu'en définitive la France y ait beaucoup perdu en considération à l'étranger ni en prospérité intérieure. Certainement le XVIIIe siècle n'a pas été une époque de décadence pour la France. Ce qu'elle ne faisait pas d'un côté, elle le faisait de l'autre; ce qu'elle ne gagnait pas au dehors, elle le gagnait au dedans. Elle agissait, non par les armes, mais par les idées, par les lettres, par mille moyens qui lui donnaient en Europe une autorité qu'elle n'aurait pas due aux armes..... (*Nouvelle adhésion aux centres.*)

Eh bien, appliquez cet exemple simple, clair, qui repose sur de grands faits, appliquez-le à ce qui se passe aujourd'hui parmi nous. Sans aucun doute, la France est fatiguée des longues guerres, des glorieuses conquêtes de la

Révolution et de l'Empire. Ce n'est pas à dire, à Dieu ne plaise! que les guerres de la Révolution et de l'Empire aient été inutiles à la France; bien au contraire, elles lui ont rendu des services immenses; elles l'ont sauvée, elles l'ont fondée, elles l'ont glorifiée; mais elles ont fait leur temps, et à la fin elles étaient excessives. Il faut le répéter à cette tribune: l'esprit de guerre et de conquête était devenu excessif; il coûtait à la France bien plus qu'il ne lui valait. Il a fait son temps; nous sommes entrés dans une autre époque, dans une époque de paix, de travail régulier, de développement intellectuel, scientifique, industriel. C'est de ce côté aujourd'hui que la France cherche la force et la gloire. C'est de ce côté qu'il faut la conduire, et non pas en arrière, non pas vers des entreprises qui ont pu être bonnes et belles dans les temps passés, mais qui ne le seraient pas pour nous.

Le premier devoir, la première science des hommes d'État, c'est de démêler le véritable vœu de leur temps, le véritable caractère de leur époque, ce qu'elle désire, ce qu'il lui faut, à quoi elle est propre, à quoi elle se portera volontiers, d'elle-même, librement.

Nous parlons beaucoup de liberté; consultons donc un peu le vœu du pays; croyons un peu à sa libre impulsion, à sa spontanéité; ne prétendons pas lui imposer nos volontés, nos combinaisons, nos fantaisies; ne lui faisons pas une politique à notre guise; donnons-lui la sienne; la politique naturelle et libre est la seule que, dans un gouvernement libre, il faille professer et suivre; c'est la seule que, pour mon compte, je me propose de soutenir toujours. (*Marques nombreuses d'assentiment.*)

Permettez-moi, messieurs, après vous avoir parlé de la France, de jeter un coup d'œil sur l'Espagne elle-même. Je crains beaucoup que dans cette affaire, comme il arrive souvent, nous ne tombions dans de fréquents anachronismes, et que le souvenir des temps passés et des faits anciens ne nous fasse oublier les temps et les faits d'aujourd'hui.

On parle toujours de l'Espagne comme si nous étions au XVIe ou au XVIIe siècle. Mais, messieurs, l'Espagne du XVIe et du XVIIe siècle, l'Espagne contre laquelle François Ier, Henri IV et Louis XIV ont lutté, n'était pas du tout l'Espagne d'aujourd'hui; elle était étroitement liée aux rivaux de la France en Europe; elle était non-seulement sous l'influence, mais sous la puissance, sous la domination directe des rivaux de la France en Europe. L'Espagne n'était pas seulement au delà des Pyrénées, elle était au delà des Alpes, au delà du Rhin, elle était sur l'Escaut; elle était liée au royaume de Naples, au Milanais, à l'Allemagne, aux Pays-Bas; il y avait là une seule et même force, une seule puissance dans une même main, et contre laquelle la France luttait par une rivalité dont elle ne pouvait s'affranchir, qu'elle n'était pas allée chercher, mais qui était dans le cours naturel des événements et du développement de l'Europe.

Rien de semblable n'existe aujourd'hui: l'Espagne n'appartient plus à aucun des rivaux de la France en Europe; l'Espagne, depuis longtemps, est une puissance isolée, réduite à sa propre force. Quel est le degré de cette force? Je ne l'examine pas; mais enfin l'Espagne n'a plus, dans les luttes que la France peut être appelée à soutenir en Europe, ni la situation, ni l'importance qu'elle avait au XVIe siècle. Il faut bien se garder de juger par ces analogies qui reposent sur des apparences trompeuses. Pour que la France pût être légitimement amenée à s'engager profondément dans les destinées de l'Espagne, il faudrait évidemment d'autres raisons, des raisons plus décisives que celles que l'on tire de l'ancienne politique générale et permanente de la France.

On allègue une raison qui serait immense, et sur laquelle je ne voudrais pas me taire; on a dit: Si nous n'intervenons pas, ou si nous ne coopérons pas à main armée, l'alliance de la France et de l'Angleterre sera prodigieusement affaiblie.

Cette raison serait puissante pour moi, messieurs, car je suis convaincu que, par une foule de causes morales et politiques, l'alliance de la France et de l'Angleterre est, pour toutes deux, un immense et dominant intérêt. Mais il y a d'étranges retours, de singuliers revirements dans les choses de ce monde et dans les langages. En 1835, quand on nous demanda l'intervention en Espagne, une des raisons les plus puissantes qu'on allégua contre notre intervention, c'est que cela affaiblirait l'alliance de la France et de l'Angleterre, que le ministère whig en serait gravement compromis, qu'il fallait prendre garde de lui susciter cet immense embarras. Nous consultâmes en effet l'Angleterre; l'Angleterre fut d'avis qu'il n'y avait pas lieu à intervention, et nous nous en abstînmes en grande partie par cette considération; non qu'il n'y en eût d'autres, et de décisives à mon avis, mais celle-là fut d'un grand poids.

En 1835 donc, si nous intervenions, notre alliance avec l'Angleterre était compromise; aujourd'hui, si nous n'intervenons pas, notre alliance est également compromise et affaiblie!

Je ne pense pas, messieurs, qu'un fait aussi important que l'alliance de la France et de l'Angleterre tienne à des considérations qui varient ainsi d'une année à l'autre. Non, messieurs, l'alliance de la France et de l'Angleterre tient d'une part à la sympathie naturelle d'idées, de sentiments, d'institutions qui existent entre les deux peuples; de l'autre, et surtout peut-être, au maintien de la paix générale en Europe. L'alliance de la France et de l'Angleterre est la base et la garantie de cette paix. Voilà pourquoi elle est au-dessus de tous ces événements, de tous ces incidents particuliers dont on voudrait la faire dépendre. Elle résisterait, soyez-en sûrs, à bien d'autres épreuves. Nous sommes unis, intimement unis avec l'Angleterre; mais nous conservons, dans notre union, la liberté de notre politique, de nos démarches; nous ne subordonnons pas notre conduite à la conduite de l'Angleterre, notre politique à la sienne dans tous les lieux. L'Angleterre en fait autant de son côté, et je le conçois; dans une foule d'occasions, elle suit sa politique particulière, son intérêt particulier, et je ne crois pas que son alliance avec la France soit compromise, ni affaiblie parce que les intérêts des deux pays peuvent, sur tel ou tel point, dans telle ou telle affaire, se trouver en dissidence ou en opposition.

Non, messieurs, nous ne sommes pas à ce point, ni l'Angleterre non plus, susceptibles et jaloux; nous ne nous tenons pas pour enchaînés les uns aux autres parce que nous sommes alliés; nous conservons, je le répète, et il importe que la France le sache bien, dans notre alliance avec l'Angleterre, la liberté de nos actions, la liberté de considérer dans tous les temps, dans tous les lieux, quel est l'intérêt de la France. Votre alliance avec l'Angleterre ne sera compromise ni dans l'une ni dans l'autre des deux hypothèses qui nous occupent. (*Très-bien! très-bien!*)

Je demande pardon à la Chambre de l'étendue de cette discussion; mais la question est si grave (*Oui! oui!*) et ma conviction si profonde, que je ne voudrais laisser ignorer aucune des raisons qui déterminent le cabinet et dirigent sa conduite. (*Parlez! parlez!*)

On dit que du moins, si l'alliance anglaise n'est pas compromise ni affaiblie, nous laisserons prendre à l'Angleterre en Espagne une influence immense, que celle de la France n'y sera plus rien. Parce que l'Angleterre a permis ou ordonné, comme on voudra, à quelques marins, à quelques artilleurs, de rendre à la cause de la reine un utile service, un service dont nous nous félicitons, auquel nous applaudissons, il en résultera pour elle une complète prépondérance en Espagne, et la France en sera exclue.

Messieurs, l'Angleterre, permettez-moi de vous le rappeler, a rendu à l'Espagne de bien autres services. De 1808 à 1814, l'Angleterre a soutenu l'Espagne par de bien autres moyens, avec des démonstrations bien autrement éclatantes, elle devait avoir acquis dans ce pays une bien autre prépondérance; et cependant vous avez vu, sous la Restauration, l'Espagne revenir naturellement, d'elle-même, se placer sous l'influence de la France. (*Bruit à gauche.*) C'est qu'il y a là un empire des situations, une force des choses que rien ne peut détruire; c'est que l'Espagne est naturellement dans la sphère de la France beaucoup plutôt que dans celle de l'Angleterre. Et croyez-moi, lorsqu'un tel fait a résisté à des services aussi considérables, aussi éclatants que ceux que l'Angleterre avait rendus à l'Espagne en 1812, il résistera aussi, après de légères oscillations, après des variations dont il ne faut pas trop se préoccuper, aux services nouveaux qu'elle pourrait lui rendre encore.

Mais on s'occupe surtout des intérêts commerciaux, on craint surtout pour les intérêts commerciaux de la France en Espagne.

Messieurs, je ne puis entrer à ce sujet dans aucun détail; ce qui importe et ce que je puis dire à la Chambre, c'est que le gouvernement du roi n'a pas perdu un seul instant de vue les intérêts commerciaux de la France en Espagne, et que, lorsqu'ils lui ont paru compromis ou pouvant être compromis par tel ou tel arrangement particulier entre l'Espagne et l'Angleterre, il a sur-le-champ pris ses mesures pour que ces projets ne fussent pas réalisés. Des précautions ont été prises sous le ministère de M. le duc de Broglie, et tout récemment encore par le cabinet actuel, et par les soins de M. le président du conseil.

La Chambre peut être sûre que les intérêts commerciaux de la France en Espagne, comme ailleurs, seront toujours l'objet particulier des soins et de la vigilance du cabinet. (*Très-bien!*)

Je demande à la Chambre la permission de prendre un peu de repos.

Après une interruption de cinq minutes, M. le ministre reprend en ces termes:

Messieurs, j'arrive à la dernière question posée dans ce grand débat, et je me demande: ce à quoi nous ne sommes point engagés par les traités, ce qui serait très-difficile, ce que la politique générale et permanente de la France, ne nous commande point, la politique spéciale, la politique actuelle, l'intérêt du moment, l'intérêt du gouvernement de Juillet nous le prescrivent-ils? C'est la dernière, et certainement la plus importante de toutes les questions.

M. ODILON BARROT.—C'est vrai.

M. le ministre de l'instruction publique.—Je pense absolument, sur l'importance de la question, comme l'honorable M. Odilon Barrot. Je ne l'atténuerai pas plus que lui.

On dit qu'il y a aujourd'hui entre les idées, les institutions, la politique, la cause de l'Espagne, et les idées, les institutions, la politique, la cause de la France, une telle identité que la France ne peut se dispenser..... Je prie M. Odilon Barrot de me permettre de poser la question..... (*Exclamations à gauche.*)

M. ODILON BARROT.—Je n'ai pas dit un mot.

M. DE BRICQUEVILLE.—C'est de la taquinerie. (*Rires et nouvelles exclamations.*)

M. le ministre de l'instruction publique.—Je demande à la Chambre la permission de ne pas répondre à cette taquinerie par une autre. (*On rit.*)

M. le ministre de l'instruction publique.—On dit que c'est sa propre cause que la France doit aller soutenir en Espagne. Il y a du vrai dans cette assertion, beaucoup de vrai, messieurs, et c'est à cause de cela que nous avons fait, depuis trois ans, pour l'Espagne, tout ce que nous avons fait; c'est à cause de cela que nous avons prêté à la reine, soit de prime abord, soit par des traités, l'appui que nous lui avons prêté, que nous sommes loin de ne vouloir plus lui prêter, que nous lui prêterions aujourd'hui comme alors, que nous nous glorifions de lui avoir prêté. Mais enfin il faut savoir quelle est la mesure de cette vérité, quelle part elle doit occuper dans les intérêts et dans la conduite de la France: là est toute la question.

La France, messieurs, depuis six ans, a suivi une politique qui lui a réussi en Europe, il est impossible de le contester; elle a maintenu la paix et en même temps son influence et sa considération se sont accrues.

Pourquoi?

D'abord parce que nous nous sommes dit constamment depuis six ans: notre sûreté et notre puissance au dehors dépendent surtout de notre tranquillité et de notre force au dedans, parce que nous avons fait de notre politique intérieure notre grande affaire, parce que nous nous sommes soigneusement abstenus de nous engager dans des affaires étrangères et lointaines. Nous nous sommes appliqués à consolider notre gouvernement, à raffermir l'ordre, à ressaisir tous les principes de l'ordre social, à développer l'intelligence et la prospérité nationales. Voilà notre première cause de succès.

Nous nous sommes de plus soigneusement abstenus de tout esprit de propagande; nous avons évité tout ce qui pouvait nous engager dans une lutte ardente; nous avons pratiqué, au dehors comme au dedans, la politique du juste-milieu; nous avons toujours agi dans un intérêt de modération, de transaction; nous ne nous sommes jamais mis à la suite ni de l'un ni de l'autre des deux principes qui sont toujours prêts à se combattre en Europe, du principe absolutiste ni du principe révolutionnaire. Notre politique intérieure comme extérieure a été, je le répète, une politique de juste-milieu.

Nous avons fait plus encore; nous n'avons pas voulu faire, d'une manière aveugle et indistincte, de la propagande, même au profit du juste-milieu; nous avons soigneusement distingué les lieux, les situations; nous avons compris que notre intérêt dans le succès du juste-milieu n'était pas le même à Turin ou à Naples, à Bruxelles ou à Lisbonne, qu'il y avait là des différences dans les situations dont il fallait tenir compte; en sorte que la politique même du juste-milieu ne nous a pas trouvés aveugles et serviles, et ne nous a pas entraînés partout à sa suite, sans mesure ni discernement.

Cette conduite nous a réussi au delà, je ne dirai pas de nos vœux, mais au delà de l'attente générale de l'Europe et de la France.

Certainement, quand le gouvernement de Juillet a été fondé, quand il a commencé à marcher décidément avec fermeté dans sa politique, personne ne croyait qu'il réussît à ce point.

Deux grands faits se révèlent là, messieurs, deux faits trop longtemps méconnus et trop souvent oubliés. Je prie la Chambre de me permettre de les signaler bien clairement à son attention.

Le premier, c'est que l'Europe continentale elle-même n'est plus aveuglément entraînée par l'esprit absolutiste et contre-révolutionnaire; le second, c'est que la France n'est plus dominée par l'esprit révolutionnaire. Ce sont là les deux faits que notre succès a mis en lumière.

Représentez-vous ce qu'était l'Europe continentale en 1791, quelles idées, quels sentiments, quels projets dirigeaient sa politique, et comparez-la à ce qu'elle est aujourd'hui. Évidemment l'Europe continentale a acquis beaucoup d'intelligence et d'expérience. Elle sait comprendre, elle sait accepter les faits nécessaires; c'est là la sagesse des gouvernements.

Non-seulement l'Europe est devenue modérée, mais l'esprit de réforme, d'amélioration, de progrès s'est introduit dans tous les pays, dans tous les gouvernements. Je n'hésite pas à le dire et je demande à la Chambre la permission de lui exprimer complétement ma pensée à ce sujet. L'esprit fanatique d'absolutisme est en déclin dans toute l'Europe, l'esprit de réforme et de progrès pénètre partout. Dans les monarchies absolues même, la situation des choses a changé; le besoin de la justice envers tous, le besoin du bien-être général, ces deux idées, ces deux sentiments ont pénétré dans tous les gouvernements, à des degrés sans doute très-divers, très-inégaux, et qui sont loin, pour mon compte, de me satisfaire partout également, mais qu'il faut reconnaître partout.

J'admets les exceptions, les inégalités, les variétés; je signale seulement un fait général, le progrès d'intelligence et de modération de l'Europe entière.

C'est là un fait immense et dont il faut tenir grand compte. En même temps, et à côté de ce fait, vous avez le fait correspondant: la France a reçu de sa révolution les biens qu'elle lui demandait; elle en a éprouvé les maux, reconnu les erreurs, elle est à la fois expérimentée et satisfaite. L'esprit conservateur est en progrès parmi nous, en progrès légitime, n'abandonnant rien de ce qui a été justement conquis, ne renonçant à rien de ce qui a été justement pensé, mais revenu aux idées conservatrices de l'ordre social. (*Adhésion aux centres.*) Cela est visible dans les institutions, dans les idées, dans le langage, partout; cela est visible surtout depuis la révolution de Juillet. C'était un des plus grands malheurs, un des plus grands vices de la Restauration, que par la méfiance qu'elle inspirait, par quelques-unes de ses tendances, elle réchauffait sans cesse l'esprit, les passions, les préjugés révolutionnaires parmi nous. La France lui doit beaucoup en ce sens que, précisément parce qu'à cette époque elle se méfiait de son gouvernement, elle a voulu être libre; la France a voulu, sous la Restauration, ce qu'elle oubliait sous l'Empire; elle a voulu être libre; elle a eu besoin des garanties de la liberté sous un gouvernement dont elle se méfiait. Mais en même temps que la France a appris à être libre, qui de nous peut méconnaître que les passions, les idées, les préjugés révolutionnaires ont repris, à cette époque, un empire qu'ils n'avaient plus?

Eh bien, messieurs, un des grands bienfaits de la révolution de Juillet, c'est d'avoir affranchi l'esprit de la France, de l'avoir délivrée de ces fantômes qui l'obsédaient; elle lui a permis, sous un pouvoir en qui la France se confie, de se dégager de ces routines, de ces habitudes, de ces passions, de ces préjugés révolutionnaires; elle lui a permis de revenir avec sécurité à sa pente naturelle, à l'esprit conservateur, à l'esprit d'ordre, aux idées morales et religieuses, et à toutes les habitudes qui s'y rattachent. (*Très-bien! très-bien!*)

Il en résulte pour la France un fait bien simple et bien éclatant, c'est qu'elle peut parler à tout le monde; c'est qu'elle a des idées, des sentiments, des intérêts communs avec les deux grandes forces, les deux esprits puissants qui se balancent aujourd'hui en Europe, avec les réformateurs et les conservateurs; la France sait les comprendre et se faire comprendre des uns et des autres; la France peut les aider et se faire aider des uns et des autres; la France peut entrer en intelligence, en relation avec les peuples et avec les gouvernements, avec les amis du progrès et les amis de la liberté, avec les amis de l'ordre et les amis de la conservation. C'est là une situation admirable, une situation pleine d'indépendance et de force, une situation de vrai juste-milieu, de juste-milieu fondé, non sur la lassitude et la crainte, mais sur la raison éprouvée, sur le courage éprouvé; c'est là le juste-milieu qui fait la force des nations comme des gouvernements. (*Mouvement.*)

Eh bien, messieurs, c'est de cette belle et forte situation qu'on nous propose de sortir pour rentrer, à la suite d'un autre peuple, dans l'arène révolutionnaire, pour nous rengager dans la lutte violente, aveugle, de l'esprit révolutionnaire et de l'esprit absolutiste. La France peut tenir, tient réellement le sceptre en Europe entre les deux esprits; on lui demande de l'abdiquer et de redescendre parmi les combattants: est-ce que cela est dans l'intérêt de la France, messieurs? Est-ce que cela est dans l'intérêt de sa politique? est-ce conforme à ce qu'elle a fait depuis la révolution de Juillet? est-ce là ce que nous sommes allés faire à Anvers? est-ce là ce que nous avons voulu faire quand nous avons protégé la Suisse? Non, messieurs; ce que nous avons protégé partout, c'est l'esprit de modération et de transaction. Nous avons voulu prévenir partout la lutte violente entre le principe absolutiste et le principe révolutionnaire. Après notre révolution consommée, nous avons travaillé, du haut de la position que nous avons acquise, à faire prévaloir en Europe le double esprit de conservation et de progrès qui était le nôtre. Croyez-moi, en quittant cette position, en rentrant dans les luttes révolutionnaires, en mettant la révolution de Juillet à la suite... je ne voudrais pas dire de la révolution...

Voix à gauche.—Dites! dites!

M. le ministre de l'instruction publique.—Eh bien, puisqu'on veut que je le dise, en mettant la révolution de Juillet à la suite de l'insurrection de la Granja, on compromettrait et on abaisserait en même temps la France; on lui ferait courir le risque de se replonger dans les luttes d'où elle est si heureusement sortie. (*Très-bien! très-bien!*)

Une voix.—Vous isolerez la France.

M. le ministre de l'instruction publique.—La France changerait ainsi de position, la France abdiquerait à la fois sa sécurité et sa vraie grandeur; elle ne le fera pas.

On dit qu'il s'agit de la cause générale de l'humanité; on dit que la France ne peut pas ne pas la soutenir.

Voulez-vous, messieurs, que je dise quel est, dans ma pensée, le plus grand service que la France puisse rendre à cette cause, à la cause des gouvernements constitutionnels, de la liberté régulière, du progrès de la civilisation? C'est de réussir complétement chez elle, (*Aux centres.—Très-bien! très-bien!*) de donner partout l'exemple d'une nation réformée, d'une nation qui a fait une révolution et qui se gouverne paisiblement, qui rentre dans les voies régulières et conservatrices des sociétés: voilà le plus grand service que vous puissiez rendre à la grande et bonne cause. Soyez sûrs qu'un tel succès et un tel exemple valent bien des coopérations et des interventions. C'est une idée très-fausse, à mon avis, que de croire qu'on est appelé à aller jouer partout sa vie pour soutenir partout sa cause. Non! non! soutenir son droit chez soi, assurer son succès chez soi, donner ainsi aux autres l'exemple, et, en même temps, prêter au dehors son influence, son appui, son autorité, dans les limites de l'intérêt national, voilà le rôle qui convient à un pays qui a réussi comme la France. Croyez-moi, l'intérêt national est ici parfaitement d'accord avec l'intérêt général de l'humanité, et la France rendra de plus grands services en montrant la révolution de Juillet forte et heureuse, qu'en allant la compromettre à la suite d'une révolution pareille. Je demande pardon à la Chambre, je retire l'expression *pareille*; il n'y a rien de pareil entre la révolution de Juillet et l'insurrection de la Granja.

J'ai entendu faire ici cette comparaison; on n'a oublié qu'une chose, les ordonnances de juillet. (*Vive adhésion au centre.*)

On a semblé croire et dire que ce qui avait été parfaitement légitime le lendemain des ordonnances l'eût été également la veille. Pour mon compte, je ne le pense pas; je pense que la légitimité de la révolution de Juillet a commencé avec les ordonnances. (*Nouvelles marques d'adhésion aux centres.*)

M. GLAIS-BIZOIN.—Elle a commencé à partir de 1814. (*Mouvement.*)

M. le ministre.—Messieurs, je me résume. Je ne crois pas pour mon compte que la France ait, à la coopération en Espagne, un de ces intérêts puissants, supérieurs, qui font taire tous les autres et auxquels tout doit être sacrifié.

Je parlerai des carlistes...

À gauche.—Ah! voyons!

M. le ministre.—Je ne crains pas plus cette question que les autres, messieurs. Personne ne désire plus vivement que nous le succès et la consolidation du gouvernement de la reine Isabelle II. Notre conduite depuis trois ans ne peut laisser aucun doute à ce sujet. Nous espérons fermement ce succès. On a bien souvent annoncé le triomphe de don Carlos. Il n'a pas eu lieu, et toutes les fois qu'on l'annonçait le plus, à ce moment même un grand échec venait démentir les prédictions. Il y a, dans la cause de don Carlos, de bien autres faiblesses, de bien autres causes d'impuissance et de désordre que dans celle de la reine. Le triomphe régulier, l'établissement définitif, heureux du gouvernement de la reine, est difficile; mais le triomphe de don Carlos est extrêmement difficile aussi, j'espère impossible. Et parce que je ne voudrais pas engager les destinées de mon pays dans celles de l'Espagne, parce que je ne voudrais pas lier indissolublement la cause de mon pays et du gouvernement de Juillet à la cause de la reine Isabelle II, nous n'en faisons pas moins, non-seulement des vœux, mais des efforts pour l'intérêt de la reine Isabelle, dans les limites des intérêts de la France.

On demande ce que nous ferions, si par malheur la cause qui n'est pas la nôtre triomphait. Personne ne peut le dire, personne ne doit le dire, le gouvernement moins que personne. Nous avons vu un autre gouvernement en Espagne, messieurs; nous avons vu Ferdinand VII roi à Madrid. C'était dans les premiers temps de la révolution de Juillet; c'était au moment de ses plus grands dangers, lorsqu'elle pouvait se croire sérieusement et réellement menacée par l'Europe continentale. Il n'en est rien arrivé. Malgré cet isolement dont on parlait tout à l'heure, la France a surmonté ces obstacles; elle a traversé 1831 et 1832 avec l'Europe continentale en grande alarme et un roi absolu à Madrid. Ce que la France a fait en 1831 et 1832, elle le ferait également en 1838 et 1839. La France est sûre d'elle-même. Elle a suffi depuis six ans à toutes les nécessités de sa situation; elle a suffi, au dedans et au dehors, à des périls, à des craintes bien plus graves qu'il ne peut en reparaître aujourd'hui, aujourd'hui que son gouvernement se consolide, que ses citoyens se rallient, qu'elle fait preuve à la fois, aux yeux de l'Europe, de sagesse et de force.

Messieurs, ce serait de la part du gouvernement un acte de grande imprudence que de s'engager sur l'avenir, quel qu'il soit. Mais nous ne nous engagerons pas plus à nous abstenir qu'à agir; nous veillerons, envers et contre tous, aux intérêts de la France. Et quant à l'Espagne, notre conduite dans le passé, nos sincères et constants efforts pour faite triompher, dans la limite des intérêts de la France, le gouvernement de la reine, c'est là le gage le meilleur, le plus sûr que nous ayons à offrir à notre pays. (*Marques nombreuses d'assentiment.*)

LXXXI

Continuation de la discussion du projet d'adresse sur les affaires d'Espagne.

—Chambre des députés.—Séance du 17 janvier 1837—

M. Berryer, ayant vivement attaqué la politique du gouvernement du roi quant à l'Espagne, affirma qu'elle ne réussirait pas. Je lui répondis pour établir le caractère général et conséquent de cette politique, soit à l'intérieur de la France, soit dans nos relations avec l'Espagne, et pour montrer qu'elle était déjà en voie de succès.

M. GUIZOT, *ministre de l'instruction publique.*—Messieurs, il y a sept ans, nous sommes entrés, pour la première fois, dans cette Chambre, l'honorable préopinant et moi; lui pour soutenir le ministère de M. de Polignac, moi pour le combattre. (*Très-bien! très-bien!*)

M. BERRYER.—Je demande la parole.

M. le ministre.—Lui pour soutenir le ministère de M. de Polignac, moi pour le combattre; lui pour combattre l'adresse des 221, moi pour la soutenir. (*Très-bien! très-bien!*)

Nous avons été constamment, depuis ce jour, lui et moi, et nous sommes encore aujourd'hui, fidèles à notre origine, à notre cause. Ce qu'il faisait il y a sept ans, il vient de le faire; ce que je faisais, je le fais encore aujourd'hui.

Que vous a-t-on dit pendant sept ans, messieurs? Que vous a dit, en particulier, l'honorable préopinant, quand il s'agissait des affaires de la France et de nos efforts pour rétablir l'ordre dans notre pays? Il vous a dit: «Vous tentez l'impossible, vous ne réussirez jamais; vous êtes sous l'empire d'un principe fatal, du principe révolutionnaire, qui vous pousse invinciblement de conséquence en conséquence à l'anarchie. Vous avez beau lutter, vos efforts seront vains.»

Le fait a donné un démenti éclatant à ses prédictions tant de fois répétées; l'ordre a été rétabli. Le gouvernement fondé, disait-on, sur l'anarchie, s'est affermi par l'ordre; sa considération et son influence se sont accrues. On ne peut plus vous parler aujourd'hui de l'impossibilité de faire quelque chose de raisonnable et de régulier en France; on ne le peut plus, on y renonce, ou se transporte sur un autre terrain, dans un autre pays. (*Très-bien! très-bien!*)

À vos portes, messieurs, il y a un peuple qui, dans des circonstances très-difficiles, avec une civilisation bien moins avancée que la vôtre, avec une expérience bien moins longue, n'étant pas encore en possession, comme nous, des fruits d'une puissante révolution, il y a un peuple, dis-je, qui fait des efforts pour introduire chez lui quelques principes de constitutionnalité, de liberté, des efforts douloureux, mêlés d'incidents déplorables; vous prêtez votre appui à ce peuple, vous le lui prêtez dans les limites qui conviennent à votre situation, à vos intérêts. On vient vous dire: «Vous tentez l'impossible, vous ne réussirez jamais à rien; vous n'affranchirez point l'Espagne; l'Espagne ne réussira à rien: ni la liberté, ni l'ordre constitutionnel n'auront en Espagne un moment d'existence; renoncez-y donc, ne faites rien pour vos voisins.»

On vous dit pour l'Espagne, messieurs, ce qu'on vous a dit pendant six ans pour vous-mêmes; on vous prédit pour l'Espagne l'impossibilité qu'on vous a prédite pour vous-mêmes. Je n'ose pas me flatter; je n'ose pas prédire à mon tour que vous réussirez en Espagne aussi complétement, aussi heureusement que vous avez réussi en France; mais je dis que vous avez raison d'essayer, que vous avez raison de donner votre appui aux tentatives constitutionnelles de l'Espagne, de le lui donner, comme je le disais hier, dans les limites de l'intérêt de la France, (*Très-bien! très-bien!*) en prenant toujours l'intérêt de la France pour point de départ; je dis que, si cette prétendue impossibilité dont on vous parle devait réellement exister, il faudrait, avant de le reconnaître, que vous eussiez fait pour l'Espagne tout ce que l'intérêt de la France vous permet.

Je ne rentrerai pas, la Chambre le comprendra sans peine, dans la discussion à laquelle je me suis permis déjà hier de donner tant d'étendue; j'ai cependant quelques réponses simples et directes à faire à l'honorable préopinant; et d'abord, quelques faits importants à rectifier.

Il a parlé des réticences du cabinet, des embarras, des incertitudes de son langage et de sa politique. Messieurs, je ne dirai pas que, dans aucun cas, un gouvernement, un ministère ne doit avoir de réticences; il serait puéril et ridicule de tenir un pareil langage; sans doute il y a des occasions où un gouvernement doit savoir se taire et ne montrer qu'à demi sa pensée et son intention.

Nous serions étrangers aux plus simples règles du bon sens et de la politique, si nous prescrivions de venir toujours ici dire toutes choses, soit au moment même où nous les faisons, soit avant de les faire. Mais certes, si jamais politique a été claire, avouée, franche dans ses principes généraux, dans ses volontés générales, c'est celle qui a été suivie depuis six ans et qui l'est encore en ce moment. Et cela est si vrai, que l'honorable préopinant lui-même, pour connaître cette politique, n'a pas besoin qu'on la lui dise; il vous disait tout à l'heure: «Je sais ce que faisait, ce que devait faire l'ancien président; je sais ce que faisait, ce que doit faire le ministre de l'instruction publique; je le sais, je n'ai pas besoin qu'on me l'apprenne.» Messieurs, notre politique est donc bien claire, bien franche, puisqu'on la connaît si bien; il n'y a certes point de réticences dans une politique ainsi comprise avant d'avoir parlé. (*On rit.*)

Voici un autre fait qui n'est personnel ni à moi ni au cabinet.

Je m'étonne que l'honorable membre ait parlé du testament de Ferdinand VII comme d'un acte odieux, extorqué à un mourant pour la translation de la couronne sur la tête de sa fille. L'honorable préopinant ignore donc complétement les faits; il ignore donc que le testament de Ferdinand VII n'a rien de nouveau; il ignore qu'en 1789, un acte sanctionné par les cortès du royaume avait aboli la pragmatique-sanction de Philippe V et réglé la succession à la couronne comme l'a fait le testament de Ferdinand VII; il ignore ce qu'il devrait savoir encore mieux, c'est que l'adoption définitive et publique de cet acte des cortès a eu lieu en 1830, bien avant la mort de Ferdinand VII, lorsqu'il ne s'agissait pas d'extorquer un testament à un mourant, lorsque Ferdinand était en pleine possession de sa raison et de sa liberté, pendant que Charles X régnait à Paris; il ignore que l'ambassadeur de France à Madrid, à cette époque, voulut faire des observations et s'opposer au changement de l'ordre de succession en Espagne, et qu'il reçut du gouvernement de Charles X l'ordre de ne point s'opposer, de laisser aller les choses. Ce sont là des faits avérés, officiels, et qui établissent de la manière la plus claire, la plus positive le droit légal du la reine, reconnu par l'Espagne elle-même, dans les formes de ces anciennes institutions que l'honorable préopinant vantait tout à l'heure.

Il a examiné la question de droit, je l'ai examinée après lui; je viens à la question de fait. Il s'est demandé quel était en Espagne le vœu national, et il a comparé la situation du gouvernement de la reine Isabelle et celle de don Carlos.

Il me serait aisé de faire la comparaison contraire, de vous montrer don Carlos en présence d'un gouvernement nouveau, du gouvernement d'une femme et d'un enfant, d'un gouvernement agité par les dissensions qui accompagnent nécessairement les débuts d'un régime de liberté; il me serait aisé de vous montrer don Carlos incapable de sortir de la Navarre, obligé de se concentrer dans des provinces où il ne trouve de la force que parce qu'elles se défendent, non pour lui seul, mais pour leurs antiques priviléges et leur liberté; don Carlos incapable d'exciter, dans le reste de l'Espagne, une insurrection sérieuse, parvenant à faire promener, comme cela s'est vu souvent en Espagne, une bande chargée de prélever, comme on l'a dit, des contributions; une bande qui pille pour je ne sais qui, pour elle-même peut-être, et qui, en parcourant la péninsule, ne peut s'établir nulle part, ne peut faire insurger nulle part les populations des campagnes pour sa cause, ne peut prendre possession durable d'aucune ville. Et c'est là un parti, c'est là un prince qui a pour lui le vœu national! C'est là un parti, un prince qui n'a qu'à se montrer pour rallier le peuple autour de lui? Non, messieurs, don Carlos est resté cantonné dans des provinces dont il n'a pu sortir, et la bande qui en était sortie a été obligée d'y rentrer. (*Mouvement d'approbation.*)

Le vœu national n'est donc pas plus avéré que le droit. Le droit est en faveur de la reine, et tout ce qui s'est passé jusqu'à présent prouve que le pays lui est également favorable.

Mais, a-t-on dit, ce que vous voulez est impossible en Espagne. Vous voulez y faire ce que vous faites chez vous, y établir un gouvernement fondé sur le principe du pouvoir royal, tempéré par l'empire des majorités, au lieu d'un gouvernement fondé sur l'empire des majorités, tempéré par le pouvoir royal. Je voudrais de tout mon cœur, messieurs, que l'Espagne en fût à cette question; je voudrais de tout mon cœur qu'elle ne fût pas agitée par d'autres débats; mais il n'en est rien. Non, ce n'est pas cette question, moitié politique, moitié philosophique, qui se débat aujourd'hui en Espagne; c'est une question bien plus puissante, bien plus simple.

Il s'agit de savoir si l'Espagne sera livrée, perpétuellement livrée à un vieux despotisme usé, au despotisme de l'intérieur du palais et de l'inquisition; à un despotisme qui a été incapable de se défendre contre l'étranger, qui n'a rien pu faire pour l'Espagne aux jours du péril de l'Espagne, qui a été obligé de laisser l'anarchie s'emparer du pays pour le défendre... (*Très-bien! très-bien!*)

Oui, messieurs, c'est par l'anarchie populaire que l'Espagne a été défendue contre l'étranger. Le despotisme, que vous appelez l'antique constitution du pays, n'a rien pu pour elle et ne pourrait pas davantage aujourd'hui.

Il s'agit de savoir si le pays lui sera de nouveau abandonné, ou si l'Espagne saisira quelque ombre de garanties pour les libertés individuelles, pour la liberté de la pensée, de la parole, pour les libertés élémentaires de la vie sociale. Voilà de quoi il s'agit, et pas du tout des majorités tempérant le pouvoir royal, ou du pouvoir royal tempérant les majorités... (*Nouvelle adhésion.*)

Dans cet état de l'Espagne, que voulons-nous y faire? Voulons-nous essayer d'y établir les mêmes principes, les mêmes formes, la même régularité de gouvernement que chez nous? J'ai protesté hier à cette tribune contre une telle entreprise; c'est cette entreprise que j'ai déclarée, non pas impossible, je me suis gardé de le dire, mais tellement difficile qu'il faudrait un intérêt immense, dominant, irrésistible, pour que la France dût s'y engager. Mais ce n'est point là ce que nous avons tenté en Espagne. Ce que nous avons vraiment tenté, pour le gouvernement de la reine, par l'appui moral que nous lui avons prêté, par les secours indirects résultant des traités, par le blocus que nous avons ordonné, et qui, en effet, nous a coûté cher, ce que nous avons voulu faire, c'est d'aider aux efforts d'un peuple malheureux qui essaye d'entrer dans la carrière des gouvernements réguliers et libres. Je me suis appliqué hier à constater à cette tribune la différence de situation des deux peuples, à montrer pourquoi la France ne pouvait, ne devait pas se compromettre profondément dans une entreprise si difficile. Mais Dieu me garde d'avoir jamais abandonné les généreux desseins du cabinet du 11 octobre, ces desseins qui ont été constamment poursuivis depuis avec mesure et persévérance, et qui ont eu pour but d'aider le gouvernement espagnol dans les premiers rudiments de la constitutionnalité, de lui donner tout l'appui indirect qui n'engagerait pas la sûreté, la prospérité, la dignité de la France.

Voilà ce que nous avons fait, et il n'y a rien là d'impossible. Je ne sais pas, ni vous non plus, ni personne, quelle sera l'issue de cette grande lutte; mais enfin depuis trois ans l'issue est suspendue; et quand vous avez cru qu'elle allait se terminer en faveur de votre prétendant, toujours un grand événement est venu éclater contre lui. À qui cela est-il dû? Au vœu national de l'Espagne d'abord. Si l'Espagne n'était pas favorable à la cause de la reine, ce que nous avons fait pour elle n'aurait pas empêché votre prétendant de réussir. À ce vœu de l'Espagne est venu s'ajouter l'appui que la France et l'Angleterre lui ont donné depuis trois ans; voilà ce qui a empêché le prétendant de réussir.

Tantôt c'est le concours de la France, c'est le blocus rigoureux qui a prévenu le passage des armes et des munitions; tantôt ce sont des marins et des artilleurs anglais qui ont fait échouer un grand siége; tantôt c'est la légion étrangère dont le courage a déjoué les expéditions des carlistes. Messieurs, il n'y a rien là d'impossible, car cela a été effectivement accompli; il n'y a rien là d'impossible, car nous poursuivons ce que nous avons fait. Nous persévérerons dans la même voie. Nous n'engagerons pas la France, mais nous tenterons de donner et nous donnerons, je l'espère, un secours prolongé, efficace, qui servira réellement l'Espagne et qui déjouera, je l'espère, les desseins du prétendant. (*Bravos aux centres.*)

LXXXII

Discussion sur les affaires de l'Algérie et sur la première expédition de Constantine.

—Chambre des députés.—Séance du 22 avril 1837.—

À l'occasion du crédit extraordinaire demandé pour faire face aux dépenses de la première expédition de Constantine (fin de 1836), une vive discussion s'éleva; le maréchal Clausel défendit sa conduite dans cette expédition, et M. Thiers prit la parole, le 21 avril, pour expliquer et soutenir la politique qu'il avait suivie lui-même, quant à l'Algérie, comme président du cabinet du 22 février précédent. Quoique je ne fisse plus alors partie du cabinet de M. Molé, je pris la parole pour le défendre et discuter notre politique générale en Algérie.

M. GUIZOT. (*Mouvement d'attention.*)—Messieurs, au premier abord, quand j'ai vu se rengager hier la discussion du système qu'il convient de suivre à l'avenir dans nos possessions d'Afrique, j'ai ressenti quelque regret. Cette discussion avait été ajournée au projet de loi sur les crédits extraordinaires; j'ai craint un moment que, venue incidemment et d'une manière inattendue, elle ne fût mutilée, effleurée, écourtée, et qu'il n'en résultât pour la Chambre peu de lumière.

Mon inquiétude s'est bientôt dissipée: les développements, non-seulement brillants, mais lumineux, qu'a donnés le président du cabinet du 22 février, ont rendu à la question son étendue, et ont remis la Chambre dans la véritable voie. Nous reprendrons ce débat quand viendra la demande des crédits extraordinaires; nous ne le viderons pas aujourd'hui, mais j'espère qu'il fera aujourd'hui un pas, et ce sera beaucoup.

Ce qui me paraît important, c'est de fixer bien précisément le point où la question est actuellement parvenue, l'état actuel de nos affaires en Afrique, et pour ce qui me regarde, si la Chambre me permet de le rappeler, la part qu'a eue le cabinet du 6 septembre dans cet état actuel de la question et des affaires. C'est sur ce point que je désire appeler en ce moment l'attention de la Chambre, en supprimant beaucoup de développements, beaucoup de parties de la question qui trouveront leur place lorsque nous la reprendrons à propos des crédits extraordinaires.

En entendant hier les premières paroles de l'honorable M. Thiers, j'ai éprouvé un moment de surprise. Il a commencé par dire qu'il ne s'agissait pas du tout ici de deux systèmes en présence, qu'il s'agissait uniquement d'une guerre mal faite. Ma surprise s'est bientôt dissipée: au bout d'un moment, j'ai revu les deux systèmes; ils ont reparu dans les paroles même de l'honorable M. Thiers. Il a bien élevé des doutes, il a bien ajourné, jusqu'à l'issue d'une guerre bien faite, le choix définitif entre les deux systèmes; mais il a évidemment combattu l'un, adopté l'autre. Il les a examinés tous les deux. Il a fait au système de l'occupation limitée une foule d'objections qui l'ont conduit à le déclarer à peu près impossible. Tout en reconnaissant les inconvénients du système de l'occupation universelle, tout en en ajournant l'adoption définitive, c'est cependant celui qu'il a soutenu: en sorte que, de son propre aveu, dans son propre discours, les deux systèmes se sont bien retrouvés en présence, et que c'est bien entre les deux que la Chambre aujourd'hui est appelée à délibérer.

Eh! messieurs, si cela n'était pas, que ferions-nous depuis six ans? Depuis six ans, c'est précisément entre les deux systèmes que nous nous débattons à la Chambre. Rappelez-vous, je vous prie, toutes les occasions où il a été question des affaires d'Afrique: entre une personne et une autre, sous une forme ou sous une autre, la question a toujours été de savoir jusqu'à quel point notre occupation devait être étendue, et militairement maintenue. Nous avons eu à choisir tantôt entre la colonisation et la non-colonisation, tantôt entre tel et tel gouverneur général; mais sous des mots et sous des noms propres différents, les deux systèmes ont toujours été aux prises, et la Chambre, depuis six ans, ne s'est occupée que de chercher lequel des deux doit être adopté.

Ce qui se passait dans la Chambre se passait également en Afrique. Là aussi les deux systèmes se sont rencontrés. Parcourez les différentes administrations qui ont régi l'Afrique depuis six ans: M. le maréchal Clausel à sa première administration, M. le duc de Rovigo, M. le comte d'Erlon, M. le maréchal Clausel à sa seconde administration; leur histoire n'est que l'histoire de la lutte confuse, sourde, et de l'amalgame souvent incohérent des deux systèmes; on a passé des tendances de guerre aux tendances de paix, des idées de colonisation aux idées de non-colonisation. On venait se plaindre de l'incohérence de la conduite de l'administration. Que voulait-on dire? qu'elle n'adoptait aucun système, qu'elle les confondait tous. Et il en était ainsi, non-seulement dans l'administration, mais au sein même de la population coloniale africaine. Là aussi, il y a des hommes qui ont la passion des aventures militaires et des aventures financières; il y en a d'autres qui préfèrent un établissement régulier, modéré, progressif. La même diversité d'esprit et de tendance qui s'est manifestée dans les débats de la Chambre, dans le sein de l'administration d'Afrique, cette même diversité existe et se manifeste dans la population coloniale elle-même.

Il y a donc bien là une lutte entre deux politiques, entre deux conduites, lutte qu'il est impossible de méconnaître et d'éluder, qui est le fond même des choses.

Elle a éclaté dans la conduite générale du gouvernement. Quand M. le maréchal Clausel est retourné en Afrique pour la seconde fois, les instructions qui lui ont été données étaient conçues dans le système de l'occupation limitée et pacifique. En arrivant en Afrique, M. le maréchal Clausel a fait une proclamation qui a paru s'écarter de ce système, et rentrer dans celui de l'occupation universelle et guerroyante. La différence a été si évidente que M. le ministre de la guerre s'est cru obligé de s'en plaindre.

Soit donc que vous considériez les débats de la Chambre, la conduite de l'administration en Afrique, l'état des esprits dans la population coloniale, les grands actes du gouvernement central, vous retrouverez partout la différence profonde des deux politiques et la nécessité, pour la Chambre comme pour le gouvernement, de se prononcer entre les deux.

Il le faut bien, messieurs, il le faut tous les jours plus nécessairement. Rappelez-vous les résultats de la seconde administration de M. le maréchal Clausel. Je les prends d'abord dans une seule province, dans celle où ils se sont déployés de la manière la plus exacte et la plus complète, celle d'Oran. Je ne rappellerai pas la généalogie dont parlait il y a quelques jours mon honorable ami M. Jaubert; mais voici les faits.

Dans la province d'Oran, vous avez été à Mascara, de Mascara à Tlemcen; vous avez lié Tlemcen à Oran par le camp de la Tafna; vous avez témoigné l'intention de retourner à Mascara, d'y établir une garnison et de lier de nouveau Mascara à Tlemcen par un autre camp.

Qu'est-ce que cela, messieurs? n'est-ce pas le système de l'occupation universelle, militairement organisée sur tous les points importants de la régence?

Il a été mis en pratique dans la province d'Oran. Pendant le même temps, on commençait à poursuivre le même but dans la province d'Alger; là aussi on annonçait l'intention d'occuper toutes les places, d'y établir des garnisons, de lier toutes ces places entre elles par des camps. On l'a tenté, on l'a commencé aussi dans la province de Bone; l'expédition de Constantine faisait partie de ce plan. On liait Bone à Guelma par le camp de Dréan. On devait établir un camp entre Guelma et Constantine. En un mot, c'était partout le système de l'occupation universelle et militaire aboutissant: 1° à l'occupation des places par des garnisons françaises ou indigènes à la solde de la France; 2° à l'enchaînement de toutes ces places entre elles par des camps retranchés; 3° à l'établissement, sur tous les points où nous ne serions pas nous-mêmes, de beys nommés par nous; 4° enfin, à des expéditions fréquentes pour ravitailler et soutenir les places, les camps, les beys.

Voilà le système tel qu'il a été conçu et qu'on a commencé à le pratiquer.

Quand le ministère dont l'honorable M. Thiers était président est arrivé aux affaires, il n'a pas définitivement et ouvertement adopté ce système; mais je n'hésite pas à dire, et je ne pense pas que l'honorable M. Thiers me démente, je n'hésite pas à dire qu'il s'est placé dans cette voie, sur cette pente. Je n'en veux pour preuve que la lettre de M. le maréchal Clausel au général Rapatel, son remplaçant en Afrique. C'est l'exposition la plus complète, la plus claire de ce système:

«Un système de domination absolue de l'ex-régence est, sur ma proposition, définitivement arrêté par le gouvernement.....»

Puis il ajoute:

«Les opérations qui doivent avoir lieu dans chaque province se feront simultanément et de manière à ce que la campagne qui va s'ouvrir atteigne le but définitif que l'on se propose.

«Occuper toutes les villes importantes du pays, y placer des garnisons et établir des postes retranchés au centre de chaque province et aux divers points militaires qui doivent être occupés d'une manière permanente; masser, sur un point central dans chaque province, les troupes destinées à former des colonnes mobiles qui pourront toujours et instantanément se porter d'un point sur un autre..... Voilà mon plan d'occupation.»

Un tel langage repose, si je ne me trompe, sur l'aveu tacite du gouvernement qui avait envoyé le maréchal en Afrique. Et non-seulement ce plan d'occupation était résolu, mais l'exécution en fut aussitôt commencée dans toutes les parties de la régence.

Voilà dans quel état le ministère du 6 septembre a trouvé la question. Eh bien, le cabinet du 6 septembre n'était pas d'avis de ce système; je l'avais, pour mon compte, toujours combattu; je m'étais prononcé à plusieurs reprises pour l'occupation limitée et pacifique, la Chambre peut me faire l'honneur de s'en souvenir. Le cabinet partageait à cet égard mon opinion, et repoussait l'opinion contraire par des raisons que je me permettrai de rappeler brièvement et en résumé; elles reviendront avec plus de développement dans la discussion des crédits extraordinaires.

La première de toutes, c'est que le système de l'occupation universelle entraînait la guerre permanente, résultat que le cabinet du 6 septembre n'a jamais voulu adopter.

On parle des États-Unis, de la population indigène qui les entoure. Eh bien, les États-Unis se sont conduits envers cette population avec beaucoup plus de ménagements et de prudence; les États-Unis n'ont pas dit: «Nous sommes les souverains, nous allons nous approprier tout le territoire dans lequel est dispersée cette population des Indiens; nous en occuperons les principaux points; nous établirons des camps, et nous ferons des promenades militaires continuelles.»

Si les États-Unis avaient dit cela, ils se seraient évidemment constitués en état de guerre permanente avec les populations indiennes. Ils ont procédé, je ne dirai pas avec plus de loyauté et de douceur, mais plus régulièrement, plus prudemment; ils ont laissé en paix la population dispersée sur le territoire; ils n'ont pas prétendu se l'approprier, l'organiser militairement; seulement, à mesure qu'ils ont avancé, ils ont pris telle ou telle portion de territoire, et se sont ainsi étendus.

Je comprendrais, sans l'approuver, qu'on voulût introduire en Afrique un pareil système; mais la prétention de prendre sur-le-champ le territoire tout entier, de l'occuper sur-le-champ militairement, et en même temps de vivre en paix, en bons termes avec la population qui le regarde en grande partie comme sien, cette prétention me paraît impossible à réaliser. Le système de l'occupation universelle et organisée militairement est le système de la guerre permanente avec la population arabe. Les dangers de cette guerre sont connus, je n'y arrêterai pas davantage la Chambre; mais elle voit là une des principales raisons pour lesquelles le cabinet du 6 septembre n'a pas cru devoir adopter ce système.

En voici un autre. Il est impossible que vous ne soyez pas frappés, depuis six ans, de la difficulté de gouverner une grande province, à la distance de l'Afrique, si loin de l'influence du gouvernement de Paris. Or, dans le système dont il s'agit, cette difficulté devient infiniment plus grande. Si vous avez, sur tous les points du territoire africain, un chef, des garnisons, un bey dont vous répondiez, puisqu'il est votre client, puisque vous l'avez établi, vous trouverez à chaque instant votre responsabilité engagée dans la conduite de ces agents que vous ne gouvernerez pas, sur lesquels vous n'aurez qu'une action très-indirecte; de sorte que la principale difficulté que vous rencontrerez à gouverner l'Afrique, vous l'aggraveriez infiniment si vous adoptiez le système dans lequel on veut vous engager. Vous verriez alors la responsabilité du cabinet sans cesse compromise par des actes sur lesquels il aurait été impuissant; vous verriez se renouveler sans cesse ces abus, ces violences, ces réclamations, qui ont fait, je ne veux pas dire le scandale, mais la tristesse de nos derniers débats; vous les verriez, dis-je, se renouveler constamment, et vous vous trouveriez, et le gouvernement se trouverait avec vous dans l'impuissance de les prévenir efficacement; et le lourd fardeau que l'Afrique vous impose en ce moment se trouverait ainsi fort appesanti.

Et ce système si difficile à maintenir, qui vous met dans un état de guerre permanent avec la population, qui vous impose un gouvernement dont vous ne pouvez pas répondre, qui vous entraîne dans des désordres, dans des abus que vous ne pouvez pas prévenir, vous vous l'imposeriez en imposant au pays des charges en hommes et en argent évidemment supérieures au prix que vous retirez de l'Afrique et aux avantages de cette position.

Voilà, en résumé, les causes principales qui ont déterminé le cabinet du 6 septembre à répudier le système dans lequel il trouvait l'administration engagée, système sinon définitivement adopté, du moins sur le point de l'être et déjà en cours d'exécution.

Messieurs, ce n'était pas une chose facile que de changer ce système, d'opérer la transition de l'occupation universelle, déjà commencée, à l'occupation limitée, de continuer la guerre, de la faire comme elle devait être faite, en se proposant cependant la paix et un système pacifique.

Et pourtant à cette difficulté s'ajoutait encore une difficulté particulière, celle de l'expédition de Constantine.

Je ne retiendrai pas longtemps la Chambre sur ce fait; cependant, comme c'est une des résolutions les plus graves qui aient été prises par le cabinet dont j'ai fait partie, j'ai besoin de la bien expliquer.

On nous dit: Pourquoi, puisque vous vouliez changer le système, ne l'avez-vous pas fait sur-le-champ, nettement, complétement? Pourquoi avez-vous autorisé l'expédition de Constantine qui était un pas de plus dans la voie dont vous voulez sortir, pas qui vous y engageait et vous imposait des difficultés de plus?

Messieurs, je ne nie pas qu'à considérer les choses d'une manière abstraite cela n'eût mieux valu; je ne nie pas que s'il avait été possible de changer sur-le-champ le système, hommes et choses, de rentrer sur-le-champ dans les voies qui convenaient à la France en Afrique, je ne nie pas, dis-je, que cela n'eût mieux valu; ce n'est pas moi qui me plaindrai toutes les fois qu'on voudra adopter une politique nette, décidée, active. Cependant je vous prie de remarquer les difficultés d'une telle résolution; elles sont plus grandes dans le gouvernement représentatif que dans aucun autre, plus grandes dans un pays libre que dans aucun autre; les résolutions brusques, complètes, les résolutions qui supposent un pouvoir bien ferme, bien sûr de son fait, ces résolutions ne se concilient guère avec les ménagements que, dans un pays libre, on est obligé d'avoir, qu'on doit avoir pour toutes les opinions, tous les intérêts, toutes les personnes. Ne vous y trompez pas, le gouvernement représentatif impose au pouvoir plus de transactions, plus de ménagements, plus de lenteur, plus de réserve, plus de prudence qu'aucun autre. Je ne crains pas la liberté, mais je la respecte, et dans le régime représentatif, le pouvoir doit toujours la respecter. Quand une opinion est devenue considérable, quand elle a pris place dans le pays, quand des personnes ont longtemps tenu le pouvoir entre leurs mains, quand des intérêts se sont formés, on ne peut pas, on ne doit pas les briser tout à coup; on ne doit pas passer sans transition, sans égards, d'une conduite à une autre. (*Très-bien!*) Par cela seul donc que le système dont je parle était déjà engagé, et qu'il avait été puissant pendant quelque temps, il était impossible au gouvernement de ne pas le ménager, même en l'abandonnant.

C'est ce qu'a fait le cabinet, c'est la résolution à laquelle il s'est arrêté. On lui disait que s'il abandonnait Constantine, s'il changeait précipitamment de système, les Arabes reprendraient courage, que notre armée serait abattue, découragée, que ce serait le signal, non pas d'une modification dans le système d'occupation, mais d'un commencement d'abandon de l'Afrique. La presse, à Paris, répétait et répandait ces calomnies. Dans cette situation, une conduite prudente, réservée, était imposée au cabinet. C'est le motif qui l'a déterminé à autoriser le maréchal Clausel à faire l'expédition; mais il l'a autorisé en répétant qu'il répudierait le système jusqu'alors suivi, que c'était par des motifs particuliers, par des considérations d'urgence qu'il autorisait l'expédition, mais que, quant au système, on n'y ferait pas un pas de plus, et qu'on se mettait dès ce moment en mouvement pour le modifier.

C'est dans ces termes que le maréchal Clausel a été autorisé à faire l'expédition. Elle n'a pas réussi: qu'a fait sur-le-champ le gouvernement? Il a changé le système tout entier, hommes et choses; il a rappelé le maréchal Clausel, non parce qu'il avait été malheureux, non parce qu'il avait essuyé un échec, mais parce qu'il était en Afrique le représentant du système de l'occupation universelle et guerroyante. C'est à cause de cela que M. le maréchal Clausel a été rappelé par le cabinet du 6 septembre.

Et, en même temps que le maréchal Clausel était rappelé, le cabinet a pris grand soin d'envoyer en Afrique des hommes, des administrateurs attachés au système qu'il s'agissait de faire prévaloir, attachés par leur propre opinion, par leur conviction. Il ne faut pas croire que ce soit une chose indifférente, surtout dans un pays libre, d'avoir des instruments soumis, ou des hommes qui, de leur propre pensée, spontanément, volontairement, concourent avec le gouvernement qui les emploie. Cette spontanéité est indispensable quand on opère à distance, quand il faut laisser aux employés une large mesure d'indépendance. Il importait donc que les hommes placés à la tête des affaires en Afrique fussent par eux-mêmes, par leur propre pensée, enclins à fonder le système d'occupation limitée et de paix.

En même temps, le gouvernement préparait, pour ces nouveaux administrateurs, des instructions conçues dans l'esprit dont je parle, dans le système d'occupation limitée et pacifique. Ces instructions, je ne sais si elles ont déjà été effectivement adressées aux administrations d'Afrique; celles qui avaient été préparées par le cabinet du 22 février n'avaient pas été non plus envoyées au maréchal Clausel. Ainsi voilà deux instructions qui n'ont eu ni l'une ni l'autre leur exécution officielle. Mais je voudrais qu'on pût les lire à cette tribune et les comparer: on verrait à quel point elles sont différentes, à quel point elles sont conçues dans un esprit différent, à quel point elles ont des tendances diverses. Les premières ont pour objet d'arriver à l'occupation universelle et militaire de l'Afrique, pendant que les secondes ont pour objet l'occupation limitée et les relations pacifiques avec les indigènes.

Voilà, messieurs, à quel point la question se trouve aujourd'hui ramenée, quel est réellement l'état des affaires en Afrique. Il ne s'agit point, comme on l'a dit hier, de l'abandon d'Alger: personne n'y pense, aucune administration n'y a pensé; j'ai combattu à cette tribune, aussi énergiquement que qui que ce soit, comme membre du cabinet du 11 octobre, les idées d'abandon. Il ne s'agit donc en aucune façon d'abandon. Il ne s'agit pas non plus de donner ou de refuser à l'armée un territoire, un champ de bataille où elle puisse s'exercer, se déployer, avancer. Je partage à l'égard de l'armée tous les sentiments qui ont été exprimés hier à cette tribune. Je suis convaincu que le respect pour la loi et les pouvoirs légaux l'animent, et qu'en toutes occasions l'armée ne fera rien au delà des limites de ce qui lui sera légalement ordonné. Je suis persuadé que, dans notre nouvel ordre de choses, dans notre nouvelle société, on se trompe sur la place que doit prendre notre armée, sur celle qu'elle prendra naturellement, quand on raisonne d'après l'induction du passé, d'après les idées qu'inspirent les armées permanentes sur les prétoriens et sur les révolutions militaires; rien de semblable n'est à craindre en France. L'armée n'est, et ne sera désormais qu'une garantie d'ordre et de respect pour la loi; elle en donnera la première l'exemple.

Moi aussi je sais quel est le bon esprit de l'armée. Je sais que, dans le sein de l'armée comme dans le sein de la société, la raison et le patriotisme prévaudraient au besoin contre les suggestions de l'intérêt personnel et contre les fantaisies de l'imagination. (*Très-bien!*) Je sais que là aussi, si on faisait appel aux idées de justice et au bon sens, on les trouverait puissantes. J'ai confiance partout dans le triomphe du bien, et je pense qu'il faut attendre de l'armée, comme de la société, tout ce qu'on est en droit de lui demander raisonnablement dans l'intérêt du pays. Je pense qu'il ne faut jamais lui refuser l'avancement légitime: elle y a droit. Je pense qu'un territoire, un champ de bataille où elle pourra s'exercer, se former, déployer ses vertus, se préparer à la guerre, est excellent pour elle; mais encore faut-il que cela soit renfermé dans les limites de l'intérêt du pays, et je suis convaincu que l'armée ne voudrait pas d'un territoire, d'un champ de bataille, d'un avancement qui seraient achetés contre les intérêts du pays, (*Très-bien!*) qui imposeraient au pays des charges excessives; l'armée répudierait, j'en suis sûr, quiconque viendrait réclamer pour elle plus que l'intérêt du pays ne commande.

La question reste donc entière, la liberté de la décision reste entière. Si l'intérêt de la France veut que l'armée trouve en Afrique un territoire où elle se forme, où elle s'exerce, où elle trouve des occasions d'avancement, on le lui donnera.

Mais si l'intérêt du pays exigeait au contraire que la guerre cessât, que les expéditions, que les promenades militaires devinssent moins fréquentes, je suis persuadé que l'armée le trouverait bon; elle comprendrait que l'intérêt du pays est sa loi comme la nôtre. (*Très-bien! très-bien!*)

La Chambre, messieurs, se trouve donc aujourd'hui à ce point, qu'après six ans d'essais confus, incohérents, dans lesquels les deux systèmes ont été tour à tour essayés et confondus en Afrique, il vient de se faire, depuis un an, deux tentatives successives et distinctes des deux systèmes. J'ai tort de parler ainsi, car cela n'a pas été jusqu'à la tentative, cela n'a pas été assez long pour constituer un véritable essai; mais enfin le cabinet du 22 février s'était placé sur la voie de l'occupation universelle et militairement organisée dans toute la régence. Le cabinet du 6 septembre s'est placé au contraire dans la voie de l'occupation limitée et pacifique. C'est entre ces deux tendances que la Chambre est appelée à prononcer aujourd'hui. Je crois qu'il importe beaucoup, dans l'intérêt de nos possessions d'Afrique, dans l'intérêt de notre propre dignité, de notre bonne administration, que la question soit nettement décidée. Il faut sortir, en Afrique, de cette politique incertaine, de cette politique de tâtonnement et d'oscillation; il faut adopter une politique ferme, nette, complète. C'est là aujourd'hui la question. Quand nous traiterons des crédits extraordinaires, nous la reprendrons dans toute son étendue; mais le point vrai auquel on est parvenu est celui-là. La confusion, l'incohérence des systèmes ont eu lieu d'abord en Afrique. Plus tard, deux systèmes ont été tentés, l'un d'occupation universelle et de guerre permanente; l'autre d'occupation limitée et d'établissements pacifiques. Quand nous aurons épuisé, à propos des crédits extraordinaires, cette question, quand la Chambre se sera clairement prononcée, alors l'administration en Afrique et le gouvernement à Paris sauront dans quelle voie ils devront marcher. La question aura fait un pas, et l'on pourra espérer pour l'Afrique un avenir. Si nous restons ou si nous retombons dans l'hésitation, dans la confusion dans laquelle on a persévéré depuis six ans, le sort de l'Afrique sera de nouveau compromis, et vous pourrez bien avoir encore des désordres et des scandales pareils à ceux qui nous ont affligés depuis trois jours, et l'on viendra peut-être encore dire alors que l'abandon est le seul moyen d'échapper à tant de maux et d'embarras. Ne courez pas le risque d'arriver à cette solution; adoptez une politique nette, claire, précise. Pour mon compte, je suis convaincu que celle dont le cabinet du 6 septembre avait fait sa règle, dans laquelle il était entré, sans y avoir parcouru, il est vrai, une longue carrière, est la seule praticable, la seule qui n'impose pas de charges trop lourdes, et atteigne un but vraiment utile: je la maintiendrai de nouveau, quand on discutera les crédits extraordinaires; je n'ai voulu aujourd'hui que marquer le point précis auquel la question est arrivée, et faire sentir à la Chambre la nécessité de prendre une résolution décisive. (*Adhésion marquée.*)

M. THIERS.—J'ai peu de mots à ajouter à tout ce qui a été dit sur cette grave question. Cependant, les paroles que je désire ajouter à ce qui a été dit ont peut-être quelque utilité. C'est avec quelque regret, je dois le dire, que je suis monté hier à la tribune; je ne croyais, je l'avoue, rouvrir... (*Rumeur.*) Je n'ai eu qu'une seule intention en y montant, c'était de faire faire un pas à la question d'Afrique, pas qu'il me semblait indispensable de lui faire faire cette année. C'était non pas de résoudre la question des deux systèmes, mais de bien avertir la Chambre de la gravité de cette entreprise, de bien l'avertir de l'ignorance dans laquelle elle avait vécu d'une partie de la vérité. Et aujourd'hui je crois que tout le profit de la discussion serait perdu, si nous placions encore la question là où l'on veut la placer, et où elle n'est pas.

Que résulte-t-il des paroles de l'honorable préopinant? Non pas précisément que tel ou tel système vaut mieux que l'autre, car il est peu entré dans le détail des deux systèmes. Il semblerait résulter de ses paroles qu'il y a deux systèmes en présence, ou pour mieux dire deux tendances. Cela ressemblerait moins à une discussion utile et approfondie de ces deux tendances, qu'à ce qu'on appellerait un procès de tendance qu'on se ferait les uns les autres. (*Mouvement.*)

Je n'ai pas l'habitude d'imputer aux hommes avec lesquels je discute des tendances fâcheuses. Ainsi, par exemple, je n'imputerai jamais aux hommes qui veulent l'occupation restreinte, la tendance dissimulée de l'abandon. (*Agitation.*) Cependant j'aurais pu peut-être dire aussi qu'à travers cette manière de dissimuler la gravité de la question, à travers ce système prétendu pacifique, il y avait peut-être au fond une manière d'amener peu à peu l'abandon. (*Nouvelle agitation.*) Je n'ai pas dit de telles choses, et je voudrais à mon tour qu'on ne m'imputât pas, à moi qui n'accuse pas le système de l'occupation réduite d'aboutir à l'abandon, je ne voudrais pas, dis-je, qu'on m'imputât d'aboutir à ce système de la guerre perpétuelle et de la destruction des populations arabes, pour y substituer une population européenne. Car hier, après que j'avais expliqué ma pensée de la manière la plus claire, on me disait encore que j'étais le partisan de ce système qui voulait la destruction, l'incendie et la guerre en Afrique; et il m'a fallu dire de mon banc que je ne voulais pas cela.

Eh bien, je prétends que, quand on dit qu'il y a deux systèmes en présence, cela se peut; mais assurément cela ne s'est pas trouvé dans les deux cabinets dont j'ai eu l'honneur de faire partie, ni dans celui du 11 octobre, ni dans celui du 22 février, et cela ne s'est pas trouvé dans mes paroles, parce que ce n'était pas dans ma pensée.

Non, il n'est pas vrai qu'il y ait en présence deux systèmes, le système pacifique et le système belliqueux, le système de l'occupation limitée et le système de l'occupation non limitée, le système de colonisation et celui de non-colonisation. J'ai dit et je répète encore que pour moi, si l'on m'assurait Oran, Alger, Bone (les paroles que j'ai prononcées se trouvent au *Moniteur* d'hier), si l'on me les assurait, avec une certaine étendue de territoire autour et des relations pacifiques avec les tribus, je trouverais cela excellent, et comme député et comme ministre, je m'y résignerais avec une très-grande joie. J'ai dit et je dis encore que, quant à moi, je crois le projet de coloniser ridicule, quand c'est le gouvernement qui le tente; j'ai dit que le système d'occupation limitée me paraissait plein de dangers; j'ai dit enfin, qu'à moins d'être ridiculement barbare, il n'était pas possible de préférer la guerre à la paix. Voici pour moi, membre du cabinet du 22 février, où réside la question. Je résume les affaires d'Afrique dans cette situation que j'ai définie hier: la guerre mal faite. La question n'est point, par exemple, dans la demande de 23,000 hommes, à laquelle la commission du budget opposait le chiffre de 18,000 hommes. Non, je dis que, quand la question est ainsi placée, elle est faussement placée.

Eh bien, l'année dernière j'ai tâché de dire la vérité; je l'ai dite hier plus vivement, parce que la même réserve ne m'était plus imposée. Je veux avertir mon pays que, quel que soit le système, on l'abuse, on le trompe, on l'entretient dans l'illusion que l'Afrique pourrait être mise sous la domination française avec 18 ou 23,000 hommes. (*Approbation.*) Ce que j'ai voulu, c'est sortir de l'ambiguïté, de la dissimulation, et faire faire ce que j'appelle un pas à la question; c'est vous avertir que ce n'est que par de grands efforts que vous parviendrez à vous établir, non pas jusqu'au grand Désert, mais seulement sur le littoral, de manière à réunir les trois conditions, la première de pouvoir vivre, la seconde d'être maître du commerce, la troisième d'être assez maître du rivage pour que la piraterie ne puisse renaître. Eh bien, je dis que cela ne se peut pas avec 23,000 hommes. C'est la vérité que je veux vous dire, parce que je trouve que le mensonge a été la source de nos revers et de nos désastres.

Maintenant, je n'ajoute plus qu'un mot. Ce système belliqueux dans lequel on prétend que nous voulons engager la France, le cabinet du 22 février l'a-t-il créé ou l'a-t-il trouvé? Mascara! Est-ce le président du cabinet du 22 février qui l'a voulu? Mais Mascara est peut-être la saillie la plus imprudente dans nos guerres d'Afrique. Je conçois qu'elle ait été faite si on avait voulu occuper ce territoire; mais la course de Mascara, pour aller détruire quelques établissements, est-elle dans ce système pacifique qui veut se borner au littoral? Qui a voulu Mascara? Je ne dirai pas le secret du cabinet. Je n'ai qu'un mot à dire: j'étais absent à cette époque; ainsi ce n'est pas le président du cabinet du 22 février qui s'est rendu coupable de ces expéditions si hasardées qui ont entraîné la France si loin. Pour moi, j'ai agi en homme positif; j'ai trouvé la guerre engagée; j'ai pensé qu'il fallait la faire d'une manière active, avec vigueur, et qu'il ne convenait pas à la France de la faire autrement.

J'ai dit et je répéterai toujours que, lorsque nous aurons fait la guerre en Afrique, non pas au point de détruire la population, cela serait barbare et insensé, mais au point de nous y assurer des amis, de faire naître entre les chefs ou princes, qui occupent les provinces africaines, l'intention et le désir de traiter, alors on pourra traiter avec eux. Cette manière de s'y prendre sera-t-elle définitivement la meilleure? L'expérience Je démontrera. Mais, pour le présent, je le déclare, la question n'est pas entre un système pacifique et un système belliqueux; elle est entre des gens qui voient clairement les difficultés, qui ne se les dissimulent pas, qui marchent droit sur elles et ne veulent pas les éviter. Messieurs, ce que le gouvernement doit toujours faire, dans toute situation, c'est de dire la vérité aux Chambres; c'est de ne pas les faire vivre dans une confiance aveugle, c'est de leur faire voir toute l'étendue du danger, afin qu'elles puissent y appliquer le remède nécessaire.

À gauche.—Très-bien! très-bien!

M. GUIZOT.—Si la Chambre le permet, je dirai encore deux mots. (*Oui, oui! Parlez, parlez!*) J'ai désiré, comme l'honorable M. Thiers, faire faire un pas à la question. Nous sommes animés de la même intention, et je n'ai pas plus de goût que lui pour l'ambiguïté et la dissimulation. Je pense, comme lui, qu'on ne doit taire ni à la Chambre, ni à la France, les charges que doit lui imposer l'Afrique. Nous y avons la guerre flagrante; elle doit être faite énergiquement et de manière à assurer un résultat. Je partage à cet égard l'opinion de l'honorable M. Thiers; je ne suis pas plus disposé que lui à dissimuler les besoins de la situation, et je crois que, quand le cabinet viendra demander les crédits extraordinaires pour la guerre qui se fait aujourd'hui en Afrique, la Chambre trouvera qu'on ne lui dissimule pas la situation, et qu'on n'atténue pas les chiffres. Mais je n'en pense pas moins qu'il y a entre les deux politiques, entre les deux conduites en Afrique, une différence réelle, une différence sur laquelle il est bon que la Chambre s'arrête et prenne un parti. Il ne s'agit pas d'une guerre d'un moment; il s'agit de l'établissement définitif et permanent; il s'agit de savoir si on s'établira d'une manière permanente et militairement organisée sur tous les points de l'intérieur du territoire, aussi bien que sur les points principaux de la côte. Il s'agit de savoir quelle sera la conséquence de cette politique, de cet établissement permanent et militaire, soit direct, soit indirect, soit par des garnisons françaises, soit par des beys soutenus par la France sur tous les points principaux de l'intérieur du territoire.

Je pense, pour mon compte, que ce système, cette conduite, comme on voudra l'appeler, est contraire aux véritables intérêts de la France en Afrique, car elle impose à la France un fardeau excessif et des difficultés de gouvernement que la France n'a aucun intérêt à s'imposer. Je pense qu'en renonçant à ces établissements permanents sur tous les points importants de l'intérieur du pays, en se restreignant à une occupation limitée, non pas seulement à trois ou quatre ports dans lesquels on serait enfermé, mais à des parties de territoire autour des principaux points, et en s'appliquant à vivre en bonnes relations avec les indigènes, on agit d'une manière beaucoup plus conforme aux intérêts de la France en Afrique, et qu'on lui assure les mêmes avantages, en lui imposant moins de charges. Je crois que c'est là un résultat vers lequel la Chambre doit aspirer, et que je recommande à sa plus sérieuse attention.

LXXXIII

Discussion des fonds secrets demandés par le cabinet en mars 1837, après ma rupture avec le comte Molé.

—Chambre des députés.—Séance du 3 mai 1837.—

La demande d'une augmentation de 800,000 fr. de fonds secrets amena une longue discussion, moins sur cette question même que sur les derniers changements ministériels, sur la politique comparée des divers cabinets de 1832 à 1837, et sur celle que semblait annoncer le nouveau cabinet présidé par M. Molé. Je pris la parole dans ce débat, après des interpellations adressées aux ministres anciens et nouveaux par le comte de Sade, et, tout en votant pour l'augmentation de fonds secrets réclamés par le nouveau cabinet, je discutai les diverses vicissitudes ministérielles et leurs vraies causes politiques.

M. GUIZOT.—Messieurs, je ne viens pas, je pourrais peut-être me dispenser de le dire, je ne viens pas combattre l'allocation proposée, je vote pour cette allocation dans sa totalité. Mais depuis le commencement de cette discussion, et tout à l'heure par un honorable préopinant, j'ai été appelé à m'expliquer sur ce qui s'est passé depuis quelque temps.

Je suis sorti récemment des affaires: j'en suis sorti, non-seulement pour des causes personnelles, mais encore pour des causes de politique générale. J'ai gardé jusqu'à présent, à ce sujet, le silence le plus absolu. J'aurais pu, dans les deux dernières discussions auxquelles s'est livrée la Chambre, soit sur la dotation votée pour Mgr le duc d'Orléans, soit à l'occasion de la dot de la reine des Belges, j'aurais pu prendre la parole. Je m'en suis abstenu; je n'ai pas voulu mêler des débats purement politiques à des intérêts qui m'étaient chers comme à vous tous.

Aujourd'hui, j'éprouve le besoin de m'expliquer sans réserve sur la part que j'ai prise aux derniers événements, (*Écoutez! écoutez!*) sur ma conduite et sur ses motifs, sur la politique à laquelle je reste fidèle et sur ses raisons.

Quant aux faits purement personnels et à la crise ministérielle, je serai très-court. J'ai peu de goût pour l'une et pour l'autre de ces questions.

J'ai été (il m'est peut-être permis de le rappeler), j'ai été taxé quelquefois, en pareille circonstance, de prétentions et de volontés intraitables, absolues. Je pourrais, sans trop m'en inquiéter, accepter ce reproche. Ce n'est pas, à mon avis, dans la trop grande inflexibilité, dans la trop grande énergie du pouvoir que réside, depuis trois ans, le mal du pays; c'est bien plutôt dans le défaut d'unité, dans les tiraillements intérieurs, dans l'incertitude des idées et des volontés. C'est là, depuis 1830, la véritable cause de si fréquentes et toujours si déplorables crises ministérielles. Il y a longtemps, messieurs, que j'en suis convaincu.

Cependant, comme je connais en même temps ce que décrivait tout à l'heure à cette tribune l'honorable M. de Sade, l'éparpillement des esprits, l'incertitude des idées, le fractionnement des partis, comme je sais que cette forte unité de pensée et de volonté, si désirable dans tout gouvernement, n'existe guère au sein du pays même, et qu'il est fort naturel que les hésitations, les fluctuations, les morcellements du pays se reproduisent dans son gouvernement, je n'ai point hésité à me prêter, et toujours loyalement, à des arrangements, à des transactions, à des conciliations. Je crois pouvoir me rendre cette justice de n'avoir porté dans les affaires, quoi qu'on en ait pu dire quelquefois, aucun esprit intraitable et exclusif. J'en appellerais volontiers, s'il en était besoin, aux souvenirs du ministère du 11 octobre. C'était là aussi un ministère de conciliation, de transaction entre des nuances diverses représentées par des hommes divers, et cependant ce ministère a duré plusieurs années, malgré les temps si rudes qu'il a eus à traverser; au milieu de grandes difficultés intérieures, il a duré, il a survécu à ces difficultés, et les hommes qui en ont fait partie ont quelque droit de dire qu'ils ont fait preuve d'esprit de conciliation, qu'ils ont montré qu'ils étaient étrangers aux prétentions exclusives et intraitables.

La conduite que j'ai tenue dans le ministère du 11 octobre, je l'ai tenue également depuis, et en particulier, au moment de la formation du ministère du 6 septembre.

Je n'ai mis alors d'importance qu'à deux choses, aux conditions qui m'ont paru nécessaires pour assurer le ferme maintien de la politique suivie depuis six ans, et en même temps pour m'assurer une part d'influence proportionnée à la part de responsabilité politique qui devait peser sur moi. Je n'ai rien demandé au delà de ce qui m'a paru nécessaire, dans l'un et dans l'autre but.

Lorsque la nécessité de modifier le cabinet du 6 septembre s'est fait sentir, je suis demeuré fidèle à la même idée, à la même conduite; je n'ai rien demandé que je n'eusse demandé au moment de sa formation. J'ai apporté dans les différentes transactions ou plutôt dans les différents essais auxquels la crise ministérielle a donné lieu, le même esprit de ménagement et de conciliation.

À ce sujet, je n'ai à me plaindre, dans le débat qui s'est élevé hier, que d'une seule parole échappée à l'honorable M. Havin... (*Mouvement d'attention.*)

Quand j'ai fait, auprès d'un de mes collègues du 11 octobre, une démarche que je ne désavoue pas plus aujourd'hui qu'au moment où je l'ai faite, je ne l'ai point faite dans un vulgaire et bas désir de conserver le pouvoir... (*Très-bien!*)

J'ai quitté et pris le pouvoir plusieurs fois en ma vie, et je suis, pour mon compte, pour mon compte personnel, profondément indifférent à ces vicissitudes de la fortune politique... (*Nouvelle adhésion aux centres.*) Je n'y mets d'intérêt que l'intérêt public, l'intérêt de la cause à laquelle j'appartiens et que je me fais honneur de soutenir. Vous pouvez m'en croire, messieurs; il a plu à Dieu de me faire connaître des joies et des douleurs qui laissent l'âme bien froide à tout autre plaisir et à tout autre mal... (*Profonde sensation... Bravos prolongés.*) Je n'hésite donc pas à me rendre moi-même cette justice: des motifs politiques m'ont seuls déterminé dans cette démarche, comme dans toutes les autres; je croyais qu'il était de l'intérêt du pays de reformer, si cela se pouvait, le cabinet qui, à mon avis, l'avait le mieux servi, le plus longtemps et le plus efficacement. Il était bien clair que je n'entendais maintenir par là aucune autre politique que la politique du 11 octobre, et que c'était là la question que j'allais adresser à l'honorable M. Thiers, en lui demandant de la soutenir de nouveau avec moi. C'est là ce qui n'a pu se réaliser; je le regrette, mais je ne regrette nullement la démarche par laquelle je l'ai tenté... (*Très-bien!*)

Cette tentative ayant échoué, j'en ai fait d'autres; la Chambre les connaît. Je n'ai agi dans cette circonstance que très-publiquement et très-rapidement. Les diverses tentatives de conciliation et d'arrangement ayant échoué, j'ai été amené à proposer à la couronne un ministère dont l'unité, l'homogénéité fût le caractère dominant. Je ne l'ai fait qu'après avoir épuisé tous les autres moyens, toutes les autres chances. Je suis persuadé que dans l'avenir, qu'il s'agisse de moi ou de tout autre, peu importe, le pays et la couronne reconnaîtront que l'unité, l'absence de tiraillements intérieurs, la fermeté simple dans la direction du pouvoir, deviendront de plus en plus une condition nécessaire de force et de succès. C'est tout ce que je veux dire. (*Nouvelle adhésion aux centres.*)

M. BERRYER.—Bravo! bravo!

M. GUIZOT.—Voilà pour les faits personnels. Ils suffiraient, pleinement, je crois, pour expliquer ma sortie des affaires.

En aucun cas un homme public ne doit accepter une responsabilité supérieure, je ne dis pas supérieure à l'apparence, mais à la réalité de l'influence qu'il possède. En aucun cas, non plus, il ne doit laisser entamer sa considération personnelle. Cela est dans l'intérêt du pays, comme dans l'intérêt des personnes.

Ne croyez pas cependant que les motifs dont je viens d'entretenir la Chambre, ne croyez pas que ces considérations purement personnelles, quoique politiques au fond, m'aient seules déterminé dans la conduite que j'ai suivie.

La politique générale a eu sa part, et une grande part, dans la crise ministérielle et les incidents dont elle a été accompagnée.

Messieurs, on peut s'accorder sur la pensée qui doit présider à la conduite politique, et ne pas s'accorder sur la conduite même qui peut réaliser cette pensée; on peut s'accorder dans l'intention et ne pas s'accorder dans l'action. Je n'en donnerai à la Chambre que deux exemples bien récents.

Quand le cabinet du 6 septembre se forma, on convint, et d'un commun accord, qu'on ne se laisserait pas rebuter par des échecs, par certains échecs, par exemple, par le rejet de telle ou telle loi, de la loi de disjonction nommément... (*M. le président du conseil fait un mouvement.*)

Je remarque quelques signes de doute au banc des ministres: je me suis peut-être trompé en attribuant ce que je viens de dire au moment de la formation du cabinet. (*M. le président du conseil paraît vouloir adresser une observation à l'orateur.*) Voulez-vous permettre que je répète exactement?

J'ai dit qu'au moment de la formation du cabinet du 6 septembre, on était convenu d'un commun accord qu'on ne se laisserait pas rebuter par certains échecs, qu'on ne ferait pas légèrement des questions de cabinet, et que, lorsque, entre autres, on prit le parti de proposer la loi de disjonction, il fut convenu qu'on n'en ferait pas une question de cabinet. Mes souvenirs sont parfaitement clairs.

Eh bien, il n'est personne qui n'ait pu remarquer et qui n'ait remarqué, lorsque la loi de disjonction a été rejetée, que ce rejet produisait sur les différents membres du cabinet une impression très-différente, que leur langage, leur attitude à tous n'étaient pas les mêmes, que les uns paraissaient plus déterminés, les autres plus hésitants à continuer la campagne dans laquelle on venait de subir un tel échec. C'est là un fait dont il n'y a, sans doute, aucun témoignage officiel, mais qui peut être présent à la mémoire d'un grand nombre de membres de cette Chambre. Cette diversité au moment de l'épreuve était pour le cabinet une grande cause d'embarras et d'affaiblissement. Il y avait là différence, et une différence importante dans l'action, bien qu'il n'y en eût pas eu dans l'intention.

Voici un second exemple. La loi d'apanage avait été proposée de concert, d'un avis unanime. Eh bien, pour mon compte, je ne me serais jamais prêté à la retirer avant l'épreuve du débat. Je sais comme un autre me soumettre sincèrement, sans arrière-pensée, aux mesures adoptées ou rejetées par mon pays. Je sais comme un autre quelle est la valeur de l'opinion publique, même quand on croit qu'elle se trompe, et le respect qui lui est dû; mais je crois qu'il est du devoir du gouvernement d'être difficile, sévère, exigeant, quand il s'agit de constater l'opinion publique. Je crois qu'il y a des épreuves légales, des épreuves constitutionnelles par lesquelles les Chambres et le pays doivent être appelés à passer, et la première de ces épreuves, sans contredit, c'est la discussion. Aujourd'hui je parle en pleine liberté de cette question, car c'est là évidemment une question finie, une question jugée; ce n'est pas d'un simple ajournement, c'est d'un ajournement indéfini, ou de quelque chose d'équivalent qu'il s'agit. Les opinions sont donc aujourd'hui en pleine liberté sur cette matière, et j'exprime la mienne sans aucune préoccupation de l'avenir. (*Sensations diverses.*)

Je signale encore là une de ces différences dans l'action qui peuvent être très-importantes entre des hommes politiques, et amener dans le développement des affaires un véritable dissentiment, quoiqu'il n'y en ait pas eu dans leur pensée primitive.

Je prie la Chambre de me permettre, puisque j'ai parlé de la loi d'apanage, une très-courte digression dans laquelle je suis personnellement intéressé. À cette occasion, on a répété ce qu'on avait déjà dit souvent: on m'a taxé de tendances aristocratiques, de je ne sais quelle intention de ressusciter le système du privilége des aristocraties constituées. J'ai besoin, messieurs, de m'expliquer une fois nettement et catégoriquement devant mon pays, à ce sujet. Je sais que c'est là un côté par lequel il est singulièrement susceptible et par lequel on se plaît à attaquer les hommes qu'on veut affaiblir dans son estime politique. (*Au centre:* Très-bien! très-bien!)

Je dirai donc sans détour toute ma pensée.

Il y a d'étranges revirements dans la situation des hommes et dans le langage qu'on tient à leur sujet. Lorsqu'on discutait la loi des élections du 5 février 1817, cette loi qui a, je n'hésite pas à le dire, véritablement fondé le gouvernement représentatif en France, puisqu'elle a fait sortir l'élection des mains de la multitude où elle ne peut avoir lieu qu'indirectement et mensongèrement, pour la placer dans les mains des classes élevées et capables, où l'élection s'opère directement et efficacement, eh bien, au moment où l'on discutait cette loi, elle était accusée, par le parti de l'ancien régime, d'avoir pour résultat le triomphe de la classe moyenne en France, son triomphe définitif, sa prépondérance complète dans l'ordre politique, aux dépens des débris des anciennes classes supérieures et de la multitude. C'était là le reproche que lui adressaient les chefs intelligents et capables du parti de l'ancien régime.

À cette époque, n'étant ni député ni membre important du gouvernement, je défendis la loi contre ces attaques; je la défendis officiellement, dans le *Moniteur*, en servant d'interprète au gouvernement lui-même; et je la défendis en avouant le reproche, en disant qu'il était vrai que cette loi avait pour résultat de rendre impossible le retour de la prépondérance de l'ancienne aristocratie et de toutes les classes privilégiées, qu'elle avait en effet pour résultat de fonder en France la prépondérance politique de la classe moyenne, et que cela devait être, qu'ainsi le voulaient la justice et l'intérêt du pays.

Quelques années plus tard, en 1820, étranger au gouvernement, dans les rangs de l'opposition, tout ce que j'ai pu dire ou écrire sur la politique a eu pour objet de prouver que notre révolution de 1789 était la victoire glorieuse et définitive de la classe moyenne sur le privilége et sur le pouvoir absolu. Je défie qu'on cite un seul de mes écrits politiques où cette idée ne soit énergiquement et incessamment soutenue et développée.

Depuis 1830, de quoi avons-nous été accusés, mes amis et moi, et moi en particulier, par les défenseurs du parti de l'ancien régime, dans leurs journaux, dans leurs écrits? De vouloir constituer ce qu'on appelait une monarchie bourgeoise, le règne de la classe moyenne, la monarchie de la classe moyenne. C'est à ce titre, messieurs, que j'ai été continuellement attaqué; et me voilà aujourd'hui, depuis quelque temps, me voilà le défenseur, le résurrecteur, s'il est permis d'inventer ce mot, de l'ancienne aristocratie, du privilége, de l'aristocratie privilégiée et nobiliaire, car c'est sous son nom et dans ces termes que j'ai été plusieurs fois attaqué à cette tribune!

Il n'en est rien, messieurs, il n'en est absolument rien. Je suis fidèle aujourd'hui à l'idée politique qui m'a dirigé pendant toute ma vie. Oui! aujourd'hui, comme en 1817, comme en 1820, comme en 1830, je veux, je cherche, je sers de tous mes efforts la prépondérance politique des classes moyennes en France, l'organisation définitive et régulière de cette grande victoire que les classes moyennes ont remportée sur le privilége et sur le pouvoir absolu de 1789 à 1830. Voilà le but vers lequel j'ai constamment marché, vers lequel je marche encore aujourd'hui.

Cependant, il y a ici, entre mes adversaires et moi, une différence notable, sur laquelle je demande à la Chambre la permission de m'arrêter un moment.

Oui, messieurs, je veux le triomphe définitif, je veux la prépondérance politique des classes moyennes en France; mais je veux aussi que cette prépondérance soit stable et honorable, et pour cela, il faut que les classes moyennes ne soient ni violentes et anarchiques, ni envieuses et subalternes. (*Marques d'adhésion.*)

On parle beaucoup, messieurs, depuis quelque temps, de bourgeoisie, de classe moyenne, de démocratie, de France nouvelle; mais on s'en fait, à mon avis, une bien fausse idée. Il est vrai, la France nouvelle, la démocratie actuelle, veut une justice universelle, un mouvement ascendant d'une étendue inconnue à l'ancienne société. Mais ne croyez pas, messieurs, que la démocratie actuelle, que la classe moyenne actuelle ressemble à la bourgeoisie du moyen âge, à cette bourgeoisie récemment affranchie, qui doutait, et doutait avec raison, de sa dignité comme de sa force, étroite, envieuse, inquiète, tracassière, mal élevée, voulant tout abaisser à son niveau; non, messieurs, la France nouvelle, la démocratie nouvelle a la pensée plus haute et le cœur plus fier; elle se confie en elle-même; elle ne doute point de sa destinée et de ses droits; elle n'est jalouse de personne; elle ne conteste à personne sa part dans l'organisation sociale, bien sûre qu'on ne viendra pas lui disputer la sienne. Elle a fait ses preuves et pris ses garanties à cet égard; après la victoire qu'elle a remportée, elle a le cœur et les sentiments d'un vainqueur; telle est sa vraie disposition aujourd'hui. C'est lui faire injure, c'est lui faire injure et dommage que de lui supposer, et de travailler à lui rendre les inquiétudes, les jalousies, les susceptibilités, les ombrages qui la travaillaient autrefois. Quiconque l'honore et veut la servir véritablement doit au contraire travailler sans cesse à lui élever le cœur, à lui inspirer confiance en elle-même, à l'affranchir de toutes les jalousies, de toutes les tracasseries; à lui persuader qu'il faut qu'elle ouvre sans cesse ses rangs, qu'elle se montre prête à accueillir, à rallier toutes les supériorités; que toutes les supériorités anciennes ou nouvelles, quels que soient leur nom et leur caractère, ne sont bien placées que dans son sein; qu'en dehors d'elle, elles deviennent à charge à elles-mêmes et inutiles au pays; qu'il faut que toutes les supériorités, quelles que soient leur date et leur nature, je le répète, acceptent ce fait, ce fait définitif de notre époque, le triomphe des classes moyennes, la prépondérance des intérêts généraux qu'elles représentent, et viennent nettement se réunir à elles pour reprendre leur place, une place digne et grande, dans les affaires du pays. (*Au centre*: Très-bien! très-bien!)

Voilà le langage qu'il faut tenir aux classes moyennes; voilà le seul langage digne d'elles, digne de cette assemblée, digne des institutions que les classes moyennes ont conquises par leur intelligence et par leur courage. Toutes ces vieilles querelles, tous ces vieux débris de mots et de choses, de priviléges, d'aristocratie nobiliaire, tous ces vieux débris doivent disparaître; ce sont des querelles réchauffées, des querelles honteuses aujourd'hui, des querelles qui appartenaient à la bourgeoisie d'autrefois, à la classe moyenne d'il y a trois cents ans, des querelles auxquelles la France nouvelle et la démocratie actuelle sont et deviendront de jour en jour plus étrangères. (*Très-bien! très-bien!*)

Je n'hésite donc pas, messieurs, pour mon compte, lorsque je rencontre dans les institutions anciennes ou modernes, étrangères ou nationales, lorsque je rencontre une institution qui me paraît convenir à la société actuelle, aux intérêts, aux besoins de la France nouvelle, telle qu'elle a été faite par la victoire de notre révolution de 1789 à 1830, que cette institution s'appelle apanage ou de tout autre nom, qu'on en puisse retrouver quelque semblant vrai ou faux, complet ou incomplet, dans des siècles ou dans des institutions différentes, je ne m'en inquiète en aucune façon; je repousse ce qui est nuisible à l'état actuel de la France, aux intérêts de la France nouvelle; mais, tout ce qui la sert, je crois qu'elle peut et qu'elle doit l'adopter; elle est assez sûre d'elle-même, et de sa victoire et de son avenir, pour ne pas s'inquiéter de quelques mots et de quelques fausses ressemblances. (*Nouvelles marques d'adhésion au centre.*) Je laisse là cette question.

Je demande pardon à la Chambre de cette digression qui, pour moi, a quelque valeur politique, quoiqu'elle n'en ait aucune dans la question particulière des fonds secrets. J'ai cru devoir saisir l'occasion de la mettre sous ses yeux. (*Au centre*: Très-bien! très-bien!)

Je rentre dans la question; je disais à la Chambre qu'indépendamment des motifs personnels qui avaient déterminé ma sortie des affaires, il y avait des motifs de politique générale provenant de la diversité qui peut se rencontrer entre des hommes honorables, au moment de l'action et dans la conduite politique, quoique au fond et dans l'intention ils se soient proposé le même but. J'ai donné deux exemples pris dans des circonstances toutes récentes; j'ai besoin d'entrer plus avant dans cette partie de la question, c'est-à-dire dans les causes de politique générale qui ont amené la dissolution du cabinet du 6 septembre, et qui président à la situation actuelle du cabinet, de la Chambre et du pays. Ici, je demande à la Chambre la permission de m'expliquer encore avec la plus entière franchise, car, à mon avis, on ne l'a pas toujours fait, par réserve de langage plutôt que par aucune autre raison.

L'honorable M. Thiers se plaignait à cette tribune, à l'occasion des affaires d'Afrique, de la timidité et de l'insuffisance du langage, ce qui avait fait qu'on n'avait pas dit la vérité complète à la Chambre; je m'en plaindrai ici à l'occasion de la politique générale, et je parlerai sans détour.

Quand la session s'est ouverte, si la Chambre veut me faire l'honneur de s'en souvenir, dans la discussion des affaires d'Espagne, j'ai dit que l'esprit révolutionnaire était en déclin en France, et l'esprit conservateur en progrès. Je pense aujourd'hui comme il y a trois mois; je ne voudrais pas cependant qu'on se méprit sur la portée de mes paroles. L'esprit révolutionnaire décline parmi nous, en ce sens et par cette cause que les situations sociales, les intérêts généraux, qui étaient révolutionnaires en 1789, sont maintenant satisfaits et devenus conservateurs. Les intérêts de droits publics, de charges publiques, de dignité personnelle, de propriété, qui étaient révolutionnaires en 1789, sont maintenant conservateurs. C'est la grande différence entre cette époque et la nôtre.

Il y a, de plus, les leçons de l'expérience qui, bien qu'elles ne restent jamais complétement gravées dans la mémoire, ne sont jamais non plus tout à fait perdues pour les hommes.

Mais, messieurs, malgré l'expérience, les esprits et les mœurs ne changent pas aussi vite que les situations et les intérêts, et l'esprit révolutionnaire est encore bien présent et bien puissant parmi nous. Et quand je dis l'esprit révolutionnaire, je ne parle pas seulement de cette passion de renversement, de cette fureur anarchique qui ne saisit ordinairement qu'un petit nombre d'hommes; je parle de ces instincts irréguliers, de ces idées contraires à l'organisation et à la stabilité du pouvoir et de l'ordre social, de ces préjugés antisociaux qui caractérisent, non l'esprit révolutionnaire forcené, mais l'esprit anarchique.

Je dis que l'esprit révolutionnaire ainsi défini est encore présent et puissant parmi nous. Regardez, je vous en prie, aux classes même où dominent les intérêts conservateurs. Que disons-nous tous les jours? qu'observons-nous tous les jours? Qu'on ne rencontre souvent, dans ces classes mêmes, qu'une intelligence incomplète des conditions de l'ordre social et du gouvernement, que là encore dominent un grand nombre de préjugés, d'instincts de méfiance pour le pouvoir, d'aversion contre toute supériorité. Ce sont là des instincts véritablement anarchiques, véritablement antisociaux. Que disons-nous, qu'observons-nous encore tous les jours? Un grand défaut de prévoyance politique, le besoin d'être averti par un danger imminent, par un mal pressant; si ce mal n'existe pas, si ce danger ne nous menace pas, la sagacité, la prévoyance politique s'évanouissent, et l'on retombe en proie à ces préjugés qui empêchent l'affermissement régulier du gouvernement et de l'ordre public. (*Très-bien!*)

Nous disons tous les jours, dans les conversations particulières, que c'est là un mal qui se rencontre dans les classes les plus éclairées, les plus aisées, chez lesquelles les intérêts conservateurs dominent.

Si nous pénétrons dans les classes qui vivent de salaires et de travail, le mal est bien plus grand. Je pourrais parler des ravages que font tous les jours dans ces classes les exemples si séducteurs et encore si récents des succès et des fortunes amenées par les révolutions. C'est évidemment là une tentation qui agit aujourd'hui bien puissamment sur les classes pauvres et laborieuses.

Mais qui n'est frappé aussi de l'absurdité des idées répandues dans ces classes sur l'organisation sociale, sur les droits des individus, sur la constitution des gouvernements? Qui n'est frappé de l'inconcevable légèreté et de l'épouvantable énergie avec lesquelles ces classes s'en occupent, en délibèrent, en font le sujet de leur attention dans leurs moments de loisir?

Qui n'est frappé en même temps du relâchement des freins religieux et moraux? Qui n'est frappé de la facilité avec laquelle tous les mensonges, toutes les calomnies les plus antisociales, les plus nuisibles aux objets de votre respect sont accueillies dans ces classes?

Je pourrais en citer de déplorables et de récents exemples; je pourrais vous montrer quel mal politique immense peuvent faire quelques pages dans des millions d'hommes.

Vous n'avez, contre cette disposition révolutionnaire des classes pauvres, vous n'avez aujourd'hui, indépendamment de la force légale, qu'une seule garantie efficace, puissante, le travail, la nécessité incessante du travail. C'est là le côté admirable de notre société. La puissance du travail, et le frein que le travail impose à toutes les ambitions, à toutes les prétentions, est aujourd'hui un fait très-salutaire. Mais ne vous y fiez pas; le travail est un frein insuffisant, qui manque tel jour. Il n'y a de freins véritablement sûrs que ceux qui puisent leur force dans l'homme lui-même, dans ses convictions, dans ses sentiments; il n'y a de freins véritablement sûrs que les freins moraux, les freins sincèrement acceptés par ceux sur qui ils s'exercent. Eh bien, dans l'état actuel de la société, ces freins, je n'hésite pas à le dire, vous manquent dans les classes inférieures; et vous êtes sans cesse sur le point de les voir entraînées par les tentations et les prétentions révolutionnaires.

Ce n'est pas tout. Pendant que vous êtes ainsi travaillés dans les classes aisées et les classes pauvres, ici par les restes, là par les passions de l'esprit révolutionnaire, cet esprit est entretenu, fomenté parmi vous par deux causes tout à fait indépendantes de vous, et sur lesquelles vous ne pouvez rien.

D'abord par l'état révolutionnaire du monde entier.

Personne ne peut se dissimuler que ce qui s'est accompli en France fermente partout; qu'on s'en félicite ou qu'on s'en inquiète, le fait est évident. Le principe, le besoin révolutionnaire, qui a éclaté en France, fermente partout, et l'esprit révolutionnaire qui subsiste encore en France reçoit tous les jours, de cet état général de l'Europe, de ce qui se passe en Angleterre, en Espagne, en Portugal ou ailleurs, un aliment que vous ne pouvez éloigner.

Il est encore une autre cause, une cause plus active, vos propres institutions. Personne, messieurs, ne les admire plus que moi; personne ne leur est plus sincèrement dévoué que moi. Elles organisent régulièrement la lutte du bien et du mal, du vrai et du faux, des bonnes et des mauvaises passions, des intérêts légitimes et des intérêts illégitimes; elles organisent cette lutte dans la confiance que le bien prévaudra sur le mal, les bons sentiments sur les mauvais, les intérêts légitimes sur les intérêts illégitimes. Je partage cette confiance; elle est honorable pour la dignité de l'homme, elle est la gloire et la force de notre temps et de nos institutions; mais en acceptant le fait dans sa beauté, il ne faut pas méconnaître le péril qui s'y mêle; or, vous ne pouvez vous dissimuler qu'il y a là des facilités données au mal, des provocations sans cesse adressées aux mauvaises passions, aux prétentions illégitimes; vous ne pouvez vous dissimuler que, dans cette lutte sans cesse ouverte, le mal est tous les jours appelé à se produire comme le bien, que les mauvaises passions et les intérêts illégitimes s'entendent dire chaque jour des choses dont ils ne se doutaient pas, dont ils n'avaient jamais entendu parler, en sorte que vous avez dans vos propres institutions une provocation continuelle, incessante à l'esprit révolutionnaire, au développement de ses passions, de ses intérêts et de ses prétentions.

Eh bien, en présence de pareils faits, dans un pareil état de notre société, comment ne verriez-vous pas que l'esprit révolutionnaire n'est pas chez nous un hôte accidentel, passager, qui s'en ira demain, auquel vous avez quelques batailles à livrer, mais avec lequel vous en aurez bientôt fini? Non, messieurs, c'est un mal prolongé et très-lent, jusqu'à un certain point permanent, contre lequel la nécessité de votre gouvernement est de lutter toujours. Le gouvernement, dans l'état actuel de la société, n'a pas la permission de se reposer, de s'endormir à côté du gouvernail; il est engagé contre l'esprit révolutionnaire; sous diverses formes et à des degrés très-inégaux, il est engagé, dis-je, dans une lutte constante et à laquelle il ne doit pas songer à se soustraire.

Je sais le reproche qu'on nous a adressé, à moi et à mes amis, reproche qu'on est tout prêt à renouveler; je sais qu'on a dit: Les voilà toujours, ces hommes de lutte, de combat, qui ne cherchent que la guerre, qui ne sont propres qu'à la guerre, qui ne veulent pas de la conciliation, qui ne souffrent pas qu'on se repose jamais.

Je demande la permission de répondre sérieusement à ce reproche, car s'il était fondé, il serait grave. Mais il ne l'est pas, et j'espère le démontrer à la Chambre.

Messieurs, je commence par nier, par nier absolument en fait ces reproches de violence, de dureté, d'emportement, si souvent adressés à la politique et à la conduite du gouvernement depuis six ans. J'affirme qu'à aucune époque, en aucun pays, au milieu de telles épreuves, de telles difficultés, jamais gouvernement ne s'est conduit avec tant de patience et de modération.

Plusieurs membres.—Oui! oui! c'est vrai!

M. GUIZOT.—Je dis cela de toutes choses, je le dis des actes comme des lois. Je dis que les actes du gouvernement, depuis six ans, au milieu de tant de périls et de difficultés, ont été aussi modérés, aussi patients qu'il était possible pour suffire aux dangers; que si vous aviez retranché quelque chose, quelque peu que vous eussiez retranché de ce que le gouvernement a fait, il n'aurait pas suffi à sa tâche; il a fait tout juste ce qu'il fallait, rien de plus. Il ne me serait pas difficile, sous le point de vue politique, sous le point de vue parlementaire, de trouver, au sein même de cette Chambre, des preuves éclatantes de la patience et de la modération du gouvernement depuis six ans.

Quant aux lois, je dis que celles qu'on a faites étaient indispensables, et qu'elles n'ont rien fait que suffire, si tant est qu'elles aient pleinement suffi, à leur mission.

Je ne me sens donc, pour mon compte, nullement disposé à les abandonner, ni en principe, ni dans l'exécution. Je suis convaincu qu'elles doivent être complétement et fermement exécutées aujourd'hui comme il y a un an, comme il y a deux ans. Je suis convaincu que non-seulement elles ont sauvé le pays depuis six ans, mais qu'elles sont destinées à le sauver plus d'une fois encore, et que leur présence est aujourd'hui, dans le pays, le premier moyen de salut.

Je n'abandonne donc, je le répète, aucun des actes, aucune des lois qui ont été rendues depuis six ans.

Nos moyens de force contre le mal révolutionnaire, nous les avons conquis depuis six ans à la sueur de notre front; gardons-les bien. Nos lois sont des armes nécessaires; ne souffrons pas qu'on les laisse rouiller. (*Mouvement à gauche.*)

En faut-il d'autres? en faudra-t-il d'autres? Je n'en sais rien. Je crois qu'il serait insensé à un homme sage de prendre à ce sujet aucun engagement.

Je regrette sincèrement que la loi de disjonction n'ait pas été adoptée. (*Chuchotements.*) Je crois que le gouvernement avait bien fait de la proposer. J'aime mieux qu'elle ait été rejetée que si le gouvernement ne l'avait pas proposée. (*Nouveau mouvement.*) Il a acquitté sa responsabilité, il a fait son devoir. Il se soumet toujours aux décisions du gouvernement représentatif; mais il n'abandonne pas pour cela son opinion, et ne change pas de sentiment.

Quelques membres.—Très-bien!

M. GUIZOT.—Quant à la loi sur la prison de détention à l'île Bourbon, je ne veux pas anticiper sur la discussion, mais j'espère qu'elle aura lieu, et je me propose, quand cette loi viendra à discussion, d'établir que jamais loi n'a été plus conforme aux véritables principes et au véritable but de la législation pénale.

Je me propose d'établir qu'elle a précisément, non pas pour objet, mais pour effet, de rendre peu à peu possible la réduction de la peine de mort en matière politique.

M. LAFFITTE.—Elle dispense en effet de la peine de mort. (*Agitation.*)

M. GUIZOT.—Je demande à la Chambre de ne pas anticiper sur cette discussion.

M. LAFFITTE.—Oui, vous faites bien.

M. GUIZOT.—Si je répondais aux interpellations j'anticiperais malgré moi.

M. LAFFITTE.—Vous en avez dit assez.

M. GUIZOT.—Je n'en ai pas dit assez, car je n'ai pas dit la centième partie de ce que je pense. (*Vive sensation.*)

M. LAFFITTE.—Continuez, allez toujours.

Voix de la gauche.—Ne laissez pas rouiller vos lois de sûreté.

M. GUIZOT.—Quant à la loi de non-révélation, je ne sais si elle arrivera à discussion devant cette Chambre. Si elle y arrivait, j'en dirais mon avis avec la même sincérité; et je crois que j'aurais peu de peine à établir que les accusations d'immoralité et d'inutilité qui lui sont adressées sont fausses, et sont aisées à rétorquer contre ses adversaires. (*Mouvement à gauche.*)

Je n'engage pas la discussion, j'exprime d'avance ma pensée.

M. LAFFITTE.—Vous avez raison de dire votre façon de penser, parlez!

M. GUIZOT.—Je regarde donc toutes les mesures de vigueur qui ont été employées depuis six ans quand l'occasion l'a exigé, toutes les lois qui ont été rendues, je les regarde comme des armes salutaires, nécessaires, que le gouvernement ne doit jamais hésiter, pas plus aujourd'hui qu'hier, qu'il y a deux ans, qu'il y a trois ans, à employer quand le besoin s'en fait sentir. Il est vrai que le besoin ne se fait pas sentir toujours de la même manière; ce serait nous supposer atteints de folie que de croire que nous ayons l'intention de nous défendre quand on ne nous attaque pas; ce serait nous supposer atteints de folie que de croire que nous ayons l'intention d'employer des armes contre ceux qui ne dressent pas leurs armes contre nous et de nous servir de lois répressives quand la répression n'est pas nécessaire. Il n'y a pas un homme du pouvoir, il n'y a pas un ami de l'ordre qui aille gratuitement, et pour son seul plaisir, au-devant de pareilles nécessités.

Et d'ailleurs, messieurs, ce ne sont pas là les seuls moyens de lutter contre le désordre, contre l'esprit d'anarchie, contre les tentatives révolutionnaires; ce ne sont pas là les seuls moyens que le gouvernement possède pour soutenir cette lutte; ce ne sont pas les seules mesures par lesquelles il puisse déployer sa fermeté et son activité. Un gouvernement obligé de faire de la lutte contre l'esprit révolutionnaire son état permanent et général n'en est pas réduit, je le répète, à n'employer contre ce mal que des mesures de rigueur ou des lois répressives; il a, selon les temps, selon l'opportunité, d'autres armes qui ont aussi leur valeur, et dont il faut qu'il sache se servir. Permettez-moi de les indiquer en peu de mots.

La première, messieurs, c'est la forte organisation du pouvoir lui-même, soit dans les Chambres, soit dans l'administration. Qu'est-ce qui a fait notre principale force depuis six ans? Croyez-vous que ce soient les lois répressives? Elles ont servi, mais elles n'ont pas fait notre principale force. Croyez-vous que ce soient les mesures de rigueur, la résistance à main armée contre les émeutes? Elles étaient indispensables, mais là n'a pas été notre première force. Notre première force, c'est la présence d'une majorité dans les deux Chambres, fortement constituée, bien décidée, sachant ce qu'elle pense, ce qu'elle veut, et adhérant fermement au gouvernement qui en même temps adhérait fermement à elle.

Voilà ce qui a fait, pendant six ans, notre première et notre véritable force dans les épreuves que nous avons été appelés à traverser. Eh bien, quand les coups de fusil ne sont plus nécessaires, quand les lois répressives, quand du moins leur application immédiate et fréquente n'est plus nécessaire, croyez-vous que cette forte constitution du pouvoir, cette ferme et intime union de la majorité avec l'administration et de l'administration avec la majorité ne soient plus nécessaires? Croyez-vous que cela aussi puisse se relâcher avec le reste? Non, non, messieurs. Quand vous ne voulez pas user des moyens matériels, l'autorité morale du pouvoir vous est d'autant plus nécessaire. Quand vous ne voulez pas réprimer par la force, il faut que vous réprimiez par votre autorité sur les esprits. L'énergique constitution de la majorité dans les Chambres, l'intime union de la majorité et de l'administration sont plus nécessaires, je le répète, quand on ne se bat pas dans les rues que quand on s'y bat. (*Très-bien! très-bien!*)

J'en dirai autant d'une autre force dont on n'a pas tiré, depuis six ans, tout le parti qu'on peut en tirer, et qui est, sinon le premier, du moins un des premiers éléments de gouvernement parmi nous: c'est la bonne constitution de l'administration locale. Nous ne savons pas encore, messieurs, nous ne nous doutons pas de tout ce que le gouvernement puiserait de sécurité et de force, et le pays de repos, dans une administration homogène, dirigée par le même esprit, empreinte de cette unité, de cette harmonie avec le centre de l'État, avec la majorité parlementaire et l'administration générale, que nous avons si souvent vainement désirée. C'est là encore une œuvre des temps pacifiques, des temps où l'on ne se bat point. On peut y arriver sans trouble, par des moyens réguliers; et ne vous y trompez pas, c'est une des principales forces, un des plus grands moyens dont vous soyez armés dans la lutte contre l'esprit d'anarchie, contre les tendances désorganisatrices de la société. Il faut que l'administration locale soit une, homogène, animée d'un même esprit, conduite dans le même sens, que les mêmes influences qui dirigent ici le gouvernement dirigent l'administration dans les localités. À ce prix vous obtiendrez, pour vous, gouvernement central et pour le pays, la sécurité et l'ordre après lesquels vous courez. (*Assentiment.*)

Et, ne vous y trompez pas, ce n'est pas seulement des fonctionnaires que je parle ici. Les fonctionnaires ne sont pas les seuls hommes que vous ayez à organiser avec cette unité. Ces classes aisées dont nous parlions tout à l'heure, et où dominent les intérêts conservateurs, elles ont besoin d'être ralliées; elles sont éparses, elles manquent d'expérience; elles ne vous apportent pas à vous, gouvernement, toutes les forces qu'elles ont en elles-mêmes et qu'elles pourraient vous donner. Il faut évidemment que votre administration locale, vos fonctionnaires, vos lois, vous servent à rallier ces classes conservatrices, à les organiser; il faut qu'elles se pressent partout autour de votre administration, qu'elles l'entourent, qu'elles la soutiennent, qu'elles lui apportent leur force et leur influence.

Alors seulement votre société sortira de l'état de faiblesse et d'anarchie dans lequel vous vous plaignez de la voir. Voilà, messieurs, de quoi occuper le pouvoir quand l'émeute ne gronde pas dans la rue, quand les lois répressives ne doivent pas être immédiatement appliquées. Voilà par quels moyens il peut, à de telles époques, soutenir, sous une autre forme, cette lutte continuelle, inévitable, contre l'esprit révolutionnaire, dans laquelle je vous disais en ce moment qu'il est engagé.

Car je vous demande, messieurs, de ne pas oublier que le mal est au milieu de vous; le mal ne s'arrête pas: si les pouvoirs armés pour la défense ne sont pas toujours dans un état de vigilance, l'action continuelle du mal fait des progrès après lesquels on est bien embarrassé à regagner le terrain perdu. Eh! messieurs, n'avez-vous pas vu avec quelle facilité on pouvait perdre du terrain dans la bonne cause, et avec quelles difficultés on le regagnait? Vous l'avez déjà vu, prenez garde de le voir encore. (*Au centre.*—Très-bien! très-bien!)

Je me résume, messieurs, je dis que cet état de lutte, de lutte politique contre l'esprit d'anarchie, étant le fait dominant de notre société actuelle, le fait auquel nul cabinet ne peut échapper, s'il arrivait quelque jour qu'on ne déployant pas la force matérielle, en laissant dormir les lois répressives, on laissât aussi pénétrer le doute et le trouble dans les grands pouvoirs publics, dans les majorités parlementaires, dans l'administration, s'il arrivait que la force matérielle et l'autorité morale du pouvoir s'énervassent à la fois, s'il arrivait qu'on le vît désarmer et s'abaisser du même coup, si, au même moment où il cesserait d'intimider ses ennemis, il perdait son ascendant sur ses amis, que voudriez-vous qu'il advînt alors de la société?

Est-ce que vous croyez que la mission du pouvoir serait accomplie? Est-ce que vous croyez qu'il suffirait à sa tâche? Messieurs, la mission des gouvernements n'est pas laissée à leur choix, elle est réglée en haut... (*Bruits à gauche.*) en haut! Il n'est au pouvoir de personne de l'abaisser, de la rétrécir, de la réduire. C'est la Providence qui détermine à quelle hauteur et dans quelle étendue se passent les affaires d'un grand peuple. Il faut absolument monter à cette hauteur et embrasser toute cette étendue pour y suffire.

Aujourd'hui plus que jamais il n'est pas permis, il n'est pas possible aux gouvernements de se faire petits. (*À gauche.*—Ah! ah!) La grandeur intellectuelle et morale est particulièrement nécessaire à notre gouvernement; c'est là la seule grandeur qu'il lui convienne de chercher; c'est la seule à laquelle il soit naturellement appelé. (*Bruit. Interruption.—Écoutez! Écoutez!*)

D'autres ont pu rechercher la grandeur des bouleversements intérieurs du pays; d'autres la grandeur des conquêtes extérieures; pour nous, pour le gouvernement de Juillet, nous n'avons et ne voulons avoir que la grandeur des idées et des devoirs. (*Mouvement.*) C'est notre impérieuse mission d'y suffire; ne pas y suffire, pour nous, c'est abdiquer.

Il y aurait à cela, messieurs, peu d'honneur et beaucoup de danger pour la société; la Chambre, j'en suis sûr, ne se laissera jamais entraîner dans cette voie. (*Aux centres.*—Très-bien! très-bien!—*Longue adhésion.*)

M. HAVIN.—Je demande la parole pour un fait personnel.

M. Havin monte à la tribune; il en descend pour la céder à M. le président du conseil qui, à son tour, quitte la tribune.

La séance demeure suspendue pendant quelque temps.

M. le comte MOLE, *président du conseil.*—Messieurs, quelque désavantage qu'il y ait à succéder à la tribune à un orateur tel que celui que vous venez d'entendre, je me félicite cependant d'avoir à continuer des explications données avec tant de gravité et de convenance.

L'honorable M. de Sade nous a demandé des explications sur la crise ministérielle. Messieurs, il est de mon devoir d'en donner, et depuis longtemps je désirais l'occasion de m'expliquera mon tour; je le ferai en très-peu de mots.

Je ne pense pas, comme l'honorable M. Guizot, que l'homogénéité parfaite d'un cabinet soit appropriée à nos circonstances. On vous a beaucoup parlé du fractionnement des opinions dans cette Chambre; un orateur de ce côté a semblé même vous le reprocher. Messieurs, ce fractionnement n'est pas votre faute, il existe dans le pays, et pour en bien apprécier les causes il faudrait remonter bien haut: il est le résultat de cinquante années de révolution; il est le résultat de cette indépendance des esprits qui rend tous les jours, il faut le dire, les majorités et par conséquent le gouvernement plus difficiles.

Les cabinets, pour avoir des chances de durée, doivent se proportionner à cet état de choses, et représenter en quelque sorte, dans leurs éléments, les principaux éléments de la majorité. (*Sensation.*) Ce furent les idées générales que j'apportai à la formation du cabinet du 6 septembre.

Je dus aussi prendre en considération quelques circonstances spéciales qui devaient aussi avoir leur part dans la formation du cabinet. La dissolution du cabinet précédent avait été amenée par une question de politique étrangère. La prérogative royale s'était exercée de manière à prouver qu'elle avait adopté l'opinion de la minorité du conseil. Un autre cabinet était appelé sur cette question de politique extérieure. Il me semblait conforme au mécanisme de notre gouvernement de conserver, dans le nouveau cabinet, les membres du dernier qui avaient précisément fait triompher le principe sur lequel le nouveau cabinet allait se former. Ce fut dans cette pensée que je présentai une combinaison qui ne fut pas acceptée. Après une grande instance de ma part et de longs délais, le cabinet du 6 septembre s'établit tel que vous l'avez vu.

Je déclare que jamais, dans toutes ces combinaisons de noms propres, je n'ai eu une autre pensée que la durée de l'administration dont je devais avoir l'honneur d'être le chef et les chances de majorité qu'elle pouvait avoir dans les Chambres; jamais je n'ai eu un autre but, une autre prétention, et jamais je n'ai cherché un autre résultat.

La combinaison que le cours des choses me fit accepter me parut renfermer dès son origine quelques germes de destruction pour l'avenir. Un événement parlementaire ne tarda pas à nous révéler que le cabinet ne répondait pas parfaitement à ces conditions de majorité que j'avais cherchées. C'est surtout ici, messieurs, que je diffère en quelque chose de l'honorable orateur auquel je réponds. Il vous a dit que d'accord dans les intentions, et marchant vers le même but, on avait différé dans l'action. Je crois que je rapporte bien ses paroles... (*Oui! oui!*) Et pour preuve, il a cité ce qui s'était passé à l'occasion de la loi de disjonction. Il vous a dit: En entrant dans le cabinet on était convenu de ne pas s'ébranler au moindre choc, et de ne pas faire légèrement des questions de cabinet... (*Rumeurs.*)

Je demande un peu de silence, je suis encore très-fatigué.

Messieurs, lorsque la loi de disjonction fut rejetée par la Chambre (je ne sais si ma mémoire me trompe, mais j'oserais jurer ici qu'elle ne me trompe pas), personne n'eut moins que moi l'idée de la retraite; et si quelques membres du cabinet en reçurent quelque découragement et crurent que ce rejet était, en effet, une manifestation contre le ministère, ce n'est pas moi. Je dirai seulement que, pour ma part, je vis dans ce rejet de la loi de disjonction (que je regrette aussi, messieurs, et que je regrette, parce que j'étais convaincu, comme je le suis encore, qu'il était nécessaire qu'une manifestation législative quelconque protestât contre les événements de Strasbourg)... (*Au centre:* Très-bien!) Je vis, je le répète, dans le rejet de la loi de disjonction, un certain affaiblissement pour le cabinet, et la confirmation des idées que j'avais essayé de faire prévaloir au 6 septembre dans la composition du cabinet.

Maintenant, comment la crise commença-t-elle? Assurément pas par aucune démonstration qui me fût personnelle; je ne dirai pas même par la retraite de celui de nos collègues qu'il s'agit bientôt de remplacer, car il ne se retira pas, mais par je ne sais quelle rumeur qui s'éleva sur certains bancs de cette Chambre, et qui pressait cette retraite et la nomination d'un successeur. Pour moi, messieurs, qui désirais sincèrement le maintien de l'administration dont j'avais l'honneur d'être le chef, je vis ce mouvement commencer avec d'autant plus de regret que j'en prévoyais les conséquences.

Ce n'est assurément pas moi, je l'affirme, qui ai donné le signal de la retraite à personne; mais quand l'ébranlement eut commencé, je n'eus pas un autre système que celui que j'avais eu au 6 septembre. Ce qui m'avait paru indiqué au 6 septembre, comme condition de la majorité, me parut beaucoup plus fortement indiqué alors, et je le proposai de nouveau et de toutes mes forces. Je rends justice entière aux intentions de chacun, mais je m'empresse de reconnaître avec l'honorable orateur que nous n'envisageons pas la situation de la même manière: il voulait le cabinet le plus homogène possible, et moi le cabinet le plus en harmonie avec les éléments dont la majorité des Chambres se compose. Cependant il vous a présenté, comme le modèle des cabinets qui ont existé depuis sept ans, le ministère du 11 octobre. Or, était-ce un cabinet homogène que celui du 11 octobre? Son mérite à mes yeux était précisément de représenter ce que j'aurais désiré reproduire dans celui du 6 septembre, l'alliance de certaines opinions qui, marchant vers le même but, mais variant parfois sur les moyens, composent certainement la véritable majorité politique du pays.

Ce système, messieurs, était le mien, imperturbablement le mien, et je ne crois pas qu'il y en ait un autre. Tout ministère homogène, dans la division, dans la dissémination actuelle des esprits, serait un ministère sans durée; tandis qu'un ministère composé d'hommes marchant d'un pas ferme vers le même but, quoique ayant des caractères divers et des opinions différentes, transigeant entre eux comme il est nécessaire que vous transigiez entre vous, comme le pays transige aussi lui-même, un tel ministère est à mon avis le seul possible, le seul approprié aux circonstances, le seul qui puisse faire un bien durable, et qui lui-même puisse durer longtemps. (*Très-bien!*)

D'ailleurs, permettez-moi de l'observer, ce ministère du 11 octobre a été soumis à cette condition d'instabilité qui affligera tous les cabinets, parce qu'elle est inhérente à la nature des circonstances. Ce cabinet a été remanié cinq fois.

L'honorable orateur a donné un second exemple de cette divergence dans l'action à laquelle il a attribué en partie la chute du cabinet. Ce second exemple, il l'a pris dans le retrait de la loi d'apanage.

Il me permettra de lui représenter que ce n'est pas là ce qui a concouru apparemment à diviser le cabinet, car il n'a jamais été question, dans son sein, du retrait de la loi d'apanage. Il désapprouve aujourd'hui ce retrait, et il a dit qu'il fallait au moins affronter la discussion. Eh! messieurs, nous ne craignons pas d'affronter les discussions ni les luttes, et je crois que nous le prouvons tous les jours. Ce que nous avons voulu éviter touche à des intérêts plus graves; ce que nous avons craint d'affronter, c'était la chance d'un rejet. (*Rumeurs diverses.*)

Je ne suivrai pas non plus l'honorable et éloquent orateur dans l'exposition de son système; je dirai seulement que nous croyons vous avoir fait connaître suffisamment le nôtre. Je viens de le faire encore en vous donnant mes idées sur la composition du cabinet. Je ne crains pas de vous le répéter, messieurs, notre système, en deux mots, est de considérer aujourd'hui la France comme fatiguée de ses agitations passées. Les vieux partis s'agitent encore; mais tous les jours, messieurs, leurs rangs sont plus désertés, tous les jours un plus grand nombre d'hommes égarés tendent au repos et à rentrer dans les voies de l'ordre, et, comme je le disais l'autre jour, des intérêts privés. Quelques-uns s'agitent encore, et nous vous demandons les moyens de les surveiller. Partout où ils oseront tenter l'exécution de leurs coupables desseins, ils rencontreront la plus imperturbable exécution des lois.

Voilà, messieurs, quel est notre système: nous ne faisons à personne la guerre pour la guerre; au contraire, nous tendons la main à tous ceux qui viennent à nous sincèrement et de bonne foi, qui nous acceptent, nous, nos opinions, notre manière de gouverner, notre système; nous n'acceptons que ceux-là. Nous aimons mieux calmer les passions que d'avoir à les vaincre; mais si le mal relevait audacieusement la tête, nous saurions prouver que le monopole de l'énergie n'appartient à personne: armés alors des lois que vous avez faites, et que le pays vous doit, nous saurions le réprimer et le confondre. (*Très-bien! très-bien!*)

Quelques membres.—La clôture! Aux voix!

(M. Havin et M. de Laboulie se dirigent en même temps vers la tribune.)

M. MAUGUIN.—Je demande la parole.

M. DE LABOULIE.—Je l'ai avant vous, je suis inscrit.

M. MAUGUIN.—Mais vous avez cédé votre tour hier à M. Jaubert.

M. DE LABOULIE.—Oui; mais M. Larabit m'a cédé le sien aujourd'hui.

M. MAUGUIN.—Je voudrais répondre à M. Guizot.

M. DE LABOULIE.—Vous répondrez dans la discussion de l'article premier.

M. HAVIN.—Je demande pardon aux honorables membres, mais j'ai la parole pour un fait personnel; je veux dire seulement quelques mots. (*Écoutez!*)

Messieurs, l'honorable M. Guizot a dit que, dans toute la discussion d'hier, un seul mot l'avait blessé, que ce mot avait été prononcé par moi, qui avais pu supposer qu'il avait voulu conserver le pouvoir seulement dans un intérêt privé.

Messieurs, ici, jamais je n'attaque que les opinions et les hommes politiques, je n'ai jugé dans M. Guizot que l'homme politique, que l'homme de parti. J'ai apprécié une démarche politique; je la blâme hautement, je la trouve peu digne du ministre qui représente une opinion, qui a joué un si grand rôle depuis six ans, et je me permettrai de faire à M. Guizot une observation qui rentrera dans celles que lui faisait si spirituellement M. le président du conseil il n'y a qu'un instant: «Comment se fait-il que vous, qui voulez l'homogénéité du ministère, vous ayez fait partie du ministère du 11 octobre?» Eh bien, moi, je répète avec M. Molé: «Comment se fait-il que vous ayez fait cette démarche pour reconstituer un ministère dont les membres n'auraient pas eu des opinions homogènes? Vous êtes donc inconséquent avec vos principes?» (*Interruption des centres.*)

À gauche.—Très-bien!

M. HAVIN.—M. Guizot a dit encore que j'accusais, lui et ses amis, d'avoir des idées aristocratiques.

Eh bien, je ne m'en défends pas, et je vous le demande: qui a voulu l'hérédité de la pairie? qui a voulu les apanages?... (*Exclamations et murmures au centre.*)

Aux extrémités.—C'est vrai.

M. HAVIN.—Qui a refusé l'entrée dans cette enceinte à ce qu'on a nommé les capacités? (*Nouvelles exclamations.*) Qui a voulu que la propriété seulement fût représentée dans cette Chambre? Je le demande à M. Guizot, sont-ce là des idées aristocratiques, ou sont-ce des idées démocratiques? (*Interruption prolongée.*)

Permettez-moi, messieurs, encore une seule observation sur la modération du système.

M. le président du conseil (au milieu du bruit).—La plupart de vos reproches...

M. HAVIN.—Je n'ai pas entendu l'observation que vient de faire M. le président du conseil.

M. le président du conseil.—Je disais que la plupart des reproches que vous adressez à un autre orateur pourraient m'être adressés.

M. Havin.—Je ne vous empêche pas, monsieur le président du conseil, d'en prendre votre part. (*Hilarité générale.*)

Je n'ajoute qu'un mot sur la modération du système.

Vous avez vu comment il a été développé par M. Guizot; vous pouvez juger de sa modération, il nous l'a caractérisée par ces seuls mots: *Il ne faut pas laisser rouiller le fer.* (*Vives réclamations au centre.*) Les armes du moins.

Quelques voix.—Il a parlé de lois. (*Agitation prolongée.*)

M. GUIZOT (de sa place).—J'ai dit...

M. HAVIN.—Laissez-moi rétablir ma pensée. Vous concevrez très-bien que, répondant à M. Guizot, je n'ai pas la prétention de répondre à toutes les parties de son discours, et que dans une improvisation on peut se tromper sur les mots. M. Guizot a dit: *rouiller les armes.*

Au centre.—Non! non! (*Nouveau bruit.*)

À gauche.—Si! si!

M GUIZOT.—J'ai dit les lois. (*Agitation croissante.*)

M. HAVIN.—Je suis bien aise que M. Guizot m'ait donné l'occasion de rectifier ces mots.

M. GUIZOT.—Permettez...

M. HAVIN.—Vous parlerez lorsque j'aurai fini. (*Murmures au centre.*)

M. GUIZOT.—Je prie l'honorable orateur de me permettre de rétablir moi-même le mot tel que je l'ai dit. J'ai dit qu'il ne fallait pas *laisser rouiller les lois.*

LXXXIV

Continuation de la discussion sur les fonds secrets.

—Chambre des députés.—Séance du 5 mai 1837.—

M. Odilon Barrot ayant ranimé le débat en reprenant les questions de politique générale et de crises ministérielles qui semblaient épuisées, je pris la parole pour bien expliquer et compléter ce que j'en avais dit dans la séance du 3 mai.

M. GUIZOT.—Messieurs, je voudrais pouvoir oublier de quelles paroles l'honorable préopinant m'a fait tout à l'heure l'honneur de se servir en parlant de moi; il m'a presque ôté par là le droit de le remercier de la franchise et de l'élévation avec lesquelles il vient de poser la question.

Comment voulez-vous, après ce qu'il m'a fait l'honneur de dire de moi, comment voulez-vous que je rende une pleine justice à la hauteur de ses vues, à la sincérité de son langage, et à cet appel qu'il a fait à la sincérité et à la franchise de la Chambre tout entière? Je suis gêné, messieurs, à ce sujet, et je vous demande la permission de mettre de côté ces sentiments personnels pour entrer dans la question.

Il y a cependant, messieurs, il y a une justice que je regrette que l'honorable préopinant ne m'ait pas rendue. Je me suis appliqué avant-hier, en traitant la question, à la dégager le plus tôt possible de toutes les considérations personnelles. L'honorable M. Barrot vous a très-bien montré que, dans la crise ministérielle qui venait de s'accomplir et dans la situation actuelle, il y avait une question de politique générale, une question profonde entre deux systèmes de gouvernement. J'avais eu l'honneur de le dire avant-hier à la Chambre; je m'étais hâté d'en finir avec les considérations personnelles, pour ramener le débat à la politique générale.

L'honorable M. Barrot a paru croire un moment que des considérations..... il a dit, je crois, de prééminence personnelle, avaient été, presque de mon propre aveu, la véritable cause de la crise ministérielle.

Il n'en est rien, messieurs, absolument rien; l'honorable M. Barrot vous l'a montré lui-même dans la suite de son discours.

Je ne dirai donc à ce sujet qu'un seul mot de plus: je n'ai jamais fait de ce qui m'était personnel une question importante pour moi-même; je ne me suis jamais considéré dans les affaires publiques que comme, je ne dirai pas le représentant, mais le serviteur des intérêts de mon pays, et de ce que je regardais comme la vérité, comme la bonne cause. (*Très-bien!*)

C'est dans ce seul intérêt que j'ai cru qu'il était de mon devoir de vouloir, non pas la prééminence, mais l'influence, l'influence sans laquelle il n'est donné à personne de soutenir et de faire triompher sa cause. (*Au centre:* Très-bien! très-bien!)

J'ai toujours mis de côté, et personne, j'ose le dire, n'en a donné des gages plus certains que moi, j'ai toujours mis de côté toute question de prééminence personnelle. Quand j'ai eu l'honneur, au 6 septembre, d'être appelé dans les affaires, je n'ai voulu y rentrer que dans le poste que j'avais précédemment occupé. Mais l'influence, l'influence politique, l'influence pour ma cause, l'influence pour mes idées, l'influence pour les intérêts auxquels je me suis dévoué, ah! certainement non, je n'y ai jamais renoncé. (*Bravo au centre.*)

J'ai toujours considéré comme de mon devoir, comme de mon honneur, d'étendre, d'entretenir cette influence, autant qu'il m'était donné de le faire dans la position à laquelle il plaisait au roi de m'appeler.

Voilà pour les considérations personnelles; la Chambre me permettra de ne pas m'y arrêter davantage. La Chambre ne se plaît pas aux débats intérieurs, aux anecdotes, aux luttes de personnes: je la conjure seulement d'avoir sans cesse présente à l'esprit cette idée, que la prééminence, les apparences, les avantages personnels, je n'en ai jamais tenu aucun compte, je n'en ai jamais fait aucun cas. Mais la réalité du pouvoir, l'influence politique, les moyens de force pour ma cause, pour mon opinion, je les ai toujours cherchés, et je les chercherai toujours. (*Nouvelles et vives acclamations au centre.*)

J'arrive au fond des choses.

Vous l'avez vu, l'honorable M. Barrot a posé sur-le-champ la question dans sa vérité. Que vous a-t-il dit? quelles sont les paroles qui ont dû vous frapper le plus?

Que la politique suivie depuis six ans, cette politique qu'il a constamment combattue, avait été une politique de répression, de répression à outrance: c'est le mot dont il s'est servi; politique dans laquelle on avait attaqué, non-seulement l'abus, mais l'usage de nos libertés; politique dans laquelle, tantôt par des lois, tantôt par des actes, on avait porté atteinte aux droits essentiels, aux principes fondamentaux de la révolution de Juillet.

C'est là, messieurs, la question qui se débat depuis six ans devant vous. (*Marques d'adhésion.*)

L'honorable M. Barrot pense que la politique suivie depuis six ans a été mauvaise, répressive avec excès, contraire aux principes de la révolution de Juillet et aux droits du pays.

Je pense le contraire: il y a six ans que j'ai l'honneur de le soutenir devant la Chambre. C'est donc toujours la même question: quels que soient les hommes, quelles que soient les crises ministérielles, c'est toujours cette question-là qui s'agite. Ne l'oubliez donc pas, messieurs; ce qui se traite dans ce moment devant vous, à propos de la crise ministérielle, c'est la question de savoir si le gouvernement et vous nous resterons fidèles à la politique suivie depuis six ans, ou si nous abandonnerons cette politique. (*Au centre:* Très-bien!)

Eh! messieurs, je n'ai ici nul besoin d'explication, nul besoin d'interprétation; quand l'honorable M. Barrot vous a parlé des dernières crises ministérielles, de celles qui ont renversé le ministère du 11 octobre et celui du 6 septembre, qu'a-t-il dit? comment en a-t-il parlé en son nom et au nom de ses amis? Il a dit que quelque faible espérance, quelque lointaine perspective de changement que pût leur offrir un nouveau ministère, lui et ses amis s'étaient hâtés d'y adhérer, qu'ils s'étaient hâtés d'accepter cette espérance si faible, cette perspective si lointaine, tant le changement leur paraissait important, tant il s'agissait à leurs yeux des plus graves intérêts du pays compromis par la politique suivie depuis six ans. Il vous a dit que le moindre temps d'arrêt dans cette politique leur paraissait un immense avantage, un avantage qui les avait décidés, lui et ses amis, à des sacrifices qui leur avaient beaucoup coûté.

Je le comprends, M. Odilon Barrot et ses amis ont eu parfaitement raison. En effet, toutes les fois qu'il se produira dans la vie des cabinets, dans la vie de cette Chambre, quelque crise, quelque événement qui donnent lieu d'espérer la moindre déviation, la moindre altération de la politique suivie depuis six ans, M. Odilon Barrot et ses amis feront bien de se hâter d'y adhérer.

Voix aux centres.—Très-bien! très-bien!

M. GUIZOT—D'y adhérer avant que la brèche soit grande, avant que les yeux du pays soient ouverts, avant que tout le monde sache bien de quoi il s'agit; car le jour où la brèche apparaîtra, le jour où l'on saura de quoi il s'agit, le jour où l'on verra l'honorable M. Odilon Barrot et ses amis entrer avec le cabinet dans des voies nouvelles, dans une voie de véritable changement, dans la voie d'abandon de la politique suivie depuis six ans, malgré l'estime qu'on leur porte, je n'hésite pas à annoncer que la disposition du pays changera, et qu'il se fera une réaction qui fera adopter bien autre chose que la loi de disjonction et les autres mesures que nous vous avions proposées..... (*Vifs applaudissements au centre. Sensation prolongée.*)

Messieurs, je suis, pour mon compte, si heureux de la voie de franchise que M. Odilon Barrot vient d'ouvrir, je me sens tellement à l'aise depuis qu'il a parlé à cette tribune, que j'ai bien envie de faire quelques pas de plus dans cette voie et de vous parler avec une vérité encore plus complète que la sienne, s'il m'est possible. (*Marques nombreuses d'adhésion.*)

Il est déjà arrivé plus d'une fois, comme l'a dit M. Barrot, qu'on a été sur le point de s'arrêter dans la politique suivie depuis six ans, qu'on a été sur le point d'en dévier, qu'on a laissé entrevoir quelques symptômes de changement politique, quelque approche de l'opposition vers le pouvoir. Que s'est-il manifesté dans le pays? Une inquiétude générale. (*Vive approbation au centre. Rires ironiques à gauche.*)

Pour mon compte, j'observe comme un autre, et j'ai aussi le droit d'apporter à cette tribune le résultat de mon observation. (*À gauche:* C'est juste.)

Eh bien, le résultat de mon observation, c'est que toutes les fois que les principes, les maximes de l'opposition, malgré certaines sympathies qu'elle rencontre dans le pays, malgré les souvenirs, les préjugés (qu'on me permette de me servir de cette expression), malgré les préjugés qui existent encore dans le pays en sa faveur, toutes les fois qu'elle a paru approcher du pouvoir, une inquiétude générale, une inquiétude profonde, l'inquiétude des intérêts sérieux, l'inquiétude de ces intérêts qui sont les intérêts essentiellement sociaux, les intérêts conservateurs, s'est aussitôt manifestée. (*Dénégations à gauche.*)

Au centre.—C'est vrai! c'est vrai!

M. LE GENERAL DEMARÇAY.—Pourquoi donc avez-vous fait les lois de septembre?

M. GUIZOT.—L'opposition comprendra donc que, convaincu, pour mon compte, que son système est mauvais, et persuadé par mon observation que le pays n'en veut pas...

M. DEMARÇAY.—C'est M. de Labourdonnaye!

M. GUIZOT.—Il faut bien que je dise ce que je pense. (*Oui! oui! Parlez! parlez!*)

Voilà six ans, messieurs, que le pays est mis à l'épreuve, qu'il a pleinement la liberté de la presse, la liberté des élections. On peut attaquer comme on voudra notre système électoral, les influences exercées dans les élections; mais enfin personne ne peut nier que le pays ne jouisse depuis sept ans, en matière d'élection et de presse, d'une liberté plus grande qu'à aucune autre époque; personne ne peut nier que le gouvernement de Juillet n'ait été chercher l'opinion du pays plus profondément et avec infiniment plus de sincérité que ne l'avait fait aucun gouvernement précédent.

Eh bien, toutes les fois que cette opinion s'est manifestée par des voies légales, par les élections, dans les Chambres, après les débats de la presse et de la tribune, le système de l'opposition a été réprouvé, repoussé par le pays légal, le pays constitué.

Une voix.—Le pays légal, c'est-à-dire le vôtre!

M. GUIZOT.—Il est vrai, le pays légal est le nôtre, le pays légalement constitué est le nôtre. Nous ne méconnaissons point les droits individuels écrits dans la Charte, et dont jouissent tous les citoyens, dont ils sont, sous leur responsabilité, en pleine possession; mais ce qui est légalement constitué, ce sont les colléges électoraux, ce sont les Chambres. Voilà les vrais pouvoirs publics, les pouvoirs écrits dans la Charte, dont l'ensemble constitue notre gouvernement. Les renierez-vous, ces pouvoirs? refuserez-vous de les reconnaître? Sont-ils vicieux à vos yeux, soit dans leur origine, soit dans leur constitution?

Non, vous les reconnaissez légaux, vous reconnaissez que ce sont les pouvoirs nationaux. Eh bien, je ne puis me dispenser de vous rappeler ce fait qui s'est reproduit constamment depuis six ans, ce fait que votre système, bien que soutenu par la faveur qui s'attache à d'anciens souvenirs du pays, soutenu par l'autorité de votre talent et de l'estime qu'inspire votre caractère, je suis obligé de vous rappeler que votre système a été constamment repoussé par le pays légal. (*Vive approbation au centre.*)

Voix à gauche.—Et le vôtre!

M. GUIZOT.—Aucun gouvernement, que je sache, n'a prétendu à l'infaillibilité; aucun gouvernement n'a prétendu que tous ses projets fussent adoptés par les pouvoirs publics, que toutes ses idées fussent partagées par les majorités qui le soutenaient. J'énonce ici un fait général, sans m'arrêter à quelques exceptions, à quelques déviations particulières qui ne le détruisent pas; j'énonce ce fait que le jugement prononcé par le pays, par le pays libre et légal, depuis six ans, entre l'opposition et nous, c'est-à-dire entre le système de l'opposition et le nôtre, que ce jugement a été constamment en notre faveur.

Messieurs, l'explication la voici, et j'y suis amené par les paroles de l'honorable M. Barrot sur la classe moyenne. «La classe moyenne, a-t-il dit, comment a-t-il pu vous entrer dans l'esprit d'en faire une classe à part, par conséquent opposée aux autres classes de la nation? C'est un mensonge, c'est un danger. Vous oubliez donc toutes les victoires de notre Révolution qui ont été gagnées par tout le monde; vous oubliez le sang qui a coulé au dedans et au dehors pour l'indépendance ou pour la liberté de la France! C'est le sang de tout le monde.» Non, je ne l'oublie pas: il y a dans notre Charte des droits, des droits publics qui ont été conquis par tout le monde, qui sont le prix du sang de tout le monde. (*Très-bien! très-bien!*) Ces droits, c'est l'égalité des charges publiques, c'est l'égale admissibilité à tous les emplois publics, c'est la liberté de la presse, c'est la liberté individuelle. Ces droits-là, parmi nous, sont ceux de tout le monde; ces droits appartiennent à tous les Français; ils valent bien la peine d'être conquis par les batailles que nous avons livrées et par les victoires que nous avons remportées.

Il y a eu encore un autre prix de ces batailles, un autre prix de ces victoires; c'est vous-mêmes, messieurs, c'est le gouvernement dont vous faites partie, c'est cette Chambre, c'est notre royauté constitutionnelle. Voilà ce que le sang de tous les Français a conquis; voilà ce que la nation tout entière a reçu de la victoire, comme le prix de ses efforts et de son courage. (*Bravos aux centres.*) Et vous trouvez que ce n'est rien! vous trouvez que cela ne peut pas suffire à de nobles ambitions, à de généreux caractères! Sera-t-il donc nécessaire, après cela, d'établir aussi, au profit de tout le monde, cette absurde égalité, cette universalité des droits et des pouvoirs politiques qui se cache au fond de toutes les théories qu'on vient apporter à cette tribune? (*Vive adhésion au centre.*)

Ne dites pas que je refuse à la nation française, que je lui conteste le prix de ses victoires, le prix de son sang versé dans nos cinquante années de révolution; à Dieu ne plaise! elle a gagné un noble prix, et aucun événement ne pourra le lui ravir.

Mais elle a entendu, au bout de ses combats et pour garantir toutes ces libertés, tous ces droits qu'elle avait conquis, elle a entendu apparemment qu'il s'établirait au milieu d'elle un gouvernement régulier, un gouvernement stable, un gouvernement qui ne fût pas sans cesse et perpétuellement remis en question par des combats analogues à ceux que nous avons livrés depuis cinquante ans. Apparemment la nation française n'a pas entendu vivre toujours en révolution comme elle a vécu pendant vingt ans. Non, certes; elle a entendu arriver à un état de choses régulier, stable, dans lequel la portion de la nation véritablement capable d'exercer les pouvoirs politiques fût régulièrement constituée sous la forme d'un gouvernement libre, d'un gouvernement qui garantît les libertés, les droits de tous, par l'intervention active et directe d'un certain nombre d'hommes. Je dis à dessein d'un certain nombre, pour exclure du moins dans ma propre pensée, cette théorie du suffrage universel, de l'universalité des droits politiques, théorie qui est cachée, je le répète, au fond de toutes les théories révolutionnaires, et qui survit encore dans la plupart des idées et des systèmes que l'opposition apporte à cette tribune. (*Aux centres.* Très-bien!)

Voilà ce que j'ai voulu dire quand j'ai parlé de la nécessité de constituer et d'organiser la classe moyenne. Ai-je assigné des limites à la classe moyenne? M'avez-vous entendu dire où elle commençait, où elle finissait? Je m'en suis soigneusement abstenu; je ne l'ai distinguée ni d'une classe supérieure, ni des classes inférieures; j'ai simplement exprimé le fait général qu'il existe, au sein d'un grand pays comme la France, une classe qui n'est pas vouée au travail manuel, qui ne vit pas de salaires, qui a de la liberté et du loisir dans la pensée, qui peut consacrer une partie considérable de son temps et de ses facultés aux affaires publiques, qui a non-seulement la fortune nécessaire pour une pareille œuvre, mais qui a en même temps les lumières, l'indépendance, sans lesquelles cette œuvre ne peut être accomplie.

Quand je disais hier que la loi du 5 février 1817, qui avait établi parmi nous l'élection directe, avait fondé la réalité du gouvernement représentatif, il m'est venu de ce côté de la Chambre (gauche) des signes d'assentiment; vos signes d'assentiment d'hier sont la condamnation la plus formelle du système que vous êtes venu soutenir aujourd'hui.

Qu'a donc fait la loi du 5 février 1817? Elle a commencé précisément cette œuvre dont j'entretenais la Chambre, cette constitution, cette organisation politique de la classe moyenne; cette loi a précisément posé les bases de la prépondérance politique de la classe moyenne; elle a placé le pouvoir politique dans la portion la plus élevée, c'est-à-dire dans la portion indépendante, éclairée, capable, de la société, et elle a fait descendre en même temps ce pouvoir assez bas pour qu'il arrivât jusqu'à la limite à laquelle la capacité s'arrête. Lorsque, par le cours des temps, cette limite sera déplacée, lorsque les lumières, les progrès de la richesse, toutes les causes qui changent l'état de la société auront appelé un plus grand nombre d'hommes et des classes plus nombreuses à la capacité politique, la limite variera. C'est la perfection de notre gouvernement que les droits politiques, limités par leur nature même à ceux qui sont capables de les exercer, peuvent s'étendre à mesure que la capacité s'étend; et telle est en même temps l'admirable vertu de notre gouvernement qu'il provoque sans cesse l'extension de cette capacité, qu'il va semant de tous les côtés les lumières politiques, l'intelligence des questions politiques, en sorte qu'au moment même où il assigne une limite aux droits politiques, à ce moment il travaille à déplacer cette limite (*Très-bien! très-bien!*), à l'étendre, à la reculer, et à élever ainsi la nation entière.

Comment pouvez-vous croire, comment quelqu'un dans cette Chambre a-t-il pu croire qu'il me fût entré dans l'esprit de constituer la classe moyenne d'une manière étroite, privilégiée, d'en refaire quelque chose qui ressemblât aux anciennes aristocraties? Permettez-moi de le dire; j'aurais abdiqué les opinions que j'ai soutenues toute ma vie, j'aurais abandonné la cause que j'ai constamment défendue, l'œuvre à laquelle, depuis six ans, j'ai eu l'honneur de travailler sous vos yeux et par vos mains. Quand je me suis appliqué à répandre dans le pays les lumières de tous genres, quand j'ai cherché à élever ces classes laborieuses, ces classes qui vivent de salaire, à la dignité de l'homme, à leur donner les lumières dont elles avaient besoin pour leur situation, c'était une provocation continuelle de ma part, de la part du gouvernement tout entier, à acquérir des lumières plus grandes, à monter plus haut; c'était le commencement de cette œuvre de civilisation, de ce mouvement ascendant, universel, qu'il est dans la nature de l'homme de souhaiter avec ardeur. (*Vifs applaudissements.*)

M. ODILON BARROT.—C'est pour cela, sans doute, que vous avez repoussé les capacités.

M. GUIZOT.—Je repousse donc, je repousse absolument, et pour le système que j'ai eu l'honneur de soutenir, et pour moi-même, ces accusations de système étroit, étranger à la masse de la nation, aux intérêts généraux, uniquement dévoué aux intérêts spéciaux de telle ou telle classe de citoyens; je les repousse absolument, et en même temps je maintiens ce qu'il y a de vrai dans ce système: c'est que le moment est venu de secouer ces vieilles idées, ces vieux préjugés d'égalité absolue.

M. GARNIER-PAGES.—Je demande la parole. (*Mouvement.*)

M. GUIZOT.—Je répète à dessein, parce que je ne doute pas que l'honorable M. Garnier-Pagès n'entre à son tour, avec une entière franchise, dans la question telle qu'elle vient d'être posée; je répète à dessein que le moment est venu, à mon avis, d'écarter ces vieux préjugés d'égalité de droits politiques, d'universalité des droits politiques, qui ont été non-seulement en France, mais dans tous les pays, partout où ils ont été appliqués, la mort de la vraie liberté et de la justice, qui est la vraie égalité. (*Mouvement prononcé d'adhésion.*)

On parle de démocratie, on m'accuse de méconnaître les droits, les intérêts de la démocratie. Ah! messieurs, je m'étais efforcé hier de répondre d'avance à cette objection; je m'étais efforcé de démontrer que ce qui perd la démocratie, dans tous les pays où elle a été perdue, et elle l'a été souvent, c'est précisément qu'elle ne sait pas avoir le sentiment vrai de la dignité humaine; elle ne sait pas s'élever sans cesse, et au lieu d'admettre cette variété des situations, cette hiérarchie sociale sans laquelle il n'y a pas de société, et qui n'a pas besoin d'être une hiérarchie fermée, privilégiée, qui admet parfaitement la liberté et le mouvement ascendant des individus, et le concours perpétuel entre eux selon le mérite de chacun, au lieu de l'admettre, dis-je, elle la repousse avec une aveugle arrogance.

Ce qui a souvent perdu la démocratie, c'est qu'elle n'a su admettre aucune organisation hiérarchique de la société; c'est que la liberté ne lui a pas suffi; elle a voulu le nivellement. Voilà pourquoi la démocratie a péri. (*Très-bien! très-bien!*)

Eh bien, je suis de ceux qui combattront le nivellement, sous quelque forme qu'il se présente; je suis de ceux qui provoqueront sans cesse la nation entière, la démocratie, à s'élever; mais qui, en même temps, l'avertiront à chaque instant que tout le monde ne s'élève pas, que tout le monde n'est pas capable de s'élever, que l'élévation a ses conditions spéciales, qu'il y faut la capacité, l'intelligence, la vertu, le travail, et une foule de qualités auxquelles il n'est pas donné à tout le monde de suffire. (*Très-bien! bravo!*)

Je veux que partout où ces qualités se rencontreront, partout où il y aura capacité, vertu, travail, la démocratie puisse s'élever aux plus hautes fonctions de l'État, qu'elle puisse monter à cette tribune, y faire entendre sa voix, parler au pays tout entier. Mais vous avez cela; vous n'avez plus besoin de le demander; votre gouvernement vous le donne; cela est écrit dans votre Charte, dans cette constitution officielle, légale de votre société, contre laquelle vous vous élevez sans cesse. Vous êtes des ingrats, vous méconnaissez sans cesse les biens dont vous êtes en possession; vous parlez toujours comme si vous viviez sous un régime d'oppression, de servitude, comme si vous étiez en présence d'une aristocratie comme celle de Venise, ou d'un pouvoir absolu. Eh! messieurs, vous vivez au milieu de la société la plus libre qu'on ait jamais vue, et où le principe de l'égalité sociale est le plus consacré. Jamais vous n'avez vu un pareil concours d'individus élevés aux plus hauts rangs dans toutes les carrières. Nous avons tous, presque tous, conquis nos grades à la sueur de notre front et sur le champ de bataille. (*Applaudissements prolongés.*)

M. ODILON BARROT.—Si c'était à recommencer...

M. GUIZOT.—M. Odilon Barrot a raison; c'est à recommencer aujourd'hui.

M. ODILON BARROT.—Vous n'avez pas compris ma pensée. Ces illustrations ont été conquises dans un temps d'égalité, et si c'était à recommencer...

M. GUIZOT.—Il me semble que l'honorable M. Barrot se fait ici une étrange illusion. Je parlais tout à l'heure de tous les genres d'illustration... L'honorable M. Barrot est en possession d'une véritable illustration; il l'a conquise de nos jours, à nos yeux, au milieu de nous, sous ce régime dont je parle, et non à une autre époque. (*Très-bien! très-bien!*)

Il y a bien d'autres hommes qui, dans d'autres carrières, se sont élevés et s'élèveront comme lui! Je répudierais absolument un avantage qui s'attacherait à une seule génération, fût-ce la mienne. Je n'entends pas qu'après toutes les batailles de la nation française, nous ayons conquis pour nous seuls tous les droits que nous possédons. Non, nous les avons conquis pour nos enfants, pour nos petits-enfants, pour nos petits-neveux à travers les siècles. Voilà ce que j'entends, voilà ce dont je suis fier, voilà la vraie liberté (*Oui! oui! Vive adhésion*), la liberté féconde, au lieu de celle qui se présente sans cesse, pardonnez-moi de le redire, à la suite de vos systèmes; au lieu de cette démocratie envieuse, jalouse, inquiète, tracassière, qui veut tout abaisser à son niveau, qui n'est pas contente si elle voit une tête dépasser les autres têtes. À Dieu ne plaise que mon pays demeure longtemps atteint d'une si déplorable maladie! Je me l'explique dans les temps qu'il a traversés, dans les luttes qu'il a eues à soutenir; quand il fallait renverser le pouvoir absolu et le privilége, il a bien fallu, à tort et à travers, appeler à soi toutes les forces du pays, dangereuses ou utiles, légitimes ou illégitimes, les bonnes et les mauvaises passions. Tout a paru sur les champs de bataille, tout a voulu sa part du butin.

Mais aujourd'hui la bataille est finie, la paix est faite, le traité conclu: le traité, c'est la Charte et le gouvernement qui en est sorti..... (*Bravos prolongés.*)

Je ne veux pas que mon pays recommence ce qu'il a fait. J'accepte 1791 et 1792; les années suivantes même, je les accepte dans l'histoire, mais je ne les veux pas dans l'avenir... (*Très-bien! très-bien!*) et je me fais un devoir, un devoir de conscience, d'avertir mon pays toutes les fois que je le vois pencher de ce côté. Messieurs, on ne tombe jamais que du côté où l'on penche. (*Sensation.*) Je ne veux pas que mon pays penche de ce côté, et toutes les fois que je le vois pencher, je me hâte de l'avertir. (*Agitation.*)

Voilà, messieurs, voilà mon système, ma politique, ma seule politique; voilà dans quel sens j'entends ces mots *classe moyenne et démocratie, liberté et égalité,* qu'on a tant répétés tout à l'heure à cette tribune. Rien, messieurs, ne me fera dévier du sens que j'y attache. J'y ai risqué ce que l'on peut avoir de plus cher dans la vie politique, j'y ai risqué la popularité. Elle ne m'a pas été inconnue. Vous vous rappelez, messieurs..... l'honorable M. Barrot peut se rappeler un temps où nous servions ensemble, où nous combattions sous le même drapeau. Dans ce temps-là, il peut s'en souvenir, j'étais populaire, populaire comme lui; j'ai vu les applaudissements populaires venir souvent au-devant de moi; j'en jouissais beaucoup, beaucoup; c'était une belle et douce émotion: j'y ai renoncé... j'y ai renoncé. Je sais que cette popularité-là ne s'attache pas aux idées que je défends aujourd'hui, à la politique que je maintiens; mais je sais aussi qu'il y a une autre popularité: c'est la confiance qu'on inspire aux intérêts sociaux du pays, la confiance qu'on inspire à ces intérêts conservateurs que je regarde comme le fondement sur lequel la société repose.

Eh bien, c'est celle-là, à la place de cette autre popularité séduisante et charmante, que j'ai connue, c'est celle-là que j'ai ambitionnée depuis; c'est la confiance des intérêts conservateurs, la confiance des amis de l'ordre, des hommes qui croient que la France a atteint son but, qu'elle est en possession et des droits et des institutions qu'elle cherche depuis 1789, et que ce qu'elle a de plus précieux, de plus important à faire aujourd'hui, c'est de les conserver et de les consolider.

Voilà à quelle cause je me suis dévoué; voilà quelle confiance je cherche. Celle-là, je puis en répondre, me consolera de tout le reste, et je n'envierai à personne une autre popularité, quelque douce qu'elle puisse être. (*Bravos prolongés au centre. Applaudissements.*)

LXXXV

Sur les encouragements littéraires et en particulier sur ceux qui avaient été accordés aux bénédictins de Solesmes.

—Chambre des députés.—Séance du 8 juin 1837.—

M. Isambert ayant attaqué l'emploi que j'avais fait, en plusieurs occasions, des fonds destinés aux encouragements littéraires, et spécialement l'allocation que j'avais accordée aux bénédictins de Solesmes, pour la continuation de la *Gallia christiana*, je les expliquai et les justifiai en ces termes:

M. GUIZOT.—Messieurs, je commencerai par rectifier une erreur de fait dans laquelle est tombé l'honorable préopinant. Il a paru croire que l'allocation à laquelle il faisait allusion, et qui, en effet, s'élève à 100,000 fr., s'appliquait à une seule année.....

M. HAVIN.—Elle s'applique à cinq années.

M. GUIZOT.—Vous me permettrez de faire la rectification moi-même; je ne la demande à personne, je vous prie de me laisser continuer.

L'honorable préopinant, dis-je, a paru croire que l'allocation s'appliquait à une seule année; c'est ce qui résulte des termes dont il s'est servi, quand il a dit qu'à peu près la totalité du crédit annuel de 134,000 fr. était absorbée par cette allocation. Il n'en est rien. Elle est répartie non pas sur cinq, mais, si je ne me trompe, sur sept années; oui, c'est sur sept années, de sorte que c'est 15,000 fr. par an et non pas 100,000 fr. Il y a, messieurs, un grand nombre d'ouvrages dont la publicité doit durer plusieurs années, et qui absorbent près, et quelquefois plus, de 15,000 fr. par an. Tels sont l'ouvrage sur la Morée, le voyage de Jacquemont dans l'Inde, le voyage de d'Orbigny dans l'Amérique méridionale, etc. Il n'y a donc, dans la souscription à laquelle on a fait allusion, rien d'extraordinaire. L'unique question est de savoir si la publication est utile et la souscription profitable. J'ai toujours pensé, messieurs, que les fonds affectés aux souscriptions littéraires avaient une double destination: d'abord d'encourager la publication des grands ouvrages qui ne se publieraient pas sans ce moyen; ensuite de répandre, de mettre à portée des bibliothèques des départements et des établissements publics, les collections qui contiennent des ouvrages utiles, de bonne lecture générale, et qui ne parviendraient pas sans cela à la connaissance d'un grand nombre de lecteurs.

Voix à gauche.—Ils y sont déjà.

M. GUIZOT.—Je puis assurer les honorables membres qui m'interrompent que, dans les ouvrages dont je parle, il y en a un grand nombre qui ne sont point sous la main des lecteurs départementaux auxquels vous portez tous intérêt, et je les citerai si la Chambre le désire. (*Non, non!*)

Je suis bien aise d'avoir cette occasion d'établir ici les véritables principes en cette matière. Je dis que les fonds destinés aux souscriptions littéraires ont une double destination: l'encouragement des grands ouvrages scientifiques et littéraires qui ne se multiplieraient pas sans ce moyen et la propagation des bons ouvrages dans les établissements publics où ils arriveraient difficilement sans cet encouragement.

J'ajoute que cela a toujours été pratiqué ainsi, et que les fonds employés aux souscriptions ont toujours reçu cette double destination; par exemple, quand on a réimprimé (dirai-je ici les noms propres?) quand M. Petitot a réimprimé la collection des Mémoires sur l'*Histoire de France*, c'étaient de pures réimpressions qu'il faisait. Ces Mémoires existaient déjà dans beaucoup de bibliothèques publiques; cependant personne n'a trouvé extraordinaire que le ministre de l'instruction publique souscrivît pour un certain nombre d'exemplaires de cette collection et les envoyât dans les bibliothèques où ils ne se trouvaient pas, pour qu'ils fussent mis à la portée d'un grand nombre de lecteurs. Cela s'est fait pour bien d'autres ouvrages où il ne s'agissait que de pures réimpressions. Citerai-je des ouvrages d'*histoire naturelle*? On a souscrit, par exemple, pour une réimpression des *Œuvres de Buffon*; ces œuvres sont connues du monde entier, mais il y a une foule de bibliothèques, d'établissements publics, dans lesquels elles n'existent pas, ou bien qui n'ont pas de bonnes éditions. On a cru faire et on a fait une chose utile pour beaucoup de lecteurs, en mettant à leur portée de bons livres qu'ils n'auraient pas trouvés sans cela.

La souscription spéciale et récente à laquelle on fait allusion a précisément ce résultat; elle propage, elle fait lire de bons et beaux ouvrages qui n'existent pas, quoi qu'on en dise, dans la plupart des bibliothèques publiques; je citerai les œuvres de Bacon; on les cherche en vain dans la plupart des bibliothèques des établissements publics. On a parlé de la *Somme* de saint Thomas d'Aquin; il est aisé de railler sur saint Thomas d'Aquin, surtout quand on ne l'a pas lu. L'honorable M. Lacrosse ignore peut-être qu'aujourd'hui un grand nombre de personnes, dans les départements comme à Paris, se portent avec zèle vers l'étude des idées religieuses; or dans l'histoire des idées religieuses au moyen âge, saint Thomas d'Aquin est un des hommes qui ont joué le plus grand rôle. L'honorable préopinant serait peut-être étonné si je lui disais que le volume de la collection dont il s'agit, qui contient d'anciens écrits religieux, est l'un de ceux qui se sont vendus au plus grand nombre d'exemplaires, l'un de ceux que le public a recherchés avec le plus d'empressement.

J'affirme donc, sans hésiter, que le *Panthéon littéraire* est au nombre de ces collections qu'il est bon de répandre et de mettre à la portée d'un grand nombre de lecteurs, et que l'administration a pu, sans déroger le moins du monde à l'emploi légitime des fonds consacrés aux souscriptions publiques, affecter non pas 100,000 fr., mais 15,000 fr. par an à cet emploi.

Voilà, sur ce point, les faits exactement rétablis; je passe au second fait dont a parlé l'honorable préopinant, aux bénédictins de Solesmes.

Il les a appelés des bénédictins; il leur plaît à eux-mêmes de s'appeler ainsi; je n'y fais pas la moindre objection; il est bien clair qu'il n'y a là aucune existence légale, aucun nom officiel; c'est un nom historique que quelques personnes peuvent prendre, si cela leur convient, mais qui n'a point de valeur officielle. Quelques personnes ont acheté les ruines d'un bel édifice qui avait appartenu aux anciens bénédictins; elles s'y sont établies avec l'intention de se livrer à des pratiques et à des études religieuses. Il n'y a rien là, à coup sûr, de dangereux ni d'illégitime.

Eh bien, messieurs, un des plus grands ouvrages que les anciens bénédictins eussent entrepris, la *Gallia christiana*, restait incomplet. La métropole de Tours, la métropole de Besançon et la métropole de Vienne en Dauphiné y manquaient. Les religieux de Solesmes étaient précisément établis dans le territoire de la métropole de Tours; ils avaient en leur possession, dans le diocèse du Mans, une grande partie des matériaux recueillis par les anciens bénédictins pour l'histoire de cette métropole. Ce sont là les motifs qui m'ont porté à leur confier ce travail. Ils étaient, je le répète, à portée des renseignements, en possession des plus importants documents; quelques-uns d'entre eux sont des hommes réellement savants. Ils ont, sans aucun doute, les croyances, les opinions de leur robe; personne ne peut le trouver étrange; mais dans l'ouvrage dont ils ont été chargés, il s'agit uniquement de recueillir des pièces et des documents, de les coordonner, de les publier comme cela a déjà été fait pour la presque totalité de la *Gaule chrétienne*. Il n'y a rien, absolument rien, dans une telle mission, qui ne convienne aux personnes qui en ont été chargées, rien qui ne convienne à la situation particulière dans laquelle elles se trouvent, et au but de l'administration qui a voulu relever l'étude de notre ancienne histoire religieuse et civile.

On a demandé pourquoi l'Académie des inscriptions n'avait pas été chargée de ce travail. Messieurs, personne plus que moi n'honore l'Académie des inscriptions; mais elle est chargée d'un grand nombre de travaux de ce genre; elle a cinq ou six grands recueils à continuer; elle y met beaucoup de temps, de science, de zèle; et cependant ces recueils n'avancent que lentement. Quand on a le désir véritable, non pas de faire les choses en apparence, mais de les faire réellement, non pas de faire dire dans un journal qu'on a ressuscité tel travail scientifique, mais de faire effectivement continuer et achever les grands travaux, il faut en charger des hommes qui aient du temps à y donner, qui y apportent un zèle véritable. J'ai trouvé, dans les personnes qu'on appelle les bénédictins de Solesmes, du temps, de la science, du zèle, des moyens que je n'aurais pas trouvés ailleurs, et je n'ai pas hésité à leur confier cette entreprise, dont ils ont consenti à se charger pour la modique somme de 4,000 fr. par an.

Voilà, messieurs, sur ces deux faits particuliers, des explications que je suis bien aise d'avoir données à la Chambre. Je ne dirai qu'un mot sur deux autres observations qui se sont produites dans le cours de la discussion. On s'est étonné de l'augmentation de 16,000 fr. que j'avais eu l'honneur de proposer à la Chambre. En vérité, messieurs, supposez, je vous en prie, que vous n'ayez jamais su qu'il y avait dans le budget de l'État, dans le budget de la France, des fonds affectés à l'encouragement des lettres, à des souscriptions scientifiques et littéraires, et que tout à coup on vous dise que 150,000 fr. sont consacrés à cet objet; je n'hésite pas à dire que vous seriez tous étonnés de la modicité de la somme. Prenez de bien petits États de l'Europe, je ne parle pas des États d'Allemagne, où les lettres prospèrent; prenez la Toscane ou tel autre petit pays; vous trouverez souvent des sommes bien plus considérables affectées aux souscriptions scientifiques et littéraires. Je n'ai pas d'autre réponse à faire. 150,000 fr. par an dans le budget de la France pour souscriptions aux grands ouvrages littéraires et scientifiques! en vérité, je ne comprends pas comment on refuserait la petite augmentation qui est proposée. (*Très-bien!*)

Encore une observation à laquelle je veux répondre. Un honorable préopinant a paru étonné que, parmi les ouvrages auxquels il avait été souscrit, se rencontrassent quelques ouvrages de poésie légère. L'honorable préopinant peut se rappeler que le fond du budget se divise en deux parts: l'une est consacrée aux souscriptions, l'autre aux encouragements personnels à accorder à des hommes de lettres débutants ou âgés, qui ont besoin d'encouragements de ce genre. Il arrive quelquefois qu'au lieu de donner à une femme, à un écrivain, un encouragement direct et personnel, sur l'article consacré à ce genre d'emploi, on souscrit pour quelques exemplaires de l'ouvrage qu'il vient de publier; c'est un moyen de donner un secours à l'auteur de l'ouvrage; c'est une forme d'encouragement et pas autre chose.

LXXXVI

Discussion de l'Adresse.—Renouvellement du débat sur la question de
l'intervention française en Espagne.

—Chambre des députés.—Séance du 11 janvier 1838.—

MM. Thiers, Passy, Mauguin, Dufaure et Odilon Barrot attaquèrent la
politique du cabinet envers l'Espagne et ranimèrent la question de
l'intervention française sous des formes plus ou moins nettes et efficaces;
j'étais alors étranger au cabinet, mais je défendis, en répondant à M. Odilon
Barrot, la politique de non-intervention adoptée par les cabinets précédents
auxquels j'avais appartenu.

M. GUIZOT.—Messieurs, je remercie l'honorable préopinant d'avoir ramené
la question à sa vérité. Hier, l'honorable M. Thiers avait demandé que tout le
monde apportât à cette tribune toute franchise; je crois que jamais question,
jamais situation n'en ont eu plus besoin. Je prie seulement la Chambre de
remarquer que, sinon la franchise, du moins la liberté de langage ne m'est pas
aussi facile qu'à mes adversaires. Je désire autant que qui que ce soit
l'affermissement de la monarchie constitutionnelle espagnole; je veux autant
de bien que qui que ce soit à ce gouvernement; et pourtant, une de mes
raisons, de mes raisons les plus fortes contre l'intervention, c'est l'état
intérieur de l'Espagne et les difficultés sans nombre qui en résultent pour une
intervention utile et efficace. Comment se mêler, à ce point, des affaires d'un
pays déchiré par des factions qui se renversent et se succèdent avec une si
déplorable facilité? un pays sans armée, sans argent, sans crédit, sans
administration, un pays où tout manque, où tout est à faire, où il faut tout
apporter, tout créer, même le gouvernement, pour avoir ensuite à le soutenir?
Si je tirais toutes les conséquences d'un tel état de choses, si j'apportais à cette
tribune tous les faits qui le prouvent, comme l'honorable général
Jacqueminot vous le disait tout à l'heure, le seul fait d'une telle discussion
ferait à l'Espagne un mal énorme.

J'ai donc bien raison de dire que nous, qui voulons au gouvernement de
l'Espagne autant de bien que vous, nous sommes dans un grand embarras
quand il faut en parler; car nous voulons avant tout le bien de la France, nous
pensons à la France avant tout. Il faut donc que, si l'intérêt de l'Espagne doit
être sacrifié à celui de la France, nous apportions des faits en preuve, et cela
nous coûte beaucoup; et nous nous imposons beaucoup de ménagements
dans le langage.

Soyez-en sûrs, messieurs, mes raisons contre l'intervention sont plus fortes
que je ne le dirai, et je ne dirai pas toutes les raisons que j'ai; car, encore une

fois, je respecte le gouvernement de l'Espagne, et je voudrais le servir et non pas lui nuire. (*Mouvement.*)

Je prie l'honorable préopinant d'être également convaincu que j'apporte le même dévouement (j'ose dire qu'il le sait bien), le même dévouement que lui à la cause de notre gouvernement de Juillet. C'est dans l'intérêt de sa durée, dans l'intérêt de sa force que j'examine la question. Si je croyais, comme l'honorable préopinant, qu'il fût dans l'intérêt du gouvernement de Juillet de poser dès aujourd'hui et d'une manière générale, en principe, que l'intervention vaut mieux que de laisser arriver en Espagne tout ce qui pourra y arriver, si j'étais convaincu de cela, je n'hésiterais pas à le proclamer; car je suis convaincu que le premier intérêt de la France, l'intérêt pour lequel la France devrait véritablement donner son dernier homme et son dernier écu, c'est la durée et la force du gouvernement de Juillet. (*Vive approbation.*)

Je n'ai donc à cet égard, quant au but, aucune hésitation. C'est parce que je ne pense pas que la question doive être posée comme vient de la poser l'honorable M. Barrot, c'est parce que je ne crois pas que, dans l'intérêt de la durée et de la force de notre gouvernement, nous devions décider aujourd'hui, par avance et d'une manière générale, que l'intervention doit être acceptée à tout prix, plutôt que de laisser les événements suivre leur cours en Espagne, en y opposant d'ailleurs tous les autres moyens qui sont en notre pouvoir, c'est parce que je ne crois pas cela que je repousse l'intervention.

Je prie encore l'honorable préopinant de remarquer que la question n'est pas nouvelle; il a dit lui-même que, dans la politique extérieure, la question qui nous occupe depuis plusieurs années, c'est la question de savoir dans quelles limites et jusqu'à quel point, dans son propre intérêt, la France est tenue d'aller soutenir son principe partout où ce principe se trouve engagé dans une lutte contre le principe opposé.

Je dis dans quelles limites; car l'honorable M. Barrot lui-même vient de dire qu'il ne pensait pas, qu'il n'avait jamais eu la pensée que la France fût obligée d'aller soutenir cette lutte en Pologne.

Mais remarquez qu'après nous avoir fait pour la Pologne cette concession, qu'on ne nous a pas toujours faite depuis sept ans, M. Barrot ne l'a pas faite quant à l'Italie: selon lui, nous avons eu tort de ne pas aller soutenir notre principe en Italie quand il a été proclamé; nous avons eu tort de souffrir l'intervention autrichienne dans telle ou telle partie de l'Italie.

Je pense, moi, que nous n'avons pas eu tort; je pense que la France n'avait pas, dans le débat des deux principes en Italie, un intérêt tellement pressant, tellement dominant qu'elle dût courir tous les risques qu'une pareille lutte pouvait susciter.

M. ODILON BARROT.—C'est la lutte qu'il fallait empêcher.

M. Guizot.—Il n'y avait pas d'autre moyen d'empêcher la lutte que la guerre.

M. Odilon Barrot.—Ce n'était pas la guerre, c'était l'intervention que nous demandions.

M. Guizot.—Je ne crois pas qu'on pût empêcher l'intervention autrement qu'en intervenant soi-même; et l'intervention, c'est la guerre.

J'insiste sur cette remarque pour faire bien voir à la Chambre que la question qui nous occupe n'est pas nouvelle; que c'est toujours celle qui se débat entre nous depuis plusieurs années, que M. Odilon Barrot est du nombre de ceux qui étendent beaucoup plus que mes amis et moi les limites dans lesquelles la France est obligée d'aller soutenir, par la guerre, le principe de son gouvernement.

Nous l'avons, nous, soutenu en Belgique...

M. Odilon Barrot.—Je ferai remarquer...

M. Guizot.—Je prie l'honorable M. Barrot de permettre que je continue.

M. Odilon Barrot.—Je veux dire seulement que je n'accepte pas la position de la question: ce n'est pas mon opinion que vous traduisez à la tribune.

M. Guizot.—Je dis en fait que vous avez pensé qu'en Italie la France a eu tort de ne pas aller s'opposer par la guerre, le seul moyen qu'elle eût, à l'intervention d'une puissance étrangère contre ce principe. Je crois que la France n'a pas eu tort, qu'elle n'avait pas en Italie un intérêt assez pressant pour engager cette lutte au profit de son principe. Je dis qu'ailleurs, en Belgique par exemple, quand nous avons pu croire notre intérêt compromis, nous avons accepté l'intervention; nous l'avons acceptée à tout risque. Voici donc la question dans toute sa rigueur: Avons-nous en Espagne un intérêt assez pressant, assez dominant pour que la France doive, à tout risque, dire d'une manière générale et par avance: je ne souffrirai pas que le principe analogue au mien essuie un échec en Espagne. C'est là, je le répète, la question dans toute sa rigueur.

Je dis à tout risque, par avance et d'une manière générale, car c'est là ce que M. Odilon Barrot vient d'établir à cette tribune.

Messieurs, l'an dernier en traitant la même question, je crus devoir terminer par ces paroles, que je demande la permission de rappeler:

«Messieurs, ce serait, de la part du gouvernement, un acte de grande imprudence que de s'engager sur l'avenir, quel qu'il soit: nous ne nous engagerons pas plus à nous abstenir qu'à agir; nous veillerons, envers et contre tous, aux intérêts de la France.»

Voilà ce que je disais l'an dernier, messieurs, en m'opposant à l'intervention, et je le répète aujourd'hui. Je crois que jamais le gouvernement ne doit s'engager par avance et d'une manière générale, ni à s'abstenir, ni à agir. J'insiste beaucoup sur ce point, parce que là, à mon avis, entre M. Barrot et moi, réside toute la question.

M. Odilon Barrot pense que l'intérêt de la force et de la durée de notre gouvernement est tellement compromis dans les destinées de l'Espagne que la France doit déclarer par avance, et d'une manière générale, qu'elle risquera tout plutôt que de souffrir un échec à son principe en Espagne. Je ne le pense pas. Il peut y avoir tel cas, telle situation, tel cours d'événements qui pourrait amener la France à ne pas souffrir un pareil échec à son principe en Espagne. Je ne repousse donc pas d'une manière générale, anticipée, absolue, toute idée d'intervention; mais je dis qu'il ne faut pas non plus l'accueillir par avance et d'une manière générale et absolue. Je dis qu'il ne faut pas encourager les espérances d'intervention en Espagne, qu'il ne faut pas faire considérer par avance la France comme solidaire de tout ce qui arrivera en Espagne. Je dis que c'est là une mauvaise politique, une politique qui compromet la France plus que, dans son intérêt, elle n'est obligée de se compromettre, et je demande la permission de l'établir en peu de mots.

Je rappellerai ce qui a été mis sous les yeux de la Chambre dans le cours de cette discussion.

Supposez un moment l'intervention obligatoire, obligatoire d'une manière générale, comme vient de le demander l'honorable préopinant, et voyez les conséquences. D'abord voilà notre gouvernement solidaire, engagé irrévocablement dans les destinées du gouvernement espagnol; le voilà obligé de soutenir deux révolutions au lieu d'une, de fonder deux gouvernements au lieu d'un.

Messieurs, je n'accepterais une pareille nécessité qu'à la dernière extrémité. Je ne sais si vous en êtes frappés comme moi; mais je trouve, depuis sept ans, que c'est déjà une œuvre assez difficile, assez laborieuse, de fonder un gouvernement dans notre propre pays, dans un pays préparé comme l'a été la France, pour hésiter beaucoup à accepter une seconde mission pareille dans un pays comme l'Espagne, que rien n'a préparé, comme la France, à un pareil gouvernement.

Messieurs, ne vous pressez pas d'accepter une pareille mission; la sûreté même, la force de notre propre gouvernement auraient beaucoup à en souffrir. Je n'ai, je l'avoue, aucune inquiétude sur la durée et la sûreté du gouvernement de Juillet en France, tant qu'il renfermera ses destinées dans notre territoire. Je suis tranquille sur son compte; il pourrait courir des dangers, il les surmonterait tous. Mais si vous allez l'associer aux destinées de toutes les révolutions qui l'entourent, lui faire épouser leur cause comme la sienne, lui imposer l'obligation de les faire triompher toutes, ah! alors, je n'ai plus la même sécurité, la même confiance. C'est donc au gouvernement de Juillet, dans l'intérêt de sa force et de sa durée, que je demande qu'il ne joigne sa cause à d'autres causes que là où cela lui sera indispensablement nécessaire; il faut que partout ailleurs il maintienne soigneusement la supériorité de notre révolution sur toutes les révolutions qui ont éclaté ou qui pourraient éclater, la supériorité de nos droits, de notre position. Nous n'avons pas eu un reproche sérieux à nous faire. Nous n'avons pas eu un tort, quand nous avons été amenés à accomplir cette grande révolution. Dès le lendemain de la révolution, nous nous sommes dévoués à la cause de l'ordre: nous l'avons rétabli avec des efforts inouïs; nous n'avons pas été promenés de faction en faction, d'insurrection en insurrection; nous n'avons pas eu le triomphe d'une émeute de la Granja; nous n'avons pas eu une guerre civile permanente; nous n'avons rien eu de ce qui peut rendre une cause suspecte et douteuse. La nôtre est parfaitement bonne. Notre histoire depuis sept ans est la meilleure preuve de sa légitimité. Je vous conjure donc de ne pas assimiler toutes les causes à notre cause, de ne pas prodiguer nos forces à surmonter des difficultés infiniment plus grandes que celles que nous avons rencontrées chez nous, quand nous savons tout ce qu'il en coûte de peines et d'efforts pour surmonter celles-ci. Sachez, messieurs, vous limiter quant à la politique extérieure comme vous avez su vous calmer pour la politique intérieure. C'est par là que nous avons triomphé; c'est par là que nous triompherons toujours. Ne compromettez pas notre pays pour des causes qui ne valent pas la nôtre. (*Très-bien! très-bien!*)

Je ne vous parle pas de tout ce qu'on vous a dit tout à l'heure sur les inconvénients matériels qui résulteraient, pour notre état intérieur, des chances d'une intervention en Espagne. Je vous prierai de relire votre propre adresse, et de voir au milieu de quelles circonstances vous provoquez une politique pareille. Vous demandez, dans votre adresse, la consolidation de notre établissement en Afrique, vous demandez la conversion des rentes; vous demandez un grand ensemble de travaux publics; vous demandez des économies: et c'est dans cette même adresse que vous iriez pousser à l'intervention en Espagne! (*Bruits et mouvements divers.*) Mais, messieurs, cela est contradictoire; si vous croyez que votre dignité exige qu'on pousse à l'intervention en Espagne, renoncez à toutes ces prospérités, à toutes ces économies, à tous ces biens intérieurs dont vous parlez dans votre adresse, car vous serez engagés dans une affaire qui de longtemps ne vous permettra de nourrir de pareilles pensées.

Je passe au dehors, et je poursuis toujours les conséquences de l'intervention reconnue obligatoire d'une manière générale.

M. le président du conseil vous disait, hier et aujourd'hui, avec vérité, que le plus grand intérêt de la France, c'était d'avoir les mains libres vis-à-vis de toute l'Europe, que c'était là le gage le plus infaillible de sa sûreté. Je pense comme lui. Vous voulez la paix; mais vous la voulez sûre et digne. Eh bien, j'accorde que, même si vous allez en Espagne, la paix ne sera pas troublée; j'admets que l'Europe ne se remuera pas, qu'elle vous laissera faire. Cependant, vous n'aurez pas la pleine liberté de vos mouvements, la pleine disposition de vos forces, comme vous l'avez aujourd'hui. On ne vous fera pas la guerre; mais il s'élèvera des questions, il y aura des affaires, il y en a toujours en Europe, il en naît à chaque instant. Ces jours derniers, vous avez couru le risque d'en avoir une en Belgique. S'il survenait en Italie quelque événement analogue à celui qui a provoqué l'occupation d'Ancône, seriez-vous libres de tenter une pareille expédition avec une intervention en Espagne, avec vos forces et vos destinées compromises au delà des Pyrénées?

Je n'hésite pas à affirmer, car je connaissais la fermeté de son jugement, que si l'illustre Casimir Périer avait vu la France engagée dans une intervention en Espagne, il n'aurait pas fait flotter le drapeau français sur les murs d'Ancône.

Il aurait parfaitement compris qu'il ne faut pas se mettre sur les bras une multitude d'affaires à la fois.

Eh bien, voilà ce qui vous arrivera: vous ne serez plus en état de faire face à toutes les affaires qui surviendront, et qui toucheront à la dignité de la France. Vous êtes fiers, vous êtes susceptibles; vous avez raison, restez fiers, restez susceptibles, mais gardez les moyens de l'être, gardez-les tous, gardez-les soigneusement. (*Au centre*: Très-bien!)

Vous dites tous les jours qu'on ne vous aime pas en Europe, que vous êtes suspects, que vous êtes redoutés. Je l'accorde, bien que je pense mieux que vous de la sagesse de l'Europe. Je crois qu'elle comprend à quel point il est de son intérêt que l'ordre établi en France se maintienne et se consolide. Je crois que l'Europe, comme nous-mêmes, en a infiniment appris dans les quarante années qui viennent de s'écouler; que de même que nous avons été sages de 1830 à 1838, l'Europe a été sage, et qu'elle le serait encore. Mais, enfin, elle ne nous aime pas, dites-vous; elle nous soupçonne, elle nous surveille. Eh bien, quand une fois vous serez engagés dans une affaire difficile et longue, permettez-moi de vous le dire, l'Europe se passera ses fantaisies en fait de désagréments à nous donner. (*Rires approbatifs au centre.*)

Elle se permettra des procédés qui vous blesseront, qui vous offenseront; vous aurez raison de vous plaindre, vous aurez raison de vous offenser; mais vous n'aurez plus cette attitude tranquille, parfaitement libre, parfaitement disponible que vous avez aujourd'hui, et qui fait une grande partie de votre force et du respect qu'on nous porte. (*Très-bien!*)

Maintenant, messieurs, que serait-ce si, au lieu d'une intervention passagère, momentanée, en Espagne, l'affaire dans laquelle vous semblez disposés à vous engager allait devenir une longue occupation, s'il y avait nécessité pour vous, dans notre intérêt, dans l'intérêt français, et pour ne pas laisser recommencer en Espagne ce que vous y auriez fait finir, d'y rester longtemps. Pensez à la prolongation de cette situation et aux embarras qu'elle pourrait amener!

Messieurs, l'hypothèse que je présente, c'est l'opinion de beaucoup d'hommes très-éclairés, qui ont beaucoup réfléchi sur la question espagnole, et ont été à portée de la juger.

Je suis obligé de revenir sur des faits qui ont été déjà mis, l'année dernière, sous les yeux de la Chambre: je lui demande la permission de les lui rappeler, puisque la question revient tout entière.

Voici ce que pensait sur la question de l'intervention en Espagne notre dernier ambassadeur, M. de Rayneval, quand il y résidait, et quand son opinion était plutôt favorable que contraire à l'intervention.

Voici, dis-je, ce qu'il pensait sur les conséquences de l'intervention quant à la France: «Les passions que la lutte des partis et les effets de la guerre civile ont excitées ne pouvant être calmées en un instant, il paraît nécessaire que l'armée française, pour consolider son ouvrage, occupe, pendant un espace de temps plus ou moins long, le pays qu'elle aura pacifié. Le feu se rallumerait indubitablement ou dans les provinces du nord ou sur quelque autre point de l'Espagne. Il faut convenir d'avance du temps que durera l'occupation, et de plus stipuler, d'une manière bien positive, que les troupes françaises ne quitteront le territoire espagnol, même après l'expiration de ce terme, que par suite d'une délibération prise en commun par les deux gouvernements, et non sur la simple demande du gouvernement espagnol. Il est résulté beaucoup d'embarras pour nous, et un grand mal pour l'Espagne, de la faculté laissée, en 1823, au roi Ferdinand de faire cesser à son gré l'occupation de son pays par nos troupes; il ne faut pas que la même faute se renouvelle.»

Je supprime quelques phrases inutiles qui ne sont que le développement de ces idées, et je continue: «Ceci me conduit naturellement à parler de la conduite que nous devons tenir à l'égard du gouvernement espagnol. Il ne peut évidemment, du moins jusqu'à la majorité de la reine, surmonter les difficultés inhérentes à sa nature et à sa situation, qu'en s'appuyant sur nous. Notre coopération active ne doit pas être un fait isolé, mais le premier pas que nous ferons dans un système nouveau; tout en traitant l'Espagne en pays indépendant, il est de toute nécessité de la tenir pendant plusieurs années sous notre tutelle. C'est ainsi seulement qu'elle pourra entreprendre la réforme de ses lois et de ses mœurs, calmer les passions qui fermentent dans son sein, et se préparer un avenir plus tranquille.»

Messieurs, est-ce la tâche que vous voulez entreprendre? (M. THIERS: *Non! non!*) J'en suis convaincu; je suis convaincu que, la question ainsi posée, personne n'en veut. Mais je rappelle ces faits pour montrer que des hommes pleins de sens, pleins de lumières, habitant l'Espagne, favorables à l'intervention, ont regardé cette occupation prolongée, cette tutelle prolongée, comme la conséquence nécessaire de l'intervention, et qu'il y a au moins là une chance bien grave sur laquelle j'appelle toute l'attention de la Chambre.

Messieurs, encore une fois, si l'intervention était obligatoire, si elle était indispensable à la sécurité et à l'avenir de notre gouvernement, si nous étions liés par le traité, je n'aurais rien à dire, j'accepterais toutes ses conséquences, quelles qu'elles soient; mais je crois avoir bien démontré que la durée et la sécurité de notre gouvernement ne sont pas liés à ce qui se passe au delà des Pyrénées.

Sans doute, il y a là quelque chose de grave pour nous, et beaucoup à faire pour prévenir le danger; nous avons déjà beaucoup fait, nous avons fait autre chose que des vœux, et M. le président du conseil du 22 février se rappelle parfaitement le langage qu'il tenait au mois de juin 1836, quand il parlait de ce que nous avions fait. Je demande la permission de le remettre sous les yeux de la Chambre, parce qu'il est important d'établir que nous avons offert autre chose que des sympathies, que nous formons autre chose que des vœux, et que les reproches qu'on nous adresse ne sont nullement fondés.

Voici les paroles que prononçait l'honorable M. Thiers le 2 juin 1836, en répondant, je crois, à M. Mauguin:

«On a dit: Vous avez fait un acte énergique, c'est celui de reconnaître la reine; mais vous vous êtes arrêtés là, et depuis vous n'avez rien fait. Je répondrai: Si, nous avons beaucoup fait. Nous avons d'abord donné à l'Espagne l'appui moral de la France et de l'Angleterre, et c'était beaucoup; et si vous connaissiez aussi bien que nous, ce qui est difficile, le mouvement général des choses en Europe, vous sauriez que c'était beaucoup que l'appui moral de la France et de l'Angleterre.

«Mais les Anglais ont donné un corps auxiliaire. La France a donné également un corps auxiliaire, non pas obscurément, mais ostensiblement. Enfin, nous avons établi le long des Pyrénées un blocus rigoureux, qui sans doute n'a pas empêché la contrebande de se faire, mais qui a empêché les grandes expéditions qu'on n'aurait pas manqué de faire passer par la frontière française.»

Enfin, après avoir signé le traité de la quadruple alliance, après avoir donné à l'Espagne l'appui moral, le blocus, la légion étrangère, que restait-il à lui donner? Vous prononcez tous le mot, messieurs: il restait à lui donner une armée française. Eh bien, c'est là une question immense; c'est à cette question seule que le gouvernement s'est arrêté. Et s'il ne s'y était pas arrêté, il serait en ce moment accusé devant vous de la hardiesse avec laquelle il l'aurait résolue. Il ne l'a pas résolue, et dans une aussi grande affaire, si jamais il est amené à s'en occuper, ce que rien n'annonce aujourd'hui, il ne ferait que ce que lui conseilleraient la dignité et l'intérêt de la France, l'intérêt de l'Europe, et j'ajouterai le vœu bien connu, bien constaté du pays.

De l'aveu de M. Thiers lui-même, messieurs, nous avons donc beaucoup fait, nous avons fait ce qui, j'en suis convaincu, a puissamment aidé jusqu'ici le gouvernement de la reine à s'établir. On nous dit tous les jours que la contre-révolution est imminente, que don Carlos est sur le point d'entrer à Madrid. Il y a trois ans qu'on nous dit cela; il y a trois ans que, deux ou trois fois chaque année, don Carlos le tente; et cependant il n'a pas réussi, grâce à l'appui moral de la France et de l'Angleterre, grâce aux secours que la France a donnés, grâce aux efforts des puissances signataires du traité. On s'étonne de la durée de cette lutte. Mais il y a eu des luttes tout aussi douloureuses, plus douloureuses même, et qui ont duré bien plus longtemps, qui ont duré dix, quinze, vingt ans, plus encore. Pendant la lutte des Pays-Bas contre l'Espagne, il y avait une puissance qui avait, avec les Pays-Bas, des intérêts analogues, une grande sympathie de principes et de croyances, c'était l'Angleterre. La reine Élisabeth a souvent donné aux Pays-Bas un appui indirect, un appui moral; elle leur a souvent fourni de l'argent, des secours divers; mais, pour les faire triompher, elle ne s'est pas crue obligée de s'engager dans une guerre sérieuse et longue avec l'Espagne, et d'aller intervenir dans les Pays-Bas avec une armée anglaise.

Vous êtes dans une situation analogue: vous avez fait beaucoup pour l'Espagne, vous pouvez faire encore beaucoup; mais je ne crois pas qu'il soit de l'intérêt de la France d'aller mettre sa cause tout entière dans la cause de l'Espagne. Or, ne vous y trompez pas, messieurs, c'est là ce que le paragraphe de l'adresse vous demande de faire. M. Odilon Barrot l'a interprété avec beaucoup de jugement et de vérité; il vous a dit qu'il y voyait l'engagement pris par la France, d'avance, d'une manière générale, de tout risquer plutôt que de souffrir le cours des événements en Espagne.

M. ODILON BARROT.—La contre-révolution.

M. GUIZOT.—Je n'hésite pas plus que vous à me servir des mots propres. Vous avez souvent, depuis quelque temps, manifesté dans cette Chambre l'intention d'adoucir le langage, d'éviter tout ce qui pouvait entretenir la division des partis et les sentiments violents; c'est par assentiment à cet honorable désir que j'atténuais cette façon de procéder et que je retenais mon langage. Je ne crains pas d'ailleurs de me servir des mots propres.

Eh bien, messieurs, d'après le sens très-réel qu'y a attaché l'honorable M. Odilon Barrot, ce que veut dire le paragraphe de l'adresse, c'est que vous prenez dès aujourd'hui, d'une façon anticipée, générale, dans toutes les circonstances, l'engagement de tout risquer pour empêcher en Espagne la contre-révolution. Le jour où vous prendrez cet engagement, vous faites la chose même, autant du moins qu'il est en vous, car la France tient ses engagements. Si une fois les Chambres et le gouvernement du roi avaient pris un engagement pareil, ils le tiendraient. Eh bien, ce que nous vous demandons, nous, c'est de ne pas le prendre, c'est de vous réserver la liberté de votre jugement et de votre action. L'amendement de M. Hébert ne vous impose pas, d'une manière anticipée et générale, l'obligation de ne jamais intervenir en Espagne; il déclare seulement que l'intervention n'est point contenue dans les traités, que vous n'êtes pas liés par le traité de la quadruple alliance à tout risquer pour empêcher la contre-révolution en Espagne; il vous laisse la liberté de faire ou de ne pas faire, chaque jour, dans chaque circonstance particulière, selon votre situation, selon la situation de l'Espagne. Et vous venez de proclamer vous-mêmes qu'il est des situations qui peuvent amener des conduites différentes. L'honorable M. Odilon Barrot disait tout à l'heure, à cette tribune, que l'année dernière, au moment où une insurrection militaire venait de triompher à Madrid, il pouvait y avoir des raisons d'hésiter; qu'il était beaucoup plus difficile d'intervenir alors qu'aujourd'hui. Eh bien, est-ce qu'il n'est pas possible que, soit en France, soit en Espagne, il survienne encore des circonstances qui rendent l'intervention impossible? Et vous iriez vous engager par avance et d'une manière générale, comme le paragraphe de votre adresse vous le conseille?

Non, vous ne le ferez pas. Le gouvernement ne vous le propose pas. Je prie la Chambre de remarquer que l'adresse lui demande deux choses singulières: on lui demande d'aller plus loin que ne le propose le gouvernement, de prendre l'initiative dans une matière diplomatique et militaire; on lui demande formellement de pousser à l'intervention, et en même temps on lui fait abdiquer en quelque sorte son droit d'examen; on lui fait dire qu'elle se confie aux mesures que le gouvernement croira devoir prendre. En sorte que la Chambre va au delà des convenances en prenant l'initiative, et qu'elle renonce en quelque sorte à son droit d'examen, dans l'avenir, sur la conduite que pourrait tenir le cabinet.

Il y aurait là, je crois, de la part de la Chambre, une double et extrême imprudence.

Et ne croyez pas que la question soit éloignée, qu'il ne s'agisse que d'un intérêt lointain. À l'heure qu'il est, on provoque à Madrid la demande de l'intervention; à l'heure qu'il est, si le paragraphe était adopté après cette discussion, tel qu'il est proposé, tenez pour certain que l'intervention serait demandée, et que vous auriez résolu la question par votre vote, autant du moins qu'il est en vous.

Ne vous y trompez donc pas; vous décidez la question dans ce moment. Je n'ai qu'à ouvrir le discours de M. Martinez de la Rosa; il dit lui-même qu'il aurait demandé l'intervention à une certaine époque, s'il n'avait pas cru qu'elle serait refusée. Le jour où, en Espagne, on croira que vous l'accorderez, on la demandera à l'instant même.

Vous allez donc décider la question, dans la limite de votre pouvoir. Je conjure la Chambre d'y bien penser. De la politique de non-intervention, on peut toujours en revenir; on est toujours à temps de prendre le parti de l'intervention. Mais la politique de l'intervention, une fois qu'on y est engagé, on n'en revient pas, c'est une décision définitive, c'est une politique irrévocable: que la Chambre y pense. (*Vive adhésion au centre.*)

LXXXVII

Sur la pension à accorder à madame la comtesse de Damrémont, veuve du
général comte de Damrémont, tué devant Constantine.

—Chambre des députés.—Séance du 5 février 1838.—

Le Gouvernement avait proposé qu'une pension de 10,000 francs fût
accordée à la comtesse de Damrémont, comme récompense nationale pour
les services et la mort glorieuse de son mari. La commission demanda, par
amendement, que le taux de la pension fût réduit à 6,000 francs. Je soutins la
proposition du Gouvernement. L'amendement de la commission fut adopté.

M. GUIZOT.—Je regrette le débat qui s'élève en ce moment; je le regrette
parce que je suis convaincu que nous avons tous le même sentiment, la même
intention; nous honorons tous au fond de notre cœur, nous voulons tous
honorer publiquement par nos votes les mérites, les services qui ont motivé
le projet de loi que vous discutez. Je n'en voudrais d'autre garant que
l'honorable rapporteur de votre commission lui-même. Les mérites auxquels
se réfère ce projet de loi sont de même nature que les siens; les services qui
ont amené le projet de loi, l'honorable rapporteur de votre commission en a
rendu d'analogues; les hommages que nous voulons rendre à ces services, il
marche dans le chemin qui y conduit. Il est donc impossible que le sentiment
qui nous anime ne soit pas le même que celui qui animait la commission et
son honorable rapporteur.

Cependant je repousse les amendements de la commission, et j'ai besoin de
dire pourquoi.

Nous nous plaignons sans cesse, messieurs, de l'empire de l'égoïsme, de la
mollesse des caractères et des mœurs, de cette disposition qui porte tant de
gens à écouter des calculs d'intérêt personnel, à rechercher les agréments et
les commodités de la vie plutôt que d'accepter les efforts, les sacrifices que
les devoirs et les sentiments élevés commandent et inspirent. Nous déplorons
entre autres l'affaiblissement qui résulte de là pour l'esprit militaire, esprit à
la fois régulier et ardent, qui a besoin d'enthousiasme autant que de
soumission, qui condamne à une vie dure, quelquefois grossière, et qui veut
cependant des sentiments élevés et délicats. Cette alliance est difficile,
messieurs, et pourtant nous la voulons, nous en sentons le besoin. Nous
sentons le besoin de fortifier, d'encourager, dans les esprits raisonnables, les
sentiments généreux, dans les cœurs généreux, les idées raisonnables; nous
sentons le besoin d'encourager cette alliance du bon sens et d'une moralité
élevée, ces deux gloires de l'humanité, ces deux pivots de la société.

Eh bien, messieurs, voici un officier général, un gouverneur général d'une grande province, un général en chef qui s'était précisément distingué dans le cours de sa carrière par la modération de son caractère et la sagesse de ses idées, par le bon sens, cette raison pratique qui s'allie si bien aux vertus militaires; par là surtout il avait mérité que le pouvoir civil lui fût confié avec le commandement militaire. Mis à l'épreuve, le général Damrémont a donné, en même temps, l'exemple du courage et du dévouement; il a donné sa vie pour son pays. Et il ne l'a pas donnée seul; à côté de lui est tombé son chef d'état-major, son ami, un officier général très-distingué aussi qui l'avait accompagné en Afrique, par amitié, par zèle, pour l'honneur et le service de son pays, malgré les supplications de sa vieille mère. Le général Damrémont et le général Perregaux sont morts des mêmes coups, pour la même cause. Eh bien, pour de tels services, rendus dans une telle circonstance, que vous demande le gouvernement? Vient-il vous demander un capital immense, une dotation perpétuelle? Vient-il vous demander d'enrichir et de fonder à jamais une famille? Non, messieurs, non; on vous demande une modique pension de 10,000 fr. réversible sur la tête de deux enfants. Et la commission vous propose de réduire le taux de cette pension, de supprimer la réversibilité sur les enfants, de leur retirer la pension au moment où ils atteindront leur majorité, c'est-à-dire au moment où ils pourront en comprendre l'honneur et en sentir la reconnaissance! Messieurs, reportez-vous, je vous prie, à une autre époque, sous d'autres gouvernements. Qu'eût fait l'Empereur en de telles circonstances? Les honneurs, les dotations auraient plu sur la tête de la veuve et des enfants du général Damrémont. Que fût-il arrivé dans un autre pays? Si, par exemple, le gouverneur général des Grandes-Indes eût été tué en enlevant la capitale de Tipoo-Saïb, qu'eût fait le parlement anglais?

Messieurs, la résolution que vous propose la commission n'est pas digne de la France; elle n'est pas digne de la Chambre, elle n'est pas digne de la commission, elle n'est pas digne de son honorable rapporteur.

M. LE GENERAL JACQUEMINOT.—Je demande la parole.

M. GUIZOT.—Vous voulez encourager les vertus publiques, vous voulez encourager les sentiments généreux, vous voulez lutter contre les suggestions et les calculs de l'intérêt personnel; soyez généreux vous-mêmes, donnez l'exemple de ces élans vrais qui portent à la reconnaissance les grandes assemblées et les nations tout entières; ne vous enfoncez pas dans des calculs domestiques, quand il s'agit de donner une marque de l'estime et de la reconnaissance nationale: le taux de la pension m'importe peu; ce qui m'importe, c'est le mouvement d'âme qui la fait accorder. Suivez ce mouvement, et vous inspirerez vraiment les sentiments que vous voulez honorer; vous encouragerez les bons services en même temps que les sentiments généreux. Cela est moral, messieurs, et utile pour la France; cela est honorable pour ceux qui donnent et pour ceux qui reçoivent. En agissant ainsi, vous ne ferez que justice, mais une justice profitable au pays. Je vote pour la proposition du gouvernement et contre les amendements de la commission. (*Aux voix! aux voix!*)

LXXXVIII

Sur la proposition de M. Passy, pour l'abolition de l'esclavage.

—Chambre des députés.—Séance du 15 février 1838.—

M. Passy avait fait, le 10 février, une proposition pour l'abolition graduelle de l'esclavage dans les colonies françaises. Il la développa le 15 février, et j'appuyai sa proposition qui fut prise en considération par la Chambre.

M. GUIZOT.—Messieurs, je n'ai pas pour la question d'opportunité autant de mépris que l'un des honorables préopinants. Je crois qu'en pareille matière elle a une grande importance, et si je pensais que la proposition de l'honorable M. Passy dût entraîner une mise à exécution immédiate ou seulement prochaine, j'aurais des doutes, de grands doutes sur son opportunité.

Il se pourrait en effet qu'alors on vînt dire avec raison que nos colonies ne sont pas suffisamment préparées, que les esclaves manquent trop de moralité, d'instruction, que l'état de tel ou tel pays voisin est un obstacle à leur prompte émancipation.

Dans l'hypothèse d'une exécution immédiate, je conçois toutes ces raisons et leur valeur; mais il ne s'agit aujourd'hui de rien de semblable.

Voyons les choses comme elles sont. La proposition de l'honorable M. Passy, bien qu'elle soit rédigée en termes précis, bien qu'elle vous propose des mesures déterminées, n'est, au vrai, que la mise à l'ordre du jour, dans la Chambre, de la question de l'esclavage.

Voix nombreuses.—C'est cela.

M. GUIZOT.—Ce n'est pas autre chose qu'une invitation adressée à la Chambre de s'occuper sérieusement de la question, de l'examiner avec soin, et non pas de décréter, mais de préparer l'émancipation des esclaves de nos colonies.

En la considérant sous ce point de vue, l'argument qui s'adresse à l'opportunité de la proposition tombe. J'hésiterais moi-même, je le répète, s'il s'agissait de l'exécution immédiate; mais il ne s'agit que d'une étude sérieuse, d'une préparation véritable; et la Chambre, à mon avis, ne doit pas se refuser à la prise en considération.

Je prie la Chambre de remarquer la situation dans laquelle nous nous trouvons placés. Cette question se reproduit tous les ans à cette tribune; elle se reproduira tous les ans; il n'est au pouvoir de personne de l'étouffer; ce que nous disons aujourd'hui sera redit, redit longtemps. Les esprits les moins bien disposés seront obligés de l'écouter.

Je vais plus loin, tandis que nous parlons ici, des faits s'accomplissent ailleurs; l'émancipation préparée s'opère réellement: dans deux ans, elle sera consommée dans les colonies anglaises.

Eh bien, messieurs, au milieu de tels faits, en présence d'une discussion annuelle dans cette Chambre, en présence d'une émancipation effective dans les colonies qui entourent les nôtres, je vous le demande, la Chambre, le gouvernement ne feraient rien? Cela se peut-il, messieurs? que tout homme de bon sens en juge.

Et c'est à dessein que je dis *rien*; car ne vous y trompez pas, messieurs; en pareille matière, ce qui se prépare en silence ne se prépare pas; il n'est au pouvoir de personne, d'aucun ministère, de résoudre sans bruit une telle question. En présence de telles difficultés, il faut une impulsion extérieure énergique et puissante; la volonté la plus sincère de l'administration n'y suffit pas. Comment croyez-vous que les choses se soient passées en Angleterre? Croyez-vous que l'émancipation, à laquelle on est arrivé après tant d'années, se serait accomplie si on n'avait pas ranimé tous les ans la question dans les Chambres, si on n'avait donné par là la force de mener à bien les mesures qui devaient entraîner enfin l'exécution?

Les adversaires mêmes de la proposition demandent qu'on envoie dans nos colonies des prêtres, qu'on moralise les nègres; et ils ajoutent que, lorsqu'on fait de telles tentatives, on ne rencontre que des obstacles; que, même pour des mesures dont personne ne conteste la légitimité, il y a de grands obstacles à surmonter. Donnez donc au gouvernement la force de les surmonter, communiquez-lui cette impulsion dont il a besoin. Soyez-en certains, messieurs, il faut qu'on parle de la mesure, il faut qu'on l'étudie sérieusement, il faut qu'on la prépare réellement; sans quoi rien ne se fera jamais.

Ce que l'honorable M. Passy demande à la Chambre, ce n'est pas d'atteindre le but demain, c'est seulement de se mettre en route pour y arriver. On examinera, on discutera sa proposition. Je n'en pense pas, à beaucoup près, aussi mal que quelques-uns des honorables préopinants: on peut sans doute y ajouter, y retrancher; mais il y a beaucoup de vrai, beaucoup de bon dans l'idée de l'émancipation des enfants à naître. Et l'honorable M. Odilon Barrot le faisait très-bien ressortir tout à l'heure, lorsqu'il disait qu'après avoir tari la première source de reproduction de l'esclavage, la traite des noirs, il fallait tarir aussi la seconde, la naissance des esclaves: après quoi on verrait, toujours en respectant les droits acquis, et moyennant une juste indemnité, ce qu'il y aurait à faire de la génération d'esclaves que vous auriez encore sous la main.

Je conjure la Chambre de ne pas se laisser aller à une tentation trop commune de nos jours, à la tentation d'éluder les difficultés, de croire qu'il suffit de ne rien dire et de ne rien faire pour que rien n'arrive. Il n'en est pas ainsi, messieurs; pendant qu'on se tait et qu'on se croise ainsi les bras, les difficultés marchent, les questions se compliquent. Sans doute il faut de la prudence, de la patience, du temps; mais la prudence même veut qu'on sache regarder en face les difficultés et les questions qu'on est appelé à résoudre. Un gouvernement sage ne va pas au-devant des questions, mais Il ne les fuit pas non plus quand elles viennent au-devant de lui. La question de l'abolition progressive de l'esclavage vient à vous, vous ne l'éviterez pas. Méditez-la, messieurs; méditez-la sérieusement, et préparez-en la solution. (*Très-bien! très-bien!—Aux voix! aux voix!*)

M. *le ministre des finances.*—L'éloquent orateur qui descend de cette tribune me semble avoir complétement changé la question.

M. ISAMBERT.—Je demande la parole.

M. *le ministre des finances.*—Lorsque M. Passy a développé sa proposition, il a dit qu'il y avait non-seulement opportunité, mais nécessité...

M. PASSY.—Je demande la parole.

M. MAUGUIN.—Je la demande aussi.

M. *le ministre des finances.*—Mais nécessité de la résoudre...

M. PASSY.—J'ai dit qu'il y avait nécessité d'en préparer la solution.

LXXXIX

Sur la situation des instituteurs primaires et ma conduite à leur égard pendant mon ministère de l'instruction publique.

—Chambre des députés.—Séance du 17 février 1838.—

Quelques instituteurs primaires de l'arrondissement de Cambrai avaient adressé à la Chambre des députés une pétition pour se plaindre de la façon dont ils avaient été révoqués. Je pris la parole dans le débat qui s'éleva à ce sujet, pour bien définir le sens de la loi du 28 juin 1833 et les principes de mon administration.

M. GUIZOT, *de sa place.*—Messieurs, les explications données par M. le ministre de l'instruction publique[1], sur les faits, me paraissent pleinement satisfaisantes; j'aurai donc très-peu de mots à ajouter.

Au moment où la loi de 1833 a été rendue, on était dans une grande exaltation, s'il m'est permis de me servir de ce mot, en matière d'instruction primaire; on se promettait des résultats très-prompts, on se flattait qu'on trouverait sur-le-champ un nombre d'instituteurs suffisant pour les besoins de la population. Je ne partageais pas toutes ces espérances.

On voulait mettre dans la loi que tous les instituteurs anciens pourraient être révoqués sans formalité, qu'ils seraient livrés à la fantaisie des conseils municipaux et des administrations locales. Un amendement fut proposé pour que ce droit fût inscrit dans la loi, et que les anciens instituteurs fussent ainsi dépouillés de toute espèce de garantie. Je m'opposai à cet amendement, et la Chambre ne l'inséra pas dans la loi.

En exécutant la loi, je m'appliquai à donner aux anciens instituteurs les mêmes garanties qu'aux instituteurs nouveaux; je ne pouvais les leur donner d'une manière légale, absolue, car ces garanties n'étaient pas inscrites à leur profit dans la loi, et j'avais eu de la peine à empêcher qu'on ne les en privât formellement, qu'on inscrivît formellement dans la loi qu'ils ne possédaient pas ces garanties, et qu'ils étaient livrés à l'arbitraire des conseils municipaux.

Je m'appliquai, dans mon administration, à les protéger contre cet arbitraire, à faire en sorte qu'ils ne fussent révoqués que selon les formes voulues par la loi pour les instituteurs nouveaux. Je n'ai pas réussi partout à les protéger efficacement, et il est arrivé que des conseils municipaux, des comités d'arrondissement se sont obstinés longtemps à dépouiller d'anciens instituteurs de leurs titres; ils le faisaient dans une entière sincérité, pensant que ces instituteurs n'étaient pas bons, et qu'ils en trouveraient de nouveaux qui vaudraient mieux. Je n'ai pas toujours partagé les espérances des autorités locales à cet égard; je n'ai pas non plus toujours protégé avec succès les anciens instituteurs; c'est ce qui est arrivé dans l'arrondissement de Cambrai;

ils étaient au nombre de sept ou huit pour remplir le cadre dans les institutions primaires de cet arrondissement. Après les avoir défendus longtemps, au dernier moment, pour rétablir l'ordre dans cet arrondissement, pour remettre un peu la paix entre les anciens instituteurs, les nouveaux et les comités d'arrondissement, j'ai cédé aux vœux des conseils municipaux et des comités d'arrondissement; je ne me rappelle pas ici les faits spéciaux sur chaque instituteur. Je ne sais si j'ai cédé contre mon opinion, mais enfin j'ai cédé et j'ai dû céder.

Je le répète, le principe général de mon administration a été d'assurer, autant que possible, aux anciens instituteurs les droits et les garanties accordés aux nouveaux; je n'ai pas toujours réussi; lorsque j'ai échoué, je l'ai vivement regretté; mais enfin il est vrai que la loi n'a pas donné aux anciens instituteurs les mêmes droits qu'aux nouveaux nommés sous son empire; et j'ai eu beaucoup de peine, en 1833, à empêcher qu'ils n'en fussent entièrement dépouillés par un amendement qu'on voulait introduire dans la loi.

XC

Discussion du projet de loi présenté par le cabinet présidé par le comte Molé, pour demander 1,500,000 francs de fonds secrets.

—Chambre des députés.—Séance du 14 mars 1838.—

Un long et vif débat s'éleva sur les fonds secrets demandés par M. le comte Molé. J'y pris la parole après M. Odilon Barrot et M. Barthe, alors garde des sceaux.

M. GUIZOT.—Messieurs, je monte à cette tribune avec un sentiment très-combattu; je me proposais d'y monter hier et de porter la question sur un terrain un peu différent de celui où elle était placée: sur un terrain où j'aurais rencontré les choses plutôt que les personnes; sur un terrain étranger aussi à nos anciens débats, autant, du moins, que cela est possible quand on ne veut rien renier de son passé. Je voulais me renfermer strictement dans notre situation présente, dans la situation de notre gouvernement, de nos institutions, surtout de cette Chambre elle-même.

La question vient d'être replacée et sur le terrain des personnes et sur celui de nos anciens débats: je ne m'en étonne point; les personnes tiennent une grande place dans la politique, et il n'y a guère moyen, comme le disait tout à l'heure l'honorable M. Odilon Barrot, il n'y a guère moyen de parler du présent sans le rattacher au passé.

Je demande cependant à la Chambre la permission d'essayer aujourd'hui ce que je voulais faire hier, de parler peu, très-peu des personnes et des questions personnelles; non que je désavoue ce qui en a été dit à cette tribune par mes honorables amis (*Mouvement prolongé*)..., non que je trouve qu'ils aient eu tort de voir et d'aborder la question sur ce terrain; elle est là aussi, et elle doit être vue et traitée là comme sous tous ses autres aspects.

Je ne désavoue non plus, j'avais l'honneur de le dire tout à l'heure à la Chambre, je ne désavoue rien de mon passé, ni des grandes mesures auxquelles j'ai eu l'honneur de prendre part, ni du langage que j'ai tenu, ni du but que j'ai voulu atteindre depuis sept ans.

On s'est quelquefois efforcé de rejeter sur mes amis, et qu'on me permette de le dire, sur moi, la principale responsabilité de ce passé. Je me ferais gloire de l'adopter, si je ne craignais d'être taxé de présomption. Non, messieurs, je n'ai point la fatuité de croire que cette résistance énergique et heureuse à l'anarchie, cette résistance constitutionnelle et légale m'appartienne plus qu'à tant d'autres, plus qu'aux nobles collaborateurs qui y ont concouru avec moi. J'en ai eu ma part, je n'en réclame que ma part; mais si la responsabilité en paraissait trop pesante à quelqu'un, je suis prêt à accepter aussi toute la part dont d'autres ne voudraient pas. (*Très-bien! très-bien!*)

Cela dit, messieurs, je me renfermerai dans la question des choses et dans notre situation actuelle.

La question reste encore bien assez grande et ma situation assez délicate. (*Sensation.*)

Dans les situations délicates, et qui semblent embarrassantes, j'ai toujours vu qu'il y avait un moyen presque assuré de surmonter les difficultés, c'est de dire exactement ce qu'on pense, ni plus ni moins; c'est ce que j'essayerai de faire.

Depuis 1830, messieurs, une seule pensée, un seul vœu me préoccupe, la fondation de notre gouvernement: fonder un gouvernement, un vrai gouvernement, la monarchie constitutionnelle, régulière, stable, c'est là la grande promesse de 1830. C'est au nom, c'est sous les auspices de cette promesse que la révolution de Juillet a été promptement et généralement acceptée en France et en Europe. Elle s'est engagée à mettre un terme à tant d'essais orageux et infructueux; elle s'est engagée à nous garantir nos conquêtes sociales en nous donnant le gouvernement qui leur convient.

Il y va de notre honneur, messieurs, de tenir cette promesse, autant que de notre premier intérêt.

Toute ma conduite politique a été subordonnée à cette pensée.

Tout ce qui pourrait affaiblir, compromettre, retarder dans sa marche ascendante notre gouvernement, je me le suis toujours interdit, je me l'interdirai toujours.

J'ai traversé, depuis 1830, bien des situations diverses; j'ai soutenu des administrations dont je ne faisais point partie; je n'ai pas attaqué des administrations dont la politique, à mon avis, laissait beaucoup à désirer; j'ai souvent désapprouvé, déploré; je n'ai jamais fait d'opposition. (*Mouvement.*) Je me trompe, j'en ai fait une seule fois, un seul jour, quand la nécessité me semblait évidente et le péril imminent; j'en ai fait au mois de mars 1831, contre l'administration de l'honorable M. Laffitte.

Si des circonstances analogues se renouvelaient, si je croyais l'intérêt du pays engagé dans une opposition pareille, je n'hésiterais pas plus aujourd'hui qu'en 1831; je ne m'inquiéterais pas de savoir si le cabinet porte le nom de M. Laffitte ou de M. le comte Molé. Je ferais de l'opposition; j'en ferais ouvertement, hautement, à cette tribune, par les seuls moyens publics et constitutionnels.

Il n'y a pas lieu aujourd'hui, à mon avis, de faire une opposition semblable; il n'y a pas lieu de presser, par toutes les voies constitutionnelles, le renversement du ministère. Est-ce à dire, messieurs, qu'il n'y ait rien à faire? Est-ce à dire que je ne puisse venir ici exprimer tel ou tel dissentiment entre l'administration et moi, signaler le mal de notre situation et en chercher le remède? Non, messieurs, non, je ne refuserai pas à l'administration le moyen dont elle croit avoir besoin; je voterai pour les fonds secrets; mais je garde la liberté d'indiquer ce qui me paraît grave dans notre situation; j'en userai avec mesure et sincérité.

À mon avis, messieurs, cette situation n'est pas bonne; au lieu de se fortifier, le pouvoir s'affaiblit; au lieu de s'élever, il s'abaisse; au lieu de s'organiser, la société tâtonne et se disperse. La cause à laquelle je suis dévoué, la cause de notre gouvernement, de sa consolidation, de sa force, ne me paraît pas en progrès; nous perdons du terrain au lieu d'en gagner.

Comment cela arrive-t-il après le triomphe de l'ordre, au milieu d'une tranquillité profonde, quand tout semble prospérité et succès?

Je répète que je ne reviendrai pas sur le passé, que je ne ranimerai pas nos anciens débats; je n'en tirerai qu'un avertissement que tout le monde en tirera, d'accord avec moi.

Tout le monde conviendra que, pendant sept ans, surtout de 1830 à 1836, notre gouvernement a rencontré bien des périls, bien des épreuves, et qu'il les a surmontés. Il a duré, il a rétabli l'ordre, il s'est affermi.

Parmi les causes de son succès, l'une des plus décisives a été la formation, au sein des Chambres, de cette majorité gouvernementale, ferme et permanente, qui a voulu et su soutenir une administration ferme et décidée comme elle.

La formation d'une telle majorité était peu probable; elle rencontrait, en 1831, de bien grands obstacles; nos longues habitudes de révolution, nos longues habitudes d'opposition, une révolution toute récente qui laissait tous les esprits, les uns ébranlés, les autres intimidés en présence du pouvoir populaire, enfin notre situation à nous tous, députés, électeurs, gardes nationaux, à toute cette France nouvelle qui venait de remporter sur l'ancien régime une victoire nouvelle et ardente. Nous luttions depuis longtemps pour la conquête de nos droits et de nos libertés; nous étions pleins de méfiance pour une portion de la société, habituellement l'alliée et l'appui du pouvoir. De là l'affaiblissement du parti naturel de l'ordre et des idées de gouvernement. Nous nous sommes trouvés obligés de suffire tout à coup, nous-mêmes et nous seuls, à cette grande cause de l'ordre, obligés de nous organiser soudainement pour la défense de l'ordre, nous, encore tout émus de nos combats pour la liberté.

Certes, messieurs, c'était un résultat peu probable que la formation d'une majorité gouvernementale dans de telles circonstances; cependant elle s'est formée; elle a fait non-seulement notre salut, mais la dignité de notre gouvernement et de notre situation depuis 1830. La juste influence, l'influence régulière de cette Chambre dans les affaires et sur le pouvoir a commencé là. Ce n'est que par la formation et l'action d'une majorité gouvernementale que cette influence peut se fonder. Le pouvoir va à qui le comprend et le soutient, non à qui le méconnaît et l'attaque. Trois mois d'une majorité gouvernementale font plus grandir la Chambre que des années de l'opposition la plus brillante.

Voilà, messieurs, je n'hésite pas à le dire, le fait décisif qui, pendant six ans, au milieu de nos crises, a fait notre force et notre salut. Aujourd'hui, je le sais, la situation est changée, nous n'avons plus d'émeute à réprimer, plus de périls immédiats et pressants à déjouer. Est-ce à dire, messieurs, que tout soit fini, qu'une majorité bien organisée, une majorité gouvernementale ne soit pas encore aujourd'hui nécessaire, également nécessaire, quoique par d'autres causes et pour d'autres effets? Je ne le pense pas. Permettez-moi de regarder d'un peu près à notre situation.

À tous nos efforts, à tous nos combats pour le rétablissement de l'ordre et le salut de notre gouvernement, a succédé cette disposition dont vous parlait hier mon honorable ami M. Fulchiron, un relâchement général, une certaine détente des esprits et des cœurs. Le péril ne rallie plus, la nécessité ne contient plus. On ne sent plus le besoin de s'imposer des sacrifices, des gênes, des contraintes; chacun se laisse aller à sa pente et se passe ses fantaisies. Savez-vous ce qui en résulte? Deux maux très-graves.

D'abord, l'affaiblissement du pouvoir. Le pouvoir, aujourd'hui a grand besoin d'être encouragé, soutenu, poussé; le pouvoir n'a plus confiance en lui-même, dans sa cause, dans sa force. Après les revers qu'il a essuyés depuis cinquante ans, après les coups qu'il a reçus, et dans les esprits et les institutions, le pouvoir n'ose plus guère prendre l'initiative ni compter sur le succès. Il cherche et attend du dehors, du public, un appui, une impulsion. Il a souvent tort; il pourrait souvent trouver sa force en lui-même, et donner ce qu'il attend. Mais enfin le fait est incontestable; le pouvoir se sent, se croit affaibli, et a besoin qu'on lui apprenne à compter sur lui-même.

L'affaiblissement de la Chambre est aussi le résultat de l'absence d'une majorité forte et organisée; n'est-ce pas là ce qui rend la Chambre accessible à toutes les prétentions, à toutes les manœuvres, soit des pouvoirs rivaux, soit des moindres partis qui s'agitent dans son sein? On se plaint de ce mal, on s'en prend aux ambitions, aux rivalités personnelles. L'honorable M. Barrot le disait tout à l'heure: ce n'est point à de si petites causes, c'est à l'état même de la Chambre, à l'absence d'une majorité organisée, au sein de laquelle tout le monde soit contraint de se classer, de se discipliner, de suivre ou de commander, qu'il faut imputer cet affaiblissement de la Chambre qui affaiblit le régime représentatif tout entier.

Ces maux sont réels, messieurs, et ils en préparent de plus grands; ils ouvrent la porte à de vrais dangers. Par suite de ce relâchement, de ces affaiblissements du pouvoir et de la Chambre, nous courons risque d'être livrés de plus en plus à l'esprit d'opposition.

Je ne veux me servir d'aucun terme offensant. Je ne veux revenir, je le répète, sur aucune de nos anciennes querelles; mais enfin, messieurs, l'esprit d'opposition domine dans une partie de cette Chambre, cet esprit qui consiste, et je ne le présenterai pas sous un mauvais aspect, qui consiste, d'une part, dans la critique continuelle du pouvoir, dans l'habitude de ne lui rien passer, de le condamner à une lutte incessante; d'autre part, dans l'extension continuelle du pouvoir populaire, c'est-à-dire des droits politiques et des libertés individuelles. C'est là ce qui caractérise l'esprit d'opposition, esprit qui a sa place dans notre gouvernement, messieurs, qui rend de grands services, qui éclaire et contient le pouvoir, mais qui n'est pas l'esprit de gouvernement et ne saurait aucunement le remplacer; esprit dangereux surtout après une longue anarchie, quand les maximes, les habitudes, les préjugés révolutionnaires sont encore flagrants.

À côté de l'esprit d'opposition, messieurs, nous rencontrons un autre danger: l'esprit d'hésitation, d'incertitude dans les idées et de mollesse dans les volontés.

Recueillez vos souvenirs; quel est l'un des plus grands embarras auxquels nous soyons en proie depuis 1789? N'est-ce pas l'incertitude d'esprit de beaucoup d'honnêtes gens qui veulent l'ordre, un gouvernement régulier, et qui n'en acceptent pas ou n'en savent pas les conditions? N'est-ce pas la faiblesse de cœur de beaucoup d'honnêtes gens, amis de l'ordre et du pouvoir régulier, mais qui n'osent pas résister aux préjugés et aux passions populaires?

Cette incertitude, cette faiblesse nous ont fait, depuis 1789, presque autant de mal que les mauvaises intentions et les mauvaises passions.

Et pourtant c'est là l'inévitable effet de l'absence d'une majorité constituée dans les Chambres, et de l'affaiblissement qui en résulte soit pour le système représentatif, soit pour le pouvoir lui-même. Le pays est livré, de plus, soit à l'esprit d'opposition, soit à l'esprit d'hésitation.

Et l'un et l'autre de ces esprits nous replacent sur la pente qui mène aux grands dangers, aux dangers matériels et pressants que nous avons surmontés une fois.

Et l'un et l'autre sont également nuisibles à ce qui est aujourd'hui notre premier intérêt, à la fondation de notre gouvernement.

Tous les hommes que préoccupe surtout cet intérêt doivent donc s'efforcer de rétablir une majorité bien constituée, une majorité gouvernementale qui se décide et décide le gouvernement avec elle.

Je sais, messieurs, et ceci est grave, je sais qu'on dit que nous voulons pousser ainsi cette Chambre hors des limites de son action utile et sage; je sais qu'on dit qu'une Chambre ainsi constituée, une majorité ainsi formée porterait atteinte à l'indépendance de la couronne.

M. *le président du conseil.*—Qui a dit cela?

M. GUIZOT.—Je n'impute cette idée à aucun des membres du cabinet; je dis que depuis quelque temps elle circule et qu'on la présente comme une objection grave contre l'organisation d'une vraie majorité dans la Chambre, et contre son influence sur le gouvernement. On dit que, si elle existait, elle porterait atteinte à l'indépendance de la couronne et lui imposerait ses ministres, que sa politique envahirait le gouvernement.

En fait, messieurs, pendant quelques années, une majorité semblable existait; ce qu'on redoute là est-il arrivé? La couronne a-t-elle été opprimée? le gouvernement a-t-il été envahi? Non certes; la couronne a exercé, dans leur plénitude et avec leurs excellents effets, toutes ses prérogatives.

Je vais plus loin: au mois de mars 1831, dans l'un des plus pressants périls, dans l'un des plus grands affaiblissements du pouvoir que nous ayons traversés depuis sept ans, quand la nécessité de remonter les ressorts de la machine était évidente, la couronne attendait, et, avant de se résoudre, cherchait un point d'appui pour résister au mal: la Chambre le lui donna; ce fut la Chambre qui, la première, signala le danger et imprima l'impulsion qui devait amener le remède. Ce furent les paroles, les résolutions de la Chambre qui montreront à la couronne qu'elle pouvait appeler Casimir Périer et former le ministère du 13 mars.

À d'autres époques, dans des circonstances analogues, il a fallu pareillement l'initiative indirecte, l'action préalable de la Chambre pour déterminer, en la soutenant, l'action de la couronne. Je suis loin d'en faire à la couronne un reproche: elle agissait ainsi par prudence, et elle avait raison; j'en tire seulement cette conséquence que les manifestations énergiques et préalables d'une Chambre bien constituée ne nuisent pas nécessairement aux prérogatives de la couronne, à l'action du gouvernement, et l'ont servie bien des fois, au lieu de lui nuire.

En tout, messieurs, si on considère ce qui s'est passé en France depuis quelques années, on s'apercevra que c'est non-seulement à l'harmonie des grands pouvoirs constitutionnels, mais à l'énergie avec laquelle chacun d'eux s'est déployé dans sa sphère, que nous avons dû notre succès, notre salut. Croyez-vous que quelqu'un de ces grands pouvoirs, isolé, livré à lui-même, eût surmonté les difficultés que nous avons eues à traverser? Croyez-vous que la couronne seule, qu'un gouvernement absolu nous eût sauvés de l'anarchie, nous eût retenus sur la pente révolutionnaire sur laquelle nous étions placés? Non, messieurs, non; ni le pouvoir absolu, ni le pouvoir démocratique n'aurait suffi seul à une pareille œuvre: il a fallu le concours de la couronne et des Chambres donnant et recevant tour à tour, selon le besoin du moment, l'impulsion et l'appui.

En opérant ainsi, messieurs, on a mis en pratique les vrais principes de la Charte, les vrais principes du gouvernement représentatif. Ce gouvernement réside dans l'amalgame continuel, dans le tempérament continuel, l'un par l'autre, des trois grands pouvoirs publics; amalgame qui s'accomplit dans le cabinet, ou les chefs avoués de la majorité parlementaire, devenus les conseillers de la couronne, représentants des Chambres auprès de la couronne et de la couronne auprès des Chambres, délibèrent et agissent toujours en présence et sous la surveillance des grands pouvoirs publics qu'ils représentent légalement.

Voilà notre gouvernement, messieurs; voilà ce que veut la Charte; voilà ce qui nous a sauvés depuis 1830; voilà ce qu'il ne faut jamais laisser affaiblir.

Je vous le demande, regardez à notre situation actuelle, aujourd'hui que cette majorité gouvernementale nous manque; voyez ce qui se passe; voyez dans quels inconvénients nous tombons de jour en jour.

Je vous signalais tout à l'heure les progrès de l'esprit d'opposition, visibles dans les deux dernières élections, visibles dans les minorités mêmes. Croyez-vous que l'esprit d'hésitation n'ait pas fait des progrès semblables? Consultons-nous nous-mêmes; que chacun de nous descende en lui-même; n'y a-t-il pas une grande incertitude répandue sur nos idées, sur nos résolutions, sur nos actions? Sommes-nous aussi décidés, agissons-nous avec autant de fermeté, autant de résolution que nous l'avons fait à d'autres époques? Non, nous sommes nous-mêmes plus ou moins irrésolus, incertains; nous sommes presque tous atteints du mal dont nous nous plaignons.

Regardez le gouvernement, regardez ses relations avec les Chambres. Je ne veux pas entrer dans les questions personnelles; je ne veux adresser à tel ou tel acte spécial aucun reproche; mais n'est-il pas évident qu'il y a peu d'union intime, peu d'action réciproque entre le gouvernement et les Chambres?

Et en portant nos regards hors des Chambres, n'est-il pas évident que l'administration manque d'unité et d'énergie? qu'elle n'est pas plus efficace dans ses relations avec ses agents que dans ses relations avec cette Chambre?

Et le public ne laisse-t-il pas percer quelque découragement, quelques doutes sur les mérites de nos institutions et sur leur avenir? N'y a-t-il pas quelque affaiblissement moral de l'esprit public à côté de la mollesse politique du pouvoir?

Messieurs, ce qui m'afflige, ce que je redoute surtout de ces faits, c'est le retard qu'ils apportent à l'accomplissement de notre première mission, à l'affermissement complet et définitif de notre gouvernement. Je reviens à mon point de départ. Fonder notre gouvernement est, sous le point de vue matériel, comme sous le point de vue moral, notre grande affaire, la vraie tâche de notre époque. Ne vous y trompez pas, messieurs; une grande question est encore en suspens dans le monde auprès de beaucoup de bons esprits, la question de savoir si, des idées de 1789 et de l'état social qu'elles ont amené, il peut sortir un gouvernement stable et régulier. Nous sommes appelés à résoudre cette question par le plus éclatant des arguments, par l'expérience. Pour y réussir, deux conditions nous sont absolument imposées. La première, c'est de purger les principes de 1789 de tout alliage anarchique: cet alliage a été naturel, inévitable; il était la conséquence de la première situation, du premier emploi des idées de 1789. Ces idées ont servi à détruire ce qui existait alors, gouvernement et société, elles ont contracté dans ce travail un caractère révolutionnaire. Le moment est venu de les en dégager et de les ramener à leur sens vrai et pur. C'est le plus sûr moyen d'accomplir cette conciliation si désirable dont on parle tant depuis quelque temps. D'un côté, par leur beauté, leur équité, les principes de 1789, mis en pratique, devenant la base d'un gouvernement régulier, réaliseront les vœux des amis sensés et honnêtes de la liberté et du progrès, et ne laisseront en dehors que les esprits chimériques et les passions déréglées. D'autre part, ces mêmes principes, quand ils seront bien séparés de toute idée anarchique, quand il sera bien évident qu'ils ne menacent ni la moralité individuelle, ni l'ordre public, ni la religion, ni aucun des grands intérêts, des intérêts éternels sur lesquels la société se fonde, rallieront beaucoup d'hommes honorables. (*Mouvement.*)

M. BERRYER.—Je demande la parole. (*Sensation.*)

M. GUIZOT.—Et vous, messieurs, quand vous aurez accompli cette mission de notre temps, de séparer les principes de 1789 de tout alliage anarchique... (*Agitation.*) Je sais, messieurs, qu'il est des personnes que je choque dans ce que je dis là. (*Mouvements divers.*)

M. LAFFITTE.—Pas moi.

M. GUIZOT.—Ce n'est pas à l'honorable M. Laffitte que je m'adressais particulièrement. Je sais qu'il y a des personnes qui croient qu'il n'y a, dans les idées de 1789, rien à rectifier, rien à élever à une vérité plus haute et plus pure. À mon avis, elles se trompent.

Les principes généraux adoptés à cette époque sont très-bons, mais ils ont été entachés de passions anarchiques, d'idées destructives, non de telle ou telle forme de gouvernement, non de telle ou telle forme de société passagère, mais de toute société en général, de tout gouvernement régulier; voilà de quoi il faut les séparer; voilà pourquoi il faut les ramener à un sens plus pur, plus vrai; alors vous verrez beaucoup de gens de bien, beaucoup de citoyens honorables et considérables se rallier à vous, et vous aurez fait un grand pas vers la fondation de notre gouvernement.

Messieurs, l'état où nous sommes, ce qui se passe depuis quelque temps, nous éloigne de ce but au lieu de nous en rapprocher.

On dit que les longues et fréquentes incertitudes ministérielles usent les hommes, et on a raison; les longues et fréquentes incertitudes politiques usent les institutions, les pouvoirs, les peuples. Nous n'avons rien de plus pressé que d'en sortir; nous n'avons rien de plus pressé que d'arriver à une politique claire, ferme, conséquente, organisée.

Cette Chambre, je le sais, ne peut pas tout; cependant elle peut beaucoup: qu'elle fasse tout ce qu'elle peut faire; qu'elle soit tout ce qu'elle doit être; qu'elle s'organise et se gouverne elle-même; qu'elle s'applique à enfanter une majorité régulière, stable, décidée, et beaucoup de mauvaises choses jugées inévitables s'évanouiront, et beaucoup de bonnes choses jugées impossibles s'accompliront, et vous verrez notre gouvernement reprendre sa marche ascendante.

M. le ministre de l'instruction publique.—Je demande la parole. (*Mouvement prolongé.*)

M. GUIZOT.—Je ne lui refuserai jamais les moyens d'action dont il a besoin; mais je lui demanderai à mon tour d'user fermement, efficacement, de tous ses moyens. J'avoue que je ne puis me contenter de la situation dans laquelle nous sommes; je suis pour nous tous, pour notre gouvernement, pour cette Chambre, plus difficile et plus exigeant.

Quand nous avons entrepris, en 1830, de résister à la tyrannie, et depuis 1830 à l'anarchie, nous avons cru, nous avons voulu faire quelque chose de grand, quelque chose de glorieux pour notre temps et pour notre pays. Je conjure la Chambre de ne pas permettre que cette grande entreprise soit un moment rabaissée. Vous tous, messieurs, vous amis de l'ordre et de la paix, vous qui voulez rétablir partout, dans l'État, dans les familles, la régularité, la stabilité, la moralité, croyez-moi, vous avez besoin, absolument besoin que votre politique soit élevée aussi bien que prudente.

Vous ne recherchez pas la popularité ni le bruit; vous ne formez aucun de ces desseins, vous n'employez aucun de ces moyens qui ébranlent l'imagination des hommes; gardez, gardez précieusement la grandeur morale; qu'elle soit le caractère de vos idées, de vos actes, de vos paroles; ne souffrez pas qu'elle dépérisse un instant dans votre gouvernement; imposez-lui l'obligation de s'élever et de s'enraciner à la fois. C'est le plus grand service que vous puissiez rendre au roi et au pays. (*Très-bien! très-bien!*)

XCI

Débat sur le projet de loi présenté pour le payement de l'emprunt grec.

—Chambre des députés.—Séance du 26 mars 1838.—

Le projet de loi présente par M. le comte Molé pour le payement de l'emprunt grec fut vivement attaqué par l'opposition, entre autres par MM. de Salverte et Mauguin. Je pris la parole pour le soutenir. Le projet de loi fut adopté.

M. GUIZOT.—Messieurs, si en 1828, en 1829, quand les affaires de la Grèce nous inspiraient à tous un si vif intérêt, si quelqu'un, dans cette Chambre, était venu faire entendre à cette tribune quelques-unes des paroles que vous avez entendues dans le cours de ce débat, je vous le demande, ne se serait-il pas élevé de tous les bancs des exclamations pour arrêter ces paroles? (*C'est vrai! Mouvement en sens divers.*)

M. MAUGUIN.—J'ai tenu le même langage en 1829.

M. GUIZOT.—Ce n'est pas à M. Mauguin que je réponds en ce moment; je fais allusion aux paroles qui se sont fait entendre au commencement de cette discussion, et je répète que si, en 1828, en 1829, de telles paroles avaient retenti dans cette Chambre, il se serait élevé de tous les bancs les réclamations les plus vives pour protester contre un pareil langage. Eh! messieurs, respectons nos propres œuvres, le bien que nous avons voulu faire; gardons un bon souvenir de nos efforts dans une bonne cause, et ne donnons pas un exemple de la légèreté et du dédain pour le bien que nous avons fait, que nous avons tenté du moins. (*Très-bien! très-bien!*)

J'arrive à la question, et je serai fort court, car elle est fort simple, comme le disait tout à l'heure M. le président du conseil.

Un emprunt a été contracté par la Grèce; il l'a été sous la garantie de la France. Le projet qui vous est présenté en ce moment n'est que l'exécution de cette garantie; vous êtes tenus de payer. L'honorable M. Mauguin le disait lui-même tout à l'heure. Je ne pense pas que la Chambre veuille recommencer aujourd'hui toute la discussion de 1835; je ne pense pas qu'elle veuille examiner de nouveau aujourd'hui si la France a eu raison de consentir alors à cet emprunt, quelles étaient les ressources de la Grèce, quelles combinaisons, quelles mesures pouvaient être adoptées. Tout cela a été examiné, débattu. Maintenant je tiens le fait pour accompli. La garantie a été donnée, l'emprunt a été fait; ce qu'il s'agit de savoir, c'est ce qu'il nous reste à faire.

Au mois de septembre 1833, quand l'emprunt a été contracté, il l'a été aux meilleures conditions que la Grèce ait pu trouver; ces conditions ont été débattues entre les banquiers et le gouvernement grec; on ne peut pas en rendre le gouvernement français responsable.

L'une de ces conditions était que les banquiers retiendraient entre leurs mains, sur le capital de l'emprunt, le service de deux années d'intérêt, des années 1834 et 1835. Cette condition a été exécutée. Notre gouvernement n'a donc été amené à s'occuper de l'emprunt et de sa garantie qu'à la fin de 1835. Qu'a-t-il fait alors? qu'a fait le ministre qui était alors à la tête des affaires étrangères? Il a proposé, à la conférence où se réunissaient les trois puissances garantes de l'emprunt, les mesures nécessaires pour que toutes les conditions du traité de 1832 fussent exécutées, pour que de vraies garanties financières et politiques nous fussent assurées.

M. le président du conseil.—Même auparavant: sa prévoyance s'était manifestée déjà plusieurs mois auparavant.

M. GLAIS-BIZOIN.—Elle a eu de beaux résultats, sa prévoyance!

M. GUIZOT.—À plus forte raison ai-je le droit de dire ce que je dis, si le ministre s'en est occupé avant 1835. Je ne parle en ce moment que des mesures qu'il a prises à la fin de 1835. Nous avons demandé alors que des institutions, une administration régulière, fussent établies en Grèce, que l'armée fût diminuée, que le corps bavarois quittât, en tout ou en partie, le service grec, en un mot, que la France et les autres puissances contractantes fussent assurées que les sommes provenant de l'emprunt seraient employées avec ordre et pour les vrais intérêts de la Grèce.

M. le duc de Broglie est sorti des affaires après avoir engagé les négociations en ce sens. De grandes difficultés se sont alors présentées. Les autres puissances signataires n'ont pas en Grèce la même situation ni le même intérêt que la France. Il fallait leur faire adopter les mesures que la France proposait; on n'y a pas réussi immédiatement. Le cabinet français s'est cru alors obligé de prélever, sur la troisième série, plusieurs semestres des intérêts des deux premières. Il eût été désirable qu'on pût procéder autrement, et que la conférence se mît d'accord sur les mesures à prendre pour assurer à la Grèce une administration politique et financière plus complète et plus régulière; mais, enfin, on n'y a pas réussi alors. Que fait aujourd'hui le gouvernement? que propose le ministère? Il propose de revenir à nos premiers efforts, de faire aujourd'hui ce qu'on tentait à la fin de 1835. Il nous demande de ne plus nous laisser aller à prélever sur la troisième série les intérêts des deux séries précédentes, de nous réserver les moyens d'exiger de la Grèce les garanties d'ordre, de régularité, de bonne politique que nous avons droit d'en attendre, et de pourvoir, en attendant, pour notre part, au service des intérêts de l'emprunt que nous avons garanti.

Voila le véritable état de la question, messieurs. Vous êtes tenus de payer l'emprunt. Vous n'en avez pas réglé les conditions. Ce n'est qu'à la fin de 1835 que vous avez été appelés à y pourvoir. Nous avons fait alors tous les efforts possibles pour obtenir de la Grèce les garanties politiques et financières que nous pouvions demander. Ces efforts n'ont pas réussi alors, on les reprend aujourd'hui; j'espère qu'on les reprendra avec succès, et que l'appui que la Chambre prêtera au gouvernement lui donnera les moyens de persévérer dans son dessein et d'arriver au but.

Je vote donc pour la proposition du gouvernement, amendée par la commission, et je prie la Chambre de remarquer que c'est pour nous le seul moyen de conserver sur la Grèce l'influence que la Grèce elle-même a grand besoin de nous voir exercer. (*Très-bien! Aux voix!*)

XCII

Discussion du budget du ministère de l'instruction publique pour 1839.

—Chambre des députés.—Séance du 5 juin 1838.—

Dans la discussion du budget du Ministère de l'instruction publique pour 1839, la question de l'introduction de la liberté d'enseignement dans l'instruction secondaire fut soulevée en passant. Je fis incidemment, à ce sujet, les observations suivantes.

M. GUIZOT.—Messieurs, je ne me propose en aucune façon d'entrer dans la discussion spéciale qui occupe en ce moment la Chambre; mais je lui demande la permission de dire que je persiste dans l'opinion qui, il y a deux ans, m'avait conduit à présenter à la Chambre un projet de loi pour satisfaire, quant à l'instruction secondaire, à l'article 69 de la Charte, comme nous l'avions fait quant à l'instruction primaire. Jusqu'ici, non-seulement mon opinion personnelle, mais l'opinion générale du gouvernement et de la Chambre a été que l'article 69 de la Charte s'appliquait à l'instruction secondaire aussi bien qu'à l'instruction primaire, et que le principe de la libre concurrence devait s'introduire dans les divers degrés de l'enseignement. (*Très-bien!*) C'est dans cet esprit que le projet de loi fut présenté il y a deux ans; il avait pour objet, nullement de remettre en question tout ce qui existe en matière d'instruction secondaire, car ce qui existe existe très-légalement, mais d'introduire dans l'instruction secondaire actuelle le principe de la libre concurrence, et de mettre en même temps les établissements actuels en état de soutenir cette concurrence avec honneur et supériorité, comme il convient à la puissance publique. (*Nouvelle adhésion.*)

Ainsi, d'une part, faire pénétrer la libre concurrence dans l'instruction secondaire comme dans l'instruction primaire, et, de l'autre, perfectionner, élever, fortifier l'instruction secondaire donnée par l'État, de manière à ce qu'elle l'emporte sur les établissements privés avec lesquels elle doit concourir, voilà le but de la loi que j'avais eu l'honneur de présenter. C'est aussi, je crois, la pensée de l'article 69 de la Charte; et, pour mon compte, je persiste dans cette pensée. (*Très-bien! très-bien!*)

M. le ministre de l'instruction publique.—Je crois devoir donner une explication...

M. GUIZOT.—Je prie la Chambre de remarquer que je ne me trouvais pas dans la salle au moment où M. le ministre de l'instruction publique a prononcé ces paroles, et que c'est uniquement sur un ouï-dire que je me suis cru obligé de persister hautement dans mon opinion.

M. le ministre de l'instruction publique.—J'allais donner l'explication si loyale que vient de donner l'honorable M. Guizot. Il résulte pour moi, des paroles que je viens d'entendre, que les miennes n'avaient pas été entendues. J'avais établi qu'il y a, dans l'article 69 de la Charte, deux choses entièrement distinctes: l'obligation de régler les matières d'instruction publique et l'obligation de donner la liberté d'enseignement. J'avais dit que l'obligation de donner la liberté d'enseignement s'appliquait à toutes les matières dont l'enseignement se compose; que, par conséquent, il y avait lieu, sous ce rapport, d'appliquer l'article 69 de la Charte à l'enseignement secondaire comme à l'instruction primaire. J'avais ajouté que, dans mon opinion qui différait de celle de l'honorable membre qui occupait avant moi le ministère de l'instruction publique, il n'y a pas eu lieu à réglementer à nouveau, par des lois, l'instruction secondaire et l'instruction supérieure qui existent d'une manière légale et constitutionnelle, en vertu des décrets qui ont constitué et qui régissent l'Université. Le seul point donc sur lequel il reste un doute, c'est qu'en 1835 et 1836 on a pensé qu'en résolvant la question de la liberté d'enseignement, quant à l'instruction secondaire, il y avait lieu d'introduire dans la loi des règles nouvelles concernant les colléges royaux, et qu'à mon avis l'état actuel des colléges royaux n'appelle pas de modifications qui soient du ressort de la loi, de sorte qu'en faisant une loi sur la liberté d'enseignement, il n'y a pas lieu de réglementer à nouveau ni les colléges royaux, ni les Facultés, ni le conseil royal. J'ajoute que, pour ce qui est de donnera l'enseignement public, ce qui est notre devoir à tous, les moyens de soutenir la concurrence, à mon avis, un de ces moyens est précisément de ne pas établir, comme l'a fait l'orateur qui m'a précédé à la tribune, que les matières d'enseignement appellent toutes la révision de la loi; car les institutions qu'on déclare incomplètes, pour lesquelles on déclare nécessaire l'appui de lois nouvelles, ces institutions sont ébranlées; elles n'ont plus la force nécessaire, et c'est précisément ce qui me fait insister auprès de la Chambre sur la nécessité d'être bien convaincue que l'Université, puissante par les lumières, puissante par son esprit d'ordre, puissante par la dignité des mœurs, l'est encore par l'autorité de la loi. (*Très-bien!*)

M. GUIZOT.—Je remercie M. le ministre de l'instruction publique de l'explication qu'il vient de donner en ce qui concerne l'introduction du principe de la libre concurrence dans l'instruction secondaire, aussi bien que dans l'enseignement primaire.

Je pense comme lui que tout ce qui existe aujourd'hui, Université, Facultés, conseil royal, existe légalement, constitutionnellement, et n'a aucun besoin d'être fondé par une nouvelle loi. J'ai déjà exprimé cette idée, et dans l'exposé des motifs, et dans la discussion de la loi sur l'enseignement secondaire; mais il est impossible de méconnaître que l'introduction de la liberté d'enseignement dans l'instruction secondaire doit amener, dans le système général de l'enseignement, des modifications qui appellent le concours de la loi. J'en donnerai un seul exemple. Dans le projet de loi discuté, il y a deux ans, certaines obligations, de véritables obligations légales, étaient imposées aux villes en ce qui concerne les colléges communaux. Je ne pense pas qu'il soit du domaine des ordonnances d'établir de telles obligations à la charge des villes, pas plus que des droits pour les personnes; c'est à la loi qu'il appartient de régler de telles matières. J'avais donc raison de penser, comme je le pense encore, qu'il y a, dans l'enseignement secondaire, des questions nées de l'introduction du principe de la libre concurrence, des questions nombreuses, fondamentales, et qui ne peuvent être décidées que par une loi. (*Aux voix! aux voix! La clôture! la clôture!*)

XCIII

Sur les affaires, les conditions et le mode de notre établissement dans
l'Algérie.

—Chambre des députés.—Séance du 8 juin 1838.—

Après le traité de la Tafna et la prise de Constantine, le gouvernement
demanda, par un projet de loi spécial, des crédits extraordinaires pour notre
établissement en Algérie. Un grand débat s'éleva et toutes les questions
relatives à cet établissement y furent de nouveau agitées. Je pris la parole pour
soutenir, en les développant, les idées que j'avais plusieurs fois émises à ce
sujet.

M. GUIZOT.—Messieurs, un malheur pèse en général sur la question
d'Afrique; au début de toutes les sessions, elle excite un vif intérêt; on a le
sentiment de son importance; on se promet de l'examiner à fond. Les jours,
les mois s'écoulent, les affaires s'entassent, et la question d'Afrique est
discutée au dernier terme de la session, quand la Chambre, lasse et pressée,
n'a plus que bien peu de temps à lui donner.

Il y a quelques jours, je l'avoue, j'étais préoccupé de cette crainte; mais le
développement qu'a pris ce débat et l'attention que lui prête la Chambre me
rassurent. Évidemment la Chambre est plus que jamais pénétrée de la
grandeur de la question, et décidée à se bien informer avant de se résoudre.

Je m'en félicite aujourd'hui plus que jamais; jamais peut-être les idées que se
formeront, les résolutions que prendront, sur cette affaire, le gouvernement
et la Chambre n'ont eu plus de gravité qu'aujourd'hui. La question d'Afrique
est dans un moment critique; M. le président du conseil vous le disait avant-
hier: nous passons en ce moment d'une époque à une autre. Le projet de loi
vous le dit plus clairement encore; il vous demande un effectif beaucoup plus
considérable qu'on ne vous en a jamais demandé, et il vous annonce que ce
sera un effectif à peu près permanent. Le projet vous propose, en outre, un
grand système de travaux publics, des travaux qui ne sont plus des mesures
provisoires, mais de vrais travaux d'établissement.

Et quand le gouvernement, messieurs, ne s'exprimerait pas clairement, et
dans ses paroles, et dans ses projets, les événements parleraient à sa place.

Depuis la dernière session, les deux grands événements qui sont si souvent
revenus dans cette discussion, le traité de la Tafna et la prise de Constantine,
nous ont placés en Afrique dans une situation toute particulière. Que ces
événements soient contradictoires, que l'un ait limité à l'ouest notre
occupation pendant que l'autre l'étendait à l'est, il est impossible de le nier. Je
ne le reproche pas à l'administration; elle y a été conduite naturellement,
presque nécessairement; je vais plus loin: à mon avis, quand elle a fait la paix

à l'ouest, elle a bien fait; quand elle a fait la guerre à l'est et a pris Constantine, elle a bien fait. Je n'ai, sur ces deux grands événements, aucun reproche sérieux à lui adresser; mais les faits n'en subsistent pas moins et n'en sont pas moins contradictoires. Il est évident que nous avons marché dans deux voies contraires, vers la limitation d'un côté, vers l'extension de l'autre. Il faut choisir; il faut se décider entre le système auquel se rattache le traité de la Tafna et celui auquel se rattache l'expédition de Constantine.

Et ne croyez pas, messieurs, que je veuille disputer sur le mot *système*; si on en préfère un autre, je suis tout prêt à l'accueillir: la dispute me paraît un peu frivole.

Personne, pas plus, à coup sûr, M. le président du conseil que tout autre, personne ne conteste que, dans toutes les grandes affaires, il faut un but, un plan, une politique, et qu'il faut suivre cette politique après l'avoir adoptée.

Personne ne conteste non plus que, dans ce but, dans ce plan, dans cette politique, soit au moment où on l'adopte, soit à mesure qu'on y marche, il faut tenir grand compte des faits, des circonstances, et modifier sa conduite à mesure qu'ils changent.

Tout cela est évident et ne saurait, entre hommes sérieux, devenir un sujet, je ne dis pas de discussion, mais seulement de conversation. (*Assentiment.*)

Ce qui est également évident, c'est que, si le défaut de plan, de but précis, d'ensemble et de fixité dans la politique, est toujours choquant et fâcheux, il l'est surtout quand il s'agit d'un établissement nouveau, où tout est à fonder, à créer, où l'on rencontre inévitablement de grandes questions à résoudre, de grands partis à prendre, partis et questions qu'on ne peut éluder sans méconnaître les faits qui ne tardent pas à s'en venger.

Une politique claire, déterminée, constante, nécessaire partout, est donc plus nécessaire dans la question d'Afrique que partout ailleurs.

Et quand cela ne serait pas évident de soi-même, messieurs, notre expérience, depuis 1830, le démontrerait hautement.

Je n'hésite pas à le dire: la plupart de nos fautes, de nos malheurs en Afrique, ont tenu à l'incertitude, à la fluctuation, au vague de nos intentions et de nos résolutions; nous cherchons, depuis 1830, la politique qui convient à l'Afrique, nous la cherchons sans la trouver. Et ici, messieurs, je prends ma part de ce reproche. Je pourrais dire que, dès l'origine, j'ai essayé de déterminer avec plus de précision, de faire suivre avec plus de constance une certaine politique à l'égard de l'Afrique, et toujours la même politique, une politique limitée, modérée; j'aime mieux reconnaître que, lorsqu'on a une conviction, il est bien rare qu'on y tienne aussi complétement, aussi fortement qu'il le faudrait. Les affaires sont difficiles; on est en présence d'opinions diverses avec lesquelles on traite. Les questions sont nombreuses. On cède un peu d'un côté pour gagner quelque chose de l'autre; on cède toujours trop. L'expérience m'a appris que, dans les grandes affaires, lorsqu'on a raison, on a plus raison qu'on ne croit; on ne s'y confie jamais assez. Pour mon compte, je ne m'y suis pas toujours assez confié. (*Sensation.*)

Permettez-moi, messieurs, de mettre sous vos yeux le tableau résumé de notre conduite en Afrique depuis 1830, et des causes qui nous ont amenés à la situation actuelle; à ces deux voies contraires entre lesquelles nous avons à choisir.

Lors de la première expédition, personne certainement ne songeait à l'occupation étendue ou limitée. Il s'agissait uniquement d'aller venger l'affront fait à la France, et aussi d'un dessein plus élevé et qui, depuis longtemps, fermentait en Europe, la suppression de la piraterie. Il ne s'agissait ni de conquête, ni de tel ou tel mode d'occupation.

La Restauration eut le bonheur, s'il est permis de se servir de ce mot, de ne point avoir à lutter, après le succès, contre les difficultés de la situation. (*Rire prolongé.*)

Dès que le gouvernement de Juillet eut pris les affaires, ces difficultés éclatèrent. L'honorable maréchal Clausel, envoyé alors en Afrique, les comprit sur-le-champ, et avec beaucoup de sagacité. Une idée s'était déjà répandue et accréditée dans tous les esprits; c'est que, puisque nous avions renversé le dey d'Alger, nous lui succédions dans ses États, que nous étions en droit de les occuper et de les gouverner; on traitait cette conquête-là comme une conquête ordinaire; le souverain était non-seulement vaincu, mais détrôné: son royaume nous appartenait, c'était à nous d'y régner.

M. le maréchal Clausel comprit sur-le-champ, je le répète, la difficulté de cette situation, et il entreprit de lui donner sur-le-champ aussi une solution. Il voulut placer la France en Afrique dans une situation assez analogue à celle de la Porte ottomane.

Il se proposa d'établir le pouvoir de la France à Alger et dans le territoire voisin d'Alger, et de lui conserver sur le reste de la régence une suzeraineté semblable à celle que la Porte exerçait sur le dey d'Alger, et qu'elle exerce encore sur les beys de Tunis et de Tripoli.

Il alla chercher des beys partout, à Tunis notamment, pour en faire des vassaux de la France.

Substituer ainsi la France à l'ancien dey dans Alger et autour d'Alger, et à la Porte ottomane dans le reste de la régence, c'était un système, une politique. Je n'entre dans aucun détail. Elle ne réussit pas.

Il était bien difficile de relever ainsi, dans la plus grande partie de la régence, la puissance turque, au moment où on venait de l'abattre, en présence de toute la population arabe émancipée et soulevée.

Mais pour avoir échoué dans le moyen, on ne renonça point au but. Ce que M. le maréchal Clausel avait voulu faire, indirectement et par des Turcs, là où les vassaux turcs n'avaient pu se maintenir ou s'établir, on envoya des troupes et des autorités françaises pour le faire, pour occuper et posséder toute la régence, comme le dey qu'on en avait chassé, pour l'occuper et la posséder par des autorités et des troupes françaises, à défaut d'autorités et de troupes turques, ou mores, ou arabes. C'est là l'idée qui, à travers beaucoup de fluctuations et de tergiversations, a dominé en Afrique depuis 1830.

De là, messieurs, les expéditions fréquentes dans l'intérieur du pays; de là, dans la province d'Oran, la conquête de Tlemcen, de Mascara, le camp de la Tafna, et le dessein d'en établir d'autres entre Tlemcen et Mascara; de là, à l'est, la première expédition de Constantine; de là, tant de projets et de tentatives d'établissement sur tous les points importants du territoire. C'était toujours les droits du dey qu'on voulait exercer, et exercer par des mains françaises, à défaut de mains musulmanes.

Mais on ne s'était pas rendu compte de l'extrême difficulté, je devrais dire de l'impossibilité d'une pareille substitution. Les Français ne ressemblent point aux Turcs, et ne pouvaient jouer leur rôle dans la régence.

Je veux aller vite, messieurs, je laisserai de côté ce qui a été dit. Je ne parlerai donc que d'une première différence énorme, la différence de religion. Laissez-moi seulement vous faire remarquer que, sans parler des peuples eux-mêmes et de leurs animosités religieuses, de là est né, pour notre pouvoir en Afrique, un grand embarras politique. Le souverain actuel de l'Algérie n'en est point le souverain religieux. Vous avez détrôné le souverain politique, vous n'avez pas détrôné le souverain religieux. On ne change pas le chef spirituel aussi facilement que le chef temporel d'un État. La suprématie religieuse demeure en contradiction avec la suprématie politique; obstacle considérable pour remplacer les Turcs par des Français.

Il y en a bien d'autres. Les Turcs n'étaient point, comme les Français, des soldats, des administrateurs momentanément séparés de leur patrie, toujours prêts à y retourner, pensant plus à la patrie qu'à l'Afrique, et ne remplissant qu'une mission temporaire. Les Turcs établis en Afrique y étaient à toujours; c'était un vrai camp de moines guerriers, maîtres du pays, comme les chevaliers de Saint-Jean de Jérusalem l'étaient de Rhodes ou de Malte; situation bien autrement forte, bien autrement tranchée et puissante que celle de ces autorités et de ces troupes françaises dont la France est le point de départ et sera le point de retour. Les Français, en Afrique comme ailleurs, sont au service du roi de France. Les Turcs étaient au service d'un souverain africain qui ne pensait pas à autre chose qu'à l'Afrique et n'avait point d'autre destinée que de la gouverner par eux et avec eux. Et comment les Turcs gouvernaient-ils la régence? par la piraterie, les profits de la piraterie, par les *razzias*, vraie piraterie de terre, par les cruautés, les iniquités que vous ne pouvez, que vous ne voudriez pas commettre. Les moyens de gouvernement que la population turque avait sur les Arabes, vous ne les avez pas.

Voici une différence bien plus profonde sur laquelle je demande à la Chambre de porter son attention.

J'ai lu avec beaucoup de soin l'opinion très-remarquable de notre honorable collègue M. Jouffroy. Il a appelé l'Afrique, non pas une colonie, mais un empire, et il a cherché comment la France pouvait posséder réellement cet empire. Il n'a trouvé qu'un moyen, c'est que le nouveau souverain laissât, isolées et tranquilles, chacune à sa place, dans ses lois et dans ses mœurs, les races qui habitent ce territoire, les Arabes, les Kabyles, les Mores, et d'autres encore.

Messieurs, des Turcs, des musulmans ont pu faire cela; je n'hésite pas à dire que des Européens, des Français, ne le feront pas. Le caractère turc, le caractère oriental en général, c'est l'immobilité. Les maîtres orientaux se transportent dans un pays conquis; ils s'y établissent, ils dominent, ils oppriment, mais ils laissent faire; ils ne cherchent pas à s'assimiler les populations au milieu desquelles ils vivent. Vous voyez partout, sous l'empire des musulmans, des populations très-diverses de langage, de mœurs, de religion; elles vivent, non pas heureuses, non pas libres, mais isolées, livrées à elles-mêmes au milieu de leurs vainqueurs.

C'est là le génie immobile, l'indifférence despotique et stationnaire de l'Orient.

Le génie européen est tout autre. Il est actif, progressif, communicatif; il n'est pas au pouvoir d'une population européenne, d'une population française, de s'établir ainsi au milieu de races différentes, et de ne pas travailler incessamment à améliorer sa situation, à étendre son empire ou son influence, à s'assimiler les tribus et les races qui l'environnent. Ne nous plaignons pas de ce caractère national. C'est notre supériorité, c'est notre honneur. Mais acceptons-le avec ses inconvénients comme avec ses avantages, avec les obstacles qu'il nous crée comme avec les forces qu'il nous procure.

Sous quelque point de vue que vous considériez la question, vous reconnaîtrez que les Français ne pouvaient faire dans la régence ce qu'y avaient fait les Turcs, et que, pour atteindre le même but, pour dominer partout, ils étaient obligés à d'énormes sacrifices d'hommes, d'argent, et exposés à des chances très-redoutables.

Cependant on ne renonçait pas à l'idée première; on tendait toujours à dominer avec des autorités et des troupes françaises sur tous les points importants de la régence, dans l'intérieur aussi bien que sur les côtes, comme y dominaient naguère les Turcs.

En présence des prodigieuses difficultés de cette tentative, à mesure que les faits éclataient et se développaient, il se formait en France deux opinions, deux tendances qui se sont plus clairement manifestées de jour en jour, et qui, tout à l'heure, sous vos yeux, ont rempli et animé ce débat.

Selon les uns, l'Afrique est un héritage onéreux, déplorable, dont il ne faut accepter que la moindre part possible, puisqu'on ne peut le répudier.

Selon les autres, l'Afrique peut devenir une très-belle possession, avec des avantages immenses pour la France, mais à la condition de grands efforts, de grands sacrifices, à condition de pousser l'entreprise jusqu'au bout. Tant que vous ne ferez que porter la coupe à vos lèvres, vous la trouverez amère; si vous buvez jusqu'au fond, elle deviendra saine et douce. (*Très-bien!*)

Nous avons flotté, messieurs, l'opinion publique et l'administration ont flotté, depuis 1830, entre les deux idées, les deux tendances.

Tout ce qui flotte chancelle. Tout ce qui est alternatif est faible. Tout ébranlement alternatif empêche les racines de s'affermir.

Une autre idée, il est vrai, naissait aussi dans les Chambres, à la vue et par l'étude des faits, l'idée d'une occupation limitée, pacifique, parfaitement décidée contre l'abandon, parfaitement décidée contre l'occupation universelle, appliquée à fonder en Afrique un grand établissement maritime, considérant surtout l'Afrique sous ce point de vue et dirigeant de ce côté nos efforts. Mais pendant longtemps cette idée a été vague, indécise, accusée de faiblesse par les uns et par les autres, ne pouvant arriver à aucun résultat positif, revêtir aucune forme claire et précise.

Messieurs, le traité de la Tafna est le premier acte qui ait clairement réalisé cette idée, qui l'ait fait passer de l'état de pure utopie à l'état pratique. J'approuve donc, pour mon compte, le traité de la Tafna; je le regarde comme l'événement le plus heureux, et je n'hésite pas à dire le plus sage qui ait eu lieu en Afrique depuis 1830.

Après tout ce que vous avez entendu dans le cours de ce débat, après ce que vient de dire l'honorable général Bugeaud lui-même, je n'entrerai pas dans l'apologie détaillée du traité; je ne discuterai pas les divers inconvénients qu'on y a signalés, soit pour les délimitations du territoire, soit pour nos relations avec Abd-el-Kader.

Je considère ces questions comme vidées. Je ferai cependant une observation que je crois importante.

Le traité de la Tafna a porté atteinte, dit-on, à la souveraineté de la France en Afrique; en n'établissant pas un tribut annuel, régulier, il a compromis cette souveraineté.

Messieurs, il faut aller au fond de cette question de souveraineté dont on parle tant.

Les uns veulent que la France réclame et exerce réellement la souveraineté sur tout le territoire d'Afrique, comme aurait pu le faire la Porte ottomane ou le dey d'Alger; les autres veulent, au contraire, qu'on n'en parle plus, qu'on n'y pense plus pour la partie du territoire qu'on ne veut pas matériellement occuper. À mon avis, ni l'une ni l'autre de ces idées n'est exacte, ni pratique.

Il reste, dans les populations indigènes de la régence, une idée un peu confuse mais très-réelle de la souveraineté de la France victorieuse du dey d'Alger dans toute la régence.

Cette idée est une force à laquelle il ne faut pas renoncer. Je ne dis pas qu'il faille s'en servir, mais il ne faut pas y renoncer légèrement. Je ne dis pas qu'il faille revendiquer et promener notre souveraineté sur tous les points du territoire; mais c'est un moyen d'exercer de l'empire sur l'esprit des populations. Gardez-vous de proclamer que vous n'êtes souverains que de tels ou tels districts de la régence; gardez vous de vouloir l'être effectivement partout.

Le traité de la Tafna a laissé à la souveraineté française ce caractère général, et en même temps pacifique. En cela, il est conforme à la vérité des choses et à l'intérêt national.

Quant au tribut, les affaires humaines ne se font pas avec l'uniformité ni avec la précision qu'on prétend y apporter ici. Il n'y a pas un moyen unique, une seule forme de tribut. Le traité de la Tafna n'a pas établi un tribut annuel, payé comme il pouvait être payé au dey d'Alger; mais il a imposé à Abd-el-Kader l'obligation de fournir à la France une certaine quantité de blé, de farine, de bétail: cela n'est pas régulier, périodique; mais le principe de la soumission est là, et maintient ce que nous avons intérêt à maintenir.

Quand ce traité, messieurs, ne me paraîtrait pas à ce point raisonnable et soutenable, quand je ne le considérerais que sous le point de vue essentiel dont je parlais tout à l'heure, je ne l'approuverais pas moins, car c'est là son grand caractère. Il a mis un terme, dans les provinces d'Alger et d'Oran, à ces fluctuations continuelles entre l'abandon et la conquête universelle, où se perdaient, depuis 1830, notre force et notre considération; il a posé les bases de l'occupation limitée et pacifique; il les a posées, d'une part, en assignant, en effet, des limites, et des limites en général convenables, à notre occupation, de l'autre, en réglant nos principaux rapports avec les indigènes. Par là, messieurs, le traité de la Tafna est un pas immense dans la question d'Afrique, un pas dans la seule bonne voie, dans la voie qui nous conduit à faire de nos possessions africaines un grand établissement maritime, le seul qui soit conforme aux vrais intérêts de la France: permettez-moi d'en indiquer la raison.

Messieurs, je consulte votre commission; j'ouvre le rapport de l'honorable M. Dufaure, et j'y lis: «Protéger la civilisation, étendre notre puissance maritime, tels sont les deux principaux résultats que la France doit rechercher dans la possession de l'ancienne régence d'Alger.»

J'accepte complétement les termes de votre commission, et je dis que l'occupation limitée et pacifique est la seule qui mette la France en mesure d'atteindre à ces deux résultats.

Et d'abord, quels sont nos intérêts maritimes le long du nord de l'Afrique?

Le premier est la répression de la piraterie, intérêt immense et que personne ne peut mesurer; personne ne sait quel nombre de bâtiments périssaient tous les ans par la piraterie; personne ne sait de quelle importance est, pour le progrès du commerce, la sécurité de la Méditerranée. Mais pour maintenir ce résultat, messieurs, il faut rester en Afrique: si vous vous en allez, ou bien la piraterie recommencera, ou bien une autre puissance viendra se charger de protéger le commerce de la Méditerranée. Vous ne pouvez souffrir ni l'un ni l'autre. (*Très-bien! très-bien!*)

Ainsi, notre établissement maritime est la condition du plus grand bienfait de la conquête d'Alger, l'abolition de la piraterie.

Il a pour second résultat l'accroissement de notre puissance dans la Méditerranée.

Mon honorable ami M. Piscatory nous disait hier: «Nous avons Toulon.» Sans doute; mais si nous avions deux Toulon au lieu d'un (*Assentiment*), le mal ne serait pas grand, et à coup sûr notre puissance maritime en serait accrue.

M. LE GENERAL DEMARÇAY.—Qui fera ce Toulon?

M. GUIZOT.—L'honorable général Demarçay me demande qui fera ce Toulon; mais, messieurs, Toulon a été fait, Cherbourg a été fait; c'est là une question de temps et d'argent. Il résulte de l'examen des localités qu'on peut créer un port, un grand port sur la côte d'Afrique, à Alger, entre autres; c'est une question de temps et d'argent seulement. On parle de 20 à 30 millions! Cherbourg a coûté bien plus que cela; il n'y a pas un port considérable qui n'ait coûté plus que cela. Vous pouvez, avec du temps et de l'argent, vous créer sur la côte d'Afrique un second Toulon, résultat immense pour votre puissance maritime.

Messieurs, quand l'Angleterre a eu Gibraltar, dans la Méditerranée, on pouvait lui dire: Vous avez Gibraltar, qu'avez-vous besoin d'autre chose? Cependant elle a voulu Malte, et quand elle a eu Malte, elle a voulu les îles Ioniennes. Elle a eu raison.

Il s'agit de savoir si l'on peut créer, sur la côte d'Afrique, dans l'intérêt de notre marine, quelque chose d'utile, de grand; si on peut le faire, il faut le faire. (*Très-bien!*)

Donc, sous le point de vue de notre puissance maritime, notre établissement a pour nous une vraie valeur.

Je ne m'arrêterai pas longtemps sur les autres avantages que nous en pouvons espérer, toujours sous le même rapport. Je ne parlerai pas des affaires d'Orient. Un seul mot pourtant. Si ces affaires-là éclataient un jour, ce jour-là, messieurs, soyez-en sûrs, nous serions heureux et charmés d'avoir des établissements sur les deux côtes de la Méditerranée, au nord et au sud, et un établissement à côté de Tunis, qui est la principale possession de la Porte en Afrique, après l'Égypte. Je n'en dirai pas davantage.

«Propager la civilisation,» c'est aussi ce qu'espère de notre séjour en Afrique l'honorable M. Dufaure. Quelques personnes, messieurs, ont quelque dédain pour ces mots-là; je ne le partage point; je crois qu'il faut toujours voir, et, au besoin, mettre quelque chose de moral et de grand dans toutes les entreprises nationales. (*Très-bien!*)

Je sais qu'elles ne commencent pas toujours par là, qu'elles sont en général déterminées par quelque intérêt plus prochain, plus direct, plus personnel; mais, au bout d'un certain temps, quelque grand dessein, quelque grande idée s'y vient associer. Un peuple éprouve toujours le besoin de faire passer dans ses entreprises ses idées, ses sentiments, sa vie morale, de déposer son âme partout où il promène sa vie; et c'est alors que les entreprises conçues dans un intérêt prochain et personnel deviennent puissantes sur l'imagination des hommes et fécondes pour l'humanité tout entière. Pendant des siècles, l'idée de convertir les païens à la religion chrétienne s'est unie à toutes les grandes entreprises de l'Europe, entreprises commerciales, militaires, n'importe, et elle a porté des fruits immenses. Aujourd'hui, et quoique les deux desseins ne s'excluent point, tant s'en faut, au lieu de songer à porter la religion, on parle de porter la civilisation. J'accepterais la pensée de la religion, j'accepte celle de la civilisation. Quand les peuples de l'antiquité grecque et romaine sont venus s'établir sur les côtes de l'Espagne ou de la Gaule, ils ne pensaient pas à civiliser les Ibères ni les Gaulois; ils l'ont fait cependant: un jour, ce grand résultat s'est trouvé accompli. Quand les Anglais se sont établis sur les côtes de l'Amérique, ils ne pensaient pas à civiliser ces contrées. Ils y ont créé un grand peuple. Cook a été massacré dans les îles du Sud; ces îles sont aujourd'hui chrétiennes et pacifiques. Je pourrais multiplier ces exemples de grands résultats moraux, imprévus mais infaillibles, venant à la suite des grandes entreprises commerciales, des grands établissements maritimes. Ne renoncez jamais, messieurs, à ces belles espérances. Elles ne sont pas visibles au début; mais elles récompensent et ennoblissent presque toujours toute œuvre sociale bien conçue et bien exécutée. (*Assentiment marqué.*)

Ces résultats, messieurs, le système de l'occupation limitée et pacifique est le seul qui puisse vous les donner. Permettez-moi d'entrer dans quelques détails.

Ce système est le seul qui vous procure, avec les indigènes, des rapports commerciaux tranquilles. Ces rapports sont peu de chose, je le sais, car les indigènes ont très-peu à vous acheter et très-peu à vous vendre; mais, enfin, l'occupation limitée peut seule vous faire espérer en ce genre quelques progrès.

C'est aussi le seul système qui vous permette d'employer les indigènes à la culture des terres dans les limites de notre territoire.

Rapprochement difficile, je le sais, et que quelques personnes croient même impossible.

M. le rapporteur.—Cela est.

M. GUIZOT.—On nous dit que cela est. En effet, M. le général Bugeaud nous parlait tout à l'heure de ces douars et de ces smalas qui, dans la province d'Oran, cultivent sous le canon de la place; et non loin d'eux commence une colonie militaire, le village de Meserghin. Ce ne sont là que de très-faibles rudiments; mais enfin c'est de l'agriculture française à côté de l'agriculture arabe. Pourquoi ces rudiments ne grandiraient-ils pas?

Encore une fois, cela aussi ne se peut que dans le système de l'occupation pacifique.

On vous a parlé aussi du parti qu'on pourrait tirer des discussions habituelles des tribus pour établir notre pouvoir par la diplomatie, sans violence. À cela encore il faut une occupation limitée et pacifique. Si vous prétendez à la conquête générale, plus de divisions entre les tribus, vous créerez vous-mêmes cette nationalité arabe qui vous effraye. Ce n'est que par l'occupation pacifique que vous pouvez l'affaiblir.

Sous quelque aspect que vous considériez les divers moyens de propagation de la civilisation en Afrique, l'occupation limitée et pacifique vous permet seule d'espérer ce résultat.

Deux classes d'adversaires s'opposent à ce système.

Les uns disent: Votre occupation limitée est trop étendue, elle est trop onéreuse; vous pouvez atteindre le même but à meilleur marché. De simples comptoirs de commerce auraient, pour notre puissance maritime et pour le progrès de la civilisation, la même valeur.

Je pourrais répondre qu'il est trop tard, qu'à la manière dont nous sommes engagés, il est impossible de revenir à des comptoirs commerciaux, et mon honorable ami, M. Duvergier de Hauranne, serait le premier à en convenir.

M. DUVERGIER DE HAURANNE.—Mais non!

M. GUIZOT.—Il me semble que M. Duvergier de Hauranne dit non: je vais donc discuter la question en elle-même.

Quand nous avons été en Afrique, nous y avons été surtout, comme je le disais tout à l'heure, pour supprimer la piraterie; il a donc fallu y aller avec la guerre; il a fallu chasser les pirates, il a fallu prendre Alger; cela n'est pas conciliable, messieurs, avec le système des comptoirs commerciaux. La guerre, la prise d'Alger, la destruction de la piraterie, excluent complétement le système de simples comptoirs de commerce établis sur la côte; les populations arabes ont été fortement émues, ébranlées. La grandeur du début vous impose une certaine grandeur dans la continuation de l'entreprise. Vous ne pouvez, après avoir fait de telles choses, après avoir pris Alger et renversé le dey, vous ne pouvez, le lendemain, devenir de simples marchands qui se fixent sur tel ou tel point de la côte pour faire quelque commerce avec les indigènes. Qu'on ne s'arme pas de l'exemple du comptoir de la Calle, commencé et soutenu par une simple compagnie privée. Il n'y a, entre les situations, nulle analogie; il ne peut y en avoir entre les conduites.

On a parlé de la nécessité d'avoir, autour de nos villes maritimes de l'Algérie, un certain territoire pour aider à nourrir la population et la garnison; j'en comprends l'utilité, mais je n'insiste pas sur cette raison; j'en indiquerai une autre qui me paraît plus puissante. Vous voulez et vous devez avoir des alliés indigènes. Qu'il s'agisse de commerce ou d'agriculture, ou de civilisation, ils vous sont indispensables. Eh bien, vous ne pourrez avoir des alliés parmi les indigènes qu'à condition d'avoir autour de vos établissements un territoire où ils puissent s'établir, où vous puissiez vous-mêmes les protéger; vous avez besoin de vous faire une ceinture d'indigènes amis contre les indigènes ennemis qui habitent plus loin de la côte. Isolés et sans territoire, vos comptoirs deviendront de véritables prisons où vous vivrez isolés et sans amis. (*C'est juste! C'est extrêmement juste!*)

Je viens à d'autres adversaires, à ceux, qui disent: Votre occupation limitée coûte plus qu'elle ne vaut; elle vous oblige à un développement de forces, à des sacrifices d'argent dont elle ne vous dédommage nullement. D'ailleurs, elle vous expose à toutes les chances de la guerre; elle vous y expose, elle vous y entraîne et sans résultat. Prenez votre parti; entrez hardiment dans le pays, non pas tout à coup, en un jour, d'une manière systématique, préméditée, mais quand vous en trouverez l'occasion; proposez-vous la conquête générale pour but, mais la conquête successive. Voilà le système.

Messieurs, ce système repose sur une hypothèse. C'est qu'un grand établissement territorial, un grand établissement colonial, fécond en productions, fécond en consommations, est possible en Afrique. S'il était possible, en effet, si je le croyais possible, j'hésiterais peut-être, et je ne repousserais pas absolument l'occupation universelle. Les difficultés seraient grandes, les retours se feraient attendre longtemps; et pourtant je comprendrais qu'on en courût la chance.

Mais, à mon avis, rien de semblable n'est possible en Afrique. Les raisons qui rendent là un grand établissement colonial impossible ont été exposées avec beaucoup de vérité par mon honorable ami M. Duvergier de Hauranne. Quand il vous a parlé de la nature du sol, de l'état de la population indigène, de l'état de la métropole, il a résumé tous les éléments essentiels de la question.

Je prends les exemples; je veux procéder en esprit pratique, les faits à la main. Où ont réussi les grands établissements coloniaux agricoles? Là où il y avait de grands espaces entre la mer et les premières chaînes de montagnes, ou le long de grands fleuves, de grandes eaux, de grandes forêts, de grands herbages; ils n'ont réussi que là. Prenez les bords du Gange, les bords de l'Indus, les bords de l'Euphrate, les vallées du Nil, les vallées du Mississipi, du Saint-Laurent, du Potomac, de la Delaware, de tous les grands fleuves de l'Amérique; vous trouverez partout, comme condition nécessaire du succès d'un grand établissement colonial, les conditions que j'indiquais tout à l'heure.

Aucune de ces conditions n'existe en Afrique. Je n'ajouterai rien à la description du territoire, telle qu'elle vous a été présentée par quelques-uns de mes amis; elle est si claire, si concluante qu'il n'y a pas moyen de s'en défendre.

Quant à la population indigène, on a également bien posé, devant vous, les termes de la question. Il faut ou l'employer à la culture, ou l'exterminer, ou se l'assimiler.

L'employer à la culture! Cela ne s'est jamais fait qu'avec des populations sédentaires déjà agricoles, douces, presque asservies: les Indous en Asie, les Fellahs en Égypte, les Indiens au Mexique.

L'exterminer! Cela n'est pas discutable, nos mœurs s'y refusent, l'intérêt que nous pourrions y avoir ne serait pas en état de faire violence à nos mœurs; les Arabes se défendraient beaucoup mieux que les Indiens de l'Amérique du Nord. Et ne vous y trompez pas, ils seraient aidés dans leur résistance par les puissances européennes, je ne dis pas ennemies, mais rivales, qui leur fourniraient de la poudre et des armes; l'entreprise serait coupable et inexécutable.

Quant à s'assimiler la population indigène, s'il y a un moyen d'y réussir, ce n'est pas, à coup sûr, la guerre et la conquête universelle.

Vous le voyez, que nous regardions le sol ou les hommes qui l'habitent, un grand et fécond établissement territorial dans la régence d'Alger paraît impossible.

L'état de la métropole vous conduira au même résultat. Des colonies n'ont jamais été fondées que par des hommes forcés de quitter leur pays ou attirés au loin par de grandes espérances de fortune. Aucune de ces conditions n'existe pour l'Afrique. Personne n'est forcé de quitter la France; tout le monde peut y revenir, l'Afrique est à nos portes; elle n'offre, à de grandes masses de colons, aucune grande et certaine chance de fortune. Soit pour quitter la France, soit pour s'établir en Afrique, les grandes causes de colonisation un peu étendue manquent également.

Vous le voyez, ni les conditions physiques, ni les conditions sociales d'un grand établissement territorial ne se rencontrent dans la régence.

Gardez-vous donc bien, messieurs, de tenter une si vaine entreprise. Je ne vous redirai pas ce qu'un faible essai vous a déjà coûté; je ne vous prédirai pas ce qu'il vous en coûtera pour aller jusqu'au bout. Défiez-vous bien de cette pente, car on vous y poussera toujours, on vous y poussera en Afrique, on vous y poussera en France. Il y aura toujours des intérêts particuliers, des passions qui vous presseront de vous enfoncer en Afrique, sans égard pour les vrais intérêts généraux du pays. N'entendez-vous pas parler tous les jours de nouvelles expéditions soit dans l'est, soit dans l'ouest, de la nécessité de faire contre Abd-el-Kader ce que vous avez fait contre Achmet?

Ces paroles, ces discours sont dans l'air; je les entends de tous côtés. Messieurs, n'y prêtez point l'oreille; le laisser-aller est très-périlleux en pareille affaire; nous l'avons déjà éprouvé; d'autant plus périlleux qu'une fois entrés dans cette voie vous ne voudriez pas reculer, et que cependant vous ne poursuivriez pas l'entreprise avec la vigueur nécessaire au succès. Ne vous faites pas d'illusion sur la nature de nos institutions et de notre gouvernement. Ces institutions si brillantes, si orageuses en apparence, sont au fond des institutions prudentes, chargées de responsabilité et qui imposent au pouvoir une extrême réserve.

Vous vous engageriez, vous vous compromettriez, et bientôt peut-être vous hésiteriez, vous reculeriez, vous retomberiez du moins dans ces incertitudes, ces vacillations dont vous commencez à sortir.

Je me félicite, messieurs, de voir que le gouvernement entre dans le système de l'occupation limitée et pacifique.

Je ne me hasarderai pas à lui indiquer ce qu'il a à faire dans cette portion de la régence où le système n'est pas encore appliqué, où l'on s'en est même écarté.

De tels conseils sont impossibles à donner ici, impossibles à donner d'avance.

Je ne puis donner au gouvernement et à la Chambre que le conseil général de se maintenir dans la voie dans laquelle le traité de la Tafna nous a placés, la seule bonne, la seule conforme aux faits français, aux faits africains, aux véritables intérêts des deux pays.

Pour mon compte, messieurs, je suis las, je l'avoue, de voir la politique de mon pays donner si souvent raison à ces paroles du chancelier Oxenstiern, qui disait à son fils partant pour aller parcourir l'Europe: «Partez, mon fils, et allez voir avec quelle petite dose de sagesse le monde est gouverné.» (*Sensation.*)

Je désire une dose de sagesse un peu plus grande dans le gouvernement des affaires d'Afrique, c'est-à-dire un peu plus d'esprit de prévoyance et de suite, une conduite plus contenue et plus persévérante dans les limites possibles du succès. (*Très-bien! très-bien!*)

XCIV

—Chambre des députés.—Séance du 7 janvier 1839.—

La coalition formée entre les diverses nuances de l'opposition contre le cabinet présidé par M. le comte Molé fut le grand et le seul événement de la session de 1839. J'ai retracé dans mes *Mémoires*[2] les causes, le caractère, les incidents essentiels et les incomplets résultats de cet événement. Les questions qui remplirent le débat furent de deux sortes: à l'intérieur, la nature et les conditions du gouvernement constitutionnel qui prit alors le nom de parlementaire, et l'insuffisance du cabinet pour y satisfaire; à l'extérieur, l'évacuation d'Ancône, les relations avec la Suisse et l'arrangement définitif des affaires de Belgique. Je pris plusieurs fois la parole dans ce long et ardent débat, pour combattre la politique du cabinet. Je reproduis ces divers discours chacun à sa date.

M. GUIZOT.—La Chambre ne s'étonne pas, j'en suis sûr de mon empressement à prendre la parole. Pour tous, la situation est grave; au moins faut-il que, pour personne, elle ne soit obscure. J'ai soif d'une prompte clarté. (*Écoutez! écoutez!*)

Depuis quelque temps, messieurs, un mot, le mot *coalition* retentit à toutes les oreilles. Si par là on veut dire qu'il y a dans cette Chambre des hommes, divers d'ailleurs à beaucoup d'égards, mais également convaincus que l'administration actuelle est funeste... (*Rumeurs*) essentiellement funeste au pays et au trône... (*Réclamations aux centres*) des hommes également convaincus que l'administration actuelle est funeste au pays et au trône...

Voix au centre.—Allons donc!

M. GUIZOT.—J'ai l'honneur de dire à la Chambre que je fais attention aux expressions dont je me sers, que je m'en sers parce que ce sont les seules qui expriment réellement ma pensée, et que j'ai le droit de la porter à cette tribune... (*Très-bien!*) Des hommes également convaincus que l'administration actuelle est funeste, et qui se conduisent d'après cette conviction commune, on dit vrai, et je suis de cet avis.

Si l'on attache à ce mot *coalition* la moindre idée du moindre abandon de nos antécédents et de nos principes, rien n'est plus faux... (*Ah! ah!... Bruits divers.*) Rien n'est plus faux, et je le repousse absolument. Avec l'opposition, je combats le ministère, mais en le combattant, je reste, je suis toujours du juste-milieu... (*Chuchotements.*) Et mon premier grief contre le ministère, c'est précisément qu'il dénature, décrie et compromet la politique du juste-milieu.

Ce n'est pas sans un peu de surprise, messieurs, que j'ai vu, que je vois tous les jours les accusations dont je parle émaner surtout du cabinet, de ses amis particuliers et de ses organes avoués. On a donc oublié pourquoi le cabinet s'est formé, et quelles circonstances ont accompagné son avénement; on a oublié qu'en naissant il est venu à cette tribune abandonner ce qu'il avait soutenu, retirer ce qu'il avait proposé, défaire ce qu'il avait fait, accepter l'approbation et l'appui de ses adversaires de la veille.

Qui a jamais fait à l'opposition des concessions pareilles? Qui a jamais vu un changement si brusque et si complet de conduite et de position?

Pour moi, messieurs, ce que le cabinet a fait alors, je n'ai pas voulu le faire; et je n'hésite pas à le rappeler aujourd'hui, bien sûr que, pour n'avoir pas voulu le faire, je n'ai rien perdu dans l'estime de l'ancienne opposition. (*Marques d'adhésion à gauche.*)

Mais, messieurs, cette réponse par voie de récrimination ne me suffit pas; je la méprise: allons au fond des choses.

Ce qui se passe, messieurs, et la situation où je me trouve n'ont rien de nouveau pour moi; c'est ce que j'ai vu, c'est la situation où je me suis trouvé, où nous nous sommes trouvés mes amis politiques et moi, au dedans et au dehors de cette Chambre, pendant bien des années sous la Restauration. Alors aussi nous avions été longtemps séparés de l'opposition, et un jour nous nous sommes trouvés portés vers elle, nous avons agi, nous avons parlé de concert avec elle.

Croyez-vous qu'il n'y eût entre nous plus de dissidences, plus de différences? Il y en avait, messieurs; mais nous voulions également deux choses, deux choses vitales, dominantes: le triomphe des intérêts nouveaux créés en France par notre révolution et la réalité du gouvernement représentatif. (*Très-bien!*)

Nous agissions, nous parlions de concert dans cette grande cause; nous nous éclairions, nous nous soutenions mutuellement dans cette grande lutte; subordonnant, sacrifiant nos différends à cet intérêt supérieur, en hommes sincères et sensés. Et nous avons réussi, nous avons réussi en commun.

Quand je dis ces paroles, je sais ce qu'il y a au fond de bien des cœurs: Vous avez réussi à faire une révolution. Oui, messieurs, et je ne dis point ceci pour chercher l'approbation d'aucune partie de cette Chambre; je le dis du fond de mon cœur et de ma pensée; nous avons réussi à sauver, au prix d'une révolution, l'honneur et les droits de la France. (*Très-bien!*)

Messieurs, la révolution de Juillet nous a imposé bien des fatigues, bien des épreuves, bien des périls; mais je me croirais ingrat envers la Providence, je me croirais déshonoré si je changeais jamais à son égard de sentiment et de langage. Quelques périls qu'elle nous ait imposés, elle nous a valu infiniment plus qu'elle ne nous a coûté; elle a fait notre salut dans le présent, elle fera notre gloire dans l'avenir. (*Mouvement d'approbation.*)

Et le lendemain de la révolution, quand l'ordre a été en péril, a-t-il manqué de défenseurs? La coalition de la veille les lui a fournis: c'est du sein de l'opposition coalisée qu'est sorti ce parti de la résistance, que je ne désavoue pas plus que je ne désavouais tout à l'heure la révolution de Juillet, et auquel je m'honore d'avoir concouru comme j'ai concouru à la révolution de Juillet. On peut, messieurs, et je le trouve fort simple, attaquer la politique qui a été suivie depuis 1830; on peut y trouver bien des fautes; mais elle a eu un but fondamental: sauver le gouvernement de Juillet, le défendre contre ses ennemis, et le défendre par les forces mêmes du système représentatif. Ce but a été atteint; aujourd'hui le gouvernement de Juillet est fondé; il a été sauvé de ses ennemis, et le système représentatif s'est déployé pendant cet intervalle dans toute sa vigueur. Voilà la vraie, la grande chose que le parti de la résistance a faite.

La lutte terminée, messieurs, les grands périls passés que fallait-il désirer? quel progrès pouvions-nous espérer? Un progrès qui s'est fait bientôt entrevoir. Deux grandes opinions se dessinaient, et pour parler le langage parlementaire, deux grands partis se formaient; l'un appliqué surtout à défendre, à fonder, à exercer les pouvoirs publics; l'autre, à défendre, à protéger, à étendre les libertés publiques; un vrai parti de gouvernement, ou parti conservateur, et un vrai parti d'opposition, ou parti réformateur. Tous deux loyaux et sincères, tous deux d'accord sur les bases fondamentales de notre société, choses et personnes, Charte et dynastie, mais les considérant chacun de son point de vue, se vouant chacun à l'un de ces deux intérêts essentiels de la société.

Messieurs, c'est là l'état régulier, l'état salutaire du gouvernement représentatif; il a précisément pour objet d'amener ces deux grandes opinions, l'opinion gouvernementale et l'opinion critique ou réformatrice, à se dessiner nettement, à se classer régulièrement, avec franchise, de mettre ainsi l'ordre dans la sincérité, et de contraindre les partis à se contrôler, à s'éclairer mutuellement dans une lutte honorable.

Voilà le résultat auquel nous tendions; voilà le résultat qui commençait à se faire entrevoir, non-seulement dans cette Chambre, messieurs, mais dans le pays; partout les opinions devenaient nettes et se classaient; partout les hommes commençaient à comprendre à qui ils avaient affaire, et vers quel but ils voulaient marcher. (*Écoutez! écoutez!*) Voilà quel était le progrès désirable au sortir de notre grande lutte.

Eh bien, messieurs, au lieu de nous faire avancer dans cette voie, qu'a fait le cabinet? Il nous a jetés dans l'incertitude, dans la confusion, dans l'obscurité; nous avons vu apparaître une politique sans système; point de principes, point de camp, point de drapeau, une fluctuation continuelle, cherchant, empruntant de tous côtés des mesures, des alliances.....

M. le président du conseil.—Oh! des alliances!

M. GUIZOT.—Aujourd'hui d'une façon, demain d'une autre. Rien de fixe, rien de stable, rien de net, rien de complet.

Savez-vous comment cela s'appelle, messieurs? Cela s'appelle de l'anarchie. (*Murmures au centre.*)

On a dit de l'empereur Napoléon qu'il n'avait détrôné que l'anarchie. Le cabinet actuel ne s'est établi et n'a gouverné que par l'anarchie. (*Nouveaux murmures au centre.*) Anarchie dans les Chambres, anarchie dans les élections, anarchie dans l'administration. L'anarchie est entrée avec vous dans cette Chambre, elle n'en sortira qu'avec vous. (*Bruit.*) Vous en souffrez aujourd'hui, vous vous en plaignez; mais c'est vous qui l'avez faite. Elle a grandi, mais c'est vous qui l'avez mise au monde.

Laissez-moi vous dire dans quelle situation vous avez placé les diverses parties de cette Chambre; laissez-moi vous dire ce que vous avez fait de tout ce à quoi vous avez touché.

Il y avait dans cette Chambre un parti gouvernemental; il est divisé; les uns vous ont quittés, les autres vous suivent encore. Voyons d'abord ce que vous avez fait de ceux qui vous suivent encore.

Je n'apporterai pas à cette tribune ces accusations grossières de servilité, de corruption, qui retentissent partout. Je sais qu'elles sont de tous les temps, qu'on les adresse à tous les partis qui soutiennent le gouvernement; non pas qu'elles soient toujours également vraies (*Hilarité*), mais enfin elles ont toujours été prodiguées, elles le seront toujours.

Mais quand elles l'étaient autrefois à ces hommes du parti gouvernemental qui vous suivent encore, les réponses ne leur manquaient pas. Ils avaient des réponses péremptoires, glorieuses. Ils rétablissaient l'ordre; ils remettaient en vigueur quelques-uns des grands principes sociaux. Ils voyaient le pouvoir et la société qu'ils défendaient se raffermir et se relever par leurs efforts. Aujourd'hui peuvent-ils avoir ce sentiment?

M. *le président du conseil.*—Oui!

M. GUIZOT.—Peuvent-ils se dire à eux-mêmes rien de semblable? Ils ne font plus rien de grand, plus rien de fort. Ils voient le pouvoir même qu'ils défendent s'affaiblir, s'abaisser, dépérir entre leurs mains. Ils sont eux-mêmes compromis, livrés sans défense, sans éclat, sans succès, à leurs adversaires. (*Rumeur au centre.*)

Autrefois ils pouvaient espérer de vraies victoires; aujourd'hui, tout ce qu'ils espèrent de mieux, c'est de retarder et d'adoucir la défaite du pouvoir qu'ils soutiennent. (*Mouvement.*) Est-ce là, je vous le demande, un juste prix de leur fidélité, un juste prix de leur désintéressement et du courage que vous leur demandez? Non, messieurs; vous avez compromis et vous usez en vaines tentatives la force et la vertu de cette portion du parti gouvernemental qui vous suit encore.

Au centre droit.—Très-bien! très-bien!

M. GUIZOT.—Et nous, messieurs, nous qui nous sommes séparés de vous, nous avons beaucoup tardé, beaucoup hésité; nous nous sommes bornés pendant longtemps à exprimer des craintes, à donner des avis.

La dissolution de l'ancienne Chambre a eu lieu; nous sommes revenus dans la Chambre actuelle. Nous avions bien peut-être quelques plaintes à former; nous n'en avons tenu compte; nous avons soutenu, loyalement soutenu le cabinet dans la plus grave lutte où il pût être engagé.

Le lendemain, même fluctuation dans la politique, même impossibilité d'arriver à quelque chose de net, de ferme, de stable.

Bien plus: nous nous sommes aperçus (et il était impossible de ne pas s'en apercevoir) de la situation singulière dans laquelle on voulait nous placer. On voulait faire de nous des ultras du gouvernement de Juillet. Nous étions destinés à faire dans cette Chambre une droite; il y avait une gauche: les révolutionnaires d'un côté, les ultras de l'autre; le juste-milieu au profit du cabinet.

Tout ce qu'il pouvait y avoir d'impopulaire, de contraire à certains sentiments, à certaines habitudes du pays, c'était à notre compte, nous devions en porter le poids. Tout ce qui pouvait avoir quelque apparence, quelque tendance anarchique, révolutionnaire, c'était au compte de l'ancienne opposition.

Messieurs, nous n'avons pas voulu accepter cette situation; nous ne sommes des ultras d'aucun régime, pas plus de la révolution de Juillet que de la Restauration. (*Très-bien!*) Nous avons été dans tous les temps les apôtres d'une politique modérée, de ce qu'on a appelé depuis la politique du juste-milieu.

Nous avons été dix ans dans l'opposition sous la Restauration, et nous n'avons été occupés alors que d'organiser les moyens légaux d'opposition, comme depuis 1830 d'organiser les moyens légaux de gouvernement. (*Très-bien!*)

L'opposition légale, le gouvernement légal, l'opposition modérée, le gouvernement modéré, voilà quel a été notre constant caractère.

Comment aurions-nous pu consentir à cette situation extrême et violente qu'on voulait nous faire? Nous l'avons repoussée, nous avons repris notre vraie place: nous sommes dans l'opposition; nous y sommes des hommes modérés, monarchiques, des partisans de la politique du juste-milieu, qui la défendent, dans l'opposition, contre un ministère qui la compromet. Et, croyez-moi, c'est une position prise d'une manière permanente, tant que la nécessité s'en fera sentir.

M. DE REMUSAT *et autres voix.*—Très-bien!

M. GUIZOT.—Messieurs, pendant un temps j'ai été accusé d'être ennemi de la liberté, de l'attaquer violemment; aujourd'hui je suis accusé d'attaquer le pouvoir. Je suis fort accoutumé à toutes ces accusations; je voudrais pouvoir vous montrer, je voudrais que vous pussiez voir avec quelle sérénité intérieure j'entends bourdonner autour de moi toutes ces calomnies, je vois passer devant moi toutes ces colères réelles ou feintes. (*Très-bien!*) Non, messieurs, toute ma vie, et ce n'est pas pour moi seul que je parle, je parle pour mes amis politiques comme pour moi, j'ai aimé et servi la liberté, j'ai aimé et servi le pouvoir, la liberté légale, le pouvoir légal.

On parle d'ambition personnelle; je ne puis que redire ici ce que j'ai déjà eu l'honneur de dire devant cette Chambre. Si par là on entend le désir de servir ma cause, de faire triompher mes idées, celles auxquelles j'ai dévoué ma vie, on a raison. (*Très-bien!*) J'ai de l'ambition, et sans limites. (*Mouvement prolongé.*)

Si l'on entend, au contraire, cette misérable ambition personnelle qui consiste à être ou n'être pas ministre, à s'asseoir ici plutôt que là, si c'est de celle-là qu'on parle, je n'ai pas besoin de répondre, messieurs, on peut abuser de tout, même du mensonge; mais je suis sûr que, parmi les personnes qui m'attaquent, il y en a bien quelques-unes qui n'ont pas donné plus de marques de fidélité, et de fidélité désintéressée, à leurs opinions et à leurs sentiments que je n'ai eu l'honneur de le faire. (*Très-bien!*)

Voilà, messieurs, ce qu'a fait le cabinet du parti gouvernemental; voilà dans quelle situation il en a mis les divers éléments. Voyons ce qu'il a fait de l'opposition.

Votre situation envers l'opposition était bien belle, bien commode. Vous n'aviez pas été des premiers, des plus ardents dans les grandes luttes que nous avions eues à soutenir contre elle. (*Mouvement en sens divers.*)

Vous lui aviez fait, à votre avénement, de grandes concessions. Vous aviez été pour elle une victoire. Elle était elle-même très-favorablement disposée pour vous; dans les années qui venaient de s'écouler, elle avait acquis, à nos dépens à nous, de la modération et de l'expérience. (*On rit.*) Je ne vous demande pas de me croire dans ce que je vous dirai; mais, en voyant l'opposition se modérer, venir à des idées, à des pratiques plus gouvernementales, et le faire à votre profit plutôt qu'au nôtre, à nous qui avions été aux prises avec elle dans les jours difficiles, je trouvais cela tout simple, tout naturel, et au fond du cœur je m'en réjouissais sincèrement, dans l'intérêt du pays.

Qu'avez-vous fait de cette situation si favorable de l'opposition envers vous et de vous envers elle? L'avez-vous dissoute? l'avez-vous conquise? l'avez-vous ralliée? Je la regarde, et je la vois aussi animée contre vous qu'elle l'a jamais été contre d'autres. (*On rit.*) Je la vois, de plus, singulièrement ralliée; elle n'a jamais été si compacte contre personne.

Parmi les hommes qui aujourd'hui votent étroitement avec elle, quelques-uns de ceux qu'on appelle le tiers-parti votaient autrefois avec le gouvernement. Tout ce que vous avez fait, toutes vos concessions, tout cela n'a servi à rien. Vous n'avez fait que compromettre, au sein même de l'opposition, les hommes auxquels elle semblait le plus attachée. Notre honorable président en est une preuve. (*Hilarité prolongée.*)

Messieurs, je n'hésite pas à le dire, cela fait honneur à l'opposition. Elle vous a accueillis avec des dispositions bienveillantes et modérées; mais l'opposition a des principes, un drapeau; elle aurait pu et pourrait peut-être se rallier à des idées vraiment larges, à une vraie conciliation; elle n'a pas voulu se laisser tromper ni séduire. (*Mouvement.*)

Un membre.—C'est cela!

M. GUIZOT.—Elle a été fidèle à ses principes, à ses antécédents, à son drapeau.

Ainsi, avec le désordre, avec la confusion que vous avez jetés dans cette Chambre, voici les résultats que vous avez obtenus.

Le parti du gouvernement, vous l'avez divisé; vous avez compromis les uns, aliéné les autres. L'opposition, vous l'avez ravivée et ralliée plus que jamais. Voilà pour les personnes. Voilà ce que vous en avez fait; voilà quels progrès vous leur avez fait faire dans la carrière du gouvernement représentatif et de la conciliation générale.

Voyons les choses. Sur quel terrain avez-vous remis cette Chambre? Quelles questions y avez-vous réveillées? Les questions de la réalité du gouvernement représentatif: questions redoutables, car elles ne peuvent se résoudre d'avance et d'une manière absolue; questions étranges en ce moment, et dont le pays s'étonne, car il les croyait résolues.

Plusieurs voix.—C'est vrai!

M. GUIZOT.—Le pays s'en étonne; il les croyait résolues par la révolution de Juillet. Elles sont revenues à la suite de votre politique. (*Mouvement en sens divers.*)

Je prie la Chambre de ne rien craindre; je n'y toucherai qu'avec une extrême réserve, avec cette réserve que la Chambre désire, j'en suis sûr.

Je n'ai pas de crainte sérieuse pour les prérogatives parlementaires. (*On rit. Écoutez! écoutez!*)

Après les événements qui se sont passés en 1830, je les regarde pour bien longtemps comme en parfaite sécurité. J'ai d'ailleurs la plus entière confiance dans la sagesse des grands pouvoirs publics.

Je n'ai pas non plus de crainte sérieuse pour les prérogatives de la couronne. Les Chambres, depuis 1830, se sont montrées, à son égard, pleines de mesure et de respect. Jamais assemblées politiques, au sortir d'une grande révolution, après un tel ébranlement, n'ont autant ménagé la couronne, n'ont montré pour elle et ses droits autant de soin et de fidélité. (*Assentiment.*)

D'ailleurs, je sais que l'adhésion du pays au gouvernement qu'il possède aujourd'hui est forte et sincère. Ce gouvernement, le pays le regarde comme sien; il lui est profondément attaché, il ne le menace pas et ne le menacera jamais. Je ne crains donc point, entre le pays et son gouvernement, de grande collision; je ne crains ni les coups d'État monarchiques, ni les coups d'État populaires, dans l'attente desquels nous avons si longtemps vécu.

Mais cela ne suffit pas au bien du pays; cela ne suffit pas au bon gouvernement du pays. Il faut autre chose que de n'avoir pas à craindre des coups d'État. Il faut que les affaires du pays soient bien faites au dedans et au dehors; il faut que tous les pouvoirs se fortifient, grandissent, s'élèvent ensemble, et l'un par l'autre. C'est là le gouvernement représentatif; c'est là sa moralité, c'est là sa beauté; il n'est pas fait pour que les pouvoirs s'usent dans leurs luttes, pour qu'ils s'humilient l'un devant l'autre. Il est fait, au contraire, pour qu'ils s'affermissent, pour qu'ils s'élèvent dans cette gymnastique politique, et pour que le pays s'élève et grandisse avec eux.

Voilà le gouvernement représentatif; voilà pourquoi il est fait. Sans cela, il ne serait qu'une coûteuse et fatigante comédie. Or, c'est là ce qui n'est pas aujourd'hui; à mon avis, les affaires du pays sont mal faites, au dedans et au dehors; et les grands pouvoirs de l'État, au lieu de se fortifier mutuellement, au lieu de s'affermir et de s'élever ensemble, s'affaiblissent et s'abaissent ensemble.

Si seulement l'un des grands pouvoirs de l'État grandissait et se fortifiait, la Chambre, la couronne, n'importe, un seul! mais il n'en est rien; tous se plaignent également de leur affaiblissement. On se plaint que l'administration s'affaiblit et s'abaisse, on se plaint que la Chambre s'affaiblit et s'abaisse. C'est le sort de tous les pouvoirs aujourd'hui d'être également énervés et abaissés. Voilà ce que je déplore; voilà le véritable malaise auquel nous sommes en proie; voilà pourquoi le gouvernement représentatif n'existe pas aujourd'hui dans sa réalité.

C'est un grand mal, messieurs, c'est un danger encore plus grand, et l'avenir en a bien plus à craindre que le présent n'a à en souffrir.

Messieurs, les maux qui se guérissent avec le temps ne m'effrayent jamais beaucoup; ce que je redoute, ce sont ceux qui s'aggravent avec le temps, qui s'aggravent tous les jours. Le mal dont nous souffrons est un mal de ce genre. L'histoire du cabinet en est la meilleure preuve. Il n'est pas encore bien ancien: les premières années d'un cabinet sont ses meilleures années; il profite des circonstances qui l'ont rendu nécessaire. Le cabinet du 15 avril a eu, outre cela, des bonnes fortunes particulières. (*Rires.*) L'ont-elles fortifié? l'ont-elles grandi? Non; je n'hésite pas à dire non; il n'a rien gagné dans les circonstances les plus favorables pour lui; il a été faible, et de plus en plus faible. C'est qu'il y a un mal radical, un vice incurable dans sa nature et dans sa situation, vice qui est la cause de sa faiblesse constante. Elle ira toujours s'aggravant. Le mal dont vous vous plaignez, vous vous en plaindrez davantage à la fin de cette session qu'au commencement; vous vous en plaindrez davantage l'année prochaine que cette année-ci. Tant que le cabinet durera, non-seulement lui, mais vous-mêmes, tous ceux qui le suivent, s'affaibliront et s'abaisseront de plus en plus avec lui.

Ne vous y trompez pas, messieurs, et c'est là, pour mon compte, ce que je vois avec une vraie douleur, la portion du parti gouvernemental qui s'associe au cabinet s'associe en même temps à sa faiblesse; elle descend avec lui: vous y perdez une partie de votre force, une partie de votre crédit dans le pays. C'est un mal immense (*Sensation*), messieurs, que cet affaiblissement d'une portion des hommes qui soutiennent et veulent soutenir le gouvernement; c'est l'un des plus grands maux qui puissent être infligés à notre pays.

Comparez à ce mal toujours croissant, je vous en prie, messieurs, comparez les périls d'une résistance actuelle, immédiate, d'un point d'arrêt mis à la politique dont je me plains; vous verrez combien ils sont moindres.

On dit que le pays est tranquille, qu'il ne s'inquiète en aucune façon de nos débats. Tant mieux! C'est un très-grand bien que les questions politiques ne s'agitent que dans la région supérieure des grands pouvoirs. C'est alors qu'on peut les résoudre à temps et avec mesure; c'est alors qu'on peut faire usage de la prévoyance et des tempéraments nécessaires. La prévoyance est notre devoir. Nous sommes envoyés ici pour voir le mal quand le pays ne le voit pas, pour guérir le mal quand le pays n'en sent pas encore toute la gravité. (*Mouvement d'adhésion.*) Nous ne venons pas seulement à la suite des craintes, des alarmes populaires; nous venons avec notre propre prévoyance. C'est à nous, je le répète, à prévoir et à guérir le mal quand le pays est tranquille. C'est le bon moment pour y penser. (*Marques d'approbation.*)

Songez de plus, messieurs, que nous sommes ici dans une Chambre dont la modération est éprouvée, d'une Chambre qui a du temps devant elle, d'une

Chambre qui peut fonder et soutenir véritablement une politique. Profitez, messieurs du moment favorable. Quelle a été notre mission, notre gloire? C'est d'avoir défendu tour à tour l'ordre et la liberté, la monarchie et le gouvernement représentatif. Soyons-nous fidèles à nous-mêmes; soyons aussi exigeants, aussi fiers pour le gouvernement représentatif que nous l'étions quand nous ne l'avions pas encore pleinement conquis. Ne nous laissons pas préoccuper par une seule idée, un seul intérêt, une seule crainte. Pensons aux susceptibilités du pays. Le pays est susceptible pour la dignité de notre nom au dehors, de nos institutions au dedans. Ces susceptibilités sont honorables. Elles ont quelquefois l'air de sommeiller: on croit qu'elles n'existent plus; mais elles se réveillent tout à coup puissantes, menaçantes, aveugles quelquefois. Ménagez-les, prenez-en soin; le pouvoir s'en trouvera bien. Tacite, messieurs, dit des courtisans: «Qu'ils font toutes choses servilement pour être les maîtres; *Omnia serviliter pro dominatione.*» Soyons précisément le contraire; faisons toutes choses avec indépendance et dignité, pour que la couronne soit bien servie. (*Très-bien! très-bien!*) À mon avis, elle l'est mal aujourd'hui: l'adresse le dit clairement, bien qu'avec convenance. Je vote pour l'adresse.

Ce discours est suivi d'une longue agitation. La séance reste suspendue quelques instants.

———

—Séance du 9 janvier 1839.—

M. Barthe, garde des sceaux, et M. Garnier-Pagès m'ayant reproché l'un et l'autre, d'après des idées et des intentions très-différentes, d'abandonner la politique que, jusque-là, j'avais soutenue, je leur répondis:

M. GUIZOT.—Je croyais avoir bien clairement, bien sincèrement établi ce que je pense de notre situation, et les motifs qui déterminent en ce moment ma conduite et mon vote. Puisqu'ils viennent d'être méconnus de nouveau et par l'honorable M. Garnier-Pagès et par M. le garde des sceaux, j'ai hâte de les rétablir. Non, je ne blâme point, tant s'en faut, la politique suivie depuis 1830; non, je ne redis pas à son sujet ce qu'en a dit, pendant six ans, l'opposition. J'ai maintenu cette politique avant-hier devant la Chambre; je l'ai maintenue ouvertement, sans hésitation, sans exception. J'ai poussé le scrupule jusqu'à rappeler ce qui s'était passé lors de la formation du cabinet du 15 avril. Qu'est-ce qui m'obligeait à rappeler les souvenirs de cette époque? Qu'est-ce qui m'obligeait à dire que ce que le cabinet a fait alors, son retrait des lois proposées, son changement de conduite et de position, je n'avais pas voulu le faire? Rien ne m'y obligeait, je le répète; je l'ai rappelé par scrupule, pour être dans la pleine vérité de ma conduite et de mon caractère, sans crainte d'encourir de nouveau les reproches de l'opposition, avec laquelle je vote cependant en ce moment.

Ce dont je me plains, messieurs, c'est que l'ancienne politique, la politique du juste-milieu perde, entre les mains du cabinet actuel, sa vigueur et sa dignité. Et quand je parle de vigueur, ce n'est pas le moins du monde pour appeler des mesures sévères, de nouvelles lois répressives; non, je sais faire la différence des temps, des circonstances; je sais accepter les votes même auxquels je n'ai pas concouru; je sais les accepter sincèrement, sans aucune arrière-pensée; je sais reconnaître les diverses dispositions des esprits. Et, dans cette occasion, bien loin de m'en affliger, je m'en applaudis du fond du cœur. Croyez-vous que je regrette d'avoir à dire aujourd'hui, à cette tribune, que les lois qui ont été retirées à cet époque, je ne les regarde plus comme nécessaires? Je m'en applaudis au contraire, je m'en félicite. J'en fais honneur au progrès des esprits. Et je pousserai l'impartialité et la sincérité jusqu'au bout; j'en fais honneur au cabinet. Oui, le cabinet a eu une véritable utilité; il a rendu au roi et au pays un vrai service. Le cabinet est venu, après des luttes très-vives, entre des combattants très-animés les uns contre les autres, mettre un intervalle, donner un nouveau tour aux idées, et seconder cette disposition plus douce, plus conciliante, qui s'est manifestée depuis. Ce que je dis là, messieurs, je l'ai dit avant d'avoir eu l'occasion de l'apporter à cette tribune; je l'ai imprimé; j'ai dit et je répète que le cabinet a rendu ce service au pays, et que l'amnistie en a été le gage éclatant.

Voilà en quoi je m'associe au progrès des sentiments publics et à l'amnistie, sans rien désavouer, sans rien retirer de ce que j'ai pensé, de ce que j'ai fait dans d'autres temps, en restant fidèle à moi-même et en n'acceptant de changements que ceux qui se sont réellement accomplis dans l'état général des esprits, et dans mon pays tout entier. (*Très-bien! très-bien!*)

Ce dont je me plains, messieurs, je le répète, c'est que la politique du juste-milieu n'ait plus aujourd'hui ni la force ni la dignité dont elle a toujours besoin, quoique ce ne soit pas pour en faire les mêmes usages. Ce n'est pas pour la liberté que je crains. M. le garde des sceaux me demandait tout à l'heure si c'était le péril de la liberté qui excitait ma sollicitude. Non, je ne crois pas que la liberté soit en péril; mais je crois que le gouvernement est en souffrance, qu'il est en souffrance partout, en souffrance dans cette Chambre, dans l'administration, dans ses rapports avec les esprits. Je crois, comme j'avais l'honneur de le dire avant-hier, qu'il perd sa puissance, son ascendant, qu'il devient de jour en jour moins capable de rendre à la société les services qu'elle attend de lui.

Je crois que, dans cette faiblesse, dans cet abaissement, dans cette nullité du gouvernement et de l'administration, une seule chose gagne, une seule chose est en progrès, *l'anarchie*. (*Mouvement au centre.*)

Je répète le mot dont je me suis servi; non pas cette anarchie bruyante qui se promène dans les rues et oblige à tirer le canon contre elle, mais une anarchie cachée, sourde. (*Nouveaux murmures.*)

Comment, messieurs, vous ne savez pas ce que c'est que l'anarchie cachée? vous ne savez pas ce que c'est que l'anarchie qui réside dans les esprits, qui tient à ce qu'on ne croit pas à la force et à la dignité du gouvernement, à ce qu'on n'a pas confiance dans l'avenir, à ce qu'on ne sent pas la présence de l'ordre, de la force, dans la conduite journalière, dans l'attitude, dans le langage permanent de tous les pouvoirs?

C'est là une anarchie pleine de périls, quoiqu'elle n'éclate pas dans la rue et qu'on n'ait pas besoin d'employer le canon contre elle.

Celle-là existe, et c'est celle-là que j'attaque. Je ne viens pas défendre la liberté de la presse, ni la liberté individuelle, ni les libertés écrites dans la Charte; elles ne sont pas en péril; c'est notre gouvernement, le gouvernement représentatif, c'est l'honneur et la force des pouvoirs que je défends et pour lesquels je réclame.

Voilà la vraie cause, la cause unique, de mon opposition.

Une voix.—Des faits!

M. GUIZOT.—Tout à l'heure nous arriverons à la discussion détaillée de l'adresse; tout à l'heure nous la prendrons paragraphe par paragraphe, et nous verrons, soit en examinant avec détail les affaires étrangères et les divers actes de l'administration au dehors, soit en considérant de plus près sa situation au dedans, sa condition parlementaire, nous verrons si les preuves ne viennent pas à l'appui de mes paroles.

En ce moment, je ne puis faire que des allégations générales, et je ne réponds qu'à des allégations générales. J'entends dire, depuis le commencement de la discussion, que l'adresse est factieuse et révolutionnaire. (*Mouvement.*) Ce sont les expressions par lesquelles M. Liadières a ouvert la discussion: *académiquement révolutionnaire.* (*Oui! oui!*)

Eh bien, messieurs, je vous demande une seule chose, c'est la permission de relire l'adresse. (*Murmures au centre, marques d'impatience.*)

Comment, messieurs, on viendra dire que l'adresse est factieuse et révolutionnaire, que les hommes qui votent pour elle sont des factieux.... (*Bruit au centre, dénégations.*)

M. le président.—J'invite la Chambre à garder le silence.

M. GUIZOT.—Si la Chambre le désire, je réduirai mes expressions sans changer du tout le fond de ma pensée. Eh bien, non, on ne veut pas que les auteurs d'une adresse qu'on appelle factieuse soient des factieux. (*On rit.*)

D'accord, j'accepte; mais on conviendra qu'on les accuse au moins de prêter de la force aux factions. (*Aux centres*: Oui! oui!)

On conviendra que c'est là le reproche qu'on leur adresse, je le réduis à son expression la plus modérée. Eh bien, au moins faut-il pouvoir la lire cette adresse ainsi accusée! (*Voix nombreuses*: Oui! oui, lisez!)

«La Chambre des députés.» (*Murmures et interruption.*)

En vérité, messieurs, il serait étrange que voulant défendre l'adresse et justifier le vote que je lui donne, il ne fût pas possible d'en lire les termes. Je continue la lecture:

«La Chambre des députés se félicite avec vous de la prospérité du pays. Cette prospérité se développera de plus en plus au sein de la paix que nous avons maintenue...»

Voix des centres.—«Que nous avons maintenue!» Voilà ce qu'il y a de factieux. (*Bruit.*)

M. le président.—N'interrompez pas.

M. GUIZOT, *continuant.*—«...De la paix que nous avons maintenue, et dont une politique prudente et ferme peut seule nous garantir la durée.»

Je sais qu'on dit que ces mots: *que nous avons maintenue*, sont des mots factieux, et que la Chambre s'attribue par là un pouvoir et un honneur qui ne lui appartiennent pas. Messieurs, je n'hésite pas à le dire, c'est là une accusation puérile et ridicule. (*Bruit toujours croissant.*)

Messieurs, je suis dans mon droit; c'est l'adresse que je défends, en la lisant tout entière, phrase à phrase, mot à mot, sans en rien retrancher, car je veux la justifier tout entière. (*À gauche.* Parlez! Parlez!) Ou l'adresse est factieuse et révolutionnaire comme vous le dites, ou elle est loyale et constitutionnelle tout entière comme je le prétends.

Voix des bancs de l'opposition.—Très-bien!

Voix des centres.—C'est ce que la discussion fera voir.

M. le président.—Veuillez garder le silence.

M. JANVIER.—C'est un système arrêté que celui des interruptions.

M. GUIZOT.—Nous dirons notre pensée tout entière, et je suis charmé que les honorables préopinants aient dit la leur avec sincérité. Je remercie M. le garde des sceaux de la franchise qu'il vient de nouveau d'apporter dans cette discussion.

Cette expression *nous avons maintenue* n'a jamais pu, dans la pensée de personne, s'appliquer à la Chambre seule; elle s'applique évidemment à la

France et à son gouvernement tout entier. (*Plusieurs voix*: C'est évident.) Vous allez le voir par la phrase suivante. (*Exclamations diverses.*)

M. ODILON BARROT.—C'est une scène de comédie, ce n'est pas une scène politique.

M. GUIZOT.—Messieurs, avant de porter contre des hommes sérieux et sincères qui ont vécu au grand jour, en face du pays depuis huit ans, avant de porter contre eux une telle accusation, il faut y penser un peu plus sérieusement, un peu plus profondément que vous ne l'avez fait. (*Oui, oui! Très-bien, très-bien!*)

Je dis que ces paroles du projet d'adresse s'appliquaient et s'appliquent, dans notre pensée à tous, à la France et à son gouvernement tout entier, trône et Chambres; et la preuve en est un peu plus loin. Quelle est la fin de la phrase? «Et dont une politique prudente et ferme peut seule nous garantir la durée.» Croyez-vous que ce second *nous* puisse s'appliquer à la Chambre seule? Évidemment non. (*Bruit.*)

M. ODILON BARROT.—N'expliquez pas cela.

M. GUIZOT.—J'en demande pardon à M. Barrot; je suis obligé de répondre à tout, à ce qu'on dit tout bas et à ce qu'on dit tout haut; je réponds aux conversations des couloirs comme aux paroles de la tribune, et même à ce qui est au fond des cœurs et qu'on n'ose pas même dire à son voisin. (*Sensation.*)

Voilà ces expressions pleinement justifiées, je l'espère!

Quelques voix.—Non! non!

M. le président.—Si cela continue, je vais suspendre la séance.

M. GUIZOT.—Si je ne me trompe, j'entends des voix qui disent encore non.

Je répète que, dans l'intention de la commission tout entière, sans qu'il se soit élevé aucun doute à cet égard, sans que personne ait songé à en faire le sujet d'une observation...

M. DEBELLEYME.—Je demande la parole.

Voix nombreuses.—Laissez parler M. Debelleyme! (*à M. Debelleyme.*) Parlez! parlez! (*Vive agitation.*)

(*M. Guizot reste à la tribune, en cédant la parole à M. Debelleyme.*)

M. DEBELLEYME.—Je ne veux poser qu'un fait, et avec la modération et la convenance qui, je crois, m'ont toujours caractérisé. (*Interruption.*)

Quelques voix.—Parlez! parlez!

M. DEBELLEYME.—Vous pensez, messieurs, que, quand je parle de modération et de convenance, ce n'est pas pour insulter personne; je parle de moi. On ne peut pas donner un autre sens à mes paroles. J'ai dû dire, au moment d'une grande agitation, que je venais, avec la modération qui me caractérise, non pas m'expliquer sur les détails d'une commission, mais dire ce qui peut être révélé à la Chambre.

Lorsqu'il s'est agi de la discussion, et j'en atteste mes honorables collègues, j'y ai pris une part franche et loyale...

MM. THIERS et ÉTIENNE.—C'est vrai! c'est vrai!

M. DEBELLEYME.—Après la rédaction, je n'ai pas fait une observation; (*C'est vrai!... Agitation.*) mais j'ai dit que je protestais contre la rédaction de l'adresse et contre chacun de ses paragraphes, et que je me réservais de faire connaître mon opinion à la tribune. (*Rires et murmures.*)

L'honorable M. Guizot vient de dire que personne n'avait fait d'observation sur les termes qu'il cherche à expliquer; mais il me semble que quand on proteste contre une adresse et contre chacun de ses paragraphes, et qu'on se réserve le droit de demander des explications sur ses termes, et je me le réservais en effet... (*Interruption, marques d'impatience aux extrémités.*)

Messieurs, soyons dans le vrai: dans le sein de la commission, je n'avais pas l'espérance de changer aucune conviction, je les respectais, comme on doit respecter la mienne. Eh bien, je m'étais réservé, en protestant contre l'adresse et contre chacun de ses paragraphes, le droit de demander des explications, et j'en voudrais sur ces mots: «Nous avons maintenue.»

Un membre.—En avez-vous demandé?

M. le président.—N'interrompez pas. Vous demandez des explications, souffrez qu'on vous les donne.

M. DEBELLEYME.—La discussion de ce paragraphe vient de s'engager d'une manière générale; je la laissais marcher; c'est M. Guizot qui a engagé une discussion de détail et de termes, et c'est sur un terme, dont on abuse que je l'ai interrompue. (*Agitation.*) Je n'avais pas demandé la parole pour monter immédiatement à la tribune, ce sont mes amis qui m'y ont invité. J'avais demandé la parole pour répondre à l'honorable M. Guizot, et non pas pour l'interrompre; ce n'est pas dans mes habitudes; mais puisque j'y suis, et avec sa permission, je lui dirai que je lui demande à présent de s'expliquer sur les mots «la paix que nous avons maintenue.» Je demande si on a voulu dire qu'une Chambre qui en est à sa deuxième session a maintenu la paix, et si on entend y faire participer le gouvernement du roi.

M. Thiers monte à la tribune. M. Guizot ne l'a pas quittée.

M. THIERS.—Messieurs, comme membre de la commission de l'adresse, comme témoin oculaire, je demanderai aussi à présenter une explication.

L'adresse a été discutée pendant plusieurs jours avant sa rédaction, c'est-à-dire que les intentions qu'il fallait exprimer dans l'adresse ont été l'objet d'une discussion de plusieurs jours.

Nous étions, il faut le dire, en majorité; nous avons écouté avec la plus grande attention et tout le respect possible les observations présentées par nos collègues de la minorité, et ils nous rendront la justice de dire que nous avons mis le plus grand soin à répondre à leurs raisons. Nous pouvions donc nous attendre, lors de cette discussion, qu'ils feraient leurs observations sur le texte de l'adresse. Je me souviens même d'avoir interpellé M. Debelleyme, et de lui avoir demandé s'il avait des observations à présenter sur le texte. Il me répéta qu'il désapprouvait le sens de l'adresse, mais qu'il n'avait rien à dire sur tel ou tel terme. Mais d'autres membres de la minorité ont présenté des observations sur la rédaction, ont combattu certains passages. Nous avons voté sur chacun des paragraphes, après avoir donné toutes les explications, non-seulement sur la pensée, mais même sur le texte; nous avons donc le droit de nous étonner aujourd'hui qu'on vienne dire qu'on n'a voulu faire alors aucune observation sur le texte, après avoir fait des observations très-longues sur les intentions. Certainement, si on avait dit: les mots, *nous avons maintenue*, sont inconstitutionnels, nous nous serions rendus à cette observation à l'instant même. (*Mouvement en sens divers.*)

Nous avons le droit de dire que non-seulement la majorité de la commission, mais la minorité, lors de la discussion dans la commission, n'ont vu dans la rédaction ni une pensée ni une expression inconstitutionnelle; car, si elle l'y avait vue, pourquoi donc n'aurait-elle pas fait d'observation sur cette rédaction? Pourquoi ses membres se seraient-ils réservés de dénoncer cette inconstitutionnalité à la Chambre sans en faire part à leurs collègues? Ils auraient manqué à leurs devoirs et à leurs collègues. (*Très-bien! très-bien!*)

M. DE JUSSIEU.—C'est à mon grand regret que je demande la parole et que je viens ici prolonger une interruption que je déplore. M. Thiers vient de dire un mot qui m'y force: il a dit que des observations avaient été faites par d'autres membres de la minorité de la commission sur quelques parties du projet d'adresse. Eh bien, je le déclare ici, de même que l'honorable M. Debelleyme, j'ai pris le parti de ne faire aucune observation sur les différents paragraphes de l'adresse, et voici pourquoi. (*Bruit.*) Veuillez entendre mes raisons.

Ce n'était pas un vain parti pris de notre part; l'adresse a été lue d'un bout à l'autre avant que la discussion s'engageât sur les paragraphes. Eh bien, je déclare que, dans ce projet d'adresse, d'un bout à l'autre, je reconnus une tendance qui m'imposait l'obligation de garder le silence vis-à-vis de mes collègues. (*Rires.*) J'ai un mot, un seul mot à ajouter qui expliquera toute ma pensée.

Mes collègues et moi, dans la discussion qui a eu lieu après la lecture du discours de la couronne, nous avons rempli le devoir d'une minorité loyale; nous avons discuté, nous avons fait connaître nos pensées; il n'en a été tenu aucun compte dans la discussion de l'adresse; elle a été rédigée dans le sens de la majorité. Nous avons gardé le silence, et nous en appelons à la Chambre. (*Mouvements divers.*)

M. de La Pinsonnière monte à la tribune, que M. Guizot n'a pas cessé d'occuper. (*Bruit.*)

M. DE LA PINSONNIERE.—La minorité de votre commission avait peu de chances de faire triompher ses opinions. Cependant, comme l'a dit à l'instant même mon honorable collègue M. de Jussieu, elle a pris une part très-active à la discussion générale de l'adresse, et à celle des paragraphes. Il est bien certain qu'il y en a quelques-uns sur lesquels la minorité n'a pas élevé d'objections; mais elle s'était réservé, dès le commencement, le droit de vous les apporter (*Bruit*) par cette raison qu'elle ne voyait pas de moyen de faire triompher son opinion dans la commission. (*Marques d'étonnement et d'impatience sur les bancs de l'opposition.*)

Je ne suis monté à cette tribune que parce que j'ai cru remarquer que M. Guizot tirait cette conclusion de notre silence sur certains paragraphes, que nous les adoptions. (*Dénégations.*)

Si je ne me trompe, M. Guizot vient de dire que la preuve que les paragraphes en question ne renfermaient pas tout ce qu'on croyait y rencontrer aujourd'hui, c'est que dans la commission on n'y avait pas fait d'objections. Il a été fait des objections sur beaucoup de paragraphes, et mes collègues le diront eux-mêmes; et moi, bien que je n'eusse pas l'espoir de faire triompher mon opinion, moi-même j'ai pris une part fort active dans la discussion des paragraphes qui me paraissaient les plus saillants. Quant à celui-là, je n'y trouvais qu'un mot ou deux, et je me réservais pour ces deux mots de manifester mes objections à la Chambre. (*Bruit.*)

M. *le président.*—La parole est à M. Guizot.

M. GUIZOT.—La Chambre me permettra de ne pas pousser plus avant la discussion sur ce paragraphe. Je la prie de croire que je ne la retiendrai pas longtemps. La démonstration que j'entreprends de lui donner sera courte et, du moins pour moi, concluante.

Le deuxième paragraphe porte: «Sous un gouvernement jaloux de notre dignité, gardien fidèle de nos alliances, la France tiendra toujours, dans le monde et dans l'estime des peuples, le rang qui lui appartient et dont elle ne veut pas déchoir.»

Dans l'opinion de la majorité de la commission, ce paragraphe veut dire que le cabinet actuel n'est pas suffisamment jaloux de notre dignité...

Aux bancs de l'opposition.—Très-bien!

M. GUIZOT.—Messieurs, il faut que vous me permettiez de dire ici ma pensée avec une entière sincérité, car je ne suis monté à la tribune que pour cela. Nous avons voulu dire que le cabinet n'était pas suffisamment jaloux de notre dignité ni gardien assez fidèle de nos alliances. Il n'y a rien là à coup sûr de factieux ni de révolutionnaire. Nous avons cette mauvaise opinion de la politique du cabinet. Le gouvernement représentatif existe pour que nous puissions le dire...

M. le ministre de l'intérieur.—Il existe pour que vous puissiez le dire, et que nous, nous puissions prouver le contraire.

M. GUIZOT.—Pour que nous puissions le dire, et pour que vous puissiez prouver le contraire; soit, je ne demande pas autre chose. La Chambre est juge, et au delà de la Chambre le pays. (*Très-bien! très-bien!*)

Vous pouvez, messieurs, et je m'en épargnerai la fatigue matérielle, vous pouvez lire tous les paragraphes suivants sur les affaires étrangères, ils ont absolument le même caractère. Tous les reproches s'adressent à la politique du cabinet; il n'y a encore là rien de factieux ni de révolutionnaire.

Il n'y a rien de semblable, à coup sûr, dans le paragraphe sur l'Afrique; car il est tout entier à l'éloge de l'administration.

Rien de semblable non plus dans le paragraphe relatif à la conversion des rentes. Ce n'est autre chose qu'un vœu que la Chambre avait déjà exprimé, et la perspective d'une mesure déjà annoncée dans un paragraphe d'un discours de la couronne.

Je passe aux paragraphes des affaires intérieures, et j'arrive à celui qui est relatif à la naissance du comte de Paris, et à la joie que la France en a ressentie. Je relis la phrase:

«Nous ressentons profondément, Sire, vos espérances et vos craintes, vos joies et vos douleurs; la France entière a salué de ses acclamations la naissance du comte de Paris; fasse le ciel que rien ne trouble de si douces émotions! Nous entourons de nos hommages le berceau de ce jeune prince accordé à votre amour et aux vœux les plus chers de la patrie. Élevé, comme son père, dans le respect de nos institutions, il saura l'origine glorieuse de la dynastie dont vous êtes le chef, et n'oubliera jamais que le trône où il doit s'asseoir un jour est fondé sur la toute-puissance du vœu national. Nous nous associerons, Sire, ainsi que tous les Français, aux sentiments de famille et de piété que cet heureux événement vous inspire comme père et comme roi.»

Je ne pense pas que personne trouve rien là de factieux ni de révolutionnaire.

Une voix au centre.—Si!

M. THIERS, *de sa place.*—Qu'on le dise alors. (*Agitation.*)

M. *le ministre de l'intérieur.*—Qu'on dise quoi?

M. THIERS.—Dites-le, il faut s'expliquer sur ce mot.

M. *le président.*—Vous n'avez pas la parole.

M. *le garde des sceaux,* de son banc.—Messieurs... (*Bruit.*)

M. GUIZOT, *à la tribune.*—M. le garde des sceaux, laissez-moi parler, veuillez ne pas m'interrompre.

M. *le président.*—M. le garde des sceaux, personne n'a le droit d'interrompre un orateur. La parole est à M. Guizot.

M. *le garde des sceaux.*—M. Thiers s'est levé le premier et a provoqué ma réponse.

M. *le président.*—J'ai commencé par lui pour réclamer le silence.

M. GUIZOT.—Je dis, messieurs, qu'il n'y a rien de factieux ni de révolutionnaire dans ce paragraphe, que c'est le langage de la loi, que les lois rendues pour consacrer et fonder notre dynastie s'expriment en ces termes: *Les droits que le roi tient du vœu de la nation.* (*Très-bien! très-bien!*)

Plusieurs ministres.—C'est aussi notre opinion.

M. *le ministre de l'intérieur.*—Nous ne sommes pas pour la *quasi-légitimité!* (*Agitation.*)

M. GUIZOT.—Si M. le ministre de l'intérieur avait quelque mémoire, il pourrait se rappeler qu'à cette tribune j'ai déjà plus d'une fois répondu à l'accusation qu'il renouvelle. Le mot qu'il vient de prononcer n'est jamais sorti de ma bouche, et je suis étonné de voir qu'un homme aussi sérieux et aussi sincère que lui ait renouvelé une pareille accusation. (*Très-bien! très-bien!*)

À cette occasion, je rappellerai que, sur une interpellation de même nature, j'ai dit que je regardais notre révolution comme pleinement légitime, qu'elle avait eu pour elle les deux plus grandes sources de la légitimité en ce monde, la nécessité et le droit, le vœu national et le succès. Que voulez-vous donc de plus? Quand le droit a commencé et que le succès a couronné, que peut-il manquer à une révolution? (*Très-bien! très-bien!*)

Messieurs, je passe au dernier paragraphe.

Je prie la Chambre de remarquer que voilà déjà la question réduite à des termes bien simples. On parlait de l'adresse tout entière; depuis le premier mot jusqu'au dernier elle était factieuse. (*Non! non! Oui! oui! Agitation.*)

Comment! Vous venez de le dire à cette tribune après l'avoir dit partout, et quand on vous le répète, vous n'en convenez pas? (*À gauche:* Très-bien! très-bien!)

Convenez-en donc, vous l'avez dit. (*Oui! oui!*) Vous avez dit qu'elle était, du premier mot au dernier, factieuse et révolutionnaire. (*Non!—Oui! oui!—Vive agitation.*)

J'ai déjà tout disculpé, tout affranchi, excepté un paragraphe. Soyez sûrs, messieurs, que mon intention n'est pas de reculer devant celui-là.

Le voici:

«Nous en sommes convaincus, Sire, l'intime union des pouvoirs contenus dans leurs limites constitutionnelles peut seule fonder la sécurité du pays et la force de votre gouvernement.»

Y a-t-il là quelque chose de factieux?... (*Bruit.*)

Messieurs, laissez-moi parler, vous me répondrez.

Y a-t-il là quelque chose de factieux? Nous ne nous sommes pas contentés de parler de l'intime union des pouvoirs; nous avons ajouté avec soin, et pour tous: «contenus dans leurs limites constitutionnelles.»

Je ne sache rien, à coup sûr, de plus réservé, de plus respectueux.

Je poursuis:

«Une administration ferme, habile, s'appuyant sur les sentiments généreux, faisant respecter au dehors la dignité de votre trône, et le couvrant au dedans de sa responsabilité...»

M. le président du conseil.—Ah! ah! nous y voilà!

M. GUIZOT.—J'y arrive, M. le président du conseil; ce n'est pas ma faute si je ne suis pas arrivé plus tôt. Je continue:

«... est le gage le plus sûr de ce concours que nous avons tant à cœur de vous prêter.»

Je pense qu'on ne fera porter l'objection que sur ces mots: «Et le couvrant au dedans de sa responsabilité.» Eh bien, trouve-t-on là quelque chose de factieux, quelque chose de révolutionnaire?

Voix diverses.—Oui! Non! non! (*Bruit confus.*)

M. GUIZOT.—Il faut que j'épuise la patience de la Chambre, car la conviction que je veux porter dans son esprit me tient trop fortement à cœur pour que j'hésite à lui demander quelques minutes de plus de son temps. (*Parlez! parlez!*)

Ce n'est donc que sur ce mot qu'on fait porter l'objection. Eh bien, quand le paragraphe viendra, si une discussion plus détaillée est nécessaire, j'y entrerai, mais voici ce que je répondrai à l'instant. La responsabilité, messieurs, n'est pas une vaine forme, ce n'est pas un mot; il ne suffit pas qu'on écrive: «Ministre responsable.» Je vais faire une supposition.

Qu'il plaise à la couronne de prendre, je ne sais où, dans la rue... (*Murmures, interruption.*)

Messieurs, laissez-moi parler.

Qu'il plaise à la couronne de prendre, je ne sais où, les huit premiers hommes venus.... (*Nouvelle interruption.*)

Je ne peux pas discuter ainsi, il faut qu'on me permette de parler. (*Écoutez! écoutez!*)... Les huit premiers hommes venus, et de les faire ministres. Rien n'est plus légal, rien n'est plus constitutionnel. (*Mouvements divers.*)

M. ODILON BARROT.—Oui! oui! dans la lettre.

M. GUIZOT.—Je suis dans le cœur de la question, messieurs, et vous voyez que je ne crains pas d'y entrer jusqu'au fond.

Rien n'est plus légal, rien n'est plus constitutionnel.

Voix à droite.—Rien n'est moins convenable.

M. GUIZOT.—Je ne sache personne qui ait une objection légale à faire...

Voix à droite.—C'est une injure à la couronne.

M. GUIZOT.—Je ne veux pas savoir quel est l'interrupteur, mais j'ai défendu la couronne contre toutes les injures dont elle a longtemps été l'objet. Ce n'est pas moi qui voudrais lui en faire une. La supposition que je me permets ici n'est qu'une supposition purement théorique...

M. LANYER.—À la bonne heure! (*Nouveau bruit.*)

M. GUIZOT.—J'en demande pardon à la Chambre, mais il y a des objections... (*Interruption.*) Vous ne voulez donc pas qu'on suive MM. les ministres dans la discussion qu'ils viennent de rouvrir. Ce n'est pas moi qui suis monté le premier à cette tribune pour parler sur l'adresse, pour dire que c'était une adresse qui allait à la gauche, qu'elle était révolutionnaire.

M. LIADIERES.—Je demande la parole. (*Mouvement.*)

M. GUIZOT.—Ce n'est pas moi qui suis venu ressusciter la discussion générale; mais puisqu'on l'a rouverte, il m'est bien permis de justifier, du premier mot au dernier, une adresse que je tiendrais à honneur d'avoir faite seul. (*À gauche*: Très-bien! *Agitation.*) Pour que la responsabilité soit réelle il faut autre chose qu'un mot, une forme. Il faut, pour couvrir réellement le trône de sa responsabilité, une administration suffisante; je ne veux pas me servir d'une autre expression; il faut une administration suffisante. Ce n'est qu'à cette condition que le trône est réellement couvert. C'est là, messieurs, c'est là la pensée de la commission; c'est là ce que nous avons voulu dire; il n'y a rien de moins factieux, il n'y a rien de moins révolutionnaire que d'invoquer une administration assez ferme, assez habile, assez appuyée sur les sentiments généreux, assez forte, assez grande pour être devant la royauté une véritable cuirasse et la couvrir vraiment de sa responsabilité. Ce sont les amis sincères de la royauté qui veulent qu'elle soit ainsi défendue. (*Très-bien!*) Ils veulent que, lorsqu'un acte politique est consommé, lorsqu'une parole est prononcée, personne en France ne puisse supposer que l'administration n'est pas suffisante, que ce n'est pas l'administration elle-même qui agit ou parle. (*Agitation.*) Voilà la doctrine constitutionnelle, voilà la doctrine vraiment royaliste. Je sais, messieurs, qu'elle ne correspond pas à certains préjugés qui ont encore vigueur dans quelques esprits. Je sais que l'idée du droit arbitraire, absolu, existe encore dans des esprits qui se croient d'ailleurs... (*Vives dénégations.*)

Messieurs, quand nous aurons vécu longtemps sous le régime représentatif, quand nous l'aurons pratiqué réellement, pas une de ces discussions ne pourra s'élever à cette tribune, (*Très-bien!*) et les paroles que j'ai tant de peine à y faire entendre et pour lesquelles il faut que j'épuise le peu de force qu'il a plu à Dieu de me donner, ces paroles n'y retentiront plus jamais.

Voilà le véritable esprit de l'adresse, messieurs. Non, elle est loyale et constitutionnelle; elle a été dictée par l'amour sincère de la royauté, par le sentiment vrai de ses besoins et de l'état des esprits. Si j'avais eu l'honneur, honneur que je n'ai pas, de la faire à moi seul, j'en serais fier, et je croirais avoir rendu service à la couronne et à mon pays. (*Marques d'adhésion à gauche.*)

—Séance du 14 janvier 1839.—

Je répondis à M. Baude, qui avait soutenu le cabinet au sujet des affaires d'Italie et de l'évacuation d'Ancône:

M. GUIZOT.—La Chambre prête, avec raison, toute son attention à ce débat. De bien graves considérations y sont alléguées; la foi des traités et notre influence politique au dehors, notre loyauté d'une part et notre dignité de l'autre. La conduite du cabinet a-t-elle ménagé tous ces intérêts? a-t-elle réussi à les concilier? Je ne le pense pas, et je viens soutenir le projet de la commission.

M. le président du conseil, dans son habile et lucide argumentation de votre dernière séance, s'est fondé sur deux grandes raisons: la tradition des cabinets antérieurs et la valeur de l'engagement que la France a contracté. Je les examinerai successivement.

Quant à la tradition des cabinets antérieurs, je demande à la Chambre la permission de lui soumettre deux observations préliminaires. Non-seulement aucun de ces cabinets n'a évacué Ancône, mais aucun n'a même été appelé à exprimer, au sujet de l'évacuation, une opinion positive, à annoncer une résolution. (*Bruit au centre.*)

Je ne parle pas du cabinet du 22 février; M. Thiers saura bien expliquer sa propre dépêche. Aucun des cabinets antérieurs n'a été appelé, je le répète, à prendre, sur Ancône, une résolution. On est obligé d'induire ce qu'ils auraient fait de leurs dépêches, et ces dépêches sont incomplétement connues. Quant au cabinet du 11 octobre et à la dépêche que M. le président du conseil a apportée à cette tribune, et dont je parlerai tout à l'heure, évidemment, lorsque M. le président du conseil a pris le parti de l'évacuation d'Ancône, ce n'est pas sur cette dépêche qu'il s'est fondé, car il ne la connaissait pas alors. (*Mouvement à gauche.*) Il vous a dit lui-même qu'il y avait quelques jours seulement qu'elle lui était connue. (*À gauche*: Très-bien! très-bien!) C'est pourtant la seule dans laquelle il ait trouvé l'opinion, du moins telle qu'il l'entend, du cabinet du 11 octobre sur la question.

La résolution de M. le président du conseil a donc été complétement indépendante de ce qu'il savait des traditions et des résolutions du cabinet du 11 octobre. (*À gauche*: Très-bien!)

J'aborde le fond de la question, et j'interroge les cabinets antérieurs.

Pour celui du 13 mars, je demande à la Chambre la permission de mettre sous ses yeux le langage que tenait M. Casimir Périer lui-même lorsqu'il vint parler dans cette enceinte de l'occupation d'Ancône, et des motifs qui l'avaient déterminée. C'est la meilleure réponse, je crois, à toutes les allégations que vous venez d'entendre encore à ce sujet.

Dans la séance du 7 mars 1831, M. Périer disait:

«Fidèle à sa politique telle que nous venons de la définir, le gouvernement, dans son intérêt comme dans celui du saint-siége, et toujours dans l'intérêt de la paix dont le maintien exige qu'on écarte avec un soin religieux toutes les causes de collision et d'ombrage, le gouvernement, conservant la pensée dominante de fonder la sécurité du saint-siége sur des moyens plus stables que ceux d'une répression périodique, le gouvernement crut de son devoir de prendre une détermination qui, loin d'être un obstacle à la solution des difficultés qu'il s'agit de résoudre, lui semble au contraire devoir la rendre plus prompte.

«C'est dans ce but que nos troupes ont débarqué à Ancône le 23 février...

«Comme notre expédition de Belgique, notre expédition à Ancône, conçue dans l'intérêt général de la paix aussi bien que dans l'intérêt politique de la France, aura pour effet de donner une activité nouvelle à des négociations auxquelles concourent toutes les puissances, pour assurer à la fois la sécurité du gouvernement pontifical et la tranquillité de ses États par des moyens efficaces et durables.»

À gauche.—C'était très-bien cela!

M. GUIZOT, *continuant la lecture.*—«Ainsi, messieurs, la présence de nos soldats en Italie aura pour effet, nous n'en pouvons douter, de contribuer à garantir de toute collision cette partie de l'Europe, en affermissant le saint-siége, en procurant aux populations italiennes des avantages réels et certains, et en mettant un terme à des interventions périodiques, fatigantes pour les puissances qui les exercent, et qui pourraient être un sujet continuel d'inquiétude pour le repos de l'Europe.»

À gauche.—Tout cela était fort bien.

M. GUIZOT.—Il est bien évident, messieurs, que la pacification intérieure de l'Italie et des Légations en particulier, par des institutions obtenues du saint-siége, et sollicitées par toutes les puissances, était, sinon le but unique, du moins l'un des buts essentiels de cette occupation.

Maintenant qu'on vienne apporter à cette tribune des preuves que M. Casimir Périer n'avait jamais songé à rendre notre occupation permanente ni indépendante de l'occupation autrichienne, qui le conteste? Ce que nous soutenons, c'est que, dès l'origine, elle a eu, sinon pour but unique, du moins pour but essentiel, de garantir, par des institutions obtenues du saint-siége, la sécurité de l'Italie en même temps que celle de l'Europe.

Le cabinet du 11 octobre est entré dans la même voie. M. le président du conseil disait, dans la dernière séance:

«Vous prétendez en vain qu'il y a eu de la part du saint-siége engagement synallagmatique, pris avec la France, d'accorder des institutions à la Romagne. Je déclare que je n'en ai trouvé de traces nulle part. On en était resté là-dessus aux simples conseils, et le saint-siége a commencé à dire, après le mauvais accueil fait à ses premières concessions: Vous voyez si cela me réussit. Et depuis, on ne lui en a pas demandé de nouvelles.»

Messieurs, je ne puis parler de documents que je n'ai pas entre les mains; mais comment M. le président du conseil considère-t-il donc le *memorandum* du 21 mai 1831, et la réponse qui y a été faite par le saint-siége?

Je demanderai la communication de ces documents et leur dépôt sur le bureau de la Chambre. Vous y verrez, si on nous l'accorde, que le *memorandum*, signé de toutes les puissances, contient formellement la demande de la sécularisation de l'administration dans les Légations, la demande d'assemblées municipales, de conseils provinciaux, et d'autres améliorations de ce genre formellement énoncées. Vous verrez, de plus, dans les notes adressées par le cardinal Bernetti, les unes à la France, les autres en réponse au *memorandum*, que le saint-siége s'est engagé, comme on s'engage en pareille matière où il ne s'agit pas d'un contrat civil, à donner aux puissances satisfaction et les garanties de sécurité qu'elles demandaient.

Est-ce que ce n'est pas là un engagement? Peut-on dire que ce soient de purs conseils après lesquels il n'y ait rien à attendre? Permettez-moi, messieurs, de m'étonner de la facilité avec laquelle on renonce aux engagements lorsqu'ils sont au profit de notre cause. (*Approbation à gauche.*)

Comment! voilà des demandes claires adressées au saint-siége, des réponses formelles, des notes dont je ne puis pas citer les termes, mais que je me rappelle parfaitement! Et cela n'avait aucune valeur! et nous ne pouvions insister!

On a insisté, messieurs, on a continué d'insister; car il est inexact de dire, comme l'a prétendu M. le président du conseil, qu'on ait cessé de réclamer du saint-siége les garanties promises. Le cabinet du 11 octobre, dès sa formation et pendant tout le cours de sa durée, a persisté à demander ces garanties; et la correspondance, les dépêches que M. le président du conseil a dans les mains en sont la preuve irrécusable. Je lui demanderai entre autres la communication d'une dépêche du 3 mars 1833, qui a pour objet précisément de presser l'exécution des promesses du saint-siége.

Voici, messieurs, quelle était à cette époque la situation dans laquelle notre cabinet se trouvait à Rome. Le cabinet autrichien s'était mis à la tête de l'insistance auprès du saint-siége; il avait envoyé à Rome un conseiller chargé de presser la concession des institutions, de débattre avec le saint-siége quelles étaient celles qu'il convenait de donner. L'Autriche insistant ainsi fortement, il était d'une bonne politique pour la France, il était du devoir du ministre des affaires étrangères de ne pas gêner l'action de l'Autriche, de ne pas mettre en avant celle de la France, beaucoup plus suspecte au saint-siége que l'Autriche. C'est ce que fit le ministre des affaires étrangères de cette époque. Étranger à toute vanité, à toute charlatanerie, désireux surtout d'atteindre le but que nous poursuivions, il déclara hautement que l'insistance de l'Autriche étant le meilleur moyen de réussir, bien loin de l'entraver, il la seconderait, et qu'il effacerait momentanément la France pour ne pas nuire au succès commun.

La dépêche du 3 mars 1833, dont je demande communication, contient à ce sujet les éclaircissements les plus positifs. Je ne puis la lire textuellement, mais j'en donnerai le sens, et je persiste à en demander la communication officielle.

Voici le sens:

Il s'agissait d'un projet d'organisation du gouvernement papal dans les Légations, présenté par le conseiller autrichien dont j'avais l'honneur de parler tout à l'heure à la Chambre. «Bien que ce projet ait une origine autrichienne, bien que le cabinet impérial, en agissant isolément pour le faire prévaloir, ait probablement voulu se réserver le mérite et la popularité d'une semblable innovation, nous ne saurions nous refuser à reconnaître que cette innovation était dans l'intérêt du saint-siége; et loin d'éprouver le moindre ombrage de l'influence exercée par l'Autriche en cette circonstance, nous eussions franchement applaudi au succès de ses démarches; car ce que nous souhaitons avant tout, c'est l'affermissement de la tranquillité des États romains; c'est de voir effacer jusqu'au dernier germe des troubles qui n'ont déjà que trop ébranlé l'Italie; et ce double but, nous continuons d'avoir l'intime conviction qu'il ne saurait être atteint qu'en améliorant par d'utiles réformes le gouvernement et l'administration des domaines de l'Église. La cour de Vienne nous retrouvera donc toujours aussi sincèrement empressés que nous l'avons été à nous unir à elle pour faire entrer le saint-siége dans des voies si salutaires; et si, comme il l'avait annoncé au cardinal Bernetti, M. de Metternich a réellement le désir de *s'associer à notre politique*, il peut compter sur la loyauté de notre concours en tout ce qui pourra tendre à préserver le repos de l'Italie.» (*Très-bien! très-bien!*)

Certes, messieurs, je ne crois pas qu'il y ait jamais eu une politique meilleure et plus honorable; une politique plus sincèrement dévouée au but qu'elle avait publiquement annoncé. Celle-ci a mis de côté toute vanité personnelle, tout amour-propre national; elle ne s'est inquiétée que du but lui-même.

Mais quand elle a vu que le but n'était pas atteint, quand elle a vu que l'Autriche abandonnait l'insistance qu'elle avait mise d'abord, alors notre politique s'est modifiée; alors elle a agi elle-même, elle n'a pas craint de se mettre en avant. Et qu'a-t-elle fait? Elle a fait ce qu'il n'avait pas été nécessaire de faire jusque-là; elle a rapproché les deux questions, la question de l'occupation et la question des institutions. M. le président du conseil n'a rien répondu avant-hier aux arguments de mon honorable ami M. Duchâtel. Qu'a établi M. Duchâtel? Que des questions qui n'étaient pas nécessairement liées pouvaient et devaient cependant l'être par une bonne politique, qu'il n'y avait point d'arbitres, point de juges au-dessus des États, qu'ils étaient entre eux dans des rapports de droit naturel, et obligés de se faire justice eux-mêmes, n'ayant personne pour rendre justice entre eux. Les États n'ont que la persuasion ou la force, et quand la persuasion ne réussit pas, reste la force. Certainement un des meilleurs, un des plus simples, des plus légitimes moyens de force, c'est, quand on a un gage entre les mains, de s'en servir pour obtenir ce qui vous est dû d'ailleurs. Cela est élémentaire en matière de droit public. (*Assentiment aux extrémités.*)

M. THIL.—Je demande la parole.

M. JACQUES LEFEBVRE.—Je la demande aussi. (*Mouvements et bruits divers.*)

M. GUIZOT.—Cela s'est pratiqué dans une multitude d'occasions. Ce rapport dont je parle, ce lien à établir entre deux questions n'est pas un lien obligé, nécessaire. Le gouvernement l'établit quand il croit de son intérêt de l'établir, quand il n'a pas d'autre moyen de faire prévaloir son droit, quand il pense que décidément la persuasion ne réussira pas; c'est ce qu'a fait le cabinet du 11 octobre, et il l'a fait dans l'intérêt de la paix générale de l'Europe, dans l'intérêt de ces institutions que l'expédition d'Ancône s'était proposées pour but principal.

Avait-il réellement le droit de le faire? L'engagement contracté par la France interdisait-il l'emploi d'un pareil moyen? Quelle est la valeur, la valeur réelle de cet engagement?

Je tiens pour évident, messieurs, d'après les faits que j'ai eu l'honneur de mettre sous les yeux de la Chambre, que les cabinets antérieurs n'ont jamais, comme le disait hier M. le président du conseil, abandonné l'affaire des institutions de la Romagne, et qu'ils n'ont point hésité à se servir de l'occupation d'Ancône pour faire réussir ce grand dessein.

Je viens à l'engagement.

Je l'avoue pleinement: la France a promis d'évacuer Ancône, quand les Autrichiens évacueraient.

Je dois faire remarquer que cet engagement est de même nature et conçu dans les mêmes formes que celui qui se rapporte aux institutions à concéder par le saint-siége à la Romagne, et dont j'ai parlé tout à l'heure.

Les puissances ont adressé au saint-siége un *memorandum*, sorte de note, pour demander ces institutions. Le saint-siége a répondu par une promesse de satisfaction: voilà l'engagement. Je n'ai pas les pièces sous les yeux, je n'en parle que d'après mes souvenirs, et j'y suis forcé. (*Mouvement.*)

Voyons maintenant quel est notre engagement, quant à l'évacuation d'Ancône.

Une note, adressée par le cardinal Bernetti à notre ambassadeur à Rome, contenait des propositions d'arrangement pour l'occupation et l'évacuation d'Ancône; une note en réponse fut adressée par notre ambassadeur au cardinal Bernetti. L'engagement résulte de l'échange des deux notes contenant des propositions et des acceptations. C'est là, je le répète, un engagement semblable, sinon dans son objet, du moins dans sa forme, à celui qui se rapportait aux institutions à concéder par le saint-siége.

Quelle est la valeur de cet engagement? excluait-il pour la France le droit, lorsque l'évacuation serait proposée ou réclamée, d'en examiner l'opportunité? excluait-il le droit de réclamer, en cas d'évacuation, des précautions pour l'avenir, pour le retour de circonstances semblables et d'une nouvelle occupation? Cela est impossible à supposer...

Voix à gauche.—Ce serait absurde.

M. GUIZOT.—Comment? Nous aurions été dans Ancône une force purement matérielle, à la complète disposition du cabinet autrichien ou du saint-siége, contraints de nous retirer sans aucune observation, sans avoir le moindre mot à dire, la moindre objection à élever, quand on nous en sommerait, comme une sentinelle qu'on relève de son poste? (*Sensation.*) Cela n'est pas concevable, cela n'eût été acceptable pour personne.

Croyez-vous que d'autres se soient soumis à une pareille condition? Croyez-vous, par exemple, que l'Autriche, quand elle est entrée dans les Légations, ait accepté la nécessité de s'en aller sur une sommation du saint-siége, sans examiner elle-même l'opportunité de l'évacuation? Voici ce que vous disait avant-hier M. le président du conseil:

«M. de Metternich, dit en 1835, dans une conversation avec notre ambassadeur à Vienne: «Les circonstances ne nous permettent pas de songer à évacuer les Légations en ce moment.» (*Bruits divers*).

M. de Metternich s'était donc réservé d'examiner l'opportunité de l'évacuation, d'avoir un avis à ce sujet. Apparemment nous avions bien le même droit que lui; apparemment la France était dans la même situation que l'Autriche; elle pouvait aussi, si on parlait d'évacuation, examiner l'opportunité. Et je suppose que le cabinet français eût entrevu une évacuation, que dirais-je? je ne veux pas me servir d'un mot offensant, mais enfin une évacuation qui n'eût pas été bien réelle, bien définitive; je suppose que vous eussiez entrevu qu'il y avait un concert pour que les Autrichiens se retirassent des Légations, en vous sommant d'exécuter votre engagement, pour y rentrer plus à l'aise. Est-ce que vous vous seriez crus obligés de ne pas examiner si l'évacuation était sérieuse, si elle serait définitive? est-ce que vous vous seriez crus obligés d'obéir à la première injonction? Encore une fois, cela n'est pas supposable. Vous aviez plein droit d'examiner l'opportunité de l'évacuation, et en même temps un second droit, celui de demander des garanties, de prendre des précautions pour les éventualités de l'avenir, dans le cas où une seconde occupation pourrait avoir lieu.

Et, messieurs, vous avez encore ici l'exemple de l'Autriche, non-seulement de ce qu'elle a dit, mais de ce qu'elle a fait; elle vous a ouvert la voie, elle vous a indiqué ce que vous aviez à faire.

En 1831, lors de la première occupation, le cabinet autrichien avait promis de se retirer à jour fixe; il y avait engagement de sa part. Avant que le jour arrivât, comme il trouvait qu'il n'y avait pas opportunité, que le moment d'évacuer n'était pas arrivé, il éleva des objections, il dit, quoiqu'il eût promis d'évacuer à jour fixe, qu'il avait besoin que son ambassadeur à Rome se concertât avec le nôtre, et qu'il attendait qu'ils se fussent mis d'accord sur l'opportunité de l'évacuation.

Il fit plus, il éleva une seconde difficulté. (*Mouvement au banc des ministres.*)

Je ne dis rien là, monsieur le président du conseil, que mon honorable ami, M. le duc de Broglie n'ait déjà mis en lumière à la Chambre des pairs.

Il éleva cette seconde difficulté: «Mais je ne puis évacuer si nous ne sommes pas convenus de quelque chose pour les éventualités de l'avenir, si nous n'avons pas réglé ce que nous ferons ensemble dans le cas où il y aurait lieu de rentrer dans les Légations.»

Voilà, messieurs, ce qu'a fait l'Autriche en 1831, voilà sa conduite; c'était vous indiquer ce que, dans une situation pareille, vous aviez à faire. Je ne demande aucune préférence pour la France, je ne demande rien de spécial pour elle, je ne demande que l'égalité entre la France et l'Autriche. Est-ce au cabinet à la refuser? (*Mouvement d'approbation aux extrémités.*)

J'ai établi que les cabinets antérieurs n'avaient jamais eu la pensée d'évacuer Ancône sans avoir stipulé quelques garanties pour l'avenir. J'ai établi que notre engagement même nous laissait pleinement le droit de prendre à cet égard, de réclamer du moins les précautions nécessaires, et de lier ensemble les deux questions: j'ajoute que l'intérêt français le commandait évidemment.

Permettez-moi de rappeler quelques paroles que j'ai eu l'honneur de prononcer dans cette enceinte, très-peu de temps après que l'occupation d'Ancône venait d'avoir lieu.

Le 7 mars 1832, j'avais l'honneur de dire à la Chambre:

«Le malaise de l'Italie est un fait qu'on ne peut supprimer, et dont il faut bien tenir compte. L'Autriche a grande envie d'en profiter, non pour conquérir, mais pour maintenir ou étendre sa prépondérance dans la péninsule; l'Autriche veut que l'Italie lui appartienne, sinon directement, du moins par voie d'influence. La France, de son côté, ne peut le souffrir. La collision violente des deux États n'aura pas lieu; mais il y aura entre eux des difficultés, des tiraillements, des négociations épineuses. Chacun s'efforcera de prendre ses positions. L'Autriche a pris les siennes. Eh bien, nous prendrons les nôtres; nous lutterons pied à pied contre l'influence autrichienne en Italie: nous éviterons soigneusement toute idée de conquête, toute cause de collision générale; mais nous ne souffrirons pas que l'Italie tout entière tombe décidément et complétement sous la prépondérance autrichienne.»

Je persiste aujourd'hui dans cette politique. Ce n'est pas la politique de la guerre, comme on nous en menaçait avant-hier; c'est la politique de la paix, mais de la paix vigilante et active; c'est la politique qui repousse la propagande, mais qui recherche partout l'influence.

Je ne puis m'étonner assez de l'attitude qu'on veut nous faire prendre dans ce débat. Comment! on n'est pas content d'être sorti d'Ancône, on veut que nous ayons eu tort d'y entrer! (*Mouvement divers.*)

À gauche.—C'est vrai! c'est vrai!

Voix à droite.—Qui a dit cela?

M. GUIZOT.—Il ne suffit pas que cette position soit perdue, on veut qu'elle n'ait jamais mérité d'être prise! Messieurs, à chacun ses œuvres. À M. Casimir Périer, l'occupation d'Ancône; aux ministères qui lui ont succédé, le maintien de cette position; à vous, l'évacuation.

Sur les bancs de l'opposition.—Très-bien! très-bien!

M. GUIZOT.—Laissez-nous notre part dans cet incident de notre histoire, nous ne vous contestons pas la vôtre. (*Même mouvement.*)

Je n'ajoute qu'un mot. Ce que les cabinets précédents ont toujours cherché, ce que les engagements permettaient, ce que l'intérêt français commandait, un autre intérêt qui mérite aussi d'être pris en grande considération, l'intérêt européen le conseillait.

Messieurs, l'Europe se croit, se sent toujours aux prises avec des révolutions possibles. Il ne faut pas qu'elle se trompe; pour les prévenir, pour les maîtriser, elle a besoin du concours de la France (*Très-bien!*), de la France sage en même temps que libre, monarchique en même temps que constitutionnelle; cette influence est nécessaire au repos de l'Europe. (*Approbation.*)

Savez-vous quel était le résultat de la présence de ces quelques soldats français et de ces quelques pièces de canon sur ce point si reculé, dites-vous, de l'Italie? C'est que dans toute l'Italie les esprits sensés, éclairés, les bons esprits avaient une satisfaction et une espérance (*Mouvement*); les mauvais esprits au contraire, les esprits désordonnés se sentaient contenus, non par une force absolument ennemie, mais par la même force qui donnait satisfaction et espérance aux bons esprits. Cela était, messieurs, pour nous un grand honneur, et pour l'Europe un bien immense.

Je ne sais si l'on a agi prudemment en se privant de ce concours.

À une autre tribune, il y a quelques années, un grand ministre, M. Canning, s'est plu à présenter son pays, l'Angleterre, comme maître de déchaîner sur l'Europe toutes les tempêtes. Ce n'est pas là ce que je réclamerai jamais pour mon pays; mais le droit de comprendre mieux que d'autres d'où peuvent venir les tempêtes, le droit de les prévenir et d'empêcher qu'elles n'éclatent sur la tête de l'Europe, c'est là aujourd'hui le droit de la France; c'est là l'immense service qu'elle est appelée à rendre à l'Europe tout entière. Ancône était un des points où elle s'était établie pour protéger, de sa sagesse bienveillante, la sécurité de l'Italie et de l'Europe. C'est un malheur qu'elle en soit sortie. (*Sensation.*)

Vous avez oublié tout cela, vous avez oublié toutes les précautions qui pouvaient conserver à la France cette force salutaire pour l'Europe entière. L'intérêt français le commandait, l'intérêt européen le conseillait, les engagements le permettaient. Vous n'en avez tenu compte (*Légère agitation*); vous êtes sortis d'Ancône sans examiner l'opportunité, sans prendre aucune précaution pour l'avenir; vous avez été au delà des engagements qui pesaient sur nous en négligeant de réclamer ceux qu'on avait pris envers nous. Ce n'est pas là une bonne politique; ce n'est pas une politique que la Chambre puisse approuver.

Je vote pour le paragraphe de l'adresse.

Aux extrémités.—Très-bien! très-bien!

L'agitation qui succède à ce discours amène un instant de suspension dans la séance.

———————

—Séance du 15 janvier 1839.—

M. d'Angeville, député de l'Ain, ayant attaqué le paragraphe de l'adresse relatif aux affaires de Suisse, je lui répondis:

M. GUIZOT.—La commission ne peut certainement être accusée d'avoir cherché à dissimuler ou à atténuer sa pensée.

Quand elle a cru devoir insérer dans son adresse un blâme positif de la conduite du cabinet, elle n'a pas hésité.

En ce qui regarde la Suisse, elle a apporté une extrême réserve: non qu'elle approuvât la conduite qui avait été tenue, non qu'elle n'y trouvât beaucoup à reprendre; mais elle s'est appliquée uniquement à fermer une plaie, à réparer un mal; elle n'a pas voulu envenimer le passé, mais en prévenir les fâcheuses conséquences.

Telle est l'intention de son paragraphe: non pas, je le répète, qu'elle ait cherché à dissimuler sa pensée, mais parce que cette réserve lui a paru commandée par l'intérêt du pays.

Le paragraphe exprime le désir que les rapports de bonne amitié entre les deux peuples ne soient pas altérés par ce qui s'est passé récemment. Il ne dit rien de plus.

Pour mon compte, je vais discuter la conduite du cabinet et montrer, ce que la commission n'a pas voulu insérer formellement dans son paragraphe comme elle l'a fait dans l'affaire d'Ancône, montrer, dis-je, que c'est cette conduite qui a fait courir à la France le risque de voir ses rapports de bonne amitié avec la Suisse effectivement altérés.

Je ne contesterai à M. le président du conseil aucune des choses qu'on lui a souvent contestées.

J'accorde que la présence de Louis-Napoléon en Suisse était un danger réel, un danger qu'il fallait écarter.

J'accorde qu'il y avait moins d'inconvénient à grandir momentanément un prétendant qu'à le laisser sur notre frontière en mesure de se livrer à des intrigues criminelles et dangereuses pour cette frontière même.

Mais je dis que le but pouvait être atteint par d'autres moyens, par des moyens qui ne compromissent pas la sûreté du pays et ses bons rapports avec une puissance voisine.

Quand on a, messieurs, quelque chose à demander à un État voisin, il y a bien des circonstances auxquelles il faut faire une sérieuse attention: il faut penser à la nature de ce qu'on demande, à l'état de la puissance à laquelle on s'adresse, à ce qu'elle peut faire pour accorder ou refuser.

Il faut penser aussi à la situation générale dans laquelle on se trouve envers cette puissance, à la politique générale qui préside à nos rapports avec elle.

Dans mon opinion, le cabinet n'a fait attention à aucune de ces circonstances; il n'a tenu compte d'aucun de ces éléments essentiels de la question.

Que demandait-on à la Suisse?

M. le président du conseil parlait tout à l'heure avec raison de la nécessité de prendre les affaires au sérieux et d'y porter une entière bonne foi.

Eh bien, je suis convaincu, moi, que Louis-Napoléon se considérait toujours comme Français, et que c'était bien à ce titre qu'il entendait vivre et agir.

Cependant, légalement parlant, extérieurement parlant, il était investi d'un titre de citoyen suisse. Il y avait là, quoi qu'on en dise, une question à décider, une question légale pour la Suisse; question grave, car si on avait demandé à la Suisse d'éloigner, de bannir de son territoire un de ses citoyens, c'est un coup d'État qu'on lui demandait. C'est vraiment un coup d'État pour un peuple que le bannissement de l'un de ses citoyens.

Et à qui le demandait-on? Rappelez-vous ce que vient de vous dire notre honorable collègue M. d'Angeville du gouvernement de la Suisse, de la nature de ses institutions. On demandait cet acte si grave à un des gouvernements les moins armés, les moins pourvus des moyens nécessaires pour une difficulté de ce genre.

Permettez-moi une hypothèse. Vous avez à demander l'expulsion d'un étranger. Vous la demandez à un État absolu, la Sardaigne, par exemple. Il n'y a pas la moindre difficulté, on vous l'accorde; la Sardaigne peut le faire à une première réquisition.

Je suppose qu'on demande la même chose à la France. Il y a déjà un peu plus de difficulté, parce que la France est un État constitutionnel dans lequel tout se discute.

Cependant le gouvernement français est armé du droit d'éloigner de son territoire les étrangers. Quoiqu'il puisse être appelé dans la suite à rendre compte de cet acte, la mesure est immédiatement possible.

Je poursuis, et je suppose que vous demandez à l'Angleterre l'expulsion d'un étranger. Tant que la loi qui s'appelle en Angleterre l'*alien bill* n'existe pas, le gouvernement anglais vous répond: «Je ne puis vous accorder ce que vous me demandez; je n'ai pas le droit d'éloigner un étranger de mon territoire.»

Si vous mettez une grande importance à obtenir ce que vous demandez, vous lui direz: «Mettez l'*alien bill* en vigueur, demandez-le à votre parlement, votre parlement l'accordera.»

Vous avez ainsi ce dernier moyen d'insister près du gouvernement anglais.

Mais en Suisse rien de semblable. Le gouvernement suisse n'est armé d'aucun moyen pour pourvoir à de pareilles nécessités.

Et Louis-Napoléon en Suisse n'était pas un étranger. Il se donnait pour Suisse.

Je ne dis pas, messieurs, que ce fût une raison de ne pas demander l'expulsion de Louis-Napoléon; je dis que ce sont là des difficultés graves qu'il faut prévoir, dont il faut tenir compte quand on veut vivre en bons rapports avec ses voisins.

M. le président du conseil parlait hier avec grande raison du respect que l'on doit aux petits États. Croyez-vous que ce soit avoir donné une grande marque de respect à un petit État que de n'avoir tenu aucun compte de ses institutions, des pouvoirs dont il n'était pas revêtu, des difficultés que la nature de ses institutions lui opposait pour faire droit à votre demande?

Certes, messieurs, ce n'est pas là une marque de respect envers un petit État; ce n'est pas là de la bonne conduite, ce n'est pas là une affaire bien gouvernée. Il y avait, je le répète, une question légale à résoudre, la question de savoir si Louis-Napoléon était Français ou Suisse. En honneur, ce n'était pas vous, Français, qui pouviez vous charger de la résoudre; cette question ne vous appartenait pas; vous ne pouviez décider si Louis-Napoléon était Français ou Suisse: c'était à la Suisse à en décider. Vous n'en avez pas tenu compte; vous vous êtes adressés à la Suisse, permettez-moi de le dire, confusément, légèrement, dans une note qui regarde la question de savoir si Louis-Napoléon est Français ou Suisse comme tranchée. C'est là une des choses qui ont le plus choqué la fierté nationale. (*Dénégations au centre.*)

Vous n'avez qu'à ouvrir les délibérations de la diète; vous n'avez qu'à lire les discours des orateurs suisses; vous verrez que ce qui les a offensés, ce n'est pas tant la demande d'expulsion en elle-même que la manière dont vous avez paru intervenir dans leurs affaires intérieures, et décider une question qui n'appartenait qu'à eux seuls.

Relisez les discours des députés des cantons de Vaud, de Lucerne, de Zurich, de Genève; vous trouverez que c'est surtout de cela qu'ils se sont choqués; ils se sont choqués de ce qu'ils ont appelé de votre part une usurpation de pouvoir, de ce que vous prétendiez juger vous-même une question qui n'appartenait qu'à eux seuls, une question que la Suisse seule pouvait résoudre.

Que serait-il arrivé si vous aviez suivi une autre marche, si, au lieu d'adresser à la Suisse cette note dans laquelle confusément, péremptoirement, sans tenir compte de sa législation et des difficultés particulières de son gouvernement, vous lui avez demandé l'expulsion de Louis-Bonaparte comme Français, vous lui aviez d'abord adressé publiquement une autre question? Je dis publiquement, car je ne puis parler ici des actes qui ont précédé les actes publics. Je ne doute pas que toutes les tentatives officieuses n'aient été faites, et faites avec beaucoup de convenance et de mesure; mais vous savez que, pour les gouvernements, pour les rapports des peuples entre eux, ce sont les actes publics qui décident de tout, c'est des actes publics qu'un peuple a à se louer ou à se plaindre. C'est contre vos actes publics, contre la manière dont vous avez publiquement élevé la question et suivi la négociation que la Suisse, à mon avis, a eu de justes plaintes à exprimer.

J'en reviens à ce que je disais tout à l'heure. Je suppose que vous vous fussiez adressés à la Suisse et que vous lui eussiez dit: «Louis-Napoléon trouble notre territoire; il dit qu'il est Suisse. C'est à vous à résoudre cette question; selon que vous l'aurez résolue, nous nous conduirons. S'il est Français, c'est-à-dire s'il est étranger en Suisse, la question devient infiniment plus simple, car vous ne pouvez nous refuser l'expulsion d'un étranger qui troubla notre territoire. S'il est Suisse, nous verrons ce que nous avons à faire.»

Si vous aviez ainsi mis à la charge de la Suisse cet embarras de résoudre préalablement cette question, savez-vous ce qui serait arrivé? Très-probablement vous auriez mis de votre bord tous les hommes sensés qui savent très-bien le fond des choses, en Suisse comme ailleurs, et qui auraient très-bien vu que Louis-Napoléon se servait de sa qualité de Suisse pour les compromettre et nuire à la France. Vous auriez en même temps rallié les hommes timides qui auraient voulu éviter une affaire dangereuse avec la France; et le résultat de cela aurait probablement été que la diète aurait pesé sur le canton de Thurgovie pour amener la reconnaissance que Louis-Napoléon n'était pas Suisse, mais Français. Et s'il y avait eu nécessité de recourir à la diète elle-même pour prononcer sur cette question, la diète aurait pu le faire en vertu de pouvoirs spéciaux. Ouvrez les notes, messieurs, rappelez-vous ce qui s'est passé. La question s'est agitée dans la diète de savoir si Louis-Napoléon était Suisse ou Français. Huit cantons ont voté que Louis-Napoléon n'était pas Suisse, qu'il était Français; huit cantons ont donné des pouvoirs à leurs députés à la diète pour le déclarer formellement.

Si cette marche avait été suivie, si tous les cantons, ou seulement la majorité des cantons avaient donné des pouvoirs à leurs députés à la diète pour venir déclarer que Louis-Napoléon n'était pas Suisse, toutes les difficultés auraient été levées; l'expulsion serait devenue alors un fait simple; l'orgueil national n'aurait point été blessé, et vous n'auriez rencontré aucune de ces susceptibilités, aucune de ces difficultés de gouvernement qui ont fait votre embarras et qui font aujourd'hui que dans le cœur d'une partie des Suisses, je ne veux pas me servir de mots trop graves, il est resté des sentiments tristes et amers à l'égard de la France.

Je ne répéterai pas ce que mon honorable collègue, M. Passy, nous a dit sur l'état des partis en Suisse. Évidemment, la France a un grand intérêt à ménager en Suisse un parti qui s'y est formé depuis 1830, le parti d'une politique modérée, qui s'est constamment opposé au parti radical et l'a réprimé efficacement en plusieurs occasions. Ce parti, c'est le parti français; par votre conduite, par la marche que vous avez suivie dans cette circonstance, vous l'avez aliéné; vous l'avez réduit à l'impuissance; vous l'avez obligé à se replier sur le parti radical; vous avez obligé les hommes qui jusque-là avaient tenu le langage le plus modéré, le plus français, vous les avez obligés à tenir un langage violent et contraire à la France. C'est là, selon votre commission, la plus fâcheuse conséquence de l'affaire; et c'est pour remédier à ce mal, c'est pour adresser à la Suisse des paroles bienveillantes qu'elle a inséré ce paragraphe dans l'adresse. Ne dites pas que ce paragraphe est inutile; sans aucun doute, la commission a blâmé la marche imprimée à l'affaire, elle ne l'a trouvée ni bonne ni habile; mais elle n'a pas voulu exprimer formellement ce blâme dans son paragraphe; elle n'y a mis que des paroles propres à prévenir les conséquences du mal que vous avez fait. (*Très-bien! Aux voix! aux voix!*)

———————

—Séance du 16 janvier 1839.—

M. le comte Molé, répondant à un discours de M. Berryer, combattit l'adresse et se défendit en soutenant qu'il n'avait fait que pratiquer la politique des cabinets précédents, de M. Casimir Périer et du cabinet du 11 octobre 1832, la politique de la paix. Je lui répondis:

M. GUIZOT.—Ma fatigue est extrême, ma voix est éteinte (*Légère rumeur*); mais il m'est impossible de ne pas porter à cette tribune, contre la politique du cabinet..... (*Écoutez! écoutez!*), le nouveau grief qui vient de naître pour moi, à l'instant même, dans cette discussion; et ce grief, c'est le discours que vous venez d'entendre. Oui, messieurs, le discours de l'honorable M. Berryer, et les prétextes, les apparences de raison dont ce discours a pu être revêtu, voilà mon nouveau grief. (*Mouvements divers.*)

Savez-vous à quoi vous devez ce discours et ces apparences de raison? À la politique du cabinet. (*Mouvements au centre.*)

Il y a huit ans, messieurs, la France et son gouvernement se sont engagés dans la politique de la paix; ils ont eu raison: j'ai soutenu cette politique, je l'ai soutenue ministre et non ministre, sur tous les bancs de cette Chambre. Je suis convaincu, convaincu aujourd'hui comme alors, que la moralité comme la prospérité de notre révolution la conseillait, la commandait. Je lui suis et lui serai éternellement fidèle.

Mais croyez-vous donc que la politique de la paix, que nous avons soutenue de 1830 à 1837, soit la politique qui prévaut aujourd'hui? Croyez-vous que ce soit une seule et même politique? croyez-vous qu'il n'y ait pas de différence entre ce qui se passe maintenant et ce qui s'est passé en 1831, en 1832?

Messieurs, quand nous défendions alors, au milieu des plus violents orages, la politique de la paix contre les passions nationales, contre des passions légitimes dans leur principe, mais dangereuses, déplorables dans leurs conséquences (*Rumeurs au centre*); quand nous avons contribué, autant que tout autre, à faire prévaloir cette politique de la paix, nous l'avons regardée comme essentiellement liée, non-seulement à la dignité du langage, à la dignité des apparences, mais à la dignité des actions, et à l'influence, au progrès de l'influence de notre pays en Europe.

Rappelez-vous quels ont été les résultats de cette politique; rappelez-vous le royaume de Belgique fondé et garanti à nos portes; rappelez-vous la révolution des cantons suisses acceptée, garantie, consolidée; rappelez-vous l'occupation d'Ancône, entreprise à la fois et comme un gage contre la prédominance exclusive de l'Autriche en Italie, et comme un gage d'amélioration dans la condition sociale d'une portion de l'Italie... Voilà, messieurs, quelles ont été les conséquences de la politique de la paix, telle que nous l'avons soutenue et pratiquée.

Et pour soutenir cette politique, nous ne nous sommes pas confinés dans cette tribune; nous ne nous sommes pas bornés à des paroles; nous avons été à Anvers, nous avons été à Ancône; nous avons joint les actes au discours; nous avons prouvé que nous n'hésitions pas à nous porter forts pour l'honneur, l'influence et la dignité du pays, au même moment où nous défendions la paix à cette tribune. (*Très-bien!*)

Sans doute, dans le cours de ces huit années, nous avons eu des mécomptes, des douleurs. Nous n'avons pas réussi partout; nous n'avons pas pu, nous n'avons pas dû tout entreprendre. Il est vrai que le mouvement de la révolution de Juillet a soulevé la Pologne; nous n'avons pas pu, nous n'avons pas dû compromettre la France dans cette cause lointaine et si difficile, quelque émotion qu'elle nous inspirât. Il est vrai aussi que des mouvements du même genre ont éclaté ailleurs, et que nous n'avons pas pu, que nous n'avons pas dû nous porter partout au secours de tous les événements plus ou moins analogues à ceux que nous faisions triompher chez nous et près de nous. Plus d'une fois nous en avons ressenti d'amers regrets, de vives douleurs; mais nous avons dû les sacrifier à la raison, à l'intérêt, à la prospérité de notre pays, à sa moralité, au respect des traités. Mais nous n'avons pas fait des sacrifices partout, nous n'avons pas été absents partout, nous ne nous sommes pas retirés de toutes parts. Ce que nous avons pu défendre, selon les intérêts de la France, selon la mesure de ses forces et de ses droits, nous l'avons défendu. Nous l'avons défendu non-seulement avec résolution, mais avec succès; nous l'avons fait triompher. Et vous, aujourd'hui, qu'avez-vous fait? que venez-vous de faire? Vous venez d'abandonner des causes que nous avions fait triompher...

Au centre.—Non! non!

Aux extrémités.—Oui! oui!

M. GUIZOT.—Vous n'avez pas fait plus que nous pour les causes qui étaient hors de l'atteinte et des véritables intérêts de la France; mais là où nous avions porté l'influence de la France, vous l'avez fait se retirer... (*Non! non! Si! si!*)

Messieurs, je suis aussi dévoué qu'aucun membre de cette Chambre à la politique qui a été suivie en France depuis 1830; mais je ne peux pas, je ne veux pas, mon honneur ne me permet pas d'accepter l'assimilation qu'on a voulu établir entre la politique du cabinet actuel et la nôtre.

Au centre.—Allons donc!

Aux extrémités.—Très-bien! très-bien!

M. GUIZOT.—C'est au nom de l'honneur du pays, c'est au nom des véritables intérêts du pays, et au nom de mon propre honneur, que je proteste. (*Nouvelles réclamations des centres.*)

Aux extrémités.—Très-bien! très-bien!

M. GUIZOT.—Ce que vous avez fait, ce que vous faites, je ne l'aurais pas fait; je vous blâme de l'avoir fait. (*Bruit.*) Nous avions laissé la France à Ancône, elle n'y est plus. (*Interruption.*)

M. JOLLIVET.—Les Autrichiens n'y sont plus non plus!

M. GUIZOT.—De quoi voulez-vous donc qu'on parle, sinon des faits qui sont en discussion? que voulez-vous que je répète, sinon Ancône, la Suisse, la Belgique? (*Oui! oui! Parlez!*)

Sur un grand nombre de points importants, nous avons laissé de l'influence et de la dignité à la France; elle les a perdues entre vos mains (*À gauche:* Très-bien!), par votre fait. Voilà pourquoi je repousse toute assimilation pareille à celle qu'on a voulu établir; voilà pourquoi je combats l'amendement qui vous est proposé.

Il est commode de venir confondre les temps et les politiques; il est commode de venir dire qu'on parle pêle-mêle de tout ce qui s'est passé depuis 1830; il est commode de venir mettre l'évacuation d'Ancône à couvert sous l'occupation d'Ancône (*Mouvement*); il est commode de venir mettre notre influence compromise en Suisse à l'abri de notre influence prépondérante en Suisse. (*Approbation aux extrémités.*) Cela est commode; mais cela n'est pas vrai, cela n'est pas juste, et c'est au nom de la justice, c'est au nom de la vérité, c'est pour faire à chacun sa part que je réclame contre cette assimilation, que je repousse l'amendement de M. Amilhau, et que je maintiens le paragraphe de l'adresse. (*Très-bien!*)

—Séance du 19 janvier 1839.—

M. de Lamartine ayant pris, d'une façon générale, l'attaque de l'adresse et la défense du cabinet du 15 avril, je répondis:

M. GUIZOT.—Je dois la parole que je prends en ce moment à l'amitié de mon honorable collègue, M. Janvier, qui a bien voulu me la céder. Avant d'en user pour discuter l'amendement qui vous occupe et le paragraphe de l'adresse auquel il correspond, permettez-moi de protester très-brièvement, très-modérément, contre un tour bien étrange qu'on a essayé plusieurs fois de donner à cette discussion.

On a parlé bien souvent d'ambitions personnelles (*Mouvement*); on a voulu expliquer par là la conduite de quelques-uns de mes amis et la mienne; et tout à l'heure l'honorable préopinant, non content de cette accusation, vient de chercher, à votre adresse et aux démarches des membres de votre commission, un autre motif bien plus extraordinaire. Nous aurions cherché, pour ressaisir le pouvoir, à ramener des circonstances graves, des périls au dedans et au dehors, pour rallier une majorité. Messieurs, ceci serait autre chose que de la personnalité, autre chose que de l'ambition: ce serait un crime.

À gauche.—Très-bien! Très-bien!

M. GUIZOT.—Messieurs, il n'est pas permis, il n'est pas parlementaire, il n'est pas loyal...

Voix nombreuses.—C'est vrai! c'est vrai!

M. THIERS.—Je dis, moi, que c'est déloyal.

M. GUIZOT.—Il n'est pas loyal d'apporter à cette tribune de telles paroles. (*Oui! oui! très-bien!*) Il n'est pas loyal de prétendre expliquer par des motifs personnels, honteux ou coupables, ce qui s'explique naturellement, simplement, par des opinions sincères, par le droit de tout membre de cette Chambre.

Nous n'avons eu aucune autre raison de rédiger l'adresse que vous discutez, sinon celle-ci: nous trouvons la politique du cabinet mauvaise au dedans et au dehors; nous avons cru de notre devoir, comme de notre droit, de le dire à la Chambre et au pays, de le dire à la couronne à laquelle nous nous adressons, et de nous efforcer de porter cette conviction dans la Chambre, dans le pays et dans l'esprit de la couronne. Voilà nos motifs, les seuls qui puissent être, je ne dirai pas avoués, mais les seuls qui puissent jamais être allégués à cette tribune; tout autre est une injure et une calomnie; (*Très-bien!*) tout autre est une étrange dérogation aux usages et à la liberté des débats de cette Chambre. Croyez-vous qu'il y aurait liberté dans les débats de cette Chambre, si on ne pouvait venir ici exprimer son opinion, louer ou blâmer, sans être accusé d'ambition personnelle, de motifs honteux; sans être accusé de vouloir troubler son pays et l'Europe pour ressaisir le pouvoir? Cela serait fatal à la liberté de vos discussions et de vos délibérations; cela serait un outrage envers nous et un danger pour vous. (*Vifs applaudissements.*)

M. BERRYER.—Très-bien! très-bien!

M. GUIZOT.—J'arrive à la question, et je promets à la Chambre que je ne m'en écarterai pas un instant.

L'adresse, messieurs, a eu un double but qui était dans notre droit, car nous y étions provoqués par le discours de la couronne; l'adresse a voulu s'expliquer sur la politique extérieure et intérieure du cabinet. Elle l'a fait, de l'aveu de tout le monde, directement, nettement, sans ménagements ni détours.

Sur la politique extérieure, qu'est-il arrivé de la discussion qui nous occupe depuis tant de jours? Cette discussion a-t-elle donné tort à l'adresse?

Au centre.—Oui! oui!

M. GUIZOT.—C'est ce que je discute en ce moment. Croyez-vous que, pour avoir changé tel ou tel paragraphe, pour n'avoir pas approuvé l'opinion de votre commission sur telle ou telle question particulière, croyez-vous que vous ayez donné une grande marque d'adhésion à la politique du cabinet? (*On rit.*) Croyez-vous que vous lui avez prêté au dehors beaucoup de force et d'appui, quand vous avez refusé de déclarer que cette politique avait été digne et gardienne fidèle de nos alliances? Non! vous n'avez pas adhéré aux propositions de votre commission, mais vous n'avez pas adhéré non plus à la politique du cabinet. (*C'est vrai!*)

Permettez-moi de m'en expliquer avec une entière sincérité. Vous n'avez pas voulu, je ne dis pas que vous ayez eu tort ou raison, mais vous n'avez pas voulu avouer ni désavouer la politique extérieure du cabinet; ce que l'adresse vous proposait de faire ouvertement, complétement, vous ne l'avez pas fait; mais vous n'avez pas fait non plus le contraire.

Je regarde cela comme un grand mal. Je crois qu'il est de l'intérêt public, qu'il est de l'intérêt du gouvernement en général, et de la dignité de cette Chambre, d'avoir un avis, un avis positif, clair, ferme, qui dirige et soutienne le pouvoir, ou qui le change s'il se trompe. Vous ne l'avez pas fait quant aux affaires extérieures.

Que vous propose-t-on aujourd'hui, quant à la politique intérieure, par l'amendement que vous discutez? Exactement la même chose. On vous propose de rester dans la même incertitude, dans la même insignifiance, de ne pas vider, quant à la politique intérieure, la question qui se débat devant vous, de ne pas mettre un terme à la situation que vous portez tous impatiemment.

Permettez-moi de relire l'amendement:

«Nous en sommes convaincus, Sire; l'intime union des pouvoirs, agissant dans leurs limites constitutionnelles, peut seule maintenir la sécurité du pays et la force de votre gouvernement.»

Je ne ferai pas d'objection à la substitution du mot *agissant* au mot *contenus*. (*Mouvements divers.*) J'ai un grand mépris pour les pures querelles de mots. (*À gauche*: Très-bien! très-bien!) Je crois que celui qui avait été adopté par l'adresse était plus vrai, plus précis, constitutionnellement parlant. Mais l'autre dit à peu près la même chose, je ne m'en embarrasse pas.

Vous avez fait une autre substitution sur laquelle j'appelle votre attention. Vous avez dit: «L'intime union des pouvoirs peut seule maintenir la sécurité du pays et la force de votre gouvernement.» Nous n'avions pas mis *maintenir*, nous avions mis *fonder*, car nous croyons qu'actuellement le gouvernement n'est pas fort. Nous voulions autre chose que maintenir la force qui existe aujourd'hui. (*À gauche*: Très-bien! très-bien! *Murmures au centre.*) Nous ne la trouvons pas suffisante. Nous provoquons une union plus intime des pouvoirs, pour arriver à une plus grande force dans le gouvernement. On vous propose, messieurs, d'en être contents; on vous propose de trouver le gouvernement assez fort et les pouvoirs assez intimement unis. Nous ne sommes pas de cet avis. (*Mouvements divers.*)

Je poursuis:

«Une administration ferme, habile, s'appuyant sur les sentiments généreux, aussi jalouse de la dignité de votre trône que du maintien des libertés publiques, est le gage le plus sûr de ce concours que nous aimons à vous prêter.»

Je trouve cette phrase très-équivoque. (*C'est vrai! c'est vrai!*) La nôtre, permettez-moi de vous la rappeler, était claire; il était évident que nous n'appliquions pas à l'administration actuelle les qualités dont nous parlions; il était évident que nous ne la trouvions pas, à un degré suffisant, ferme, habile, faisant respecter au dehors la dignité du trône, couvrant le trône de sa responsabilité au dedans; il était évident que ce concours, que nous avons tant à cœur de prêter à la couronne, nous ne le prêtions pas à l'administration qui siége sur ces bancs. (*À gauche*: Très-bien!) Je le répète, notre phrase était claire, la vôtre ne l'est pas.

Trouvez-vous que l'administration actuelle soit suffisamment ferme, habile, qu'elle s'appuie suffisamment sur les sentiments généreux, et tout le reste? (*Au centre*: Oui! oui!)

Le concours que vous aimez à prêter à la couronne, le prêtez-vous au cabinet? (*Au centre:* Oui! oui!)

Le promettez-vous? (*Oui! oui!*) Nous verrons.

Comment? vous prêtez votre concours, vous le promettez, comme le disait tout à l'heure M. Debelleyme, sans conditions? (*Non! non!*) Vous l'avez dit. (*À gauche*: Oui! oui!) Vous l'avez dit; vous avez dit que vous vous adressiez à la couronne, et que vous lui parliez d'un concours sans conditions. Messieurs, c'est à la couronne qu'on s'adresse, mais c'est de son cabinet qu'on lui parle. (*Très-bien!*) C'est sur le cabinet que la Chambre exprime à la couronne son opinion, et à un cabinet quelconque la Chambre ne promet jamais un concours sans conditions. (*À gauche:* Très-bien!... *Interruption au centre.*) Il faut bien, malgré les interrupteurs et les marques d'impatience, que je réponde à ce qui a été dit. (*Agitation.*)

Je dis qu'en examinant de près l'amendement, je le trouve équivoque, indécis, n'osant pas dire ce qu'il essaye de faire entendre, n'osant pas soutenir ouvertement la politique intérieure de l'administration, et pourtant voulant le laisser croire.

Messieurs, encore une fois, qu'il s'agisse du dedans ou du dehors, de nos affaires intérieures ou de nos affaires à l'étranger, ce n'est pas là une conduite digne de la Chambre, du rôle qui lui appartient dans les affaires du pays et de l'influence qu'elle doit y exercer; c'est une manière d'éluder les difficultés, de ne pas mettre un terme à la situation, et de laisser le mal s'aggraver, quand vous êtes appelés à y apporter le remède. S'il y a quelque chose qui ne soit pas constitutionnel, qui ne soit pas du gouvernement représentatif, c'est cela.

Et, soyez-en sûrs, par là le gouvernement s'affaiblit comme vous; tous les pouvoirs s'affaiblissent ensemble par une telle faiblesse, une telle indécision. Ce n'est pas là le langage de votre commission, ce n'est pas la route dans laquelle elle voulait vous engager, dans laquelle elle persiste à marcher.

J'ai examiné l'amendement de M. Debelleyme, je vais répondre maintenant à ce qu'on dit du paragraphe de la commission.

Messieurs, au paragraphe de la commission, on fait un seul reproche sérieux; je ne m'arrêterai pas aux reproches de détail. Tout s'adresse à ces mots: *Couvrant au dedans le trône de sa responsabilité.*

Je me suis déjà expliqué au sujet de ce paragraphe; j'ai déjà dit que, pour la responsabilité légale, elle ne manquait jamais; que du moment où il y avait des ministres sur ces bancs, la responsabilité légale était assurée. Sans doute, s'il s'agissait de quelques-uns de ces actes coupables qui mettent en mouvement la juridiction de la Chambre, la responsabilité légale serait là, et très-suffisante. Mais il s'agit de bien autre chose. L'honorable M. Debelleyme avait l'air de croire que cette responsabilité légale et juridique est tout; et il s'est demandé quel acte du cabinet, quel acte particulier pouvait avoir donné lieu à une telle responsabilité. Il n'y en a aucun. C'est de tout autre chose que nous parlons; c'est de la responsabilité politique, de la responsabilité morale, de tous les jours, qui agit sur les esprits, et fait qu'on perd ou que l'on conserve le pouvoir. Ceci est tout autre chose.

Vous invoquez l'inviolabilité de la couronne. Messieurs, il est bien étrange que nous nous trouvions en dissentiment à ce sujet; car, quand nous avions inséré cette phrase dans l'adresse, c'était pour consacrer plus que jamais le principe de l'inviolabilité de la couronne, pour lui rendre le plus solennel hommage. Quand est-il né ce principe? quand et comment est-il venu au monde? Il est venu au monde avec le gouvernement représentatif; c'est au gouvernement représentatif que la couronne doit le principe de l'inviolabilité.

M. ODILON BARROT.—Oui! c'est à lui qu'elle le doit.

M. GUIZOT.—Elle le lui doit. Et qu'est-il arrivé dans les pays qui ont possédé avant nous le gouvernement représentatif? C'est qu'à mesure que le gouvernement représentatif s'est affermi, complété, à mesure qu'il a poussé de plus profondes racines, à mesure que le pouvoir est devenu plus parlementaire, l'inviolabilité de la couronne s'est affermie en même temps. Ouvrez donc, ouvrez l'histoire de nos voisins. Ils ont eu un temps comme le nôtre, où les principes du gouvernement représentatif étaient encore indécis, incomplets. C'est en affermissant, en complétant le gouvernement représentatif que l'Angleterre a mis la couronne hors de cause, et qu'elle a pu se livrer facilement, généreusement, pour le grand honneur et la grande force du pays tout entier, à l'énergie de ses institutions. Voilà ce que nous demandons, et pas autre chose. (*Très-bien!*) Comment! du respect pour la couronne, pour l'inviolabilité de la couronne! Nous ne souffrons pas que personne nous dise qu'il en a plus que nous (*À gauche*: Très-bien!); nous ne souffrons pas que personne vienne, comme l'a fait tout à l'heure l'honorable M. de Lamartine, introduire la couronne dans ces débats. (*Approbation sur les bancs de l'opposition.*) Dans cette enceinte, messieurs, pour la liberté de vos discussions, pour la sûreté de la couronne elle-même, il ne doit pas être dit de telles paroles. Quand nous sortons de cette enceinte, tout le bien se reporte à la couronne, de quelque façon qu'il ait été fait, quelle qu'en ait pu être la source.

Laissez-moi vous rappeler, je vous prie, ce qui s'est passé près de nous, lors de cet immense changement que la réforme parlementaire a introduit dans le parlement britannique.

Personne n'ignorait que ce changement s'opérait contre l'opinion du roi régnant, Guillaume IV; et si quelque membre du parlement s'était avisé dans la discussion d'invoquer le nom du roi, l'autorité de la couronne, lord Grey se serait récrié à l'instant et aurait réclamé l'inviolabilité de la couronne et la liberté des débats.

Qu'arriva-t-il après la réforme obtenue, après le bill sanctionné, au milieu du pays en possession de ce nouveau droit? Dans une réunion publique, dans un grand banquet, lord Grey reporta à la couronne l'honneur de la réforme; lord Grey dit que c'était au roi que ce bienfait était dû. Non-seulement lord Grey faisait bien, mais il avait raison; tout ce qui se fait de bien dans le gouvernement représentatif, la couronne le provoque ou l'accepte; tout ce qui se fait de bien doit donc être reporté à la couronne. Mais dans le travail du gouvernement, dans le cours de nos débats, elle est absente, et nous nous abaisserions nous-mêmes si nous la faisions descendre parmi nous. (*Sensation.*)

Ainsi, je renvoie à nos adversaires tous leurs reproches! je les leur renvoie tous! Oui, c'est dans l'intérêt de la couronne, c'est dans l'intérêt de son inviolabilité, c'est dans l'intérêt de son honneur que nous venons ici vous demander de fortifier, de compléter, d'accepter dans toute son étendue, dans toutes ses conséquences, le gouvernement parlementaire. C'est dans l'intérêt de la couronne que nous venons nous plaindre que le cabinet actuel ne soit pas assez parlementaire.

Et ne croyez pas, quand je parle ainsi, qu'il s'agisse du mérite des personnes, du talent de quelques orateurs: pas le moins du monde. Mais dans un gouvernement parlementaire, les grandes opinions, les grands intérêts qui existent dans le pays, envoient dans cette Chambre, par l'élection, leurs représentants naturels, leurs organes, à qui ils font quelquefois l'honneur de les appeler leurs chefs; et ainsi envoyés, la Chambre présente ces hommes à la couronne. La couronne a la pleine liberté de son choix; la couronne n'est pas obligée de prendre tel ou tel conseiller; elle n'est pas obligée même de prendre ses ministres dans cette Chambre; sa liberté est entière. Mais il y a, dans ce monde, de la raison, il y a un intérêt bien entendu; or, la raison, l'intérêt bien entendu veulent que la couronne, pour elle-même et non pour nous, pour sa propre force et non pour satisfaire notre ambition personnelle, appelle auprès d'elle les forces naturelles, les forces vivantes du pays, et que toutes les grandes opinions pénètrent ainsi régulièrement, tranquillement, constitutionnellement, dans les conseils de la couronne. Voilà l'influence de la Chambre.

Il ne s'agit pas de débattre des noms; il ne s'agit pas de savoir s'il y a deux, trois, quatre, cinq ministres, plus ou moins, pris dans le sein de la Chambre; il s'agit de savoir si l'influence de la Chambre pénètre, comme elle le doit, dans le gouvernement. Il s'agit de savoir si les deux Chambres, si la Chambre des députés surtout a dans le gouvernement, sa part, son influence; influence permanente, habituelle, dans la pratique des affaires de tous les jours; influence décisive dans les grandes occasions, dans les affaires importantes du pays. Voilà le gouvernement représentatif! (*Vive approbation aux extrémités.*) Voilà le gouvernement des majorités. C'est cela que nous demandons; notre adresse n'a pas d'autre sens, mais elle a celui-là, elle l'a tout entier, elle l'a jusqu'au bout, sans exception, sans restriction.

Nous poursuivrons ce but-là, nous le poursuivrons constamment, courageusement. Nous croyons servir et la couronne et le pays en marchant dans cette voie; nous respectons immensément la couronne et ses prérogatives; nous la voulons inviolable, nous la voulons forte, nous la voulons grande, nous la voulons honorée; et quand nous lui adressons ces paroles, nous croyons lui apporter de la force, de la grandeur, de l'honneur. Si nous pensions que nos paroles dussent produire un autre effet, nous nous tairions, messieurs, et je ne serais pas monté à cette tribune. (*Vif mouvement d'adhésion à gauche. Agitation prolongée.*)

XCV

Discussion à l'occasion des interpellations de M. Mauguin sur la formation du cabinet après la coalition.

—Chambre des députés.—Séance du 22 avril 1839.—

Le 22 avril, pendant que le ministère intérimaire formé le 31 mars était encore seul chargé des affaires, M. Mauguin fit des interpellations sur les causes de la prolongation de la crise ministérielle et de l'inutilité des efforts tentés pour former un cabinet définitif. Les principaux députés qui avaient pris part à la coalition furent amenés à expliquer, dans cette circonstance, leur conduite, ses motifs et leur position actuelle. Je parlai après M. Thiers, en ces termes:

M. GUIZOT.—La Chambre voudra bien, je l'espère, m'accorder un peu de silence. J'ai encore la voix très-faible, et il me serait difficile de l'élever beaucoup.

L'honorable M. Mauguin, en adressant ses interpellations, a prononcé tout à l'heure un mot qui m'a frappé, le mot d'*irrésolution*. L'irrésolution en effet, à mon avis, joue un grand rôle dans notre situation. (*C'est vrai!*) À considérer les choses d'une manière tout à fait impartiale, et en n'imputant à aucun mauvais motif les embarras qui pèsent sur nous, je les rapporte à deux causes: le balancement des partis et l'irrésolution des hommes. Personne ne peut se dissimuler qu'aujourd'hui, dans cette Chambre, les forces des partis sont à peu près égales. La Chambre, toutes les fois qu'elle y est appelée par la nature des questions, se coupe à peu près en deux moitiés. De là, messieurs, soit par la faiblesse de notre nature, soit par la force de la situation, une grande irrésolution parmi nous. Il semble que tout le monde veuille ménager toutes les chances, que chacun craigne d'être dupe, ou du moins de le paraître. C'est là un grand mal; il faut prendre son parti; il faut que la situation de chacun, non-seulement dans le passé, mais dans l'avenir, soit nette et complète. C'est ce que j'essayerai de faire pour mon compte, avec la même modération, la même convenance parfaite dont les préopinants, et notamment l'honorable M. Thiers, viennent de donner l'exemple.

Comme lui, et plus que lui, d'après ce qu'il vient de dire en remontant à cette tribune, je n'ai point eu l'honneur d'être chargé de former un cabinet. J'ajoute que si j'avais été appelé par la couronne à cet honneur, je l'aurais décliné. (*Sensation.*) Dans la situation que m'a faite, à mes amis et à moi, ce qui s'est passé depuis trois mois, depuis la discussion de l'adresse, nous ne saurions être appelés à former un cabinet. Par des causes sur lesquelles je ne reviendrai pas, mais qui sont au vu de tout le monde, je me suis trouvé séparé, dans une certaine mesure, de ce que je puis appeler l'armée à laquelle j'appartenais. (*Mouvements divers.*) Il ne m'appartient point, en ce moment, de me porter fort pour elle; il ne m'appartient point d'en disposer comme on dispose politiquement de ses amis. Je puis aujourd'hui, selon ce qui me paraît convenable et utile à l'intérêt public, entrer dans telle ou telle combinaison; je puis prêter mon concours à tel ou tel cabinet. Je ne saurais être mis en demeure d'en former un, et je répète que, si j'avais l'honneur d'y être appelé, je le déclinerais. (*Nouveau mouvement.*)

Cela posé, je dois rendre compte à la Chambre, comme l'ont fait les préopinants, des combinaisons auxquelles j'ai pu prendre part, et des motifs qui ont réglé ma conduite.

Immédiatement après les élections, la première combinaison dont on a parlé, et je pourrais dire qui m'a été proposée par l'honorable M. Thiers lui-même, c'était le ministère de grande coalition. (*Mouvement.*)

Je tiens à faire connaître à la Chambre, d'une manière exacte et complète, les faits auxquels j'ai pris part.

Le ministère de grande coalition, c'est-à-dire un ministère dans lequel M. Thiers, M. Odilon Barrot et moi entrerions également.

Je n'ai pas cru pouvoir prendre part à une telle combinaison, et si je ne me trompe, l'honorable M. Odilon Barrot en a pensé comme moi. (*M. Odilon Barrot fait un signe d'adhésion.*) Dans la coalition, nous avions fait avec grand soin, l'un et l'autre, la réserve de nos principes et de nos antécédents distincts. Si, après le succès de la coalition, nous avions paru ne tenir aucun compte de cette différence, que nous avions nous-mêmes si clairement établie, tous les reproches qui avaient été adressés à la coalition seraient devenus légitimes; on aurait dit avec raison que nous sacrifiions à notre ambition personnelle des principes et des antécédents dont la diversité était évidente: ni lui ni moi n'avons voulu donner à ce reproche le moindre prétexte.

Un tel cabinet n'aurait été possible qu'autant que, sur le fond des choses, sur la manière de gouverner ensemble, nous nous serions réellement entendus: si nous avions été d'accord au fond, nous aurions pu passer par-dessus l'inconvénient d'une mauvaise apparence, pour donner à la coalition le grand résultat d'un ministère complet. Mais nous savions qu'il y avait entre nous des différences considérables qui se reproduiraient d'autant plus que nous serions ensemble au pouvoir, et que si nous siégions ensemble sur ces bancs pour avoir cherché une union trop intime, notre dissidence n'en éclaterait que plus tôt et plus complétement.

Cette première combinaison fut donc de suite écartée.

Vient la seconde dont l'honorable M. Thiers a parlé, une combinaison qui formerait un cabinet des deux centres, des amis de l'honorable M. Thiers et des miens, et qui, en même temps, porterait M. Odilon Barrot à la présidence de cette Chambre.

J'acceptai alors le double principe de cette combinaison. Je ne pouvais avoir aucune objection à la formation d'un cabinet des deux centres: c'était le but qu'au su de tout le monde je poursuivais depuis longtemps. Quant à la candidature de M. Odilon Barrot au fauteuil, le lendemain des élections, après la grande bataille parlementaire électorale que nous venions de livrer ensemble, un tel fait me paraissait possible et naturel; je dis plus, il me paraissait bon en lui-même: malgré la diversité de nos idées et de nos situations, de grands et heureux rapprochements s'étaient opérés dans les esprits; beaucoup de préventions, de passions paraissaient dissipées, apaisées; il était bon d'en donner une preuve éclatante; il était bon de fournir à tous les membres de l'ancienne opposition qui voudraient se rapprocher du gouvernement une occasion et un motif de le faire naturellement et honorablement.

J'acceptai donc, je le répète, les deux principes de la combinaison. Mais quand on en vint à l'examiner de plus près, une grave difficulté se manifesta; on nous proposa à mes amis et à moi deux portefeuilles, sur dix qu'on se proposait d'avoir dans le cabinet. Cela n'éleva de notre part aucune objection; nos prétentions, quant au nombre, étaient certainement très-modérées. (*Mouvement. Écoutez! écoutez!*) Mais les deux départements ministériels qui nous furent proposés étaient des départements non politiques, des départements qui ne nous donnaient, dans le gouvernement proprement dit, aucune part directe et efficace. Ce fut là, pour mon compte, ce que je ne pus admettre. Le principe d'un cabinet des deux centres, à mon avis, c'est la participation égale de l'un et de l'autre au pouvoir politique. Cela m'a toujours paru exigé et par la dignité des personnes et par la dignité des partis; et je donne ici à ce mot *parti* son sens le plus innocent, le plus légitime. Il m'a toujours paru que, sans la participation au pouvoir politique, sans une action réelle, directe, sur les grandes affaires du pays, on servait dans un cabinet, mais on n'était pas du gouvernement. Ma dignité, je le répète, ma dignité personnelle et celle de mon parti me décidèrent donc à demander le département de l'intérieur, pendant que l'honorable M. Thiers, avec une persévérance que je suis loin de désapprouver, dans l'intérêt de son honneur personnel et de la politique qu'il affectionne, demandait le département des affaires étrangères. Nous avions je ne dirai pas seulement le droit, mais le devoir d'insister sur une demande de même nature.

Un autre motif encore me déterminait. Je le disais tout à l'heure, je me suis trouvé, par la discussion de l'adresse et par les élections, séparé d'une partie des hommes avec lesquels j'ai marché pendant longtemps; mais quoique séparé d'eux, je me suis toujours cru en devoir de faire, aux principes et au parti conservateur dans le gouvernement, la position et les garanties auxquelles ils me paraissent avoir droit.

L'honorable M. Thiers, l'honorable M. Odilon Barrot, et toutes les personnes entre lesquelles cette question s'est agitée à cette époque, ne me démentiront pas quand je dirai que c'est là un des motifs, et un des motifs principaux que j'ai allégués pour mon insistance sur le département de l'intérieur.

Cette insistance fut repoussée. La combinaison qui donnait à l'honorable M. Duchâtel et à moi deux départements, dont le département de l'intérieur était l'un, échoua, non, pas de notre fait, mais par le refus des personnes avec qui elle se discutait.

On me permettra de dire ici les conséquences que je tirai de ce refus, que j'en tirai sans aucune espèce d'animosité ni d'humeur, et je n'en apporte pas davantage en en parlant. D'abord il me parut évident que l'ancienne opposition, la gauche, pour parler le langage vulgaire, conservait à notre égard, à l'égard de mes amis et au mien, certaines préventions... (*Rumeur*), certaines dispositions qui l'empêchaient de voir avec confiance une portion considérable du pouvoir politique entre nos mains.

Je le trouve parfaitement simple; je ne lui en fais aucun reproche: c'est un fait seulement que je relève.

En voici un second qui me parut également démontré par le mauvais succès de la combinaison que je raconte: c'est que l'ancienne opposition avait, quant à la manière dont le cabinet devait être constitué, quant à la base sur laquelle il devait reposer, des idées que, pour mon compte, je trouvais trop exclusives, non-seulement à mon égard et à l'égard de mes amis, mais encore à l'égard de cette portion considérable de la Chambre que les élections avaient renvoyée dans cette enceinte, et qui s'appelle le parti conservateur. Il me parut évident que l'ancienne opposition ne se faisait pas une idée juste de l'état général des choses et des nécessités de gouvernement, qu'elle voulait faire reposer le pouvoir sur une base trop étroite et former le cabinet d'après des combinaisons trop exclusives.

Comme de raison, ces deux faits ont agi sur moi, et j'en ai tenu compte dans la suite des combinaisons dont j'ai à entretenir la Chambre.

J'ajoute en passant qu'ayant eu, pendant que ces combinaisons s'agitaient, l'honneur d'être appelé deux fois, si je ne me trompe, auprès de la couronne, je lui ai tenu exactement le langage qui réglait ma conduite dans les combinaisons dont il s'agit; ce que je pratiquais dans les négociations parlementaires, je l'ai conseillé à la couronne, et j'ajoute que je l'ai trouvée ayant son avis, sans nul doute, sur ce qu'il y avait à faire, sur les combinaisons désirables, ayant, dis-je, son avis, son désir, et disposée à employer les moyens constitutionnels qui sont entre ses mains pour faire prévaloir son avis et son désir, comme c'est son droit et son devoir, mais en même temps parfaitement décidée à ne rien refuser, choses et personnes, de ce que le vœu bien constaté des Chambres et du pays paraîtrait exiger. (*Très-bien!*)

Et ici je prie la Chambre de permettre que j'insiste un moment, car il y a une vérité importante qui, non-seulement aujourd'hui mais dans toutes les conversations et les discussions à ce sujet, m'a paru trop souvent oubliée. Il est très-naturel, très-légitime, que sur les formations de cabinet, sur l'attribution des départements ministériels à tel ou tel parti, à telle ou telle personne, comme sur toutes les autres questions politiques, la couronne ait son opinion et son vœu. Il est très-naturel et très-légitime qu'elle s'applique, par les moyens et dans les limites constitutionnelles, à faire prévaloir son opinion et son vœu, pourvu que, lorsqu'une fois le vœu des Chambres et du pays est bien constaté, lorsqu'une combinaison est évidemment appelée par ce vœu, la couronne n'y oppose pas d'obstacles, et qu'en se réservant la liberté de son opinion, elle s'y prête loyalement et sincèrement. Voilà ce qu'on a droit d'attendre d'elle, rien de moins, rien de plus.

La seconde combinaison dont je viens de parler ayant échoué, toutes celles qui ont été tentées pendant près de quinze jours nous ont été étrangères, à mes amis et à moi. Elles s'agitaient dans les limites du centre gauche.

Tout le monde nous rendra, à mes amis et à moi, cette justice, que nous n'avons cherché à apporter aucun obstacle, aucune entrave à la réussite de ces combinaisons. Nous nous sommes renfermés dans l'inaction et le silence le plus complet. J'ai poussé le scrupule à ce point d'interdire à la portion de la presse sur laquelle j'avais quelque action, tout effort, toute parole. Pendant tout ce temps-là, elle n'a fait aucune observation, rapporté aucun fait, élevé aucune objection. Je tenais essentiellement à ce qu'il fût évident que nous ne voulions susciter aucun embarras à aucune des combinaisons auxquelles nous étions étrangers.

Ces combinaisons n'ont pas réussi.

On en est venu alors à penser que le département de l'intérieur pouvait être accordé à mon parti et à moi-même. Une nouvelle combinaison s'est ouverte, dans laquelle, en effet, on nous a proposé d'entrer avec le département de l'intérieur entre mes mains.

On y a apporté, comme l'honorable M. Thiers le rappelait tout à l'heure, on y a apporté une condition: on a demandé que le cabinet adoptât la candidature de l'honorable M. Odilon Barrot à la présidence; non-seulement sa candidature, mais cette candidature présentée comme question de cabinet; c'est-à-dire que le cabinet aurait été contraint, engagé à se retirer si M. Odilon Barrot ne réussissait pas.

Sur cette question-là, et sur celle-là seulement, je prie la Chambre de le remarquer, sur cette question-là seulement l'honorable M. Duchâtel et moi nous avons refusé de nous engager.

Sur le fond de la proposition en elle-même, sur la question de savoir si en effet le cabinet porterait M. Odilon Barrot à la présidence de la Chambre, rien n'a été convenu, rien n'a été accepté ni refusé. Nous n'avons discuté que la question préjudicielle, celle de savoir si on ferait de la candidature de M. Odilon Barrot, dans le cas où elle serait adoptée, une question de cabinet. Nous nous y sommes refusés.

Voici nos raisons.

Faire de la présidence de M. Odilon Barrot une question de cabinet, c'était mettre beaucoup de membres de cette portion de la Chambre qui s'appelle le parti conservateur dans une situation très-difficile; c'était les mettre dans la nécessité ou d'accepter un candidat qui ne correspondait pas à leurs opinions, ou de renverser le nouveau cabinet. C'était leur imposer d'une façon violente la candidature de M. Odilon Barrot.

Je n'ai pas pensé que cela convînt à mes rapports avec cette portion de la Chambre; je n'ai pas pensé que ce fût la traiter avec assez de considération et d'égards.

J'ajoute une seconde réflexion: accepter comme question de cabinet la candidature de M. Odilon Barrot, c'est-à-dire déclarer qu'on se retirerait s'il n'était pas nommé, c'était passer dans les rangs de la gauche; c'était contracter avec la gauche cette alliance à la vie et à la mort qui fait le lien puissant et véritable des partis. Je ne pouvais pas, je ne voulais pas faire cela.

Il y a, messieurs, des rapprochements, il y a des alliances très-légitimes, très-honorables, dans un but spécial bien déterminé, quand on n'abandonne d'ailleurs ni ses principes ni son drapeau. C'est ce qui est arrivé dans la coalition. (*Rumeurs diverses.*)

Mais changer de principes et de situation, passer définitivement d'un camp dans un autre, cela n'est jamais légitime ni honorable. (*Approbation.*) Quand on reconnaît qu'on s'est trompé, qu'on a eu tort, quand on se repent, quand on vient, comme l'a fait une fois M. le duc Matthieu de Montmorency, à cette tribune, reconnaître ses erreurs, désavouer son passé, à la bonne heure; il n'y a rien là que de parfaitement honorable, rien que de très-beau même peut-être; mais quand on ne croit pas s'être trompé, quand on ne se repent pas, quand on ne désavoue rien de son passé, quand on a soigneusement réservé tous ses principes et tous ses précédents, après cela, messieurs, changer de camp, de situation, passer à un autre parti, cela eût été déshonorant. Messieurs, je l'ai refusé absolument.

Voilà, messieurs, quant aux faits auxquels j'ai été appelé à prendre part, voilà les détails dans lesquels il m'est permis d'entrer avec la Chambre. Si d'autres idées, d'autres tentatives de combinaisons ont pu être traitées dans la conversation, elles n'ont jamais acquis de consistance et n'ont jamais été assez près de l'exécution pour qu'il soit convenable d'en entretenir la Chambre.

Je pourrais en rester là, messieurs; j'ai rendu à la Chambre un compte fidèle de ce que nous avons fait mes amis et moi, et des motifs qui nous ont déterminés. Mais la situation est trop grave, elle pèse trop sur nous tous, pour que je descende de cette tribune sans dire quelques mots, non-seulement de ce que j'ai fait, mais de ce qui me paraît possible et bon à faire aujourd'hui... (*Écoutez! écoutez!*)

Il est clair, d'après ce que j'ai eu l'honneur de dire à la Chambre, et tout ce qui lui a été raconté par les honorables préopinants, il est clair qu'il n'y a aujourd'hui que deux combinaisons sérieusement possibles, et desquelles puisse sortir un véritable cabinet: ou bien un cabinet du centre gauche, avoué et appuyé par la gauche; ou bien un cabinet des deux centres. (*Mouvement.*) On peut se débattre, on peut vouloir éluder la réalité; mais, d'après tout ce qui s'est dit, il est évident que nous avons été ballottés de l'une à l'autre de ces combinaisons, et que toutes celles qui ont été tentées rentrent dans l'une ou dans l'autre de ces deux là.

Permettez-moi de dire mon avis sur toutes les deux.

Un cabinet du centre gauche avoué et appuyé par la gauche, je le comprends. J'ignore s'il aurait la majorité dans cette Chambre, quelle serait cette majorité; mais les choses en sont évidemment à ce point qu'on peut très-bien se proposer un tel but.

Il aurait pourtant, à mon avis, de très-fâcheux résultats, et les voici.

D'abord, un tel cabinet divise le parti gouvernemental; il en laisse une grande portion en dehors du pouvoir et de ses amis permanents. Cela est très-grave dans notre situation. Notre gouvernement de Juillet a bien des ennemis; pour se défendre contre eux, il n'a pas trop de tous ses amis.

Les amis du gouvernement de Juillet, je demande pardon de répéter un mot qu'il m'est souvent arrivé de prononcer dans cette Chambre, les vrais, les solides, les puissants amis du gouvernement de Juillet, c'est toute la portion élevée, éclairée, aisée, indépendante, de la classe moyenne. (*Mouvement.*) Voilà la force du gouvernement de Juillet, voilà ses racines... (*Bruit.*)

N'abusez pas de mes paroles. Je ne dis pas qu'il n'en ait pas ailleurs, qu'il n'en ait pas dans le pays tout entier, dans toutes les classes, dans le peuple proprement dit; je dis seulement que, dans la vie politique, dans la conduite des affaires, dans les débats des pouvoirs entre eux, c'est sur la portion élevée, éclairée, indépendante de la classe moyenne que le gouvernement de Juillet s'appuie essentiellement; c'est avec elle qu'il gouverne contre ses adversaires de tout genre, contre les amis de l'ancien ordre de choses, contre les amis d'une démocratie prématurée et excessive. (*Nouveau mouvement.*)

Trouvez-vous, messieurs, que ce soit un petit inconvénient, pour une combinaison de cabinet, de diviser les amis du gouvernement de Juillet, de laisser une portion considérable de la classe gouvernementale en dehors de cette combinaison? Moi je trouve cet inconvénient-là immense, d'autant plus grand que l'appui que vous voulez donner à cette combinaison, l'appui de l'ancienne opposition, d'une partie considérable au moins de l'ancienne opposition, ne vaut pas celui que vous lui faites perdre. Vous ne vous offenserez pas de mes paroles, car vous êtes sûrs qu'elles sont l'expression sincère et sérieuse de ma pensée. À mon avis, messieurs, dans l'ancienne opposition, dans la portion même la plus disposée à soutenir le cabinet du centre gauche, il y a bien moins d'esprit de gouvernement que dans la partie de cette Chambre dont le cabinet se trouverait séparé. (*Exclamation à gauche. Interruption.*)

Messieurs, on ne peut pas, permettez-moi de vous le dire, on ne peut pas occuper en même temps toutes les situations, avoir en même temps tous les mérites; on ne peut pas être en même temps les promoteurs habituels du principe populaire, principe très-noble, très-légitime, mais qui n'est pas le seul principe social; on ne peut pas, dis-je, être en même temps les promoteurs habituels du principe populaire, et les appuis permanents du pouvoir. (*Nouvelle interruption.*) Cela ne s'est jamais vu en ce monde. Permettez-moi une observation à l'appui de ce que je dis. Depuis que j'ai l'honneur de siéger dans cette Chambre, il ne m'est jamais arrivé de dire le moindre mal de la presse; je puis en appeler au souvenir de tous les membres de cette Chambre; jamais je n'ai dit un mot contre la presse.

Un membre, à gauche.—Mais vous avez fait des lois pour la bâillonner!

M. GUIZOT.—Cependant nous avons évidemment, vous et moi, des idées très-différentes sur les droits et la puissance que la presse doit exercer. Pour mon compte, je la trouve très-bonne comme contrôle du gouvernement; je trouve très-bon qu'elle exerce de l'influence sur le public, et par le public sur le pouvoir; mais je trouverais sa domination, son influence prépondérante sur le gouvernement, sur le cabinet, détestable; je suis convaincu que des hommes politiques qui se trouveraient dans un cabinet et qui accorderaient à la presse, sur leurs idées, sur leurs résolutions, une influence prépondérante, dominante, seraient de très-mauvais ministres.

M. ODILON BARROT.—C'est vrai! nous en convenons tous!

M. GUIZOT.—Eh bien, je suis convaincu, je me trompe peut-être, mais je suis également convaincu que, de ce côté de la Chambre, dans l'ancienne opposition, la presse exerce une influence trop prépondérante...

Un membre, à gauche.—On ne la subventionne pas!

M. GUIZOT.—Je n'ai voulu dire aucun mal de la presse; je ne m'occupe ni de la presse subventionnée ni de la presse libre; c'est de la presse libre que je parle maintenant. Eh bien, c'est de celle-là que je dis que, dans ma conviction, elle exercerait sur le gouvernement, si le gouvernement avait pour appui fondamental ce côté de la Chambre, une influence excessive et contraire aux véritables intérêts du pays.

Je ne dis cela, messieurs, que pour montrer par quelles raisons il ne me paraît pas bon que l'ancienne opposition, que le côté gauche soit le point d'appui essentiel, le véritable camp du gouvernement et du cabinet.

J'ajouterai, et je demande encore, comme je le faisais en commençant, je demande qu'on ne s'offense point de mes paroles; j'ajouterai que je crois que le pays pense comme moi. (*Murmures à gauche.*)

L'opposition, messieurs, a pour elle beaucoup d'instincts, beaucoup d'idées du pays, d'idées vraies et fausses, de sentiments bons et mauvais, elle a des racines profondes, elle a une vraie puissance dans le pays. Eh bien, je suis convaincu que ce même pays n'a pas dans l'opposition assez de confiance pour la voir sans crainte approcher du pouvoir. Je suis convaincu que, s'il voyait l'opposition au pouvoir ou près du pouvoir, ce même pays serait inquiet, très-inquiet (*Réclamations à gauche*), inquiet pour l'ordre, inquiet pour la paix, inquiet pour des révolutions futures; j'en suis convaincu!

Vous comprenez dès lors pourquoi un cabinet centre gauche avoué, et appuyé principalement par la gauche, ne me paraît pas bon; pourquoi, en ce qui me touche, il me serait impossible, non-seulement de m'y associer, mais de le voir se former sans quelque inquiétude, et de ne pas me trouver vis-à-vis de cette combinaison dans un état d'observation et d'un peu de méfiance.

Je pense tout autrement d'un cabinet des deux centres. (*Rumeur prolongée.*)

Cette combinaison, messieurs, me paraît avoir pour résultat de rallier tout le parti gouvernemental, dans la portion la plus conservatrice comme dans la portion la plus libérale. Elle me paraît avoir pour résultat de donner des garanties efficaces, des garanties réelles, d'une part, aux intérêts de l'ordre, aux intérêts de la paix, d'autre part aux intérêts de la liberté, aux intérêts du progrès. Et ces garanties, la combinaison d'un ministère des deux centres les donne en outre d'une manière honorable pour tout le monde. (*Mouvement.*)

Quand un cabinet du centre gauche parle de cette portion de la Chambre qui appartient essentiellement aux principes conservateurs, il dit, il est obligé de dire qu'il l'aura pour lui. Il sait parfaitement qu'on ne peut guère s'en passer, qu'un gouvernement est tenu d'avoir son appui, au moins en très-grande partie et dans la plupart des occasions. Que dit-on alors? Qu'il n'y a pas à s'en inquiéter, que cette portion de la Chambre suivra, qu'elle suit de toute nécessité le gouvernement, qu'elle vote toujours pour le gouvernement. Je ne veux, messieurs, rappeler aucun mot offensant; mais vous savez bien qu'on dit cela, et qu'on est obligé de le dire.

Messieurs, ce n'est pas là une bonne situation, une situation qu'un gouvernement doive faire à aucune portion de ses amis. (*C'est vrai!*)

Un gouvernement doit avoir des amis qui soient ses amis parce qu'ils pensent comme lui, parce qu'ils le croient bon, parce qu'ils désirent son succès, et non parce qu'ils le subissent.

Un gouvernement doit aimer et respecter ses amis, pour être aimé et respecté par eux; à cette seule condition il y a un parti vraiment gouvernemental, à cette seule condition un gouvernement est aimé et soutenu. (*Très-bien! très-bien!*) Ne croyez pas que le cabinet soit aimé et soutenu par des hommes qui, pour ne pas troubler le pays, se voient forcés de voter pour lui, qui sont en quelque sorte des serfs attachés à une glèbe qui leur déplaît. (*Rumeurs.*)

Comment, messieurs, vous vous étonnez! mais ce que je dis là, c'est ce qui a été dit cent fois sur les bancs, dans les couloirs de cette Chambre. Je ne l'admets point; je veux que le parti du gouvernement soit à lui par sa pensée, par sa conviction, par sa volonté, et non par une nécessité fatale et précaire. Le cabinet des deux centres est le seul qui atteigne ce but, c'est le seul qui fasse, à toutes les fractions du parti gouvernemental, une situation également acceptable et honorable.

Encore une dernière considération; celle-ci correspond aux nécessités et aux convenances de notre situation du moment.

Je me servirai encore ici des mots dont on se sert habituellement, mais sans intention offensante pour qui que ce soit.

Le parti parlementaire se trouve séparé d'une grande portion du parti conservateur. À mon avis, le parti conservateur s'est trompé (*Mouvement*); à mon avis, dis-je (et j'ai bien le droit de le dire aujourd'hui, car toute ma conduite a été gouvernée par cette conviction depuis trois mois), à mon avis, le parti conservateur s'est trompé.

Il n'a pas bien jugé la situation du pays et la sienne propre; je n'ai pas eu une autre raison du me séparer de lui dans cette solennelle occasion.

Eh bien, aujourd'hui, messieurs, le parti parlementaire a réussi; il a renversé le ministère du 15 avril, il a gagné la bataille électorale; il est en état d'empêcher, dans cette Chambre, le succès de toute combinaison ministérielle analogue à celle du 15 avril. Si une pareille combinaison se reproduisait, je suis convaincu que le parti parlementaire ne se manquerait point à lui-même.

Mais ce n'est point de cela qu'il s'agit aujourd'hui; quand une victoire a été remportée, on a autre chose à faire que de continuer la guerre; ce qui est à faire aujourd'hui, pour le parti parlementaire comme pour nous tous, c'est de constituer un gouvernement, c'est du refaire un cabinet, c'est de gouverner vraiment le pays: eh bien, le parti parlementaire ne peut faire cela, ne peut le faire efficacement, honorablement, sûrement pour le pays, qu'autant qu'il ralliera et ralliera honorablement la portion la plus considérable, sinon tout, et je voudrais bien dire tout, mais la portion la plus considérable du parti conservateur. (*Mouvement.*) Cela est imposé au parti parlementaire comme bonne conduite, comme nécessité de situation. Il faut qu'il le fasse, sans quoi toutes ses tentatives, toutes ses mesures, seront sans force et sans durée. Eh bien, je n'hésite pas à le dire, un ministère des deux centres est le seul qui puisse atteindre ce but; c'est le seul qui donne une satisfaction, une satisfaction raisonnable et légitime au parti parlementaire, et qui, en même temps, ait des chances de rallier efficacement le parti conservateur.

Voilà pourquoi, messieurs, j'ai toujours désiré et poursuivi ce but-là; je ne cesserai pas de le poursuivre, quelles que soient les difficultés, quelles que soient les chances momentanées de succès ou de revers. Il est dans ma nature, permettez-moi de le dire, de ne pas me décourager aisément. Je crois qu'il est d'une bonne conduite, d'une conduite sage et patriotique, pour la Chambre elle-même, de poursuivre ce même dessein, de ne pas s'effrayer des difficultés, de ne pas se décourager par les obstacles, de ne pas s'inquiéter des retards. Pour mon compte, je ne veux pas d'un ministère à tout prix; et quelle que soit la gravité de la crise qui pèse sur nous, je ne suis pas tellement pressé de la voir finir que je veuille lui sacrifier le seul cabinet qui me paraisse bon et sérieusement possible aujourd'hui. (*Très-bien!*)

J'engage donc, et avec une profonde conviction, j'engage la Chambre, sans se laisser alarmer, à se rendre bien compte du but qu'il est utile et patriotique de poursuivre; et, quand une fois elle sera convaincue, si elle est convaincue, je l'engage à poursuivre ce but obstinément, patiemment; comme le but est raisonnable, à mon avis, comme il est d'accord avec les vrais et réels intérêts du pays, nous pouvons espérer de l'atteindre: la persévérance seule mène au succès. (*Très-bien! très-bien!*)

Le lendemain 23 avril, M. Odilon Barrot ayant répondu à ce discours, je lui répliquai dans les termes suivants:

M. GUIZOT.—La Chambre me croira sans peine quand je dirai que personne n'est plus pressé que moi de mettre fin à ce débat; je ne le prolongerai donc pas longtemps. Cependant, j'ai besoin de répondre quelques mots à l'honorable préopinant; ils auront pour unique objet de rétablir dans leur parfaite vérité ma pensée et mon intention, que je ne saurais reconnaître dans le tableau qu'il vient d'en faire.

Je commence par repousser tout ce qu'il a dit d'un mandat que j'aurais voulu m'arroger, d'une situation que j'aurais voulu reprendre vis-à-vis telle ou telle portion de cette Chambre. En répondant tout à l'heure à l'honorable M. de Lamartine, je crois avoir répondu aussi d'avance à M. Odilon Barrot. Je ne me suis arrogé aucun mandat, je n'ai prétendu changer la situation de personne, ni reprendre moi-même une situation différente de celle que j'avais avant-hier. J'ai dit ma pensée, ma pensée tout entière sur une situation difficile, qui nous préoccupe tous, et sur laquelle je me suis expliqué le premier complétement et sans détour. Je répète que je n'ai eu nul autre dessein.

J'écarte donc complétement ce premier reproche de l'honorable préopinant. J'aborde le second. Il m'a accusé d'avoir ressuscité nos vieilles querelles; j'avoue que le reproche m'a étonné: je croyais avoir parlé hier, soit en m'adressant à ce côté de la Chambre, soit dans toute autre occasion, avec une modération irrécusable; telle avait été du moins ma bien sincère intention. Que l'honorable M. Odilon Barrot me permette donc de répudier les mots dont il s'est servi tout à l'heure: «parti antipathique au gouvernement, parti favorable au désordre.» Je n'ai rien dit de pareil de lui et de ses amis, rien qui en approche; je puis rappeler mes expressions: j'ai dit qu'à mon avis, dans cette portion de la Chambre, il y avait moins d'esprit de gouvernement que dans telle autre. (*Mouvement.*)

En conscience, messieurs, il est impossible que nos susceptibilités, les uns envers les autres aillent à ce point, qu'il soit impossible de tenir un tel langage sans être accusé de vouloir ressusciter de vieilles querelles, de vouloir donner l'exclusion à tout un parti, de le mettre au ban du pays, de le considérer comme antipathique au gouvernement. J'en appelle à tous ceux qui m'ont entendu hier; je n'ai rien dit de semblable. Je repousse absolument cette exagération de langage, parce qu'elle dénature tout à fait ma pensée et mon intention. Non; je n'ai entendu ressusciter aucune vieille querelle: j'ai entendu rester ce que j'étais, comme l'honorable M. Odilon Barrot a voulu le faire lui-même tout à l'heure. Que M. Odilon Barrot se rappelle la discussion de l'adresse; qu'il se rappelle avec quel soin, et, j'ose dire, avec quelle probité nous avons, lui et moi, maintenu nos principes, nos sentiments, nos antécédents. Eh bien, qu'ai-je fait aujourd'hui, qu'ai-je fait hier après toutes ces réserves, sinon de reprendre purement et simplement ma position telle qu'elle était avant la coalition, de la reprendre simplement, rien de moins, rien de plus? Je n'ai parlé, je le répète, d'aucun de nos anciens débats; je n'ai ressuscité aucune querelle; je suis resté fidèle à moi-même dans mes rapports avec les diverses portions de cette Chambre, dans l'opinion que je me suis formée de chacune d'elles, dans mes intentions politiques; je suis resté fidèle à ce que j'ai été toujours et à toutes les réserves que j'ai faites pendant le débat de l'adresse et pendant la durée de la coalition; je le répète, rien de moins, rien de plus.

On m'accuse de vouloir donner l'exclusion (l'exclusion du pouvoir apparemment, car c'est de celle-là qu'il s'agit) à tout un parti politique; mais il me semble que l'honorable M. Barrot lui-même tout à l'heure a dit, ce qu'il avait dit souvent, que le temps de son opinion n'était pas venu, que le temps de son parti, pour prendre et exercer le pouvoir, n'était pas encore là. Je n'ai rien dit de plus; je le pense, en effet; je ne sais si ce temps-là viendra jamais, je suis loin de l'affirmer; ce que je pense, c'est qu'il n'est pas venu.

L'honorable M. Odilon Barrot parle d'exclusion: il sait mieux que personne que son parti, malgré ce qu'il disait tout à l'heure, a entendu nous exclure, nous, mes amis et moi; car, en vérité, je ne saurais accepter l'espèce d'admission dont M. Barrot parlait tout à l'heure. Comment! il vient de dire que parce qu'il nous croit, parce qu'il nous fait l'honneur de nous croire des hommes de quelque valeur parlementaire, on nous avait admis à prendre place dans le cabinet, mais que nous avions entendu y entrer comme parti politique, enseignes déployées.... Ah! oui, messieurs; c'est parfaitement vrai. Je ne suis jamais entré, je n'ai jamais consenti à entrer dans le pouvoir qu'au nom de mon parti, enseignes déployées, et jamais pour mon propre compte.

On parle du devoir de l'abnégation, on parle d'orgueil et de prétentions personnelles.

Messieurs, il n'y a de prétentions personnelles que lorsque l'on a des prétentions pour soi; il n'y a orgueil que lorsqu'on se présente pour son propre compte, au nom de ce qu'on appelle la valeur personnelle, la capacité d'un homme. Quand on agit, non pour soi-même, non en vertu de ce qu'on peut valoir soi-même, mais au nom de sa seule opinion, de son seul parti, dans un intérêt public, et non pas dans un intérêt personnel, c'est alors qu'il y a véritable abnégation personnelle, véritable dignité. Pour mon compte, c'est toujours ainsi que j'ai voulu me conduire, c'est ainsi que je me conduirai toujours. Non, jamais je ne consentirai à entrer au pouvoir à titre d'habile avocat, d'amnistié capable... (*Exclamations diverses.*) Jamais au monde je ne consentirai à une situation pareille. L'honorable M. Barrot a raison, il a dit vrai; nous n'avons voulu, mes amis et moi, y rentrer qu'au nom de notre opinion, de notre passé. Ce n'est pas là de l'orgueil; c'est, si je ne me trompe, de la dignité bien entendue, c'est une véritable abnégation de tout intérêt personnel. (*Très-bien! très-bien!*)

Allons au vrai, au vrai simplement et sans exagération comme sans détour. L'honorable M. Barrot et moi nous avons, quant à la formation de la majorité de cette Chambre et du cabinet qui doit la représenter, des désirs différents.

Je désire qu'en tenant grand compte de la différence des temps, de la diverse disposition des esprits, de l'état du pays, qui n'est plus ce qu'il était il y a quelques années, je désire que la politique qui a prévalu depuis 1830, que la politique du juste-milieu soit maintenue; je désire qu'il se forme une majorité qui, en se montrant, en étant réellement large, conciliatrice, libérale, en s'applaudissant de rallier les hommes sincères qui ont pu lui être d'abord étrangers, ait approuvé, soutenu dans ses principaux éléments cette politique, qui la respecte et qui l'aime, et qui soit intéressée à la maintenir, sauf, je le répète, les modifications qu'entre hommes sensés et intelligents la diversité des temps exige.

L'honorable M. Barrot, fidèle à lui-même, comme je le suis à mon tour, pense que cette politique a été mauvaise dans le passé. Il le croit, car il l'a toujours combattue. Eh bien, moi, je crois qu'elle a été bonne. Il croit qu'il faut la changer essentiellement. Je ne le pense pas. Nous formons donc, quant à la majorité et au cabinet, des vœux différents. Par conséquent mon désir naturel, mon intention, proclamée tout haut, est que la majorité se forme dans cette Chambre par l'union des centres, car les centres, et en grande partie le centre gauche aussi bien que le centre droit, ont pris part à la politique que j'aime et que j'ai soutenue. Les lois que je veux défendre, plusieurs de ses honorables membres les ont défendues.

M. DUPIN.—Pas toutes!

Voix à gauche.—Pas la loi de disjonction!

M. GUIZOT.—Je suis tout prêt, je n'éluderai aucune question.

L'honorable M. Barrot et ses amis ont attaqué les lois de septembre aussi bien que la loi de disjonction. Qu'ils me permettent de leur dire que les lois de septembre ont aujourd'hui beaucoup plus d'importance que la loi de disjonction, car l'une a été rejetée, et les autres subsistent.

Eh bien, l'honorable M. Thiers, avec grande raison, est venu dire hier qu'il était d'avis du maintien des lois de septembre. L'honorable M. Barrot et ses amis ne sont certainement pas de cet avis-là. Ils doivent désirer qu'il se forme une majorité qui attire insensiblement le pouvoir dans la route où probablement les lois de septembre seraient un jour changées. Moi, je désire le contraire; je désire que le pouvoir se maintienne dans la route qui ne nous mènera pas à l'abolition des lois de septembre. Je pourrais passer en revue les différentes parties de notre situation. Elles me conduiraient toutes au même résultat. Il est donc parfaitement naturel, parfaitement simple que, mettant à part toute animosité, mettant à part toute vieille querelle, nous formions, M. Barrot et moi, des vœux différents. Il est tout simple que je désire un cabinet des deux centres.

Ce que nous disons-là, nous pouvons le dire sans parler du passé, sans exagérer les uns et les autres les paroles dont nous nous sommes servis; nous pouvons le dire sans amener aucune violence, aucune irritation dans nos débats. (*Rumeur.*)

Je le demande encore une fois à la conscience de la Chambre, ai-je parlé hier avec modération, oui ou non?

Voix nombreuses.—Oui! oui! (*Murmures à gauche.*)

D'autres voix.—Écoutez! écoutez!

M. GUIZOT.—Ah! je sais bien qu'il y a des hommes qui croient qu'il n'y a pas de modération dès qu'il y a une opinion ferme, fixe et publiquement proclamée. Je ne puis le penser, car je suis convaincu que le plus grand obstacle au triomphe de la modération, de la politique modérée, c'est au contraire l'irrésolution, la faiblesse, l'incertitude des opinions et des volontés.

Voix diverses.—C'est vrai!

M. GUIZOT.—Quand on est arrivé au but par des idées fermes et une volonté ferme, il est aisé de se modérer, quand la force a fait l'épreuve d'elle-même, quand elle a eu confiance en elle-même, et qu'elle a inspiré la confiance aux autres, alors elle peut se modérer; mais l'irrésolution, les vacillations, la faiblesse ne sont propres qu'à entraîner dans des voies violentes. Ce n'est pas une opinion ferme qui empêche d'être modéré; ce n'est pas un langage ferme qui exclut la modération. Quand j'ai apporté à cette tribune la question du fond de notre situation, quand je l'ai mise à découvert, je savais bien dans quelle route je m'engageais; je savais bien que je pouvais me faire dire ce que l'honorable M. de Lamartine et l'honorable M. Odilon Barrot vous ont dit. Je n'ai voulu me soustraire ni à ces périls, ni à ces attaques, parce que je n'étais animé d'aucune ambition personnelle, et qu'aucun mauvais désir ne gouverne mon âme. (*Très-bien!*)

Je n'ai pas la prétention, la sotte prétention de n'avoir jamais fait de faute, de ne m'être jamais trompé; j'ai pu tomber dans l'erreur, j'ai pu avoir des torts, Dieu me garde de le nier! Je suis sûr de la pureté de mes intentions, de la sincérité de mes pensées; je suis sûr de ma modération au fond du cœur.

Voilà ce que j'apporte à cette tribune, et on aura beau dénaturer mon langage, on ne changera pas le fond des choses.

Je proteste contre les paroles qu'on m'a prêtées, contre les intentions qu'on m'a prêtées, contre les conséquences qu'on a voulu en tirer.

Je n'ai point entendu réveiller de vieilles querelles; je n'ai voulu exciter aucune passion dans cette Chambre, ni me servir d'aucune passion pour reprendre position vis-à-vis de telle ou telle portion de cette Chambre. J'ai entendu exprimer complétement mon opinion sur une situation difficile, afin d'amener un résultat désirable.

Dans tous les cas, ce que je souhaite, c'est la formation d'une majorité fidèle à notre politique, la formation d'une majorité du juste-milieu.

Voilà ce que je souhaite, voilà ce que je veux, ce que je demande. Rien de moins, rien de plus. (*Nombreuses marques d'adhésion au centre.*)

XCVI

Sur les affaires d'Orient et les rapports du sultan avec le pacha d'Égypte.

—Chambre des députés.—Séance du 2 juillet 1839.—

La rupture entre le sultan Mahmoud et le pacha d'Égypte Méhémet-Ali étant devenue imminente, le cabinet formé le 12 mai 1839, sous la présidence de M. le maréchal Soult, demanda, le 25 mai, à la Chambre des députés, un crédit extraordinaire de dix millions pour augmenter nos forces maritimes dans le Levant. Le 24 juin, M. Jouffroy fit, au nom de la commission chargée de l'examiner, son rapport sur ce projet de loi et en proposa l'adoption. Un long débat s'engagea. J'y pris part, le 2 juillet, en ces termes:

M. GUIZOT.—La Chambre m'approuvera, je l'espère, si, dans une question qui tient de si près à la grandeur et à l'honneur du pays, je m'efforce d'écarter absolument deux choses, l'esprit de parti et l'esprit de système. (*Chuchotements.*) J'ai entrevu hier avec quelque regret l'ombre de l'esprit de parti derrière le discours, d'ailleurs si politique et si sérieux, par lequel M. le duc de Valmy a ouvert ce débat. Il a représenté le gouvernement de Juillet comme fatalement voué à une politique, à une seule politique, qui même n'était pas au fond la vraie politique de la France, mais celle de l'Angleterre; il l'a représenté, dis-je, comme voué à cette politique, ne pouvant en pratiquer une autre, et n'ayant pas su ou n'ayant pas osé pratiquer pleinement celle-là.

Que dirait l'honorable duc de Valmy si on venait, d'une autre part, lui parler de la Restauration comme vouée aussi fatalement à une politique, à la politique de la Sainte-Alliance, à la politique absolutiste, et n'ayant fait, dans les projets dont il nous a entretenus hier, que se montrer complaisante pour le chef de cette politique, sans en rien obtenir que des promesses sans résultat?

Je ne crois pas, messieurs, qu'il soit utile pour personne de présenter ainsi les grandes questions de politique nationale par le triste et mesquin côté de l'esprit de parti et de nos dissensions civiles.

M. BERRYER.—Je demande la parole. (*Mouvement.*)

M. GUIZOT.—Je désire, pour mon compte, en dégager pleinement celle-ci. Non, le gouvernement de Juillet n'a pas été voué en Orient à une politique; celle qu'il a suivie, il l'a choisie: il aurait pu en suivre une autre; il a pris celle-là parce qu'il l'a jugée bonne, conforme aux intérêts du pays; il était libre, parfaitement libre dans son choix; et nous, conseillers de la couronne, nous qui, à cette époque, avons suivi la politique aujourd'hui attaquée, nous en acceptons pleinement la responsabilité; nous l'avons prudemment choisie et pratiquée, et non pas acceptée comme une fatalité de notre gouvernement. (*Assentiment au centre.*)

Comme l'esprit de parti, je demande à écarter l'esprit de système. La Chambre m'en croira quand je dirai que je n'entends nullement exclure par là les vues d'ensemble et cette persistance dans les desseins qui fait la force et la dignité de la politique; à Dieu ne plaise! mais s'attacher particulièrement à un certain côté d'une question, d'un certain fait, à une certaine idée, et s'y attacher sans tenir compte des autres faits, en les oubliant, ou bien en voulant les anéantir par la violence, c'est là l'esprit de système; c'est là ce que vous avez vu hier. Vous avez vu apparaître tantôt la nationalité arabe, tantôt la légitimité absolue de l'empire ottoman, tantôt le partage immédiat, prémédité de cet empire. Il y a là, messieurs, l'oubli de faits actuels, de faits considérables que la politique ne peut ni ne doit effacer. Il faut qu'elle en tienne compte. Les faits actuels et les intérêts du pays tels qu'ils résultent de ces faits, voilà d'où la politique doit sortir. Elle ne doit être ni asservie à l'esprit de parti, ni inventée au gré des fantaisies de l'imagination.

Ici, messieurs, nous n'avons pas longtemps à chercher la politique qui convient à la France, nous la trouvons depuis longtemps toute faite. C'est une politique traditionnelle, séculaire, c'est notre politique nationale; elle consiste dans le maintien de l'équilibre européen par le maintien de l'empire ottoman, selon la situation des temps et dans les limites du possible, ces deux lois du gouvernement des États.

Si je cherchais des noms propres, je rencontrerais Henri IV, Richelieu, Louis XIV, Napoléon; ils ont tous pratiqué cette politique, celle-là et aucune autre.

Et hier encore, que vous ont dit tous les orateurs? Que c'était là, en effet, la meilleure politique, que, si elle était possible, il faudrait persister à la suivre. Ils en ont seulement nié ou révoqué en doute la possibilité; et alors chacun a produit son système à la place de ce qu'il déclarait impraticable.

Voici donc la véritable question: la politique nationale, historique, de la France, le maintien de l'équilibre européen par le maintien de l'empire ottoman, selon les temps et dans les limites du possible, est-elle encore praticable aujourd'hui? Là est toute la question, celle qui nous presse et avant laquelle il n'en faut aborder aucune autre. (*Très-bien!*)

La solution dépend de deux choses, de l'état de l'empire ottoman lui-même et de l'état des grandes puissances de l'Europe.

Quant à l'empire ottoman, je suis fort loin de contester son déclin, il est évident. Cependant, messieurs, prenez garde, n'allez pas trop vite dans votre prévoyance.

Je ne répéterai pas les éloquentes paroles que M. le ministre de l'instruction publique prononçait hier; mais, soyez-en sûrs, les empires qui ont longtemps vécu sont très-longtemps à tomber, et on prévoit, on attend leur chute pendant des siècles peut-être avant qu'elle se réalise.

La Providence, qui ne partage pas les impatiences et les précipitations de l'esprit humain (*Rires approbatifs*) semble avoir pris plaisir à donner d'avance un démenti aux prédictions dont on nous parle; à le donner sur le même lieu, dans les mêmes murs; elle a fait durer un empire, l'empire grec, non pas des années, mais des siècles, après que les gens d'esprit du temps avaient prédit sa ruine (*Nouveaux rires*) et dans des circonstances bien moins favorables à la prolongation de sa durée que celles où se trouve aujourd'hui l'empire ottoman.

Je pourrais m'en tenir à cette réponse générale, et peut-être le démenti serait suffisant. Mais entrons plus avant dans les faits; voyons de plus près comment s'est opéré depuis vingt ans, depuis cinquante ans, le déclin de l'empire ottoman, et quelles circonstances l'ont accompagné et l'accompagnent encore de nos jours.

Cet empire a beaucoup perdu; il a perdu des provinces, des provinces bonnes à faire des royaumes. Comment les a-t-il perdues? Il y a déjà longtemps que ce n'est plus par la conquête; il y a déjà longtemps qu'aucune des puissances européennes n'a rien enlevé par la guerre, par la force ouverte à l'empire ottoman: la Crimée est la dernière conquête qui lui ait été ainsi arrachée, car je ne parle pas de la province d'Alger qui lui était presque complétement étrangère.

Qu'est-il donc arrivé? Comment l'empire ottoman a-t-il perdu les principautés sur le Danube, puis la Grèce, puis l'Égypte? Ce sont, permettez-moi l'expression, ce sont des pierres tombées naturellement de l'édifice. (*Mouvement.*) Ce sont des démembrements en quelque sorte spontanés, accomplis par l'insurrection intérieure, par l'impuissance de l'empire ottoman. Que les intrigues de l'Europe y aient eu quelque part, je le veux bien; mais elles auraient été hors d'état de les mener à fin.

Ce ne sont pas les intrigues de l'Europe qui ont soulevé les Valaques et les Moldaves; ce ne sont pas les intrigues de l'Europe qui ont soulevé la Grèce. Ce sont là, messieurs, des démembrements naturels, ce sont des provinces qui se sont soulevées d'elles-mêmes contre l'empire ottoman.

Et une fois détachées, que sont-elles devenues? sont-elles tombées entre les mains de telle ou telle grande puissance européenne? Non encore; elles ont tendu à se former en États indépendants, à se constituer à part sous tel ou tel protectorat plus ou moins réel, plus ou moins périlleux, mais qui les a laissées et les laisse subsister à titre de peuples distincts, de souverainetés nouvelles dans la famille des nations.

Et croyez-vous, messieurs, que sans cette perspective, sans cet espoir de voir naître ainsi de nouveaux États, croyez-vous que nous eussions pris, à ce qui s'est passé en Orient, au sort de la Grèce, par exemple, la part si active, si officieuse que nous y avons prise? Non, certes; à coup sûr, s'il se fût agi de détacher de l'empire ottoman une province pour la donner à quelqu'un, vous n'auriez pas vu, messieurs, se produire parmi nous ce mouvement national qui est venu au secours de la Grèce et l'a sauvée.

J'ai entendu hier avec un profond regret, je l'avoue, exprimer ici plus que du doute, exprimer du chagrin sur cet affranchissement de la Grèce, sur la bataille de Navarin!

Eh! messieurs, l'empire ottoman, j'en conviens, a perdu là une province; et nous, par conséquent, nous avons perdu quelque chose dans les garanties de l'équilibre européen que nous offrait la force de l'empire ottoman. Mais la séparation était spontanée, naturelle; elle avait été souvent tentée; la tentative se serait renouvelée sans cesse, et nous avons gagné, à son succès, non-seulement la délivrance d'une population chrétienne, mais la naissance d'un État indépendant qui aura sans doute besoin de temps et d'efforts pour s'affermir et se développer, mais qui ne tombera pas au pouvoir de personne (*Très-bien!*), et qui apportera dans l'avenir, à la civilisation et à l'équilibre européen, une force et une garantie de plus.

Messieurs, il faut en politique, permettez-moi de vous le dire, il faut un peu plus de fidélité, non-seulement aux personnes, mais aux événements. Quand on a voulu, quand on a secondé un grand événement, il faut savoir accepter les inconvénients, les mécomptes, les périls qu'il entraîne à sa suite; il faut lui demeurer fidèle malgré ces périls, malgré ces mécomptes.

Pour moi, j'ai hâte de le dire, j'éprouve aujourd'hui en pensant à la bataille de Navarin, à l'indépendance de la Grèce, les mêmes sentiments, la même conviction, les mêmes espérances que j'éprouvais quand ces grands faits venaient frapper nos oreilles et émouvoir nos âmes, dans cette ville de Paris qui semble aujourd'hui les avoir oubliés. (*Très-bien!*)

Ce que je dis de la Grèce, je le dirai de l'Égypte; c'est un fait de même nature. Ce n'est pas nous qui avons détaché l'Égypte de l'empire ottoman. Sans doute, nous sommes pour quelque chose, par l'expédition française, dans l'origine de cette puissance nouvelle; mais enfin elle n'est pas de notre fait; ce démembrement de l'empire ottoman, opéré lui-même par le génie de l'homme, par la force de la volonté, par la persévérance, irons-nous aujourd'hui le combattre? Il s'est fait sans nous; il ne nous doit pas son existence; il a continué en Égypte quelque chose de ce que nous y avions commencé.

Nous l'avons protégé en 1833, à Kutahié, comme la Restauration avait protégé la Grèce naissante, et par les mêmes raisons. Nous avons vu là encore un démembrement naturel, inévitable, de l'empire ottoman, et peut-être une nouvelle puissance indépendante qui jouera un jour son rôle dans les affaires du monde, et méritait d'être prise en grande considération.

Regardez-bien, messieurs, à tout ce qui s'est passé en Orient et dans l'empire ottoman depuis trente ans; vous verrez partout le même fait; vous verrez cet empire décliner, vous le verrez se démembrer de lui-même sur tel ou tel point, non au profit de telle ou telle des grandes puissances de l'Europe, mais pour commencer, pour tenter la formation de quelque souveraineté nouvelle et indépendante. Pourquoi cela, messieurs? Parce que personne en Europe n'eût voulu souffrir que la conquête donnât à telle ou telle puissance un agrandissement considérable. Voilà la vraie cause du cours qu'ont pris les événements, et la politique de la France, j'en conviens, s'y est montrée favorable.

Maintenir l'empire ottoman pour le maintien de l'équilibre européen; et quand, par la force des choses, par la marche naturelle des faits, quelque démembrement s'opère, quelque province se détache de ce vieil empire, favoriser la conversion de cette province en État indépendant, en souveraineté nouvelle, qui prenne place dans la coalition des États, et qui serve un jour, dans sa nouvelle situation, à la fondation d'un nouvel équilibre européen, qui remplace celui dont les anciens éléments ne subsisteront plus, voilà la politique qui convient à la France, à laquelle elle a été naturellement conduite, et que nous avons suivie. (*Mouvement d'approbation.*)

Est-ce qu'elle ne peut plus la suivre aujourd'hui? Est-il survenu, dans la disposition des grandes puissances de l'Europe, quelque changement qui empêche la France de continuer dans cette voie? Pour mon compte, je ne le pense pas. Prenez les grandes puissances européennes, examinez leur situation actuelle et la politique qui leur est, en quelque sorte, imposée par la situation quant à l'Orient; vous verrez que rien n'est changé, que la France n'a pas lieu de se croire en Orient sans alliés.

Quant à l'Autriche, il est clair que le premier des intérêts politiques, l'intérêt territorial, lui prescrit plus que jamais de protéger l'empire ottoman; plus que jamais l'Autriche ne peut consentir à ce qu'une autre puissance s'agrandisse aux dépens de cet empire.

L'Autriche a beaucoup gagné, messieurs, s'est beaucoup agrandie depuis quelques années; mais cet agrandissement n'est pas encore intimement consommé. L'Italie gêne la liberté des mouvements de ses maîtres; l'Autriche n'a plus aujourd'hui, si l'on peut ainsi parler, la plénitude du droit de paix et de guerre en Europe; elle est obligée à une prudence qui est bien près de l'immobilité.

L'intérêt commercial de l'Autriche n'existait pas il y a vingt ans; il est grand aujourd'hui; elle a une navigation importante dans l'Adriatique et dans la

Méditerranée. Elle est obligée de ménager les intérêts de ses fabricants et de ses négociants. Elle ne peut souffrir qu'il s'établisse à Constantinople une grande puissance qui s'approprie toute cette navigation, et lui enlève la part qu'elle y a prise depuis quelques années.

Sous quelque point de vue que vous considériez la situation et les intérêts de l'Autriche, vous la trouverez vouée en Orient au maintien de la politique dont je vous entretenais tout à l'heure.

Quant à l'Angleterre, vous le savez, le *statu quo* continental est le fond même de sa politique; elle n'a rien à gagner à l'agrandissement de personne sur le continent. Quant à son intérêt commercial, je ne vous en entretiendrai pas, il frappe tous les yeux. Un grand ministre, lord Chatam, disait: «Je ne discute pas avec quiconque me dit que le maintien de l'empire ottoman n'est pas pour l'Angleterre une question de vie ou de mort.»

Quant à moi, messieurs, je suis moins timide; je ne pense pas que, pour des puissances telles que l'Angleterre et la France, il y ait ainsi, dans le lointain, des questions de vie et de mort; mais lord Chatam était à ce point frappé de l'importance du maintien de l'empire ottoman pour son pays, et l'Angleterre le pense encore si complétement, qu'elle se voue à cette cause, même avec un peu de superstition, à mon avis. Elle s'est souvent montrée un peu hostile à ces États nouveaux, dont je parlais tout à l'heure, et qui se sont formés des démembrements naturels de l'empire ottoman. La Grèce, par exemple, n'a pas toujours trouvé l'Angleterre amie; l'Égypte encore moins. Je n'entrerai pas dans le détail des motifs qui ont pu influer à cet égard sur la politique anglaise; je crois qu'elle s'est quelquefois trompée; je crois que, dans cette occasion, elle a quelquefois sacrifié la grande politique à la petite, l'intérêt général et permanent de la Grande-Bretagne à des intérêts secondaires: le premier des intérêts pour la Grande-Bretagne, c'est que la Russie ne domine pas en Orient.

S'il m'est permis d'exprimer ici une opinion sur la politique d'un grand pays étranger, à mon avis, il y a quelque faiblesse de la part de l'Angleterre à écouter des susceptibilités jalouses, ou bien tel ou tel intérêt commercial momentané et à ne pas employer tous ses efforts, toute son influence pour consolider, pour développer ces États nouveaux et indépendants qui peuvent, qui doivent devenir de véritables barrières contre l'agrandissement indéfini de la seule puissance dont, en Orient, l'Angleterre doive craindre la rivalité.

Quels que soient, à cet égard, le mérite ou l'erreur de quelques actes de la politique anglaise, il n'en est pas moins évident que l'Angleterre est vouée, vouée plus décidément, plus complétement encore que toute autre grande puissance, au maintien de l'empire ottoman.

Quant à la Russie, elle a une tendance et une situation fort différentes: on peut dire ce qu'on voudra de sa modération, de sa patience; au fond, elle suit et poursuit sa destinée. Elle ne coule pas autant vers l'Orient que le disait hier M. de Lamartine; on coule bien plutôt vers les lieux où l'on a envie d'être que vers ceux où il est facile d'aller. Les peuples d'Orient ont toujours coulé vers l'Occident, parce que là étaient pour eux les vives jouissances, les belles espérances; et la Russie désire infiniment plus, je crois, une province de l'Occident que tous les déserts de la Tartarie asiatique. (*Mouvement.*)

Mais, messieurs, quoique la Russie ait cette tendance et que je la regarde comme incontestable, ici encore les garanties et les principes de sécurité ne vous manquent pas.

L'empereur Nicolas est un prince prudent et un prince conséquent. Plus d'une fois il s'est montré, dans sa vie politique, ferme et brave. Quand l'occasion a eu besoin de son courage, elle l'a trouvé. Mais ce n'est pas un souverain téméraire ou seulement entreprenant; il ne paraît point avoir le goût des entreprises et des aventures; il ne va pas au-devant des événements. L'histoire de sa double campagne en Turquie et toute sa conduite à l'égard de l'Orient ne permet guère de doute à cet égard.

C'est de plus un prince conséquent: en 1830, il avait à choisir entre la politique du souverain absolu et la politique de l'empereur de Russie, entre la politique légitimiste et la politique nationale, nationale russe. Il a fait son choix. Je n'examine pas s'il a eu tort ou raison, s'il a bien ou mal fait; il a fait son choix; il s'est déclaré le patron de la politique légitimiste et absolutiste en Europe. Bien ou mal choisi, c'est un grand rôle. (*Bruit.*) Mais ce rôle a ses charges, ses conditions, et sans doute l'empereur Nicolas les connaît; il sait certainement que, dans la situation qu'il a choisie, il ne retrouverait probablement pas, s'il en avait besoin en Orient, les sympathies et l'appui dont, à une autre époque, il a pu apprécier l'importance et la valeur; il se lancerait donc bien plus difficilement qu'on ne le suppose dans cette hasardeuse carrière.

J'ajoute que, précisément dans la situation qu'il a prise, dans le rôle qu'il a choisi, l'empereur Nicolas doit se piquer de loyauté, de fidélité à ses engagements; je dirai même qu'il en a donné des preuves, quand il a évacué Silistrie par exemple. (*Rumeurs diverses.*) Eh bien, messieurs, il serait permis, si une pareille expression peut être employée, il serait permis à l'empereur Nicolas, moins qu'à personne, de porter la moindre atteinte à l'existence d'un État indépendant et légitime. Il est obligé de respecter tout ce qui est ancien et établi. Il faut que l'empire ottoman tombe évidemment, complétement, qu'il tombe de lui-même, pour que l'empereur Nicolas, sans manquer à son honneur, puisse avoir l'air d'y porter la main. (*Mouvement prolongé.*)

Vous le voyez, messieurs, la France a bien des motifs de persévérer dans sa politique à l'égard de l'Orient. Elle ne manque pas, elle ne manquera pas en

Europe de chances et de moyens de succès; non pas d'un succès absolu, indéfini, ce qui n'est pas donné aux choses de ce monde, mais d'un succès prolongé suffisant, tel qu'il est permis de l'espérer. La France aurait donc tort de s'écarter de cette politique qui est la sienne, qui est la sienne de tout temps, et dans laquelle elle a été confirmée depuis cinquante ans par le cours naturel et libre des événements.

Mais je me hâte de le dire, messieurs, ce ne peut être une politique inerte et isolée. Les exemples sont sous vos yeux. L'empereur de Russie a sa politique aussi; il la suit prudemment mais activement; il a des forces considérables toujours prêtes; il a des armées et des flottes dans Sébastopol, sur la mer Noire. Il maintient, à votre égard et à l'égard de toute l'Europe, la position qu'il a prise, et qui est de soutenir qu'il règle seul ses affaires en Orient, qu'il ne les met en commun avec personne.

Messieurs, vous êtes obligés à une prévoyance, à une activité égales à la sienne; s'il persiste à s'isoler, vous êtes obligés de rallier autour de vous toutes les forces armées; vous êtes obligés de soigner, de préparer d'autant plus vos alliances, que l'empereur Nicolas prétendra que ses affaires vous demeurent plus étrangères. Vous êtes obligés d'avoir dans la Méditerranée des forces suffisantes pour correspondre à celles qu'il entretient dans la mer Noire.

Aussi, pour moi, bien loin de refuser ce que demande le cabinet, s'il m'était permis d'avoir une opinion, je trouverais que le cabinet ne demande pas assez. (*Mouvement.*) C'est d'un armement considérable et permanent dans la Méditerranée qu'il s'agit. Le mérite des gouvernements absolus, c'est la prévoyance et la persévérance: montrons au monde que les gouvernements libres savent aussi être prévoyants et persévérants. L'empereur de Russie tient, depuis plusieurs années, dans Sébastopol, une flotte et une armée dont il ne se sert pas, mais qu'il garde là dans l'attente des événements, et pour être toujours prêt; faites comme lui; sachez être aussi persistants que lui; tenez dans la Méditerranée des forces suffisantes, non pas pour aujourd'hui, pour demain, mais pour le jour où l'événement éclatera, pour le jour où il ne faudra pas qu'on ait à vous demander des instructions et à attendre un ordre de Paris pour prendre un parti. (*Très-bien! très-bien!*)

Voilà comment vous aurez une politique égale à celle contre laquelle vous voulez lutter.

Encore un mot, messieurs. Je l'avoue, je regarde cette question et le rôle qu'il appartient à la France d'y jouer, comme une bonne fortune pour nous, pour notre gouvernement; non pas toutefois par les mêmes raisons que donnait hier ici, avec tant d'éclat, l'honorable M. de Lamartine; je ne pense pas que, parce que nous sommes encore mal assis, nous ayons un grand intérêt à nous agiter beaucoup. Je suis partisan déclaré, partisan persévérant de la politique de la paix; je la crois seule morale aujourd'hui, seule utile à la France, et seule conforme aux vœux réels du pays. Mais, messieurs, ne vous y trompez pas, la politique de la paix, par cela seul qu'elle est souvent oisive et froide, court le risque de passer pour pusillanime et pour égoïste. Et il ne faut pas que la lassitude dans laquelle tout ce qui s'est passé nous a momentanément plongés, il ne faut pas que cette lassitude nous fasse illusion.

 Ce qu'il y a de nouveau et d'indestructible dans le monde politique, la grande révolution qui s'est accomplie depuis le dernier siècle, le voici, messieurs: c'est que les intérêts publics, les intérêts généraux, nationaux, et les sentiments élevés, généreux, sympathiques, jouent un grand rôle dans la politique; ce ne sont plus des forces idéales, des rêves de philosophe; ce sont des forces réelles, actives, présentes tous les jours et tout le jour sur la scène politique.

À Dieu ne plaise que jamais nous mettions ces nobles forces contre nous! À Dieu ne plaise que jamais les intérêts généraux, les grands intérêts moraux, et les sentiments qui leur sont inhérents, se regardent comme subordonnés, comme sacrifiés à une politique pusillanime et égoïste, soit au dedans, soit au dehors! Ce serait un affaiblissement matériel et un décri moral dont il serait difficile de mesurer la portée.

La politique qui nous convient dans la question d'Orient, messieurs, a, à mes yeux, cet avantage qu'elle est conservatrice et pacifique, et en même temps active, digne, noble; elle fait appel et donne satisfaction à ces grands intérêts, à ces sentiments puissants que je veux honorer et soigner.

Et, en même temps qu'elle répond aux vrais besoins du présent, elle n'engage en aucune façon l'avenir.

S'il arrivait, je ne sais quel jour, je ne sais comment, mais enfin s'il arrivait que l'empire ottoman chancelât tout à fait, cette politique vous laisserait parfaitement libres, libres de chercher ailleurs, partout où vous les trouveriez, ces moyens d'équilibre européen qui sont toujours pour nous le grand problème à résoudre.

Ainsi vous le voyez, messieurs, c'est la politique nationale; c'est celle des anciens comme des derniers temps; elle répond aux besoins du présent, elle n'engage point, elle ne compromet point l'avenir, elle vous satisfait et elle vous laisse libres. Pour moi, je ne demande au gouvernement de mon pays que d'y persévérer hardiment, complétement. Qu'il vienne ensuite demander à cette Chambre, dans toute leur étendue et pour tout le temps nécessaire, tous les moyens, toutes les forces dont il aura besoin pour l'accomplissement de son œuvre; je suis prêt à les voter, et je suis convaincu que le pays en ferait autant. (*Très-bien! très-bien!*)

XCVII

Discussion de l'adresse.—Question d'Orient.—Situation prise par le nouveau cabinet.

—Chambre des pairs.—18 novembre 1840.—

Quand le cabinet du 29 octobre 1840 fut formé, à l'ouverture de la discussion de l'adresse dans la Chambre des pairs, M. le baron Pelet (de la Lozère), ministre des finances dans le cabinet précédent, prit la parole pour expliquer la situation et justifier la conduite, dans les affaires d'Orient, du cabinet auquel il avait appartenu. Je la pris immédiatement après lui, non pour attaquer ce qu'il venait de dire, mais pour bien définir, à mon tour, la situation et le plan de conduite du nouveau cabinet.

M. GUIZOT.—Messieurs les pairs, j'ai hésité à prendre la parole. Il ne m'appartient pas d'intervenir dans les discussions qui peuvent s'élever entre les cabinets précédents. Je n'ai encore, sur le compte du cabinet actuel, rien à dire; il n'a point de passé à défendre, et la plus grande réserve m'est imposée quant à l'avenir. Je ne puis ni ne dois répondre à aucune des interpellations qui ont pu ou qui pourraient m'être adressées. Je n'ai donc, à vrai dire, que bien peu de part à prendre aujourd'hui dans la discussion.

Cependant il importe, je crois, de déterminer avec quelque précision la position que prend le cabinet et l'idée qu'il se forme de la grande affaire confiée à ses soins.

Cette position est prise, messieurs, cette idée est indiquée dans le discours de la couronne, jusqu'ici le seul acte public du cabinet dans la question.

Le discours commence par circonscrire et définir nettement l'objet du traité. Il s'agit des mesures prises par quatre puissances pour régler de concert les rapports du sultan et du pacha d'Égypte: rien de moins, rien de plus. Il n'est question là ni d'aucun remaniement général de l'Orient, ni d'aucune coalition politique contre la France, ni d'aucune préparation au partage de l'empire ottoman. L'intervention de quatre puissances, à la demande du sultan, pour régler ses rapports avec le pacha d'Égypte, son vassal, voilà le véritable, l'unique objet du traité. On l'a dit, on l'a écrit. J'en suis convaincu. Le discours de la couronne est en ceci l'expression exacte du fait.

Cependant, tout spécial, tout limité qu'il est, ce traité a des dangers. Il peut en sortir tout autre chose que ce qu'on cherche. Les puissances peuvent être conduites, poussées, entraînées à exécuter plus qu'elles n'ont entrepris. De là la nécessité des armements qu'a ordonnés le gouvernement du roi: armements de précaution, de prévoyance, destinés à garantir la sûreté de la France et le maintien de son rang dans le monde; armements nécessaires à ce titre et dans cette limite, car l'avenir est obscur et inquiétant; armements qui, jusqu'ici, sont seuls nécessaires, car nous espérons que les dangers possibles ne se réaliseront point, nous espérons que la paix pourra être honorablement maintenue. Nous y croyons, nous y travaillons; c'est notre politique hautement proclamée, sincèrement pratiquée. (*Marques d'approbation.*)

Voilà, messieurs, aux termes du discours, et par le plus simple des commentaires, voilà la position que prend le cabinet, voilà l'idée qu'il se forme de l'affaire que le traité du 15 juillet 1840 a eu la prétention de régler. Nous croyons que cette position est la seule sage, la seule convenable, la seule d'accord avec les faits. Nous croyons que les faits, bien exposés et bien compris, le démontrent clairement.

En 1833, une situation analogue aboutit à une transaction, à la transaction de Kutahié. L'Europe a vécu en paix, l'Orient a vécu en paix pendant six ans sous cette transaction. Plus d'une fois la paix a été menacée; plus d'une fois, des deux parts, de la part du sultan et de celle du pacha, il y a eu désir de la rompre. Le pacha a eu des velléités d'indépendance; le sultan a eu des velléités de reprendre les territoires qu'il avait abandonnés. Pendant six ans, ces désirs contraires à la paix ont été réprimés. Il est déplorable qu'ils ne l'aient pas été en 1839 comme ils l'avaient été pendant six ans. La France n'a rien à se reprocher à cet égard. À Alexandrie, à Constantinople, elle a fait tout ce qu'elle a pu pour que la paix fût respectée. Ses paroles ont été constamment d'accord avec ses actes. Son influence réelle n'a jamais contredit ses conseils officiels. Les paroles de ses ambassadeurs n'ont jamais différé des paroles de ses ministres. La France a voulu le maintien de la paix; elle ne porte point la responsabilité de la guerre qui a éclaté en 1839.

Quand cette guerre a éclaté, la France a repris la politique qui avait triomphé en 1833, la politique de transaction. La France a demandé qu'une transaction nouvelle, ménageant les prétentions et les intérêts des deux partis, vînt assurer à l'Orient une nouvelle ère de paix.

En ce qui touche la suspension de la guerre, l'accord a été complet entre les puissances; l'Angleterre et la France ont sur-le-champ concouru pour interdire au sultan et au pacha la prolongation des hostilités.

En ce qui touche la question de Constantinople, la France et l'Angleterre se sont également entendues. Je n'ai pas besoin d'entrer dans le détail des précautions et des mesures qu'elles ont préparées à ce sujet; il est évident, il est démontré que la même pensée, le même désir, la même politique ont animé les deux gouvernements.

Leur dissidence a éclaté sur les bases de la transaction nouvelle qu'il fallait imposer au sultan et au pacha. Ici, messieurs, je le dirai avec une entière sincérité, c'est, à mon avis, une faute grave, des deux parts, que d'avoir écouté cette dissidence, de s'y être abandonné, d'en avoir fait le nœud de la question et de la situation. On a sacrifié la grande politique à la petite, l'intérêt supérieur à l'intérêt secondaire.

La grande politique, l'intérêt supérieur de l'Europe et de toutes les puissances en Europe, c'est le maintien de la paix, partout, toujours; le maintien de la sécurité dans les esprits comme de la tranquillité dans les faits. Cela importe non-seulement au bien-être matériel, mais au bien politique et moral, au progrès politique et moral de tous les peuples en Europe.

On a qualifié cette politique d'égoïste et de mesquine. Je regrette de différer sur ce point avec l'honorable et sincère comte de Montalembert. C'est avec une conviction également profonde, également sincère, que je dirai qu'à mon avis, c'est au contraire la politique la plus haute, la plus morale, la plus universelle, et, s'il me permettait de parler son langage, je dirais la plus catholique qui soit possible de notre temps (*Très-bien!*) M. de Montalembert n'ignore pas que depuis cinquante ans un immense ébranlement agite le monde; de grands, de salutaires résultats sont sortis de cet ébranlement, et notre patrie en particulier y a fait les plus utiles, les plus glorieuses conquêtes. Mais l'ébranlement a coûté cher. Les résultats acquis ont grand besoin d'être consolidés. Les maux que l'ébranlement a causés et laissés ont grand besoin d'être guéris. Pour consolider les résultats acquis, pour guérir les maux qui subsistent, la paix, la longue durée de l'ordre, un état de choses tranquille, régulier, c'est le vrai, peut-être le seul remède.

Quel a été le mal principal de l'état où nous avons si longtemps vécu? Le règne de la passion et de la force. C'est là ce qu'il faut combattre; au règne de la passion et de la force, il faut substituer celui de la justice, du droit, du droit maintenu et défendu avec les seules armes de l'intelligence, sans recours à la force matérielle, par les seuls moyens tranquilles et réguliers de gouvernement. Voilà le grand besoin de notre époque, voilà comment vous pouvez combattre le mal profond qui la travaille. Et voilà, messieurs, ce qui fait la grandeur, la moralité de la politique de la paix; voilà par où elle a mérité tous les sacrifices que nous lui avons faits; voilà par où elle a poussé de si profondes racines dans l'esprit des peuples.

Ne croyez pas que ce soit seulement pour maintenir leur repos matériel, pour défendre leur fortune que tant d'hommes aujourd'hui sont si épris de l'ordre et de la paix; la vraie raison, la grande raison, c'est qu'ils ne veulent pas voir le retour des temps de passion et de violence; ils ne veulent pas revoir l'empire de la force matérielle, de la force déréglée; ils ont besoin de voir la règle régner au sein de la société. Croyez-moi, c'est là une politique morale autant qu'utile, grande aussi bien que salutaire. (*Très-bien!*)

On a dévié de cette politique en Orient; on a oublié que d'ici à longtemps il n'y aura en Europe point de question particulière, point de question qui vaille le sacrifice de la paix générale. On s'en est souvenu pour l'Occident, on l'a pratiqué en Occident depuis 1830; on l'a oublié en Orient. Et on est, au fond, si pénétré du danger d'un tel oubli, qu'au moment même où on le commettait, on a essayé d'échapper à ses conséquences. Les essais, les tentatives de transaction et d'accommodement se sont multipliés. La France en a fait trois. La France a offert d'engager le pacha à céder le district d'Adana, Candie et l'Arabie, pourvu qu'on lui laissât l'Égypte et la Syrie héréditairement. La France a offert le maintien pur et simple du *statu quo*, avec la garantie des cinq puissances européennes. Enfin, dans les derniers temps, après le traité conclu, la France a laissé entrevoir qu'elle engagerait le pacha à se contenter de l'Égypte héréditaire et de la Syrie viagère. De son côté, l'Angleterre a fait aussi des ouvertures; elle avait accordé l'Égypte héréditaire; elle y a ajouté le pachalick de Saint-Jean d'Acre, moins la place; puis elle a ajouté la place même, cette place dont tout le monde avait dit que c'était la clef de la Syrie, et que le possesseur de Saint-Jean d'Acre était le maître de la Syrie.

Le cabinet anglais a considéré cette concession comme quelque chose de très-considérable, qu'il accordait au désir de faire rentrer la France dans l'affaire. Inquiet sur la puissance du pacha d'Égypte, évidemment jaloux de la restreindre, il croyait accorder beaucoup en lui donnant la place de Saint-Jean d'Acre, et il le faisait uniquement sous l'empire de ce grand, de ce profond désir de la paix qui anime tous les gouvernements et tous les pays en Europe.

Toutes les transactions ont échoué: l'Angleterre n'a pas voulu de celles de la France; la France n'a pas voulu de celles de l'Angleterre. C'est un grand malheur, car elles valaient mieux que l'état de choses auquel on a enfin abouti. À prendre les événements dans leur ensemble et dans leurs conséquences définitives, il n'y a pas une des transactions proposées, soit par la France, soit par l'Angleterre, qui ne dût être acceptée aujourd'hui de part et d'autre avec empressement si l'état des choses le permettait.

Mais le traité conclu, la grande politique abandonnée, l'isolement de la France consommé, il n'y a, je le répète, aucune autre position à prendre que celle qui a été prise par le cabinet dans le discours de la couronne, position qu'il maintient et maintiendra, la position pacifique, armée par précaution et par prévoyance, et expectante. (*Mouvement.*)

On dit que cela ne suffit pas; on dit que nos intérêts en Orient, que nos relations avec le pacha, que l'injure que nous avons reçue du traité, que l'intérêt de notre influence dans le monde, nous commandent autre chose. Je ne le pense pas.

Quant à nos intérêts en Orient, il est évident, messieurs, que la question de savoir quelle sera la répartition des territoires dans le sein de l'empire ottoman entre le sultan et ses pachas, par exemple la question de savoir si la Syrie appartiendra au sultan ou au pacha d'Égypte, n'est pas un grand intérêt pour la France, que ce n'est pas du moins un intérêt duquel la guerre doive sortir.

Non-seulement cela n'est pas, mais nous l'avons toujours dit; la politique de tous les cabinets, à toutes les époques, a été que la répartition des territoires entre les musulmans, dans l'intérieur de l'empire ottoman, nous importait peu; le maintien de la paix, le maintien de l'indépendance et de l'intégrité de l'empire ottoman dans son ensemble, à l'égard des grandes puissances européennes, c'est là ce qui nous importe. (*Très-bien!*)

Nous n'avons point d'engagement formel avec le pacha; personne n'en allègue aujourd'hui; mais on dit que nous avons des engagements moraux, que l'appui que nous lui avons donné, ce que nous avons fait pour lui, nous engage à aller plus loin. Plus loin! Nous avons soutenu le pacha dans la plupart de ses prétentions; nous avons réclamé pour lui l'Égypte héréditaire et la Syrie héréditaire; nous avons dit qu'il ne fallait rien lui imposer par la force, qu'il fallait obtenir son adhésion pacifique à une transaction comme en 1833. Cela a été dit par tous les cabinets, à toutes les époques. Pour lui, à cause de lui, pour le maintenir dans la position que je viens de décrire, nous avons accepté le refroidissement de nos meilleurs alliés; nous avons accepté l'isolement; nous avons accepté des armements considérables et les charges énormes qui les accompagnent; nous avons accepté les chances d'une guerre générale; nous avons été jusqu'au bout de tout ce que l'influence peut faire, et ce n'est pas assez! Il faut la guerre! Il faut la guerre générale, comme s'il s'agissait de nos plus intimes alliés, sur nos frontières, comme s'il s'agissait de nos propres provinces, de notre existence nationale! Cela est contraire au plus simple bon sens. Nous avons fermement appuyé, servi le pacha; nous avons employé pour lui avec obstination, toute l'influence de la France. Nous avons accepté pour lui une situation difficile et périlleuse. Cela n'a pas suffi pour accomplir tout le bien que nous lui voulions; nous ne lui devons certainement pas davantage, et jamais, à aucune époque, nulle puissance ne s'est plus engagée et plus compromise pour un allié si lointain et si incertain. (*Sensation.*)

Je passe à l'injure (*Écoutez! écoutez!*), motif qui serait décisif s'il existait.

La Chambre connaît les faits; elle sait comment les choses se sont passées avant la conclusion du traité du 15 juillet; elle sait qu'il y a eu de part et d'autre des efforts longs et sincères pour se mettre d'accord; elle sait que, jusqu'à la fin du mois de juin, rien n'a été caché, que tous les moyens de transaction, d'accommodement, ont été tentés, tentés à découvert.

Dans les derniers jours du mois de juin, voici quel était l'état des choses. Tous les essais de transaction proposés par la France ou par l'Angleterre avaient échoué. La nouvelle arrivait d'une tentative d'arrangement direct entre Alexandrie et Constantinople. Personne ne peut nier que cette tentative ne fût en contradiction formelle avec la note du 27 juillet qui avait dit à la Porte:

«Ne vous arrangez pas directement avec le pacha, nous nous chargeons de vous arranger.» Elle a été connue à Londres dans le cours du mois de juin. On a cru fort à tort, et contre mes protestations les plus formelles, les plus persévérantes, on a cru que cette tentative était l'œuvre de la France; on a cru que la France, abandonnant la politique du 27 juillet, avait tenté de se faire là une politique isolée, un succès isolé. J'ai dit, j'ai répété officiellement, particulièrement, que cela était faux; on ne m'a pas cru. (*Mouvement.*) Là s'est établie une erreur obstinée qui a exercé sur les événements une très-grande influence. On s'est dit: «Puisque la France a voulu suivre une politique isolée et se faire un succès à part, nous pouvons bien en faire autant.» L'arrangement à quatre, qui restait en suspens depuis longtemps, que, j'ose le dire, j'ai concouru à tenir en suspens, d'après les ordres et les instructions du roi, cet arrangement a été repris avec une extrême vivacité. Au même moment est venue la nouvelle de l'insurrection de la Syrie. La tentative d'arrangement direct avait donné beaucoup d'humeur; l'insurrection de la Syrie a donné beaucoup d'espérance. Les projets de transaction encore poursuivis par quelques-uns des plénipotentiaires ont été glacés, sont tombés par cette seule circonstance, et à l'instant même l'arrangement à quatre, vivement poussé, servi par les faits dont j'ai rendu compte à la Chambre, a été conclu; il a été conclu à l'insu de la France. (*Mouvement.*)

Pendant les huit ou dix derniers jours qui ont amené la conclusion de l'arrangement, la France a été laissée à l'écart. Les quatre puissances ont été convaincues, et je dois ajouter, elles avaient droit de se dire convaincues que les tentatives de transaction avaient échoué définitivement; on avait répété constamment: «Si vous ne vous arrangez pas, si vous ne vous entendez pas avec nous, nous conclurons un arrangement à quatre, nous finirons l'affaire à quatre.» On l'a finie à quatre comme on l'avait annoncé, mais sans en avertir une dernière fois la France.

Je n'hésite pas à dire qu'il y a eu là, envers la France, un manque d'égards dont elle doit, par sa conduite et son attitude, témoigner un juste ressentiment. On pouvait se croire en droit de conclure l'arrangement à quatre, de signer sans la France. Il était convenable, il était juste, envers un ancien et intime allié, de l'avertir qu'on allait signer; de lui demander si définitivement il lui convenait ou non de s'associer à l'entreprise. On n'a pas eu en ce moment pour la France, pour son gouvernement, tous les égards qu'on lui devait. (*Très-bien! très-bien!*)

Messieurs, c'est là un manque de procédés; ce n'est pas une injure; ce n'est pas une insulte politique. On n'a jamais voulu, dans tout le cours de l'affaire, je prie la Chambre de faire quelque attention à ces paroles que je dis après y avoir bien pensé, on n'a jamais voulu ni tromper, ni défier, ni isoler la France; on n'a eu contre elle aucune mauvaise intention, aucun sentiment hostile; on a cru qu'il n'y avait pas moyen de s'entendre avec la France sur les bases de la transaction; on a dit que, dans ce cas, on conclurait un engagement à quatre. On l'a fait, et la France devait s'y attendre. On ne l'a pas fait avec tous les égards auxquels elle devait s'attendre; c'est un tort sans doute, un tort dont nous avons droit de nous plaindre; mais je le demande à la Chambre, je le demande aux hommes les plus délicats, les plus susceptibles en fait d'honneur national, et qui cependant conservent et doivent conserver leur jugement dans l'appréciation des faits, est-ce là un cas de guerre?

J'ai parlé de nos intérêts en Orient, de nos engagements envers le pacha, de ce qu'on appelle l'injure faite à la France. Il me reste un dernier point, notre influence dans le monde. On dit qu'elle sera perdue, on dit que la France sera abaissée, si elle ne tire pas de ce traité une réparation éclatante.

Messieurs, depuis 1830, c'est devenu, pour certaines personnes, un lieu commun de conversation et presque de tribune de dire que la France est sans influence en Europe, que l'influence de la France a décliné sans cesse; à mon avis, c'est le contraire qui est vrai; la France a eu depuis 1830, sur les affaires de l'Europe, une grande, très-grande influence; elle a fait plus qu'aucune autre des puissances de l'Europe, et elle n'a pas le droit de se plaindre de sa situation ni de son influence depuis dix ans. Depuis dix ans, la France moralement, politiquement, a reconquis la Belgique, qui lui était hostile, la France a reconquis la Suisse, qui lui était hostile, la France a reconquis l'Espagne, qui lui était hostile. (*Réclamations de M. le marquis de Brézé.*)

Je prie M. de Dreux-Brézé de me permettre d'aller jusqu'au bout. Je prévois tout ce qu'il peut dire. J'affirme cependant que, depuis 1830, la France a reconquis l'Espagne; conquête qui peut valoir plus ou moins, qui peut coûter plus ou moins cher, mais qui n'en est pas moins réelle. Un gouvernement analogue d'intentions et d'idées générales au gouvernement français a été établi en Espagne. Ce fait seul, ce fait dominant portera un jour ses fruits.

Je n'hésite pas à l'affirmer; depuis 1830, autour d'elle, dans les pays qui l'environnent, l'influence de la France est devenue infiniment plus grande qu'auparavant. Qu'on me montre une des grandes puissances de l'Europe qui ait fait les mêmes progrès; qu'on me montre une des grandes puissances de l'Europe au profit de laquelle se soient accomplis d'aussi grands changements dans les États qui l'environnent: il n'y en a aucune.

La France a fait accepter de l'Europe sa propre situation et des situations analogues dans trois ou quatre des États qui l'entourent: est-ce là une perte d'influence, un abaissement de la France?

Quant au fait particulier dont nous nous occupons, il n'est pas, messieurs, aussi étrange, aussi inouï qu'on le prétend. Ce n'est pas la première fois qu'un grand État assiste ainsi, sans y prendre part et sans faire la guerre, à des événements qui pourtant lui importent. En 1826, il s'est créé une Grèce, un

État démembré de l'empire ottoman et qui touchait aux frontières de l'Autriche; l'Angleterre, la Russie et la France concluent un traité pour protéger cet État; l'Autriche y reste étrangère; l'Autriche juge qu'il est de sa politique de ne pas entrer dans le traité qui crée la Grèce; est-ce que l'Autriche a disparu du nombre des grandes puissances de l'Europe? est-ce qu'elle ne conserve pas un rang et une influence considérables dans les destinées de l'Europe?

Je prends un autre exemple d'une puissance plus susceptible, plus ambitieuse que l'Autriche, l'Angleterre. En 1823, une grande expédition française entre en Espagne pour détruire un régime que l'Angleterre avait protégé; non-seulement elle y entre, mais elle occupe l'Espagne, elle occupe pendant plusieurs années Cadix, l'un des objets de la vigilance, de la jalousie de l'Angleterre. Que fait M. Canning, le ministre le plus populaire de l'Angleterre? il reste en paix; il juge qu'il est plus sage pour l'Angleterre de ne pas faire la guerre pour un tel événement. Il a fait comme nous; il a employé, pour empêcher cet événement, tous ses moyens d'influence, il a négocié, il a suscité des obstacles; mais quand l'événement a été accompli, il a eu le bon sens de comprendre que l'intérêt de son pays était de ne pas s'engager pour cela dans une grande guerre; il a eu le bon sens de le comprendre et le courage de le dire, et aujourd'hui l'Angleterre reconnaît que M. Canning, à cette époque, a bien gouverné ses destinées. On se plaignait de lui; on l'accusait d'imprévoyance, d'aveuglement, de faiblesse; il a persisté; l'Angleterre est restée tranquille et expectante, et maintenant on reconnaît qu'elle n'y a rien perdu de sa force et de sa dignité.

Messieurs, il ne faut pas que la France se trompe sur ses moyens d'influence en Europe; je crains qu'il n'y ait à cet égard, dans nos esprits, beaucoup de préjugé et de routine. Nous avons eu pendant longtemps deux grands moyens d'influence en Europe, la révolution et la guerre. Je ne les accuse pas. Ils ont été pendant longtemps nécessaires pour assurer à la France le régime intérieur dont elle avait besoin et l'indépendance extérieure à laquelle elle avait droit. Mais enfin la révolution et la guerre, comme moyens d'influence en Europe, sont usés pour la France. Elle se ferait un tort immense si elle persistait à les employer. Les moyens d'influence pour la France aujourd'hui, c'est la paix, c'est le spectacle d'un bon gouvernement au sein d'une grande liberté conquise par une révolution; les moyens d'influence de la France, c'est de régner sur l'esprit des hommes, c'est de conquérir partout, non pas des territoires, mais des intelligences et des âmes. C'est par là que la France est appelée à étendre en Europe son pouvoir, son crédit, sa force; et, au moment du danger, quand viendra l'épreuve de la guerre pour une bonne cause, pour une cause grande et juste, la France recueillera le bénéfice de ces conquêtes lentes et sourdes, mais qui n'en sont pas moins réelles, de ces conquêtes qui ne se résolvent pas en provinces et en tributs, mais qui n'en aboutissent pas moins à un accroissement de force et de pouvoir.

Croyez-moi, messieurs, ne parlons pas à notre patrie de territoires à conquérir; ne lui parlons pas de grandes guerres, de grandes vengeances à exercer. Non; que la France prospère; qu'elle vive libre, intelligente, animée, sans trouble, et nous n'aurons pas à nous plaindre qu'elle manque d'influence dans le monde. (*Nouvelles marques d'approbation.*)

M. le comte de Montalembert ayant provoqué une explication sur ces mots: *Le maintien de la paix partout, toujours*, je remontai à la tribune et lui dis:

M. le ministre des affaires étrangères.—Je remercie l'honorable préopinant de me fournir l'occasion d'expliquer les deux mots qu'il vient de rappeler. Je croyais que cette explication résultait de tout ce que j'avais dit. (*Oui! Oui!*) J'ai dit que, s'il y avait une offense réelle, il faudrait tout sacrifier; j'ai parlé de la guerre que ferait la France pour une cause juste et légitime, après s'être emparée de l'esprit et des sympathies des peuples. Certes ces deux paroles excluaient l'idée de la paix à tout prix. J'ai parlé de la paix partout et toujours, mais comme d'un intérêt égal pour tous les gouvernements, pour tous les peuples, mais aux conditions de la justice et de l'honneur national. J'ai dit que la politique juste, la politique morale, c'était la politique de la paix, et qu'elle devait être arborée comme le drapeau du pays; mais ce drapeau peut se lever pour la guerre, si la justice et l'honneur l'exigent. C'est là ma pensée; ce sont là mes paroles; et je les répète, bien sûr que je n'ai nul besoin de les modifier. (*Très-bien!*)

M. le marquis de Dreux-Brézé ayant de nouveau parlé de l'état de l'Espagne et de ses relations avec la France, je lui répondis en ces termes:

M. le ministre des affaires étrangères.—Le gouvernement du roi, à aucune époque, n'a eu la prétention de dominer en Espagne, de faire en Espagne les événements. Ce n'est pas le gouvernement du roi qui a amené en Espagne telle ou telle crise politique, ni travaillé à faire prévaloir tel ou tel parti aux dépens de tel autre. L'Espagne a fait ses propres destinées. C'est l'Espagne elle-même, soit par ses rois, soit par ses forces nationales, qui a changé l'ordre de succession et parcouru ensuite les phases de la situation difficile où elle était entrée. Le gouvernement du roi a pris les événements tels que l'Espagne elle-même les faisait. Dans ces événements, il s'est montré toujours l'ami de l'ordre légal et régulier. C'est au gouvernement légal établi par l'Espagne elle-même qu'il a toujours prêté son appui. Il n'a jamais, comme on l'a souvent prétendu, travaillé à faire triompher tel ou tel parti politique contre tel autre. C'est à l'ordre établi, à la légalité, à la modération, qu'il a prêté son appui. Il est donc injuste de le rendre responsable des événements qui s'accomplissent en Espagne. Il est injuste de dire que c'est lui qui a changé l'ordre de succession, qui a amené telle ou telle insurrection, accepté telle ou telle révolution. Le gouvernement du roi n'a rien amené, rien accepté que l'ordre légal, l'ordre établi, la volonté de l'Espagne elle-même. Il ne lui a jamais donné qu'un appui et des conseils favorables à l'ordre légal et vraiment espagnol.

Que l'Espagne, après cela, soit en proie aux chances, aux périls, aux maux d'une révolution; qu'elle traverse toutes les épreuves d'une nation qui travaille à changer son gouvernement, il n'y a rien là qui puisse nous étonner. Je prie l'honorable préopinant de se demander à lui-même ce qui serait arrivé en France si, pendant le cours de nos longues épreuves, nous avions eu à côté de nous un gouvernement qui, sans secourir aucune faction, sans exciter aucune discorde, ne nous eût jamais donné que des conseils de prudence, de modération et n'eût jamais prêté son appui qu'à l'ordre légal et reconnu. Certes ce gouvernement aurait joué à l'égard de la France un rôle honorable et utile; il nous aurait rendu de grands services, et nous lui en aurions dû une grande reconnaissance; et au jour où la reconnaissance peut arriver, au jour où la raison revient aux peuples, au sortir de cette carrière orageuse des révolutions, nous aurions été les premiers à rendre justice à un gouvernement qui aurait joué envers nous un tel rôle. Ce rôle, nous l'avons joué à l'égard de l'Espagne. On ne trouvera, dans aucune des instructions que le gouvernement du roi a adressées à ses ambassadeurs, une parole qui sorte des limites que j'indique en ce moment à la Chambre.

Quand l'Espagne a été livrée aux chances de la guerre civile, quand le gouvernement qu'elle avait elle-même proclamé, fondé, reconnu, qui était l'œuvre de la volonté de son roi et de la volonté du pays, quand ce gouvernement a été attaqué par la guerre civile, qu'avons-nous fait? Nous nous sommes concertés avec les alliés de l'Espagne, ses alliés naturels, ceux qui reconnaissaient le gouvernement par elle-même fondé et reconnu; nous nous sommes concertés avec eux pour l'aider à se délivrer de la guerre civile. Nous n'avons pas prétendu lui imposer notre volonté, notre domination; bien plus, nous avons refusé d'intervenir par la force dans ses affaires; nous avons refusé de mettre notre volonté et notre force à la place de la volonté et de la force de l'Espagne elle-même. Nous l'avons laissée suivre le cours de ses destinées et de ses propres opinions, nous bornant à lui prêter tout l'appui qu'un gouvernement étranger et ami peut prêter à un peuple engagé dans cette difficile carrière.

Nous avons fait cela de concert avec l'Angleterre, sans nous préoccuper des anciennes rivalités d'influence, de ces rivalités auxquelles il faut faire grande attention dans le cours ordinaire des choses, mais qui doivent quelquefois se taire et s'effacer devant des situations difficiles et des circonstances dominantes.

Et qu'il me soit permis de rendre à l'Angleterre cette justice qu'elle aussi elle a oublié un moment ces rivalités d'influence, qu'elle s'est élevée au-dessus de son propre passé.

Nous n'avons pas voulu intervenir en Espagne quand l'Angleterre nous a demandé d'intervenir. L'Angleterre oubliait la jalousie avec laquelle elle avait toujours considéré l'influence de la France en Espagne, et la France ne voulait pas donner à l'Angleterre ni à l'Espagne sujet de dire qu'elle entendait fonder au delà des Pyrénées sa domination. Grand exemple de modération et de liberté d'esprit des deux parts!

Qu'après cela et dans une situation plus régulière, plus tranquille, cette rivalité d'influence reparaisse, nous ne la méconnaîtrons pas; nous ne négligerons pas d'assurer à la France, non pas la domination, mais la juste part d'influence qui lui appartient dans les destinées de la Péninsule. Nous espérons qu'il nous sera possible de nous concilier sur ce sujet avec l'Angleterre elle-même, et qu'en présence des événements si périlleux auxquels l'Espagne est en proie, l'Angleterre sentira, comme elle l'a déjà senti une fois, qu'il n'y a pas là une lutte d'influences rivales, mais qu'il y a un intérêt commun, l'intérêt d'aider la Péninsule à rétablir l'ordre dans son propre sein, à faire cesser la guerre civile, quel qu'en soit le drapeau, à fonder enfin un gouvernement légal, régulier, but légitime des efforts de l'Espagne, comme cela a été pendant si longtemps le but des efforts de la France. (*Marques d'adhésion.*)

XCVIII

Discussion de l'Adresse.—Affaires d'Orient.—Situation et conduite des deux cabinets du 1ᵉʳ mars et du 29 octobre 1840.

—Chambre des députés.—Séance du 25 novembre 1840.—

À l'ouverture du débat de l'adresse, M. Thiers prit la parole pour retracer et justifier la politique de son cabinet dans les affaires d'Orient et ses relations avec moi pendant mon ambassade d'Angleterre. Je lui répondis immédiatement:

M. GUIZOT.—Messieurs, l'honorable M. Thiers disait tout à l'heure: «Sous le ministère du 29 octobre, la question est résolue, la paix est certaine.» L'honorable M. Thiers n'a dit que la moitié de la vérité: sous le ministère du 1ᵉʳ mars, la question était résolue, la guerre était certaine. (*Vive approbation au centre.*)

En voulez-vous la preuve? Elle est dans les paroles mêmes que l'honorable M. Thiers vient de prononcer à cette tribune; il vous a parlé de la déplorable solution qu'avaient reçue chez nous la question belge, la question italienne, la question espagnole. Pourquoi déplorable? (*Interruption à gauche.*) Nous tenons cette solution pour très-bonne.

M. PISCATORY, *se levant avec une grande vivacité.*—Et le 15 avril, monsieur Guizot?

À gauche.—Et la coalition dont vous faisiez partie? (*Agitation prolongée.*)

M. le ministre des affaires étrangères.—Attendez, messieurs, attendez. (*L'agitation continue.*)

M. le président.—J'engage la Chambre au silence; son premier devoir, c'est de respecter la liberté de la tribune.

M. le ministre.—Je répète ce que je disais: nous pensons qu'on a bien fait de résoudre la question espagnole sans intervention en Espagne et sans la guerre. (*Marques d'adhésion au centre.*)

Qu'est-ce que le 15 avril a à démêler avec cette question-là?

À gauche.—Et Ancône?

M. le ministre des affaires étrangères.—Attendez donc.

Qu'appelez-vous la question belge?

M. THIERS.—La solution que vous blâmiez de moitié avec moi dans la coalition. (*Interpellations diverses.*)

M. le président.—Avec ces interruptions, la discussion devient impossible.

M. le ministre des affaires étrangères.—Il est absolument impossible de parler au milieu d'un tel tumulte. (*À demain! à demain! Non! non!*)

Je reviens à la question belge. L'honorable M. Thiers peut se souvenir qu'à l'époque dont il parle, je n'ai pas ouvert la bouche sur la question belge. Je n'ai exprimé à cet égard aucune opinion, et la raison en est bien simple. Je croyais la question belge justement et raisonnablement résolue par le traité des dix-huit articles. Je croyais.....

M. BERRYER.—Je demande la parole. (*Mouvement.*).

M. DE. MALLEVILLE.—Il fallait le dire.

M. le ministre des affaires étrangères.—Je croyais que le traité des dix-huit articles liait les puissances, recevait légitimement son exécution, et qu'il n'y avait pas là un cas de guerre.

Reste la question italienne. En vérité, je ne supposais pas que, quand on parlait tout à l'heure de la question italienne, on fit allusion à Ancône... (*Bruit.*)

À gauche.—Ce déshonneur...

M. le président.—Ces interruptions continuelles ne conviennent ni à la dignité de la Chambre, ni à la grandeur de la discussion.

M. le ministre des affaires étrangères.—Il n'est entré, à aucun moment, dans la tête de personne, que la question d'Ancône fût un cas de paix ou de guerre. On a pu désapprouver l'évacuation d'Ancône; je l'ai désapprouvée; mais il ne s'ensuit pas qu'on ait le droit de dire que c'était là une question qui pouvait être résolue par la guerre et qu'on a eu tort de résoudre par la paix. La question d'Ancône n'a aucun rapport avec celle qui nous occupe en ce moment.

Quand l'honorable M. Thiers a parlé de la question espagnole, de la question belge, de la question italienne, il n'a parlé, il n'a pu parler que de questions dans lesquelles un cas de guerre ou de paix avait été posé. (*Bruit.*)

Une voix à gauche.—M. Thiers a dit: malheureusement résolues.

M. le ministre des affaires étrangères.—Il en a parlé comme d'un cas de guerre, ou bien ce qu'il a dit à cet égard n'aurait pas de sens.

Eh bien, nous, messieurs, nous croyons que, dans l'ensemble des actes, depuis 1830, et malgré les dissidences réelles et profondes qui ont pu exister sur tel ou tel acte en particulier, nous croyons que la politique qui a régi les affaires de la France a été une politique juste, raisonnable, honorable, dont la France n'a pas à se reprocher, que la France n'a pas à regretter, qui n'offre rien à réparer, et que ce n'est pas une raison à donner aujourd'hui, pour pousser la France à telle ou telle guerre, que de lui dire qu'elle a des réparations à prendre pour la paix qu'elle a gardée à telle ou telle époque. Depuis dix ans, la France a eu raison de garder la paix, de ne pas poser les cas de guerre qu'elle n'a pas posés. Elle n'a, je le répète, rien à regretter, rien à réparer. Il ne faut pas venir lui dire aujourd'hui devant l'Europe qu'elle a des réparations à prendre, des vengeances à exercer, qu'il y a une portion de sa politique qu'elle doit compenser par quelque acte éclatant. Non, nous ne le pensons pas; nous pensons que la politique que nous voulons suivre aujourd'hui est la même politique générale qui a été suivie depuis 1830, et que nous avons aujourd'hui, pour la suivre, d'aussi bonnes raisons, des raisons plus puissantes que lorsqu'il s'agissait de la Pologne ou de l'Italie. (*Aux centres:* Très-bien!)

Je ne veux pas traiter aujourd'hui l'ensemble de la question; je reprendrai demain l'histoire des négociations, et je discuterai le tableau qu'en a présenté M. Thiers. Je me rencontrerai quelquefois avec lui, je différerai quelquefois; j'ajourne cela à demain. Aujourd'hui, je me borne à dire: oui, la question avec nous est résolue, en ce sens que nous voulons le maintien de la paix et que nous y croyons. (*Murmures.*) Nous croyons le maintien de la paix possible avec sûreté et honneur pour la France. La question était résolue dans l'autre sens par le cabinet précédent; sa prévoyance était que le maintien de la paix n'était pas possible avec honneur et sûreté pour la France. Je ne le lui reproche pas; je ne lui reproche pas de s'être conduit et préparé dans cette vue, puisqu'il le pensait; je crois qu'il avait tort de le penser, je crois que sa politique était mauvaise; nous en avons une autre. (*Murmures à gauche.*)

M. THIERS.—Il fallait donc le dire avant le 29 octobre.

M. le ministre des affaires étrangères.—Savez-vous, messieurs, ce qui est arrivé quand le traité du 15 juillet a été signé? Il y a eu une chance possible, un germe de guerre en Europe.

Nous avons dans notre sein, en France, des factions..... (*Exclamations à gauche.*)

Au centre.—Oui! oui!

M. le président.—Les interruptions ne peuvent être tolérées; la tribune doit être libre, surtout pour un ministre; il ne doit pas être interrompu; et aussi longtemps que les interruptions continueront, il attendra le silence.

(Le silence se rétablit.)

M. le ministre des affaires étrangères.—Nous avons dans notre sein des factions......

M. DE TOCQUEVILLE.—Je demande la parole.

M. le ministre des affaires étrangères.—... Des factions, qui dès qu'elles découvrent une chance de guerre, s'en emparent et essayent de la féconder.

Voilà ce qui est arrivé. On a dit que le traité du 15 juillet, c'était l'ancienne coalition, que c'était la Sainte-Alliance renaissant contre la France. (*À gauche*: Oui! oui!) On a dit que le traité du 15 juillet, c'était le partage de l'empire ottoman. On a dit que le traité du 15 juillet, c'était un affront fait à la France. Et avec cela on s'est appliqué à égarer, à entraîner le pays, à l'entraîner dans une guerre sans motif suffisant et légitime. Voilà l'œuvre des factions.

Eh bien, le devoir du gouvernement, c'est de résister à de tels entraînements; c'est d'éclairer, de retenir le pays, quand les factions travaillent à le tromper et à l'égarer. Il nous a paru, il nous paraît aujourd'hui que cette œuvre n'a pas été accomplie par le dernier cabinet, qu'elle ne l'a pas été du moins avec une énergie suffisante. Il nous a paru, il nous paraît aujourd'hui que les factions, dans leur entraînement vers la guerre, dans leurs efforts pour faire sortir la guerre de la situation, n'étaient pas suffisamment démasquées au pays, suffisamment réprimées. (*Rumeur à gauche.*)

M. ODILON BARROT.—Je demande la parole.

M. le ministre des affaires étrangères.—Voilà la vraie cause de la formation du cabinet actuel. Il n'a pas été formé pour maintenir la paix à tout prix. Cela est honteux à dire et honteux à entendre. (*Très-bien! très-bien!*) Et de quel droit quelqu'un viendrait-il ici nous parler, à nous, de la paix à tout prix? Qui donc ici, excepté le chef du cabinet actuel, qui donc a livré des batailles et fait des conquêtes pour la France? (*Très-bien!*) Quel droit avez-vous pour vous croire plus fiers, plus patriotes que d'autres? N'avons-nous pas tous été...

M. TASCHEREAU, *de sa place.*—Nous n'avons pas été à Gand... (*Rumeur au centre.*)

Voix nombreuses.—À l'ordre! à l'ordre!

M. ARDAILLON.—Je demande le rappel à l'ordre de M. Taschereau.

M. le président.—Je me contente de dire que c'est s'écarter de l'ordre que de se livrer à des interruptions aussi inconvenantes qu'anti-parlementaires, et, que, si elles se renouvellent, je serai forcé de rappeler nominativement à l'ordre ceux qui les commettront.

M. le ministre des affaires étrangères.—M. le président vient de protéger la liberté de la tribune; mais je remercie l'honorable membre qui m'a interrompu et que je ne connais pas, je le remercie de cette interruption que j'attends depuis longtemps. (*Exclamations à gauche.*)

On m'a depuis longtemps prodigué à ce sujet la calomnie et l'injure. J'y répondrai enfin. Oui, j'ai été à Gand; j'y ai été, non le lendemain du 20 mars, non à la suite de Louis XVIII, non comme émigré, non pour quitter, mais pour servir mon pays!

Le lendemain du 20 mars je suis retourné à la Sorbonne, à ma vie obscure et littéraire; je l'ai reprise paisiblement, je suis rentré dans la condition d'un simple citoyen soumis aux lois et associé au sort de son pays. À la fin du mois de mai, quand il a été évident pour tout homme sensé qu'il n'y avait pas de paix possible pour la France avec l'Europe... (*Interruption. Écoutez! écoutez!*) C'est mon avis.

Quand, dis-je, il m'a été évident que la maison de Bourbon rentrerait en France (*Nouveau mouvement*), j'ai été à Gand alors, non pas dans un intérêt personnel, mais pour porter à Louis XVIII quelques vérités utiles, pour lui dire que, dans la pensée du parti constitutionnel, dans la pensée de la France, son gouvernement avait, en 1814, commis des fautes qu'il était impossible de recommencer; pour lui dire que, s'il reparaissait sur le trône de France, il y avait des libertés, non-seulement celles que la Charte avait déjà consacrées, mais des libertés nouvelles qui devaient être accordées au pays; qu'il y avait, à l'égard des intérêts nouveaux, à l'égard de la France nouvelle, une autre conduite à tenir, une conduite qui inspirât plus de sécurité, qui dissipât les méfiances et les passions que la première Restauration avait suscitées. Et, pour aboutir à quelque chose de plus précis, je suis allé dire au roi Louis XVIII qu'il avait auprès de lui tels hommes, tels ministres qu'il aurait tort de vouloir garder, qu'il devait éloigner de sa personne, et de toute grande influence sur les affaires.

C'est au nom des royalistes constitutionnels, c'est dans l'intérêt du parti constitutionnel, c'est dans l'intérêt de la Charte, c'est pour lier l'affermissement et le développement de la Charte au retour probable de Louis XVIII en France que j'ai été à Gand.

M. GUYET-DESFONTAINES.—Et pendant ce temps-là la France courait aux combats.

M. le ministre.—Messieurs, ce n'est pas moi qui ai élevé cet incident, mais je l'ai saisi avec empressement pour dire enfin la vérité sur un acte important de ma vie. Croyez-vous qu'en accomplissant cet acte, je n'aie pas prévu ses conséquences possibles? Croyez-vous que je n'aie pas prévu... (*Interruption.*)

M. ROYER-COLLARD.—Ce que vient de dire M. Guizot est parfaitement vrai; j'en ai une connaissance très-exacte.

M. le ministre.—Messieurs, toutes les fois que j'ai cru et que je croirai qu'un acte en soi légitime peut être utile à mon pays, je n'hésiterai pas à l'accomplir, quels que soient les nuages qu'il puisse répandre sur mon avenir.

M. VILLEMAIN, *ministre de l'instruction publique.*—Très-bien! Ce n'est qu'à ce prix qu'on est homme d'État.

M. le ministre.—Voilà ce qui m'a déterminé à cette époque; j'ai accepté d'avance toutes les calomnies, toutes les difficultés de situation qui pouvaient en résulter pour moi; je ne renie point cet acte aujourd'hui. La France ne peut oublier que c'est à cette époque... (*Interruption.*)

S'il y a vraiment un parti pris d'empêcher de parler... (*Parlez! parlez!*)

Plusieurs voix au centre.—C'est évident; il y en a un dans la gauche.

M. le ministre.—La France ne peut oublier que l'établissement du gouvernement représentatif, la liberté de la tribune, la liberté de la presse, toutes nos grandes conquêtes comme institutions fondées et pratiquées, datent de cette époque difficile. Dans tout le cours de cette époque, de 1814 à 1830, j'ai défendu la même cause, la cause constitutionnelle, la cause de la Charte, de nos libertés, du gouvernement représentatif. Il n'y a pas eu un moment dans ces quinze années, à Gand comme à Paris, hors du gouvernement comme dans le gouvernement, il n'y a pas eu une année, un moment, où je n'aie combattu pour la même cause, pour celle qui a triomphé en 1830, qui a triomphé à cause des progrès qu'elle avait faits depuis 1814.

Croyez-vous que, si vous aviez été appelés en 1814 à l'épreuve à laquelle vous avez été appelés en 1830, croyez-vous qu'au sortir du régime impérial vous auriez été capables de défendre vos libertés avec cette énergie, cette persévérance, cette prudence que donne seule la longue pratique du gouvernement représentatif et de la liberté?

Oui, vous avez fait en 1830 une grande et belle œuvre; vous avez conquis définitivement l'indépendance nationale et la liberté constitutionnelle; vous avez honoré, vous avez grandi votre pays aux yeux de l'Europe. (*Interruption nouvelle.*)

M. le ministre de l'instruction publique.—Tolérez donc la vérité!

M. le ministre.—Vous l'avez fait avec les vertus, l'intelligence que vous aviez conquises pendant quinze ans d'exercice laborieux, mais régulier, du gouvernement représentatif et de vos libertés. Voilà ce que vous devez à l'époque dont je parle, aux hommes qui pendant cette époque n'ont cessé de lutter pour la cause qui a triomphé en 1830; ce n'est pas un seul jour, ce n'est pas dans les trois journées seulement que nous avons combattu pour cette cause, c'est pendant quinze ans, c'est tous les jours. (*Adhésion au centre.*) Et c'est avec ce combat de tous les jours, avec l'énergie qui s'acquiert ainsi, qu'à un jour d'épreuve, à un grand jour, on est en état de servir et de faire triompher son pays. Je m'honore donc, quoi qu'il ait pu m'en coûter, quoi qu'il puisse m'en coûter encore, de tout ce que j'ai fait pendant cette époque. (*Adhésion au centre.—Murmures prolongés à gauche.*)

M. le président.—Cet état ne peut être toléré; c'est violer la liberté de la tribune.

M. Vigier.—C'est une tactique arrêtée!

M. le ministre des affaires étrangères.—Vraiment, messieurs, nous sommes encore bien loin de la liberté dont nous parlons. (*Au centre.* Très-bien!) Pour mon compte, je m'étonne que, après déjà vingt-cinq ans d'exercice de nos institutions, nous n'ayons pas acquis un peu plus de patience les uns pour les autres, nous n'ayons pas appris à supporter, à comprendre la liberté les uns des autres. J'écoute bien vos opinions, il faut bien que vous écoutiez les miennes. Il faut bien que je puisse défendre ce que j'ai dit et ce que j'ai fait. Vous monterez à la tribune, vous direz le contraire de ce que je dis, je ne vous interromprai pas.

M. Berville.—Nous devons vous écouter; mais nous n'admettons pas vos idées.

M. le ministre des affaires étrangères.—Je finis par où j'ai commencé. Oui, la question est résolue sous le cabinet actuel, en ce sens qu'il veut la paix et qu'il l'espère; il y croit, c'est sa prévoyance. On travaille à ce que l'on croit. (*Adhésion à gauche.—Rires au centre.*) On marche dans le chemin où l'on est poussé. Croyez-vous que les 650,000 hommes dont parlait tout à l'heure M. Thiers, et les 300,000 hommes de garde nationale mobile, croyez-vous que ce soit là un moyen de garder la paix? C'est un moyen de faire la guerre, de la rendre à peu près infaillible.

M. Guyet-Desfontaines.—C'est un moyen de se faire respecter en Europe.

M. le ministre.—Un tel armement n'est pas un armement de précaution; c'est un armement qui va au-devant de la guerre, qui la rend presque inévitable. Croyez-vous qu'en présence d'un tel armement l'Europe se fût tenue immobile, qu'elle n'eût pas armé à son tour, que le parlement britannique n'eût pas été convoqué immédiatement? Croyez-vous qu'il n'eût pas doublé, triplé sa flotte? Croyez-vous que vous n'auriez pas vu des corps prussiens, autrichiens, s'avancer sur vos frontières pour couvrir les leurs? Vous auriez vu tout cela, et dans l'entraînement auquel vous étiez livrés, dans le mouvement violent qui déjà s'emparait du pays, que serait devenue votre résistance à la guerre, cette résistance déjà si faible quand l'Europe n'armait pas, quand vous étiez lents à vous préparer à la guerre, quand les protestations pacifiques de l'Europe vous arrivaient tous les jours? Que serait devenue votre résistance à la guerre, si vous aviez vu autour de vous, de la part de toute l'Europe, tout l'appareil de la guerre? Oui, la guerre était certaine, la question était résolue, et il était temps de s'arrêter dans cette voie.

Messieurs, pour résister à un tel entraînement, il ne suffit pas de le désirer; il faut vouloir, il faut agir; il faut rallier autour de soi tous les amis de l'ordre, tous les amis du gouvernement, tous les hommes qui, depuis 1830, ont été accoutumés à lutter pour l'ordre et pour la paix. Il faut les avoir tous avec soi dans une pareille cause, pour ne pas être emportés par le torrent qui commençait à déborder de toutes parts.

Voilà le vrai de la situation. Vous êtes tombés parce que vous poussiez à la guerre; nous sommes arrivés au pouvoir parce que nous espérions maintenir en France la paix. Il y a entre vous et nous, à part toute discussion sur le passé, sur les négociations, sur la crise ministérielle, il y a, entre vous et nous, une différence fondamentale. Vous êtes restés fidèles à votre pensée, nous resterons fidèles à la nôtre.

Maintenant, croyez-moi, ne nous jetons pas à la tête ces mots: «La paix à tout prix, la guerre à tout prix!» Vous le voyez, vous m'y avez forcé; vous m'avez fait monter à la tribune en me disant que la question était résolue, que nous étions le ministère de la paix à tout prix; il faut bien que je vous renvoie votre épithète; il faut bien que je vous appelle le ministère de la guerre à tout prix. Mais sortons de cette triste ornière; permettez-moi de discuter sérieusement avec vous la question de savoir si nos intérêts en Orient, si notre dignité sont gravement compromis, et si le traité du 15 juillet contient réellement ou ne contient pas un cas de guerre. C'est une question qui peut se débattre sans qu'on se dise les uns aux autres qu'on veut la paix ou la guerre à tout prix. La question de savoir si la paix ou la guerre doit sortir d'une situation, ce n'est pas une question nouvelle dans le gouvernement représentatif; ce n'est pas la première fois que des assemblées et des peuples ont été appelés à la débattre. Quand Pitt et Fox discutaient la question de savoir s'il fallait faire ou non la guerre à la République française, ils ne disaient pas: Vous voulez la paix à tout prix! vous voulez la guerre à tout prix! Non! non! ils examinaient sérieusement, sincèrement, s'il y avait des motifs suffisants, des motifs légitimes de guerre, si la guerre entreprise pour de telles raisons serait juste ou injuste, utile ou nuisible au pays, si elle était commandée ou interdite par la raison et l'intérêt national. Voilà la question, la question parlementaire, la question honnête; débattons celle-là et ne venons pas y substituer une question injurieuse et révolutionnaire. (*Au centre*: très-bien!—*Murmures à gauche.*)

Je veux vous le dire. Non, vous n'étiez pas le cabinet de la guerre à tout prix, pas plus que nous ne sommes le cabinet de la paix à tout prix; vous étiez un cabinet de gens d'esprit et de cœur qui ont cru que la dignité, l'intérêt, l'influence de la France voulaient que la guerre sortît de cette situation, et qu'il fallait qu'elle s'y préparât aujourd'hui pour être prête au printemps. Eh bien, je crois que vous vous trompiez; je crois que l'intérêt et l'honneur de la France ne lui commandent pas la guerre dans la situation actuelle, que la guerre ne doit pas en sortir, que c'est la paix au contraire qui doit en sortir, et que si la guerre en sort, ce sera notre faute, la vôtre d'abord, et la faute de ceux qui ont marché avec vous. (*Mouvement.*)

Voilà ce que je pense, voilà ce que j'entreprendrai de démontrer demain, en suivant l'histoire des négociations, en examinant à fond la situation du pays. Mais dès aujourd'hui, et avant de nous séparer, j'ai voulu protester contre les paroles, je dois le dire, honteuses et pour vous et pour nous, que vous avez prononcées à cette tribune; j'ai voulu rétablir votre propre dignité comme la mienne (*Nouvelle approbation au centre*); j'ai voulu vous rendre la justice que vous ne m'aviez pas rendue. Gardons la justice tous deux, gardons-la pour vous et pour moi. Vous croyez la guerre probable et juste: je ne le crois pas. Vous avez dit vos raisons, demain je dirai les miennes. Mais, pour Dieu, écartons la guerre à tout prix, la paix à tout prix. Cela ne convient ni à vous, ni à moi, ni à la France. (*Applaudissements au centre.*)

XCIX

Continuation de la discussion de l'Adresse.—Affaires d'Orient.

—Chambre des députés.—Séance du 26 novembre 1840.—

M. Passy ayant pris la parole à l'ouverture de cette séance pour répondre à ce que j'avais dit dans la séance précédente, et pour discuter à son tour la politique du cabinet dont il avait fait partie, dans la question d'Orient, je lui répondis:

M. GUIZOT, *ministre des affaires étrangères*. Messieurs, l'honorable M. Passy vient d'exposer à la Chambre, avec autant de lucidité que de sincérité, la marche des négociations sous le cabinet dont il faisait partie. Il a donné connaissance à la Chambre des instructions que ce cabinet me donna lorsqu'il me confia l'ambassade de Londres, instructions qui ont été son dernier acte dans la grande affaire d'Orient.

La Chambre voit, soit par ces instructions, soit par l'état des faits tels que M. Passy l'a fait connaître, que la situation était parfaitement libre, qu'il n'y avait point de politique forcée, point d'engagement irrévocable de la part du cabinet, que le seul point sur lequel le cabinet se fût irrévocablement prononcé, c'était celui qui regardait Constantinople, et la nécessité de l'abolition de tout protectorat exclusif.

C'est sous les auspices de ces instructions que ma mission a commencé; elles me furent immédiatement confirmées par le cabinet qui succéda à celui du 12 mai. Aucune modification de quelque importance ne fut apportée à la politique que j'avais mission de faire prévaloir. J'acceptai sans hésitation l'engagement de seconder cette politique sous le cabinet du 1er mars comme sous celui du 12 mai.

Dans les relations que j'eus, au commencement du cabinet du 1er mars, avec son chef et avec quelques-uns de ses membres, les seules réserves que je crus devoir faire, quant à mon concours loyal à ce cabinet eurent pour objet la politique intérieure. Il me fut dit, il me fut écrit que le cabinet du 1er mars se formait sous cette idée: «Point de réforme électorale, point de dissolution.» (*Mouvement*). J'acceptai le drapeau de la politique intérieure du cabinet, le seul qui pût me convenir.

Quant à la politique extérieure, je le répète, les instructions du cabinet précédent me furent confirmées. J'étais loin d'avoir des objections à cette politique, je la croyais bonne, juste dans son principe, bonne pour l'Europe, pour l'empire ottoman, pour l'Égypte même.

Vous l'avez vu; l'idée fondamentale de cette politique, c'était le maintien de la paix en Orient et en Europe, moyennant l'abolition du protectorat exclusif à Constantinople et une transaction pacifique entre le sultan et le pacha. Cette politique était bonne évidemment pour l'Europe tout entière; elle la mettait à l'abri de toute lutte sur une question spéciale. J'ai eu l'honneur de le dire à une autre tribune; le grand intérêt de l'Europe, aujourd'hui, c'est d'éviter des luttes sur des questions particulières; c'est par là surtout que la sagesse de l'Europe s'est déployée depuis dix ans. Beaucoup de questions particulières se sont présentées, en Espagne, en Belgique, en Italie, qui pouvaient entraîner de graves conflits. L'Europe a compris, comme la France, qu'il y avait aujourd'hui une question générale, une question de paix et de civilisation européennes qui dominait toutes les questions particulières et devait décider toutes les puissances à les résoudre régulièrement et pacifiquement. La politique, dont j'avais l'honneur d'être l'organe à Londres, appliquait ce même principe à la question d'Orient.

Elle était bonne aussi pour l'empire ottoman; elle le préservait de toute secousse intérieure, de toute guerre civile, elle le préservait de toute intervention étrangère; elle maintenait l'unité des musulmans. Sous ce triple rapport, il était d'une grande importance pour l'empire ottoman qu'aucun conflit ne s'élevât, que la question ne donnât lieu à aucun emploi de la force matérielle, qu'elle fût résolue par la seule voie des négociations et des influences.

L'Égypte elle-même avait, à cette époque, un aussi grand intérêt à la paix que l'empire ottoman: ce qui importait le plus au pacha d'Égypte, ce n'était pas tant l'étendue de ses possessions que la certitude de sa durée. Acquérir pour sa durée la sanction de l'Europe, c'était là l'intérêt fondamental de l'établissement égyptien, intérêt qui, je le déplore, n'a pas été suffisamment compris par l'Égypte elle-même. (*Sensation.*)

Vous le voyez, messieurs; je n'avais à faire à la politique extérieure du cabinet du 1er mars aucune objection; je la trouvais bonne, juste, utile pour tout le monde; et l'honorable M. Thiers a eu raison de dire hier que j'y avais adhéré, que je m'étais engagé à la seconder loyalement.

Je l'ai fait, j'ai accompli ma promesse. Voici l'idée que je me suis formée de mes devoirs dans cette situation.

J'ai cru que le premier était de travailler de tous mes efforts à exécuter mes instructions, à faire réussir la politique du cabinet, en mettant de côté les dissidences partielles ou accidentelles qui pouvaient, qui devaient se rencontrer dans le cours des négociations, en poursuivant sincèrement, loyalement le but que nous nous étions assigné en commun.

Mon second devoir était d'informer exactement le cabinet de toutes les chances de succès ou de revers de sa politique, de lui faire bien connaître l'état des choses à chaque moment, de telle sorte qu'il pût prendre des décisions conformes aux oscillations de la négociation, qu'il pût modifier ses résolutions, pratiquer en un mot sa politique selon les circonstances. Car, je le répète, rien d'irrévocable, rien d'absolu ne se rencontrait dans la situation au moment où j'ai été à Londres, ni dans les résolutions, soit des cabinets antérieurs, soit du cabinet du 1er mars.

Je n'hésite pas à affirmer que j'ai rempli ces deux devoirs, que j'ai fait tout ce qui dépendait de moi pour faire triompher la politique du cabinet, et qu'en même temps je l'ai averti, à toutes les époques, des obstacles que rencontrait cette politique, des chances de succès ou de revers qu'il y avait pour elle, et des raisons qui pouvaient le déterminer à modifier telle ou telle de ses résolutions.

L'honorable M. Thiers a cité hier des dépêches et des lettres dans lesquelles je l'informais de mes espérances pour le succès de la politique dont j'étais chargé; il a eu raison; j'ai eu des espérances; j'ai, plusieurs fois, dans le cours de cette négociation, entrevu la possibilité d'atteindre le but que nous nous étions proposé, c'est-à-dire une transaction pacifique entre le sultan et le pacha d'Égypte, qui fît prévaloir à peu près le projet d'arrangement proposé au mois de septembre par le cabinet du 12 mai, et que le cabinet du 1er mars avait adopté.

J'ai eu cette espérance; et toutes les fois que je l'ai conçue, je l'ai dit sincèrement; je n'ai pas cherché à me faire un mérite du succès en aggravant d'avance les difficultés de l'entreprise.

Cependant je dois ajouter qu'à la suite des dépêches dans lesquelles je disais loyalement quelles espérances je concevais, quel terrain je gagnais, à la suite de ces dépêches, j'ai toujours eu soin d'exprimer mes doutes et de rappeler les difficultés.

Puisqu'on a mis sous les yeux de la Chambre les espérances, je suis obligé de lui faire connaître également les doutes.

Le 16 mars, j'écrivais à M. le président du conseil:

«Le gouvernement britannique croit avoir en Orient deux intérêts inégaux sans doute, mais tous deux réels et qui lui tiennent fortement au cœur. Il redoute la Russie à Constantinople; la France l'offusque en Égypte: il veut rétablir à Constantinople, soit par la force de l'empire ottoman lui-même, soit par l'intervention régulière de l'Europe, une barrière contre la Russie. Il désire affaiblir le pacha d'Égypte, de peur qu'il ne soit pour la France, dans la Méditerranée, un trop puissant et trop utile allié.» (*Sensation.*)

La Chambre voit avec quelle sincérité je rendais compte des faits que j'observais. (*Bien, très-bien!*)

«Il croit, ajoutais-je, le moment favorable pour atteindre à l'un et à l'autre but. Par un singulier concours de circonstances, la Russie se montre disposée à abandonner, à ajourner du moins, non-seulement ses projets d'agrandissement, mais ses prétentions au protectorat exclusif sur l'empire ottoman, et à seconder l'Angleterre dans son dessein d'affaiblir le pacha d'Égypte.

«L'Autriche et la Prusse adhèrent, comme de raison, à ce mouvement rétrograde de la politique russe.

«Le gouvernement britannique voit donc, dans l'état actuel de l'Orient combiné avec les dispositions d'une grande partie de l'Europe, nullement un embarras qui lui soit survenu et dont il soit pressé de se décharger, mais une occasion précieuse qu'il lui importe de saisir.

«Cependant deux craintes le préoccupent: l'une que, dans l'exécution et par la nature même des moyens à employer, le premier résultat qu'il poursuit ne lui échappe, c'est-à-dire qu'au lieu de fortifier l'empire ottoman contre la Russie, il ne livre cet empire à un nouveau progrès de l'influence russe; l'autre, que son alliance avec la France, à laquelle il tient beaucoup, ne se relâche et même ne se rompe par la diversité des deux politiques et la séparation des deux puissances en Orient. Ces deux craintes tiennent le gouvernement britannique en suspens et le poussent à faire des concessions à la France dans la question de l'Égypte pour s'assurer son concours dans celle de Constantinople, pour éviter en Orient, dans l'une et l'autre question, l'emploi de moyens périlleux et pour maintenir l'alliance française dans son intégrité.

«Jusqu'où peuvent aller ces concessions? Pourraient-elles devenir suffisantes pour satisfaire aux intérêts essentiels du pacha d'Égypte et à la politique française? Personne, je le pense, ne peut le savoir aujourd'hui.

«Telles sont en résumé, je crois, les vues politiques du cabinet anglais dans cette affaire, vues que de nouveaux incidents ou des difficultés d'exécution peuvent entraver, ajourner, arrêter même, mais qui sont, si je ne m'abuse, assez sérieuses et déjà assez avancées pour que ce cabinet s'applique à surmonter les difficultés, au lieu de s'empresser d'y céder.»

J'écrivais ceci quinze jours après mon arrivée à Londres.

Je voulais par là donner au gouvernement du roi une idée juste de l'importance que le cabinet anglais mettait à son double but, et de la persistance, de l'énergie avec lesquelles il le poursuivrait.

J'ajoutai à cette dépêche une lettre du 17 mars, du lendemain, portant:

«Je vous demande de porter sur ma dépêche d'aujourd'hui toute votre attention. Il est possible que cette nouvelle face de la situation disparaisse, et que nous puissions rentrer dans la politique d'attente au bout de laquelle nous entrevoyons le *statu quo.*»

Je fais allusion à ce que disait hier M. Thiers de la nécessité d'attendre et de gagner du temps, pour arriver peut-être, à la fin et de guerre lasse, au maintien du *statu quo* en Orient.

«Mais il se peut aussi que les choses se précipitent, et que nous nous trouvions bientôt obligés de prendre un parti. Si cela arrive, l'alternative où nous serons placés sera celle-ci: ou nous mettre d'accord avec l'Angleterre, en agissant avec elle dans la question de Constantinople et en obtenant d'elle, dans la question de Syrie, des concessions pour Méhémet-Ali, ou bien nous retirer de l'affaire, la laisser se conclure entre les quatre puissances et nous tenir à l'écart en attendant les événements. Je n'affirme pas que, dans ce cas, la conclusion entre les quatre puissances soit certaine; de nouvelles difficultés peuvent surgir; je dis seulement que cette conclusion me paraît probable, et que si nous ne faisons pas la tentative d'amener, entre nous et l'Angleterre, sur la question de Syrie, une transaction dont le pacha doive se contenter, il faut s'attendre à l'autre issue, et s'y tenir préparé.

«... Il importe que vous sachiez bien l'état des choses et que vous ne vous fassiez, sur les chances probables, aucune illusion. Il y a ici, dans le cabinet, désir sincère de maintenir et de resserrer l'alliance française. Mais que ce désir et la perspective des difficultés d'exécution l'emportent sur les motifs qui poussent l'Angleterre à saisir l'occasion de vider, selon sa politique, les questions de Constantinople et de Syrie, je ne puis l'affirmer.»

C'est le 17 mars que j'indiquais ainsi, comme une chance très-probable, comme une issue à laquelle il fallait se tenir préparé, et sur laquelle il ne fallait se faire aucune illusion, l'arrangement à quatre, si nous ne venions pas à bout de transiger sur la question de Syrie.

Messieurs, je n'en poursuivis pas moins mes efforts pour le succès du projet d'arrangement que le cabinet du 1er mars avait adopté et qui consistait, comme la Chambre le sait, à assurer au pacha l'Égypte héréditaire et la Syrie héréditaire en ne lui demandant que la restitution de l'île de Candie, d'Adana et des villes saintes.

Comme je le disais tout à l'heure, j'eus, par moments, l'espérance de faire réussir ce plan; j'en rendis compte à M. le président du conseil. Au commencement d'avril, dans un de ces moments, dans le moment peut-être où j'ai eu le plus d'espérance, dans la lettre qui en témoigne le plus, je terminais en disant, le 3 avril:

«Je suis sorti laissant lord Palmerston assez préoccupé, je crois, de notre entretien. Il ne m'a rien dit qui m'autorise à penser que ses intentions soient réellement changées ou près de changer; mais, si je ne m'abuse, c'est la première fois que la possibilité d'un arrangement qui donnerait à Méhémet-Ali l'hérédité de la Syrie comme de l'Égypte, et se contenterait pour la Porte de la restitution de Candie, d'Adana et des villes saintes, s'est présentée à lui sans révolter son amour-propre et sans qu'il la repoussât péremptoirement.

«Je prie V. Ex. de ne pas donner à mes paroles plus de portée qu'elles n'en ont dans mon propre esprit: je la liens exactement au courant de toutes les oscillations, bonnes ou mauvaises, d'une situation difficile, complexe, où le péril est toujours imminent et dans laquelle, jusqu'à présent, nous avons plutôt réussi à ébranler nos adversaires sur leur terrain qu'à les attirer sur le nôtre.» (*Mouvement.*)

La Chambre voit que l'expression du doute se joignait étroitement à celle de l'espérance: c'est que je m'imposais le devoir de faire connaître toute la vérité. (*Très-bien!*)

Je pourrais mettre sous les yeux de la Chambre deux ou trois dépêches de la même nature; celle-ci suffit: il n'y en a aucune qui soit en contradiction avec celle-là.

Dans le cours de cette négociation et à travers les oscillations d'espoir et de crainte par lesquelles elle me faisait passer, plusieurs transactions furent effectivement proposées. Je dois dire, pour la vérité également et pour qu'elle soit connue de mon pays, que, dans ma profonde conviction, l'Angleterre, les autres puissances, mais l'Angleterre surtout, désiraient sincèrement une transaction avec la France. J'ai la conviction que, non-seulement le peuple anglais, mais le gouvernement anglais, mais lord Palmerston lui-même, a l'alliance française à cœur. (*Mouvement.—Rumeurs dubitatives à gauche.*)

Je suis à cette tribune pour dire ce que je crois être la vérité, et jamais il n'a plus importé à mon pays de la connaître. Comment, messieurs, le gouvernement du roi a tenu fermement à ses premières propositions d'arrangement; il n'a pas voulu s'en écarter, et cependant voudrait-il que l'on dît qu'il n'avait pas l'alliance anglaise à cœur? L'honorable M. Thiers sait mieux que personne quelle importance il y attachait, et il avait raison; cependant il a tenu, quant à l'Orient, à ses idées, à ses premières propositions. C'est ce que l'Angleterre elle-même a fait. Pourquoi en concluriez-vous qu'elle n'avait pas l'alliance française à cœur? Elle pourrait vous rétorquer le reproche. (*Réclamations sur quelques bancs.*)

M. le président.—N'interrompez pas. Je rappelle combien cela importe à ce grave débat.

M. le ministre des affaires étrangères.—De ce que je dis là, messieurs, je n'entends tirer que cette conséquence que, de part et d'autre, le désir du rapprochement a été sincère, que de part et d'autre, si on ne s'est pas rapproché, c'est que l'on a attaché au point de dissidence une importance extrême, de part et d'autre, à mon avis, exagérée. (*Rumeurs diverses.*)

Le premier essai sérieux de transaction qui fut fait, ce fut l'offre d'ajouter à l'Égypte héréditaire le pachalik de Saint-Jean d'Acre viager, y compris la forteresse. Tout le monde avait mis à la forteresse de Saint-Jean d'Acre une extrême importance; tout le monde disait, depuis qu'il était question de cette affaire, que Saint-Jean d'Acre était la clef de la Syrie, que le possesseur de Saint-Jean d'Acre pouvait facilement reprendre la Syrie. J'ai entendu dire cela dans tous les débats qui ont eu lieu dans cette grande question; et quand le cabinet du 12 mai avait écarté la proposition de la concession héréditaire du pachalik de Saint-Jean d'Acre viager, c'était surtout parce que la place de Saint-Jean d'Acre n'y était pas comprise, et que, sans la place, le pachalik paraissait insignifiant.

Je dois donner à la Chambre connaissance de la disposition d'esprit dans laquelle se trouvait lord Palmerston lorsqu'il fit cette proposition de transaction. J'en rendis compte au cabinet le 8 mai:

«Évidemment, l'abandon de la forteresse de Saint-Jean d'Acre coûtait beaucoup à lord Palmerston. Il s'en est dédommagé, en me disant ce que je savais, que, pour cet arrangement et si le pacha s'y refusait, l'Autriche consentait à recourir aux moyens de contrainte, en joignant son pavillon aux pavillons de l'Angleterre et de la Russie.

«Il m'a développé alors son plan de contrainte, qui consistait dans un triple blocus, etc.»

Je supprime des détails qui n'importent pas à la Chambre.

«J'ai fait quelques observations sans entrer en discussion; au point où l'affaire est parvenue, la discussion est peu utile, car elle suscite plus d'obstination qu'elle ne résout de difficultés: le moment était peu favorable. Je voyais lord Palmerston à la fois vivement contrarié d'abandonner Saint-Jean d'Acre et rendu confiant par l'adhésion de l'Autriche à l'emploi des moyens de contrainte.»

Je cite ce passage à la Chambre uniquement pour lui faire voir l'importance que le cabinet anglais mettait, à tort ou à raison, à la concession qu'il faisait en ce moment, et la sincérité de l'esprit d'arrangement qui l'animait.

La Chambre sait que la proposition fut écartée; le cabinet français ne crut pas devoir accepter.

Il ne vint plus de lord Palmerston aucune proposition directe, formelle; mais des propositions... non pas des propositions, des ouvertures, j'ai tort de me servir du mot proposition... des ouvertures me furent faites dans la conversation par les ministres de Prusse et d'Autriche. Elles avaient pour objet d'ajouter la Syrie viagère à l'Égypte héréditaire.

L'honorable M. Thiers a rappelé hier qu'il y avait eu même un moment où ces ministres, et surtout l'un d'eux, avaient regardé comme possible la concession de la Syrie héréditaire. Il est vrai que cela a paru une ou deux fois dans la conversation, et je l'ai fait connaître dans mes moments d'espérance; mais je dois à la vérité de le dire, cette idée n'a jamais pris à mes yeux, dans l'esprit de ces plénipotentiaires, une vraie consistance.

Je demande pardon à la Chambre de ces détails. Je ne veux parler qu'avec une extrême exactitude; je suis obligé de ne laisser supposer aucune nuance au delà de la vérité. J'ajoute que, lorsqu'on me laissait entrevoir de loin, d'une manière très-douteuse, la possibilité que nos projets d'arrangement fussent adoptés, c'était toujours à une condition, à la condition que nous nous engagerions immédiatement, envers les quatre autres puissances, à employer la force contre le pacha pour les lui faire accepter s'il s'y refusait.

Je n'ai jamais été autorisé à accepter cette condition, et toutes les fois que j'insistais sur l'adoption de notre arrangement, et qu'on me demandait: «Si le pacha le rejette et si nous l'adoptons, vous engagerez-vous avec nous à employer la force contre lui pour l'y contraindre?» Je n'avais rien à dire.

L'ouverture de la Syrie viagère me fut donc faite comme une idée au succès de laquelle les cabinets d'Autriche et de Prusse s'emploieraient activement si on pouvait compter sur l'adhésion de la France. La condition préalable, la condition nécessaire de ce plan, c'était que la France y adhérât, et qu'on pût dire à lord Palmerston en pesant sur lui pour le décider: «Cela finit la question; la France y adhère, l'arrangement se termine à cinq.» C'était à cette condition, avec cet engagement que l'Autriche et la Prusse laissaient espérer qu'elles pèseraient sur lord Palmerston pour le décider.

En faisant connaître au cabinet cette ouverture, je lui fis connaître en même temps, dans des termes bien formels je crois, quelles me paraissaient être les conséquences de son rejet.

Je prie la Chambre de le remarquer; un ambassadeur n'est pas ministre des affaires étrangères; il n'a pas de parti à prendre, ce n'est pas lui qui résout les questions, qui adopte les résolutions: n'ayant pas le pouvoir, je n'ai jamais accepté la responsabilité; je n'ai jamais dit: «Faites ou ne faites pas telle chose.» J'ai rendu compte exactement des faits; j'ai rendu compte en même temps des conséquences du rejet ou de l'acceptation, et la décision, la résolution, l'ordre à me donner appartenaient au cabinet. Je n'avais aucune initiative, je n'en ai pris aucune. Voici dans quels termes, le 24 juin, je rendais compte, dans une lettre à l'honorable M. Thiers, de l'état de l'affaire:

«Nous touchons peut-être à la crise de l'affaire. Ce pas de plus dont je vous parlais dans une lettre précédente, et qui consiste, de la part de l'Autriche et de la Prusse, à dire à lord Palmerston qu'il faut se résigner à laisser *viagèrement* la Syrie au pacha, et faire à la France cette grande concession, ce pas, dis-je, se fait, si je ne me trompe, en ce moment. Des collègues de lord Palmerston d'une part, les ministres d'Autriche et de Prusse de l'autre, pèsent sur lui, je crois, en ce moment, pour l'y décider. S'ils l'y décident, en effet, ils croiront les uns et les autres avoir remporté une grande victoire et être arrivés à des propositions d'arrangement raisonnables. Il importe donc extrêmement que je connaisse bien vos intentions à ce sujet, car de mon langage, quelque réservé qu'il soit, peut dépendre ou la prompte adoption d'un arrangement sur ces bases, ou un revirement par lequel lord Palmerston, profitant de l'espérance déçue et de l'humeur de ses collègues et des autres plénipotentiaires, les rengagerait brusquement dans son système, et leur ferait adopter à *quatre* son projet de retirer au pacha la Syrie, et l'emploi, au besoin, des moyens de coercition. On fera beaucoup, beaucoup, et dans le cabinet, et parmi les plénipotentiaires, pour n'agir qu'à *cinq*, de concert avec nous et sans coercition. Je ne vous réponds pas qu'on fasse tout, ni qu'une conclusion soudaine à quatre soit impossible. Nous pouvons être d'un moment à l'autre placés dans cette alternative: l'Égypte héréditairement, la Syrie viagèrement au pacha, moyennant la restitution des villes saintes, de Candie et d'Adana et par un arrangement à *cinq*; la Syrie retirée au pacha par un arrangement à *quatre*, et par voie de coercition, s'il y a lieu.»

Une voix.—Qu'a-t-on répondu?

D'autres voix.—La date?

M. le ministre des affaires étrangères.—Le 24 juin. C'était dans les huit ou dix premiers jours que l'ouverture m'avait été faite.

Vous voyez, messieurs, que, sans me permettre de donner un conseil, sans me permettre d'indiquer une résolution, je faisais clairement entrevoir les conséquences du rejet de cette ouverture. J'ajoutais que cette ouverture, et vous le voyez, avait besoin, pour avoir une chance de succès, d'être accueillie et vivement poussée. Elle était difficile à faire réussir; il eût fallu la certitude de l'adhésion de la France; sans cette certitude, les auteurs de l'ouverture ne pouvaient faire sur le cabinet britannique l'effort sérieux et persévérant qui était indispensable pour le décider.

Voici la réponse que je reçus de l'honorable M. Thiers.

Plusieurs voix.—La date?

M. le ministre des affaires étrangères.—Le 30 juin.

«Quand je vous parlais d'une grande conquête qui changerait notre attitude, je voulais parler de l'Égypte héréditaire et de la Syrie héréditaire.

«Toutefois, j'ai consulté le cabinet relativement au plan dont vous m'avez parlé ces jours derniers: l'Égypte héréditairement et la Syrie viagèrement. On délibère, on penche peu vers une concession. Cependant nous verrons. Différez de vous expliquer, il faut un peu voir venir; rien n'est décidé.» (*Bruit; interruption.*)

Je restais et je devais rester dans la situation qui m'était prescrite. Je n'abandonnai pas tout à fait la chance qui s'était ouverte devant moi; elle continua d'être poursuivie et par les ministres de Prusse et d'Autriche, et par quelque membres du cabinet, mais très-faiblement, sans l'insistance, l'énergie, l'espérance qui, dans ma ferme conviction, étaient indispensable pour qu'elle réussît.

Quand je dis *pour qu'elle réussît*, je veux m'expliquer très-exactement.

L'honorable M. Thiers m'a demandé hier si je croyais, si j'avais cru qu'on obtînt jamais de lord Palmerston la concession de la Syrie viagère. Comme je suis monté ici pour dire la vérité, je dirai que je ne le crois pas. (*Sensation.*)

Je ne crois pas, je doute qu'on eût amené lord Palmerston à la concession de la Syrie tout entière, même viagère, au pacha. Ce que je crois, et je ne puis dire rien de plus, car évidemment c'est une simple conjecture, c'est que si on était entré dans cette voie, si on avait fortement engagé les hommes qui en avaient fait l'ouverture, on aurait obtenu, pour le pacha, une coupure de la Syrie meilleure que celle du traité du 15 juillet. (*Mouvements et bruits divers.*)

Tout, dans ce monde, vous le savez, messieurs, est affaire de transaction et d'accommodement. On n'obtient jamais tout ce qu'on désire; on ne réussit jamais tout à fait dans ce qu'on entreprend; on en obtient une portion, on réussit à moitié. Ma conviction, ou pour mieux dire, ma conjecture profondément sincère, c'est qu'on serait arrivé à un partage de la Syrie plus favorable au pacha que celui du 15 juillet, et je vais l'indiquer. L'Angleterre a toujours mis, dans cette question de la Syrie, une importance particulière à Bagdad. En même temps qu'elle était fortement préoccupée de Constantinople et de la crainte que la marche du pacha en Asie Mineure n'appelât les Russes à Constantinople, elle craignait le pacha pour Bagdad, et les conquêtes du pacha en Orient, dans le Diarbékir, vers la Mésopotamie, sur les bords de l'Euphrate, l'inquiétaient beaucoup. Il y avait telle coupure de la Syrie qui donnait satisfaction à l'Angleterre sur ce point, et retirait complétement au pacha le cours de l'Euphrate. Si la Porte, par exemple, avait recouvré les pachaliks d'Alep et de Damas, ou du moins la plus grande partie du pachalik de Damas, elle restait maîtresse de l'Euphrate. Le pacha n'avait plus de ce côté aucune possession. La Porte, par là, communiquait librement avec ses domaines de l'Arabie; il y avait sécurité pour elle et sécurité pour l'Angleterre. On pouvait entrevoir alors pour le pacha la concession du pachalik de Tripoli ajouté au pachalik de Saint-Jean d'Acre et d'une portion du pachalik de Damas.

Rien n'a été négocié à ce sujet; c'est une pure conjecture que je mets sous les yeux de la Chambre; mais j'ai quelques raisons de croire que, si l'on était entré sérieusement, vivement, dans l'ouverture qui m'avait été faite, on serait arrivé à ce résultat ou à quelque chose de très-analogue.

Pendant que l'affaire était ainsi en suspens, arriva à Londres la nouvelle que le pacha, apprenant la destitution de Khosrew-Pacha, avait envoyé Samy-Bey à Constantinople, offert la restitution de la flotte, et tenté un arrangement direct avec la Porte. Ce fait me fut annoncé par l'honorable M. Thiers. Après les détails dans lesquels il est entré hier sur la tentative de l'arrangement direct, il est impossible que je ne mette pas les faits exactement, tels que je les vois, sous les yeux de la Chambre.

M. Thiers m'écrivit le 30 juin:

«Je viens de recevoir d'Égypte la dépêche ci-jointe, dont je vous envoie copie. (C'est la dépêche qui annonçait la proposition du pacha.) Il importe de ne pas la faire connaître à Londres, pour que les Anglais n'aillent pas empêcher un arrangement direct.»

M. DESMOUSSEAUX DE GIVRE.—Ah! (*Rires ironiques à gauche.*)

M. le ministre des affaires étrangères.—«La nouvelle sera bientôt connue, mais pas avant huit jours. Dans l'intervalle, les Anglais ne pourront rien faire, et nous sommes sûrs qu'ils arriveront trop tard s'ils veulent écrire à Constantinople. Vous vous serviriez toutefois de cette nouvelle pour empêcher une résolution, si l'on voulait en prendre une relativement au plan sur lequel vous m'avez consulté ces jours derniers, l'Égypte héréditairement et la Syrie viagèrement.» (*Mouvements divers.*)

À peu près au même moment où arrivait la nouvelle de la tentative d'arrangement direct du pacha, arrivait aussi celle de l'insurrection de la Syrie. Je n'ai rien à ajouter à ce qu'a dit, au sujet de cette insurrection, l'honorable M. Thiers; je me suis plus d'une fois plaint, vivement plaint au cabinet anglais des efforts que, je crois, il faisait sous main pour soulever cette insurrection.

Voici la dépêche dans laquelle je rendis compte de l'effet que produisaient à Londres les deux nouvelles:

11 juillet... Je prie la Chambre de vouloir bien écouter avec attention cette dépêche, qui est très-importante dans l'affaire... (*Parlez! parlez!*)

«Depuis que la proposition de couper la Syrie en deux, en laissant à Méhémet-Ali la forteresse et une partie du pachalik de Saint-Jean d'Acre, a été écartée, lord Palmerston a paru éviter la conversation sur les affaires d'Orient. Je l'ai engagée une ou deux fois, plutôt pour bien établir la politique du gouvernement du roi que pour tenter réellement de faire faire, par la discussion directe, un nouveau pas à la question. Lord Palmerston m'a répondu en homme qui persiste dans ses idées, mais ne croit pas le moment propice pour agir, et veut gagner du temps.» (*Sensation.*)

Quand nous avons voulu gagner du temps, lord Palmerston était pressant; quand lord Palmerston a voulu gagner du temps, je crois que notre intérêt à nous était d'être pressants. Nous ne l'avons été à aucune époque.

M. THIERS.—Il fallait le dire!

M. le ministre des affaires étrangères.—L'honorable M. Thiers, si je ne me trompe, me dit: Il fallait le dire. Je crois que je l'ai dit.

M. THIERS.—Puisque vous accueillez mon interruption, je demande à présenter une observation.

Je prouverai, pièces en main, puisque je suis réduit à me justifier devant l'ambassadeur qui recevait mes ordres (*Rumeurs*) et devait me donner ses avis, je prouverai, pièces en main, que vous m'avez dit, le 14 juillet même, que nous avions encore du temps et que rien n'était précipité.

M. le ministre des affaires étrangères.—Je le dirai moi-même tout à l'heure. (*Mouvement prolongé.*) Mais je ne puis accepter les paroles de l'honorable M. Thiers; il n'a point à se justifier ici devant moi. Je suis ici, comme député, obligé dédire mon avis, de donner à la Chambre des renseignements sur la part que j'ai prise dans la grande affaire dont il s'agit. Aucun de nous ne se justifie; nous nous expliquons devant la Chambre et devant le pays. (*Approbation.*) Ce n'est donc point de moi qu'il s'agit; j'étais sous les ordres de l'honorable M. Thiers; j'ai reçu ses instructions, je les ai exécutées; je lui ai donné toutes les informations qu'il a été en mon pouvoir de recueillir.

M. THIERS.—Jamais votre opinion!

M. le ministre des affaires étrangères.—L'honorable M. Thiers me dit que je ne lui ai jamais donné mon opinion; je ne comprends pas l'objection. Je viens de lire à la Chambre une dépêche dans laquelle je disais: «Si on n'accepte pas cette ouverture, il arrivera telle ou telle chose; il est probable qu'il y aura un arrangement à quatre, qui sera peut-être soudainement conclu.» (*Mouvement.*)

Si je ne me trompe, c'était-là un avis autant qu'il était pour moi dans les convenances de le donner. (*Aux centres:* Très-bien!) Si j'avais été plus explicite, j'aurais, je crois, manqué à ces convenances et j'aurais engagé ma responsabilité personnelle plus que je ne le devais. Quand on n'a pas le pouvoir, quand on ne décide pas soi-même, quand on ne prend pas la résolution, il faut faire tout connaître exactement, complétement, avec une entière sincérité; je ne devais rien de plus; j'aurais manqué de prudence comme de convenance si j'avais fait davantage. (*Nouvelle adhésion au centre. Mouvement prolongé.*)

Je reprends la lecture de la dépêche que j'avais l'honneur de communiquer à la Chambre: «Lord Palmerston n'a, en effet, pendant plusieurs semaines, comme je l'ai déjà mandé à Votre Excellence, ni entretenu le cabinet des affaires d'Orient, ni même communiqué à ses collègues la dernière note de Chekib-Effendi. Cependant le travail de quelques membres, soit du cabinet, soit du corps diplomatique, en faveur d'un arrangement qui eût pour base la concession héréditaire de l'Égypte et la concession viagère de la Syrie au pacha, continuait. J'en suivis les progrès sans m'y associer, conformément aux instructions de Votre Excellence; je n'ai ni accueilli cette idée, ni découragé, par une déclaration préalable et absolue, ceux qui en cherchaient le succès.

«C'est dans cet état de l'affaire et des esprits qu'est arrivée ici la nouvelle de la destitution de Khosrew-Pacha et de la démarche directe de Méhémet-Ali auprès du sultan. Elle ne m'a pas surpris.

«Votre Excellence m'avait communiqué une dépêche de M. Cochelet, du 26 mai, qui annonçait de la part du pacha cette intention. J'avais tenu cette dépêche absolument secrète; mais j'ai appris depuis qu'une lettre de M. le comte Appony, en date du 16 juin, si je suis bien informé, avait annoncé au baron de Neumann la prédiction de M. Cochelet. La dépêche télégraphique par laquelle ce dernier instruit Votre Excellence de la démarche de Méhémet-Ali était aussi du 16 juin. En sorte que, par une coïncidence singulière, le même jour M. Cochelet mandait d'Alexandrie, comme un fait accompli, ce que l'ambassadeur, M. le comte Appony, écrivait de Paris, d'après une dépêche de M. Cochelet, disait-il, comme un fait probable et prochain. Quand donc le fait même est parvenu à Londres, lord Palmerston et les trois autres plénipotentiaires n'en ont été guère plus surpris que moi; ils n'y ont vu, ou du moins ils se sont crus en droit de n'y voir qu'un acte concerté entre le pacha et la France, qui, à Constantinople comme à Alexandrie, avait travaillé à le préparer.

«L'effet de l'acte en a éprouvé une notable altération; non-seulement il a perdu quelque chose de l'importance que la spontanéité et la nouveauté devaient lui assurer, mais les dispositions de lord Palmerston et des trois autres plénipotentiaires se sont visiblement modifiées. Ils ont considéré la démarche de Méhémet-Ali et son succès:

«1º Comme la ruine de la note du 29 juillet 1839 et de l'action commune des cinq puissances;

«2º Comme le triomphe complet et personnel de la France à Alexandrie et à Constantinople.

«Dès lors, ceux qui poursuivaient, dans l'espoir d'obtenir l'action commune des cinq puissances, l'arrangement fondé sur la concession héréditaire de l'Égypte et la concession viagère de la Syrie, se sont arrêtés dans leur travail, et semblent y avoir tout à fait renoncé. De son côté, lord Palmerston s'est montré tout à coup disposé à agir, et dans deux conseils successifs, tenus le 4 et le 8 de ce mois, il a présenté aux cabinets, avec une obstination pleine d'ardeur, ses idées et son plan de conduite dans l'hypothèse d'un arrangement à quatre.

«Rien n'a été résolu, le cabinet s'est montré divisé. Les adversaires du plan de lord Palmerston ont insisté sur la nécessité d'attendre des nouvelles de Constantinople. On s'est ajourné à un nouveau conseil. Mais lord Palmerston est pressant. Les puissances, dit-il, sont engagées d'honneur à régler par leur intervention, et de la manière la plus favorable à la Porte, les affaires d'Orient. Elles l'ont promis au sultan, elles se le sont promis entre elles; la démarche de Méhémet-Ali ne saurait les en détourner. C'est un acte au fond peu significatif qui ne promet, de la part du pacha, point de concessions importantes, qui ne changera ni la situation ni la politique de la Porte, qui n'amènera donc pas la pacification qu'on espère, et n'aura d'autre effet que d'entraver, si l'on n'y prend garde, les négociations entre les puissances et d'empêcher qu'elles ne marchent elles-mêmes au but qu'elles se sont proposé. Cependant l'occasion d'agir est favorable, l'insurrection de Syrie est sérieuse.»

Il y a là quelques détails que je supprime; ce sont des renseignements que lord Palmerston recevait de la Syrie par des lettres particulières.

«Toutes les fois que l'occasion s'en présente, partout où je puis engager, avec quelques-uns des hommes qui influent dans la question, quelque entretien, je combats vivement ces idées; je rappelle toutes les considérations que j'ai fait valoir depuis quatre mois, et dont je ne fatiguerai pas de nouveau Votre Excellence. Je m'étonne de l'interprétation qu'on essaye de donner à la démarche que vient de faire Méhémet-Ali. Quoi de plus naturel, de plus facile à prévoir, de plus inévitable que cette démarche? Depuis un an bientôt les puissances essayent de régler les affaires d'Orient, et n'en viennent pas à bout. Le pacha, de son côté, a déclaré, dès le premier jour, que la présence de Khosrew au pouvoir était pour lui le principal obstacle à son retour confiant et décisif vers le sultan. Khosrew est écarté. Qu'est-il besoin de supposer une longue préparation, un grand travail diplomatique pour expliquer ce qu'avait fait le pacha? il a fait ce qu'il avait lui-même annoncé, ce que lui indiquait le plus simple bon sens. La France, il est vrai, a donné et donne encore à Alexandrie des conseils, mais des conseils de modération, de concession, des conseils qui n'ont d'autre objet que de rétablir en Orient la paix, et dans le sein de l'empire ottoman la bonne intelligence et l'union, seuls gages de la force comme de la paix.

«Il serait bien étrange de voir les puissances s'opposer au rétablissement de la paix, de ne pas vouloir qu'elle revienne si elles ne la ramènent pas de leurs propres mains, et se jeter une seconde fois entre le suzerain et le vassal pour les séparer de nouveau au moment où ils se rapprochent.

«Il y a un an, cette intervention se concevait; on pouvait craindre que la Porte épuisée, abattue par sa défaite de la veille, ne se livrât pieds et poings liés au pacha, et n'acceptât des conditions périlleuses pour le repos de l'avenir; aujourd'hui, après ce qui s'est passé depuis un an, quand la Porte a retrouvé de l'appui, quand le pacha prend lui-même, avec une modération empressée, l'initiative du rapprochement, quel motif, quel prétexte pourrait-on alléguer pour s'y opposer, pour le retarder d'un jour?

«Ce langage frappe en général ceux à qui je l'adresse; mais je ne puis le tenir aussi haut ni aussi fréquemment que je le voudrais, car on s'applique à ne pas m'en fournir les occasions.

«L'affaire est donc en ce moment dans un état de crise (*Sensation*); rien, je le répète, n'est décidé: la dissidence et l'agitation sont grandes dans le cabinet; quelques ministres insistent fortement pour qu'on attende les nouvelles de Constantinople. Ceux dont l'opinion est flottante se montrent enclins à ce délai: il y a donc bien des chances pour qu'on n'arrive pas immédiatement à des résolutions définitives et efficaces.»

C'est là la phrase à laquelle M. Thiers faisait allusion tout à l'heure.

M. THIERS.—Il y en a d'autres.

M. *le ministre des affaires étrangères*.—Oui, dans le même sens.

M. THIERS.—Non, plus précises.

M. *le ministre des affaires étrangères*.—Je les accepte comme vous voudrez.

M. THIERS.—Vous m'avez écrit, je crois, le 6, le 9 et le 14 juillet, toujours en me présentant les faits comme voici:

«Le cabinet anglais délibère, il y a grande agitation, il y a crise; mais rien n'est arrêté encore. On a préparé deux plans: un à cinq, qui contiendrait le maximum des concessions à faire à la France pour se l'attacher, et un plan à quatre, en supposant que la France ne consente pas aux propositions qu'on lui ferait.»

Toutes les lettres que vous m'avez écrites, toutes les dépêches officielles que vous m'avez adressées contenaient cette supposition qu'avant de signer le traité on ferait une proposition préalable à la France, et moi, comptant que cette démarche serait faite, j'attendais pour provoquer dans le cabinet une résolution définitive.

J'ajouterai que vous ne faites ressortir ici, comme motif déterminant ayant agi sur le cabinet anglais, que la fausse interprétation que l'on donnait à la démarche du pacha d'Égypte. Je prouverai encore, par des citations des dépêches officielles et des lettres particulières, que le vrai motif, dans votre propre opinion, était la nouvelle de l'insurrection de la Syrie, et la découverte, qu'on n'avait pas faite encore, d'un moyen efficace qui ne fût ni l'envoi d'une armée anglaise, ni l'envoi d'une armée russe.

M. DE LAMARTINE.—Quel moyen?

M. GUIZOT.—Je viens de lire à la Chambre, sans en rien retrancher, les dépêches dans lesquelles j'insiste également sur les deux motifs qui pressaient la conclusion, la tentative d'arrangement direct et l'insurrection de la Syrie; je viens de lire les détails que lord Palmerston recevait sur l'insurrection de la Syrie, les espérances qu'il en concevait, et les raisons qu'il y puisait pour conclure un arrangement. Je viens de lire également à la Chambre les motifs d'indécision qui agissaient encore dans le cabinet anglais, les chances que je croyais exister encore pour gagner du temps, pour que rien ne fût immédiatement et définitivement décidé. Je n'ai pas la moindre intention de rien dissimuler dans ce que je dis à ce sujet. Rappelez-vous, messieurs, ce qui s'est passé à cette époque dans l'affaire; la Chambre sait parfaitement que, dans les derniers jours des négociations, on se cachait de la France. Je l'ai écrit, je l'ai dit à une autre tribune, je l'ai dit partout, on se cachait de la France. Il en résultait que je n'étais pas exactement et complétement informé de ce qui se passait dans l'intérieur du cabinet, je le savais à peu près; je mandais exactement ce que je savais, ni plus ni moins; je ne pouvais pas donner les certitudes que je n'avais pas; je ne pouvais pas parler avec la précision qui n'était pas dans ma propre pensée. On se cachait... Ai-je dissimulé qu'à mon avis c'était-là un mauvais procédé? Ne l'ai-je pas dit très-haut ailleurs? Je croyais, comme M. Thiers, j'étais, comme lui, en droit de croire qu'avant de signer définitivement, quand on aurait arrêté ce projet d'arrangement à quatre, on le communiquerait à la France, qu'on la mettrait en demeure, qu'elle aurait à s'expliquer une dernière fois. Sans doute, je le croyais.

M. THIERS.—Et vous me l'avez fait croire.

M. *le ministre des affaires étrangères*.—Si je ne l'avais pas cru, si M. Thiers ne l'avait pas cru, nous n'aurions pas eu à nous plaindre d'un mauvais procédé.

Une voix à gauche.—Dites d'une injure.

M. *le ministre des affaires étrangères*.—Je traiterai plus tard la question de savoir quelle est la valeur de ce procédé; en ce moment, je ne parle que du fait.

Sans aucun doute, j'ai cru et vous avez cru qu'on nous communiquerait le traité avant de le signer définitivement, et voilà pourquoi nous avons le droit de nous plaindre, voilà pourquoi vous vous êtes plaint très-légitimement, voilà pourquoi j'ai été l'interprète, l'organe très-animé de vos plaintes. Je partage votre sentiment; je pense comme vous sur ce point, mais vous n'avez pas à vous plaindre de moi; je ne pouvais pas vous dire ce que je ne savais pas; je ne pouvais pas vous exprimer une opinion contraire à la mienne comme à la vôtre; je m'attendais, comme vous, à ce qu'au dernier moment, avant de signer, on nous communiquerait le traité, on nous mettrait en demeure de signer. Et je crois qu'on a eu tort envers nous en ne le faisant pas; je crois que c'est là un mauvais procédé dont nous avons à nous plaindre; mais vous n'avez pas à vous étonner que je ne vous aie pas annoncé ce que je ne présumais pas.

Avec le mauvais procédé que je viens de rappeler... le traité m'a été communiqué le 17 juillet.

Voix à gauche.—Vous vous trompez.

M. le ministre des affaires étrangères.—Je me trompe, en effet; ce n'est pas le traité, mais le fait de l'arrangement qui m'a été communiqué; le traité ne m'a été communiqué que six semaines ou deux mois plus tard, après la ratification...

Un membre.—Dites après l'exécution.

M. le ministre des affaires étrangères.—Je voudrais faire ouvrir un portefeuille qui est à ma place, et dans lequel est le compte rendu de la conversation que j'ai eue avec lord Palmerston, au moment où il m'a communiqué le fait du traité; je désire la mettre sous les yeux de la Chambre, pour qu'elle voie dans quel langage j'ai exprimé la pensée du gouvernement du roi dans un moment si difficile.

Un huissier apporte le portefeuille à M. le ministre.

«Le 17 juillet, onze heures et demie du soir.

«Lord Palmerston m'a écrit à une heure qu'il désirait s'entretenir avec moi vers la fin de la matinée. Je me suis rendu au Foreign-Office. Il m'a dit que le cabinet, pressé par les événements, venait d'arrêter sa résolution sur les affaires d'Orient, qu'il avait une communication à me faire à ce sujet, et que pour être sûr d'exprimer exactement et complétement sa pensée, il avait pris le parti de l'écrire. Il m'a lu alors la pièce dont j'insère ici une copie (c'est le memorandum du 17 juillet; il a été publié, il est inutile d'en donner lecture). J'ai écouté lord Palmerston sans l'interrompre, et, prenant ensuite le papier de ses mains: Mylord, ai-je dit, sur le fond même de la résolution que vous me faites connaître, je n'ajouterai rien à ce que j'ai eu souvent l'honneur de vous dire; je ne veux pas, sur une première lecture faite en courant, discuter tout ce que contient la pièce que je viens d'entendre; mais quelques points me frappent sur lesquels je me hâte de vous exprimer mes sentiments. Les voici:

«Je relus d'abord ce passage: «Malgré que dernièrement les quatre cours aient proposé à la France de s'allier avec elle pour faire exécuter un arrangement entre le sultan et Méhémet-Ali, fondé sur des idées qui avaient été émises vers la fin de l'année dernière par l'ambassadeur de France à Londres, cependant le gouvernement français n'a pas cru pouvoir prendre part à cet arrangement.»

«Vous faites sans doute ici allusion, mylord, à l'arrangement qui aurait eu pour base l'abandon au pacha d'une partie du pachalik de Saint-Jean d'Acre, y compris la forteresse, et il résulterait de ce paragraphe que le gouvernement français, après avoir fait faire cette proposition, n'aurait pas cru pouvoir l'accepter. Je ne saurais admettre pour le gouvernement du roi un tel reproche d'inconséquence. Les idées dont il s'agit n'ont jamais été émises officiellement, au nom du gouvernement du roi, par l'ambassadeur de France à Londres, ni par moi, ni par mon prédécesseur. Elles ont pu paraître dans la conversation comme beaucoup d'autres hypothèses; elles n'ont jamais été présentées sous une forme ni avec un caractère qui autorise à dire ou à donner lieu de croire que le gouvernement du roi les a d'abord mises en avant, et puis qu'il les a repoussées.

«Voici ma seconde observation. Vous dites que le gouvernement français a plusieurs fois déclaré qu'il n'a rien à objecter aux arrangements que les quatre puissances désirent faire accepter par Méhémet-Ali, si Méhémet-Ali y consent, et que, dans aucun cas, la France ne s'opposera aux mesures que les quatre cours, de concert avec le sultan, pourront juger nécessaires pour obtenir l'adhésion du pacha d'Égypte.

«Je ne saurais, mylord, accepter cette expression, *dans aucun cas*, et je suis certain de n'avoir jamais rien dit qui l'autorise. Le gouvernement du roi ne se fait à coup sûr le champion armé de personne, et ne compromettra jamais, pour les seuls intérêts du pacha d'Égypte, la paix et les intérêts de la France; mais si les mesures adoptées contre le pacha, par les quatre puissances, avaient, aux yeux du gouvernement du roi, ce caractère ou cette conséquence que l'équilibre actuel des États européens en fût altéré, il ne saurait y consentir; il verrait alors ce qu'il lui conviendrait de faire, et il gardera toujours à cet égard sa pleine liberté. (*Très-bien.*)

«J'ai fait encore, sur quelques expressions du memorandum, quelques remarques de peu d'importance, et sans rengager aucunement la discussion au fond, j'ai ajouté:

«Mylord, le gouvernement du roi a toujours pensé que la question de savoir si deux ou trois pachaliks de la Syrie appartiendraient au sultan ou au pacha ne valait pas, à beaucoup près, les chances que l'emploi de la force et le retour de la guerre en Orient pourraient faire courir à l'Orient et à l'Europe: vous en avez jugé autrement... Si vous vous trompez, nous n'en partagerons pas la responsabilité: nous ferons tous nos efforts pour maintenir la paix, nos alliances générales, et pour surmonter, dans l'intérêt de tous, les difficultés, les périls peut-être que pourra amener la nouvelle situation où vous entrerez.»

En réponse à ce memorandum, je reçus de l'honorable président du conseil le contre-memorandum français du 24 juillet, avec ordre d'en donner lecture et d'en laisser copie à lord Palmerston. La Chambre le connaît: je n'en veux lire qu'un passage qui m'intéresse pour caractériser l'opinion que M. le président du conseil avait, et a sans doute encore, du procédé dont nous nous plaignons justement.

Après avoir rappelé le langage qu'avait tenu le gouvernement français, soit directement, soit par mon organe, et ce qu'il pensait, en principe général, de l'affaire, il disait:

«Ce que pensait à ce sujet la France, elle le pense encore, et elle a quelques raisons de croire que cette opinion n'est pas exclusivement la sienne. On ne lui a adressé, dans ces dernières circonstances, aucune proposition positive sur laquelle elle eût à s'expliquer. Il ne faut donc pas imputer, à des refus qu'elle n'a pas été en mesure de faire, la détermination que l'Angleterre lui communique, sans doute au nom des quatre puissances. Mais, au surplus, sans insister sur la question que pourrait faire naître cette manière de procéder à son égard, la France le déclare de nouveau, elle considère comme peu réfléchie, comme peu prudente, une conduite qui consisterait à prendre des résolutions sans moyens de les exécuter, ou à les exécuter par des moyens insuffisants ou dangereux.»

Si je ne me trompe, ce qu'on a droit d'inférer de ce langage, c'est que M. le président du conseil pensait, comme moi, qu'il y avait eu, dans le dernier acte de la conduite des quatre puissances envers la France, un mauvais procédé, un procédé dont la France avait le droit de se plaindre et d'être blessée; mais qu'il n'y a pas vu, pas plus que moi, une insulte, un affront, un de ces outrages graves qui ont entre peuples, entre États comme entre individus, de tout autres conséquences que la plainte, la froideur et l'isolement.

Je ne veux, je le répète, tirer de cette pièce aucune autre conséquence; mais celle-là, je me crois en droit de l'en tirer.

Le traité signé, le mécontentement de la France témoigné, et il l'a été, je n'hésite pas à l'affirmer, aussi pleinement que M. le président du conseil pouvait le désirer, j'ai approuvé, j'ai secondé autant qu'il m'appartenait de le faire de loin, l'attitude, les préparatifs, les armements de prévoyance qu'a faits le gouvernement du roi. J'ai pensé et je pense toujours que, dans l'état de froideur et d'isolement où la France allait se trouver et avec les chances que le parti pris en Orient pouvait amener, il était indispensable que la France fût dans l'état le plus complet et le plus respectable de paix armée. Je me sers à dessein du mot de *paix*, car je n'ai pas pensé et je ne pense pas aujourd'hui que, dans ce qui s'est passé à cette époque, il y eût aucun motif juste, légitime, sérieux, je ne dis pas de rompre immédiatement la paix, mais de se préparer pour rompre soi-même un jour la paix. (*Mouvement prolongé. Rires à gauche.*)

J'ai pensé qu'en restant dans cette attitude de froideur, d'isolement et de paix armée, la France serait en mesure de suffire aux chances des événements, et que si, au contraire, elle allait au-devant des événements, par son attitude, par ses armements, par le déploiement de ses forces, elle les appellerait. (*Même mouvement.*) Je n'ai aucun projet de rentrer dans le débat d'hier. Je ne me propose que de mettre complétement sous les yeux de la Chambre et les faits qui me sont connus, et ce que j'en ai pensé à mesure qu'ils se développaient.

La Chambre ne peut prendre mes convictions, mes assertions que comme un fait, mais il faut bien que je les lui dise telles quelles sont. Je suis convaincu que les puissances qui ont signé le traité du 15 juillet n'ont eu dans ce traité aucune idée hostile, aucune arrière-pensée menaçante pour la France et son gouvernement. (*Réclamations à gauche.*)

Je suis convaincu qu'il y a eu, entre les puissances et la France, sur la question d'Orient, sur les rapports du sultan et du pacha d'Égypte et sur la meilleure manière de les régler, une dissidence que je déplore; rien de plus. (*Rires à gauche.*)

Je trouve tout simple qu'on pense autrement que moi; mais si mon opinion a quelque valeur, ne fût-ce par la position dans laquelle je me suis trouvé, la Chambre a quelque intérêt à la connaître. (*Très-bien! très-bien!*)

Toutes les fois qu'il se passe en France un mouvement un peu vif, un peu désordonné, l'Europe, voit une révolution; toutes les fois que les puissances se rapprochent, se concertent dans un but déterminé, la France voit une coalition. (*Mouvement.*)

Cela est fort simple, fort naturel de part et d'autre; personne n'a le droit de s'en plaindre; mais les hommes de sens, les hommes qui sont appelés à influer sur les affaires de leur pays doivent juger froidement ces faits-là comme d'autres. (*Marques d'assentiment*).

Eh bien, de même que nous avons, je ne dis pas moi seul, je n'ai pas cette prétention, mais beaucoup d'entre nous, de même que nous avons dit souvent à l'Europe: Vous vous trompez, il n'y a pas chez nous de révolution qui vous menace; vous avez tort dans vos alarmes, elles sont très-exagérées;

de même, nous avons le droit et le devoir d'avertir notre pays, de l'engager à mesurer ses craintes et sa prévoyance, à regarder d'un œil tranquille et ferme la situation dans laquelle il est placé.

Oui, le traité du 15 juillet a fait à la France, sur une grave question, un état d'isolement en Europe, de froideur vis-à-vis de son meilleur et plus sûr allié. (*Mouvement à gauche.*)

Voilà le fait dans sa vérité et son étendue; voilà le fait auquel il faut pourvoir, pour lequel il a fallu prendre une certaine attitude, faire certains préparatifs. Mais si vous prenez une attitude, si vous faites des préparatifs qui correspondent, non pas à ce fait là, mais à des faits beaucoup plus menaçants, beaucoup plus pressants, messieurs, vous mettez vous-mêmes la France dans la situation périlleuse où vous dites qu'elle est; vous êtes vous-mêmes les auteurs du danger; vous préparez vous-mêmes la coalition dont vous parlez. (*Vive approbation au centre.*)

M. ARAGO.—Cela n'est pas vrai. (*Agitation.*)

M. le ministre des affaires étrangères.—Il faut bien que je vous dise ici ce que j'ai vu; il faut bien que je vous répète ce que j'ai entendu. Je vous parlais tout à l'heure de ces terreurs très-fausses, très-exagérées qui saisissent l'Europe quand la France s'agite; je les ai vues, je les ai entendues. Qu'aurais-je dit, messieurs, si, au lieu d'un armement de paix, on avait vu un armement de guerre, si on avait vu lever en France 650,000 hommes de troupes régulières et 300,000 hommes de gardes nationales? Quelle réponse aurais-je pu faire aux hommes qui m'auraient dit: mais c'est la révolution; mais c'est la menace révolutionnaire; c'est le retour aux temps de l'Empire et de la République! (*Murmures à gauche.*) Qu'aurais-je eu à dire?

Que ceux qui croient qu'il importe à la sécurité et à l'honneur de la France de venger, comme on dit, de laver dans quelque grande entreprise, dans quelque grande aventure, ce qu'on appelle la faiblesse, et je crois que le mot a été prononcé, le déshonneur de nos dernières années, que ceux qui croient cela veuillent un armement de 900,000 hommes, ils ont raison; mais ceux qui ne le croient pas, ceux qui croient que la France n'a rien à réparer au dehors, que ce qu'elle a à faire, c'est de développer ses institutions, de fonder son gouvernement, d'accroître sa prospérité, sa force intérieure, de se donner en spectacle à l'Europe pour le bon gouvernement et la prospérité intérieure, ceux qui pensent cela ne peuvent pas croire qu'un armement de 900,000 hommes soit nécessaire pour donner à la France l'altitude de la paix armée. Ceux qui partagent mon opinion ont besoin, quand on leur parle de l'esprit agressif de la France, de pouvoir répondre: Non, cela n'est pas; voyez! la France ne fait rien que ce qu'elle a besoin de faire pour sa propre sûreté; la France a pourvu aux chances qui peuvent naître de la solution que vous donnez à la question d'Orient; elle ne veut pas être prise au dépourvu. Quand la France est unie à l'Angleterre, 300,000 hommes lui suffisent comme pied de paix; mais, quand elle est seule, il lui faut 4 à 500,000 hommes pour l'attitude de paix armée. Nous le répétons depuis dix ans: quand notre révolution a éclaté, l'honorable chef actuel du cabinet a fixé à 500,000 hommes le grand pied de paix armée, et jamais la pensée de personne n'a été au delà.

M. LAFFITTE.—Avec un million de gardes nationales.

M. le ministre des affaires étrangères.—Si donc il s'était agi de l'armement dont on parlait hier, je n'aurais rien eu à répondre, personne n'aurait rien eu à répondre aux terreurs de l'Europe; il n'y aurait eu aucun moyen de les repousser par la raison, et vous auriez vu votre pays compromis gravement par les soins malhabiles que vous auriez pris pour le défendre. (*Marques nombreuses d'approbation.*)

J'ai donc, messieurs, pour mon compte et de loin, adhéré à l'attitude et aux armements contenus dans les limites que je viens d'indiquer. Quand j'ai cru entrevoir qu'une autre impulsion, non du gouvernement lui-même, mais du dehors, tendait à emporter mon pays et son gouvernement avec lui, quand j'ai cru entrevoir que, d'une situation dans laquelle il fallait, à mon avis, maintenir la paix, on se précipitait vers la guerre, vers la guerre inévitable, je me suis arrêté. Mon adhésion, mon concours au cabinet s'est arrêté, et un homme que l'honorable M. Thiers nommait hier à cette tribune, et qui est mon ami comme le sien, M. le duc de Broglie, a eu connaissance de l'état de mon esprit, de ce que je pensais sur la situation et les dangers qui nous menaçaient. Il en a eu connaissance, et si je ne me trompe, comme je l'en avais prié, comme je l'y avais autorisé, il en a donné connaissance à M. le président du conseil et à quelques-uns de ses collègues. Je crois que cela a été fait...

M. THIERS.—Je m'expliquerai là-dessus.

M. le ministre des affaires étrangères.—Je ne le dis dans aucun autre but...

M. THIERS.—Vous ne m'en avez rien écrit à moi!

Une voix à gauche.—C'est ce qu'il aurait fallu faire.

M. le ministre.—Ce qui m'importait, messieurs, et j'ose dire ce qui importait à l'honorable M. Thiers, c'était que mes opinions, que mes sentiments lui fussent bien véridiquement connus. Après cela, qu'il le sût directement par moi ou par un intermédiaire comme celui d'un honorable ami commun, je crois que cela importe fort peu au fond. J'écrivis donc à M. le duc de Broglie, je n'en dirai que quelques mots à la Chambre. (*Bruit.*) S'il ne s'était agi que d'une lettre écrite à M. le duc de Broglie, je n'en parlerais pas, mais celle-ci a pour moi une importance politique, car elle a été pour moi un acte politique...

M. ODILON BARROT.—Vous, être juge des convenances! mais en vérité!...

Voix nombreuses.—Parlez! parlez!

M. le ministre des affaires étrangères.—J'ai voulu, à la fin du mois de septembre et au commencement d'octobre, que le cabinet sût que je m'inquiétais de la direction dans laquelle je croyais mon pays entraîné... (*Bruit.*)

J'ai écrit cette lettre pour que mon sentiment fût connu. Je répète que cette lettre a été de ma part un acte politique, et il m'importe qu'on sache aujourd'hui à quel moment j'ai exprimé ma pensée et dans quelles limites je l'ai exprimée. (*Marques d'approbation.—Lisez! lisez!*) «Je suis inquiet, très-inquiet du dedans, encore plus que du dehors.» (*Mouvement.*)

Plusieurs membres.—La date, la date!

M. le ministre.—Ce sont deux lettres, l'une du 23 septembre, l'autre du 13 octobre:

«Nous retournons vers 1831, vers l'esprit révolutionnaire exploitant l'entraînement national... (*Aux centres:* Bravo! Très-bien! très-bien!) et poussant à la guerre.....»

Je prie la Chambre de me permettre de m'arrêter une seconde sur ces deux mots: «d'esprit révolutionnaire et l'entraînement national.» Je respecte, j'honore l'entraînement national, même quand il s'égare. L'entraînement national repose sur des sentiments légitimes dans le principe, généreux, précieux, sur des sentiments qui, au jour des grandes nécessités et des grands dangers, font la force et le salut des nations. (*Très-bien!*) Mais ce n'est pas une raison de se livrer aveuglément à l'entraînement national; il a besoin d'être jugé, d'être dirigé, de venir à sa place, et seulement quand il est indispensable. Eh bien, au sortir des grandes secousses politiques, il reste dans la société quelque chose qui n'est pas du tout l'entraînement national, qui n'a rien de commun avec lui, quelque chose que je n'honore pas, que je n'aime pas, que je crains profondément, l'esprit révolutionnaire. (*Très-bien!*) ce qui a fait, non-seulement aujourd'hui, mais à tant d'époques diverses, ce qui a fait la difficulté de notre situation, c'est ce contact perpétuel de l'esprit révolutionnaire et de l'entraînement national; c'est l'esprit révolutionnaire essayant de s'emparer, de dominer, de tourner à son profit l'entraînement national sincère et généreux. (*Nouvelles marques d'approbation.*)

Voilà le grand danger dont nous avons eu plusieurs fois à nous défendre, et que j'ai cru, dans ma profonde conviction, voir reparaître naguère. Je l'ai donc dit. Je continue ma lecture:

«L'esprit révolutionnaire exploitant l'entraînement national et poussant à la guerre sans motifs légitimes, sans chances raisonnables de succès, dans le seul but et le seul espoir des révolutions.

«Je dis sans motifs légitimes: la question de Syrie n'est pas un cas de guerre légitime, je tiens cela pour évident. La France, qui n'a pas fait la guerre pour affranchir la Pologne de la Russie (*Mouvement à gauche*) et l'Italie de l'Autriche, ne peut raisonnablement la faire pour que la Syrie soit aux mains du pacha et non du sultan.»

Quelques voix.—C'est très-vrai! très-bien!

M. le ministre.—«La politique jusqu'ici exprimée et soutenue par la France, quant à l'Orient, ne le lui permet pas. Nous avons hautement, constamment dit que la distribution des territoires entre le sultan et le pacha nous importait peu, que si le pacha voulait rendre la Syrie, nous n'y objections point, que la prévoyance de son refus, de sa résistance, des périls qui en devaient naître pour l'empire ottoman et pour la paix de l'Europe, était le motif de notre opposition aux moyens de coercition. En faisant la guerre pour conserver au pacha la Syrie, nous nous donnerions à nous-mêmes un éclatant démenti, un de ces démentis qui affaiblissent en décriant. Aucune autre question n'est élevée jusqu'ici en principe par la convention du 15 juillet. En fait, par son exécution, aucun grand intérêt de la France n'est attaqué, ni son indépendance, ni son gouvernement, ni ses institutions, ni ses idées, ni sa libre activité, ni sa richesse. Ce qu'on tente en Orient peut amener autre chose que ce qu'on tente; des questions peuvent naître là, des événements peuvent surgir, auxquels la France ne saurait rester étrangère. C'est une raison de s'armer, de se tenir prêt; ce n'est pas une raison d'élever soi-même, en Occident, des événements et des questions plus graves encore, et qui ne naissent point naturellement. (*Très-bien! très-bien!*)

«On a tenu peu de compte de l'amitié de la France; elle en est blessée et très-justement. C'est une raison de froideur, d'isolement, de politique parfaitement indépendante et purement personnelle; ce n'est pas un cas de guerre. L'offense n'est pas de celles qui commandent et légitiment la guerre. On n'a voulu ni insulter, ni défier, ni tromper la France.» (*Rumeurs à gauche.*)

M. MATTHIEU.—On s'est caché d'elle; on l'a trompée.

M. le ministre des affaires étrangères.—«On lui a demandé son concours; elle l'a refusé aux termes qu'on lui proposait. On a passé outre avec peu d'égards. Il y a mauvais procédé, non pas affront.

«Nous le disons depuis dix ans: c'est l'honneur de notre gouvernement d'être devenu un vrai gouvernement le lendemain d'une révolution, d'avoir soutenu nos droits sans faire nulle part appel aux passions, de s'être créé par la résistance et maintenu par l'ordre et la paix. Cesserons-nous de le dire? Changerons-nous tout à coup de maximes, de langage, d'attitude, de conduite?

«Cela n'est pas possible. Je suis loin, je vois de loin le mouvement, l'entraînement. Je ne puis rien pour y résister; je suis décidé à ne pas m'y associer. Je vous l'écrivais il y a trois semaines. Je ne saurais juger de l'état des esprits en France, ni apprécier ce qu'il prescrit ou permet au gouvernement. Il se peut que la guerre, qui ne me paraît point commandée par l'état des choses, soit rendue inévitable par l'état des idées et des sentiments publics. Si cela était, je ne m'associerais pas davantage à une politique qui me paraîtrait pleine d'erreurs et de périls; je me tiendrais à l'écart.

«J'ai confiance dans les Chambres; j'ai toujours vu, dans les moments très-critiques, le sentiment du péril, du devoir et de la responsabilité s'emparer des Chambres et leur donner des lumières, un courage, des forces qui, en temps tranquille, leur auraient manqué, comme à tout le monde. (*Très-bien!*)

«C'est ce qui est arrivé en 1831; nous nous le sommes dit très-souvent: sans les Chambres, sans leur présence, sans leur concours, sans cette explosion légale, cette lutte organisée des passions et de la raison publique, jamais le gouvernement n'eût résisté à l'entraînement belliqueux et révolutionnaire alors si vif et si naturel; jamais le pays n'eût trouvé en lui-même tant de sagesse et d'énergie pour soutenir son gouvernement.

«Sommes-nous à la veille d'une seconde épreuve? Peut-on espérer un second succès? (*Voix nombreuses*: Oui! oui!) Je l'ignore; mon anxiété est grande, mais ma confiance va à la même adresse. (*Sensation*). C'est par les Chambres seules, par leur appui, par la discussion complète et sincère dans leur sein qu'on peut éclairer le pays et conjurer le péril, si on le peut.» (*Très-bien! bravo! marques prolongées d'assentiment. M. le ministre, en descendant de la tribune, est entouré d'un grand nombre de députés qui lui expriment leurs félicitations*).

C

Continuation de la discussion de l'Adresse.—Affaires d'Orient.

—Chambre des députés.—Séance du 28 novembre 1840.—

Dans la séance du 27 novembre, M. Thiers rentra dans la question d'Orient pour répondre à ce que j'en avais dit dans la séance du 26 en répondant à M. Passy. Je repris à mon tour la parole à l'ouverture de la séance du 28.

M. GUIZOT.—Messieurs, j'ai demandé la parole pour mettre, dès le début de cette séance, un terme aux questions personnelles. Personne n'y a moins de goût que moi, mais je les accepte sans hésiter. Elles ont leur utilité; elles éclairent la Chambre et le pays sur la conduite des hommes publics. C'est le seul motif qui me détermine à y attacher quelque importance.

L'honorable M. Thiers (je vais au fait sur-le-champ), l'honorable M. Thiers a cité hier à cette tribune un fragment d'une lettre dans laquelle je lui exposais l'état d'esprit de lord Palmerston et sa confiance que la France n'opposerait aucune résistance à l'entreprise dans laquelle il engageait son pays.

Quelques personnes ont paru conclure de cette lecture que j'avais tenu à l'Angleterre un langage faible sur les dispositions de la France. (*Non! non!*)

Messieurs, je suis charmé de la dénégation qu'on m'adresse en ce moment: on ne la faisait pas hier. (*C'est vrai!*) On se montrait ému hier d'une impression différente de celle qu'on témoigne aujourd'hui. (*Approbation au centre.*) C'est à l'impression d'hier et non à la protestation d'aujourd'hui que je viens répondre.

Ma réponse est bien simple. Je lirai ma lettre tout entière, ainsi que la dépêche officielle qui correspondait à la même époque. La Chambre jugera si, dans le cas où ces deux pièces auraient été lues tout entières, l'impression qui s'est manifestée hier aurait pu paraître un moment.

Le 23 juillet, j'écrivais à l'honorable M. Thiers:

«Aujourd'hui je n'ai rien à vous apprendre, mais j'aurais beaucoup à vous dire et beaucoup à vous demander. Dans un tel moment, c'est bien peu que des lettres. Je voudrais vous tenir parfaitement au courant des dispositions; je voudrais examiner avec vous toutes les hypothèses qu'on examine autour de moi. Voici ce que je vois dans l'état des esprits.»

Messieurs, il n'y a certainement pas là le dessein de rien taire, de rien cacher, de ne pas faire connaître tout ce que je connaissais moi-même.

«Lord Palmerston a vécu longtemps (je relis le paragraphe que l'honorable M. Thiers a lu hier), lord Palmerston a vécu longtemps dans la confiance qu'au moment décisif, quand cela deviendrait sérieux, la France céderait et ferait comme les *quatre* autres. À cette confiance a succédé celle-ci: les *quatre* feront ce qu'ils entreprennent; la France se tiendra tranquille; et l'affaire faite, malgré et après l'humeur, la France rentrera dans ses bonnes relations avec l'Angleterre; la paix de l'Europe n'aura pas été troublée; l'Angleterre et la France ne seront pas brouillées, et l'Orient sera réglé comme l'Angleterre l'aura voulu. Telle est la confiance de lord Palmerston et celle qu'il a fait partager à ses collègues. Ni lui ni ses collègues ne veulent se brouiller avec nous. Ils se promettent qu'il n'en sera rien, comme ils s'étaient promis qu'en définitive nous marcherions avec eux.

«J'ai dit et je redis que la seconde confiance se trouvera aussi mal fondée que la première. (*Nouvelle approbation au centre.*) Je combats partout cette confiance, je parle des incidents, des conflits imprévus, des passions nationales, des querelles subalternes... L'affaire sera longue et grave. Nous entrons tous dans les ténèbres.

«On s'inquiète de ce que je dis; on s'inquiète de ce que fera la France.

«Les quatre puissances croiseront sur les côtes de Syrie, couperont toute communication avec l'Égypte, bloqueront les ports, débarqueront, pour aider les insurgés, au nom du sultan, des soldats turcs ou dits turcs. (*On rit.*) Que fera la France sur les côtes de Syrie?

«Les quatre puissances bloqueront Alexandrie, détruiront peut-être la flotte du pacha, porteront peut-être des troupes turques en Égypte même. Que fera la France à Alexandrie et en Égypte?

«Si le pacha envahit l'Asie Mineure, menace Constantinople, des troupes russes y viendront peut-être, des vaisseaux anglais entreront peut-être dans la mer de Marmara. Que fera la France aux Dardanelles?

«Ainsi l'on examine toutes les chances, on suit pas à pas le cours des événements, on cherche à pressentir ce que fera la France dans chaque lieu, à chaque phase de l'affaire. J'accepte toutes les questions. Je dis qu'il y en a bien d'autres qu'on ne prévoit pas, et je ne laisse entrevoir aucune réponse.

«Vous vous posez certainement à vous-même, avec votre précision accoutumée, ces questions qu'on se pose ici à notre égard, et vous y préparez des réponses qui seront claires pour nous, en même temps que nous les laisserons obscures pour les autres, jusqu'au moment de l'action.» (*Sensation.*)

Je demande à la Chambre s'il y a, dans cette lettre, un seul mot, un seul sentiment qui pût exciter les impressions qui se sont manifestées hier. (*Non! non!*)

Il faut, messieurs, que je complète les faits. À côté de ce récit particulier, il faut que je fasse connaître à la Chambre le langage officiel que j'ai tenu dans cette grande circonstance, le 25 juillet, en communiquant à lord Palmerston le contre-memorandum français que l'honorable M. Thiers m'avait envoyé; voici un extrait de la conversation que j'eus avec lord Palmerston; elle est exactement rendue telle qu'elle a été tenue.

Lord Palmerston a protesté vivement: «Nous ne changeons point de politique générale, m'a-t-il dit, nous ne changeons point d'alliance, nous sommes et nous resterons, à l'égard de la France, dans les mêmes sentiments. Nous différons, il est vrai, nous nous séparons sur une question, importante sans doute, mais spéciale et limitée. Je reviens à l'exemple dont je vous parlais tout à l'heure; c'est ce qui est arrivé dans l'affaire de Belgique. Nous pensions comme vous sur la nécessité de contraindre le roi de Hollande à exécuter le traité. Pour agir avec vous, nous nous sommes séparés des trois autres puissances. Nous avons employé la force sans elles; la paix de l'Europe n'a pas été troublée. Nous espérons bien qu'il en sera encore ainsi, et nous ferons tous nos efforts pour qu'il en soit ainsi. Si la France reste isolée dans cette question, comme elle-même l'aura voulu, comme M. Thiers à votre tribune en a prévu la possibilité, ce ne sera pas un isolement général, permanent; nos deux pays resteront unis, d'ailleurs, par les liens les plus puissants d'opinions, de sentiments, d'intérêts, et notre alliance ne périra pas plus que la paix de l'Europe.

«Je le souhaite, mylord, ai-je répondu, et je ne doute pas de la sincérité de vos intentions; mais vous ne disposez ni des événements, ni du sens qui s'y attache, ni du cours qui peut leur être imprimé. Partout, en Europe, ce qui se passe en ce moment sera considéré comme une large brèche à l'alliance de nos deux pays, comme une brèche qui peut en ouvrir de bien plus larges encore. Les uns s'en réjouiront, les autres s'en inquiéteront; tous l'interpréteront ainsi, et vos paroles ne détruiront pas l'interprétation. Viendront ensuite les incidents que doit entraîner en Orient la politique où vous entrez; viendront les difficultés, les complications, les méfiances réciproques, les conflits peut-être; qui peut en prévoir, qui en empêchera les effets? Vous nous exposez, mylord, à une situation que nous n'avons pas cherchée, que, depuis dix ans, nous nous sommes appliqués à éviter. M. Canning, si je ne me trompe, était votre ami et le chef de votre parti politique; M. Canning a montré un jour, dans un discours bien beau et bien célèbre, l'Angleterre tenant entre ses mains l'outre des tempêtes et en possédant la clef; la France aussi a cette clef, et la sienne est peut-être la plus grosse. (*Marques d'assentiment.*) Elle n'a jamais voulu s'en servir; elle a tout fait pour n'avoir pas besoin de s'en servir. Ne nous rendez pas cette politique plus difficile et moins assurée; ne donnez pas en France, aux passions nationales, de sérieux motifs et une redoutable impulsion; ce n'est pas là ce que vous nous devez, ce que nous doit l'Europe pour la modération et la prudence que nous avons montrées depuis dix ans...» (*Approbation générale.—Agitation.*)

La Chambre, si je ne me trompe, est pleinement désabusée de l'impression qu'une partie de ses membres avait paru recevoir hier. (*Mouvements divers.*) Il me serait également facile de repousser toutes les autres citations qui ont été apportées à cette tribune; il me serait également facile de montrer qu'à aucune époque, dans aucune circonstance, je n'ai hésité à remplir tous les devoirs que m'imposaient mes fonctions, à donner mon avis à l'honorable président du conseil sous les ordres duquel je servais, toutes les fois que j'ai cru mon avis nécessaire, utile seulement. Je ne me suis pas borné, comme il a paru le dire hier, à l'informer; je me suis cru obligé d'employer tous mes efforts pour faire prévaloir la politique que je représentais, et qui était celle du cabinet: j'ai donné plus que mes avis à Londres, j'ai donné mon assentiment, mon concours, mon concours quotidien, actif. Et je le donnais parce que je croyais la politique bonne, juste. Tant que je l'ai crue bonne, tant que je l'ai crue juste, mes avis n'ont pas manqué... Eh! mon Dieu, je n'ai qu'à ouvrir mes lettres; elles en sont pleines sur les points les plus délicats, sur les points sur lesquels je devais le plus hésiter à engager mon opinion et ma responsabilité.

La Chambre me permettra d'en donner deux seuls exemples.

J'écrivais à M. Thiers, le 14 juillet: «Je vous ai parlé de renseignements donnés par... (je suis obligé d'omettre les noms propres) sur l'insurrection de Syrie. Il en est arrivé de nouveaux. C'est une lettre écrite de Jérusalem dans la première quinzaine de juin. Je n'ai pu en savoir encore la date précise. On y parle beaucoup de l'insurrection de Syrie, de sa force, de sa popularité, et très-mal du gouvernement du pacha, non-seulement en Syrie, mais en Égypte. On le représente comme si vexatoire, si détesté que partout les populations sont prêtes à l'abandonner ou à l'attaquer; une force étrangère de 2,000 hommes suffirait pour amener ici une explosion.

«Il m'est revenu quelques paroles, quelques élans d'impatience qui donneraient lieu de présumer qu'on pense à quelque résolution soudaine, à quelque ordre qui, transmis soudainement, empêcherait les renforts que Méhémet-Ali veut envoyer en Syrie d'y parvenir, et les retiendrait dans le port d'Alexandrie, ou les intercepterait en mer. Je vous dis cela sans aucune certitude, pour ne vous rien laisser ignorer de ce qui me traverse l'esprit. Cependant l'éveil m'est donné, et je crois que, de votre côté, vous feriez bien de le donner aussi ailleurs...» (*Au centre.* Voilà un conseil.)

19 juillet: «Vous m'enverrez sans doute une réponse au memorandum par lequel lord Palmerston m'a communiqué sa résolution, et que je vous ai transmis dans ma dépêche. Ce sera une pièce importante. Nous traitons, vous et moi, mon cher collègue, cette grande affaire en commun. Nous pouvons et nous voulons, j'en suis sûr, nous aider l'un l'autre sans la moindre prétention ni le moindre embarras d'amour-propre. Je veux donc vous dire

quels sont, à mon avis, pour le bon effet ici, les trois points qu'il est important de mettre en éclatante lumière; vous en jugerez:

«1° L'esprit de paix orientale et européenne qui a présidé, et qui préside dans tout ceci à la politique de la France; 2° l'obscurité de l'avenir où l'on entre et la gravité des chances suscitées par la politique que l'Angleterre vient d'adopter; 3° la résolution où est la France de n'accepter, dans cet avenir inconnu et périlleux pour tous, rien qui porte atteinte à l'équilibre des États européens.»

Je n'hésitais donc pas, dans une des questions les plus délicates, dans la réponse à l'acte qui nous annonçait la conclusion du traité, non-seulement à donner mon avis, mais à indiquer les bases d'après lesquelles, dans mon opinion, le contre-memorandum devait être rédigé.

Je pourrais multiplier à l'infini ces exemples; je n'en veux ajouter qu'un seul. Le 27 juillet, j'écrivais: «La presse ministérielle demeure ici craintive, brève, et proteste encore contre toute idée de rupture et de guerre. Il importe extrêmement que la nôtre soit très-ferme, mais tranquille et point offensante. (*Au centre*: Très-bien!) Le courant de l'opinion nous est favorable; mais elle pourrait aisément rebrousser chemin... Toute menace, tout air de bravade nous nuirait.» (*Sensation*.)

Messieurs, il n'était certainement pas dans mes obligations diplomatiques d'exprimer, sur une pareille question, sur une question d'administration intérieure, ma pensée; cependant je n'ai pas hésité à le faire: je l'ai fait parce que je voulais sincèrement le succès de la politique que nous poursuivions en commun; parce que je donnais mon concours loyal, comme je l'avais promis.

Mais, en même temps que je le donnais, je n'oubliais pas, je ne voulais pas changer ma position politique dans le pays. J'ai été plusieurs fois dans les affaires avec l'honorable M. Thiers; nous avons plusieurs fois concouru en commun à des œuvres qui, j'espère, ont été utiles à notre pays; mais il n'ignore pas, et nous nous sommes dit souvent avec la franchise d'hommes sensés, qu'il y avait entre lui et moi des différences essentielles de situation, d'idées, de tendances, d'amitiés politiques. Pourquoi n'aurais-je pas été à Londres, sous ce rapport, le même qu'à Paris? Pourquoi ne serais-je pas resté fidèle à mes antécédents, à mes convictions. J'avais l'honneur de le dire avant-hier à la Chambre: «point de réforme électorale, point de dissolution», c'est le drapeau qui me fut montré comme drapeau de la politique intérieure du cabinet, et que j'acceptai en disant qu'il me serait impossible d'en accepter un autre. Dans le cours de ma mission, toutes les fois que quelque circonstance m'a donné lieu de croire que ce drapeau serait changé, que, par telle ou telle cause, on ne le suivrait pas complètement, je me suis fait un devoir, un devoir de conscience, d'avertir qu'il me serait impossible de persévérer dans ma mission, quand même il n'y aurait sur la politique extérieure, sur celle que j'étais chargé de faire prévaloir à Londres, aucun dissentiment.

J'ai donc donné, d'une part, mon concours loyal et complet; je suis resté, d'autre part, parfaitement sincère. J'ai secondé loyalement; j'ai averti loyalement quand j'ai vu que je ne pourrais plus seconder; je ne crois pas qu'aucun de ces faits soit contesté; on ne pourra pas citer un mot de moi qui y soit contraire.

Je me bornerai là, messieurs; je n'ai, je le répète, pas plus de goût qu'un autre pour les questions personnelles; mais je crois qu'elles ont leur importance, et qu'il importe à chacun de nous de montrer qu'il a été en toute occasion, loyal, sincère et conséquent. (*Très-bien! très-bien!*)

La question personnelle écartée, et j'espère qu'elle l'est définitivement, je rentre dans la question politique; non pas comme le disait hier mon honorable ami M. le ministre de l'instruction publique, dans la politique rétrospective, non pas dans l'examen du passé, dans la distribution de l'éloge ou du blâme à divers cabinets ou à divers hommes. Je veux prendre l'affaire au point où elle en est aujourd'hui. (*À la bonne heure!*) Je veux traiter la question pratique, la question de politique actuelle; je veux montrer à la Chambre ce qu'elle a à décider en ce moment, et quelle est la résolution du cabinet. (*Marques d'adhésion.*)

Messieurs, nous ne sommes plus au lendemain du traité du 15 juillet. Bien des faits se sont accomplis depuis; bien des situations sont changées.

Permettez-moi de les énumérer.

Le traité s'est exécuté, dans les limites indiquées en Syrie, par les moyens qui avaient été annoncés. Les côtes de la Syrie ont été occupées par les alliés. L'insurrection a éclaté et s'est propagée dans la plus grande partie de la province. Ibrahim-Pacha a rappelé ses troupes du pied du Taurus et du district d'Adana, il a abandonné les débouchés de l'Asie Mineure. Saint-Jean d'Acre a été enlevé. Enfin, le vice-roi a donné à son fils l'ordre de se replier sur l'Égypte avec toutes ses troupes. Voilà les faits accomplis.

Tous ces faits, messieurs, se sont accomplis du 15 juillet au 3 novembre, sous le cabinet du 1er mars, en présence de son influence, de sa volonté, de son action.

En Orient, il n'a rien fait pour les empêcher.

En Occident, voici ce qu'il a fait: il a accepté, pratiqué la politique d'isolement et d'attente. Il a fait des réserves générales dans l'intérêt de l'équilibre européen. Il a fait des armements de précaution, il a armé la paix. Enfin, il a fait des réserves positives, des réserves que j'appellerai d'action, quant à l'Égypte.

Voilà les actes du cabinet du 1er mars en Occident; en Orient, sur le théâtre des événements, pour les arrêter, pour en modifier le cours, il n'y en a eu aucun.

Quand les événements ont paru se précipiter, le cabinet a voulu faire davantage; c'est alors que vous avez vu paraître le projet du grand armement de guerre, 950,000 hommes, et les préparatifs de guerre au printemps pour faire modifier le traité; je ne donne pas à l'intention de la guerre une autre portée.

Sur ce point, le cabinet n'ayant pu s'entendre avec la couronne est sorti des affaires. Il m'est bien permis de le dire; je suis convaincu que la couronne, dans cette occasion, comme lorsqu'il s'est agi, il y a quelques années, de l'intervention en Espagne, a rendu au pays un grand service en n'acceptant pas les propositions qui lui étaient faites. Je suis convaincu qu'en se refusant au cours qu'on voulait imprimer aux événements, à la politique par laquelle on voulait dominer l'avenir, la couronne a rendu au pays un service immense, un service analogue à ceux qu'elle lui avait rendus plusieurs fois dans de semblables occasions. (*Vive adhésion au centre.*)

C'était son office constitutionnel; c'était, dans ma pensée, son devoir patriotique.

C'est sur cette rupture de la couronne et du cabinet que nous sommes entrés aux affaires. Nous avons à l'instant déclaré notre politique sincèrement et à tout le monde: au pays et aux Chambres d'abord, à l'Europe, au pacha d'Égypte.

Nous avons dit que nous voulions travailler au maintien de la paix, que nous l'espérions. Nous avons maintenu les armements, les armements de paix; nous n'avons fait auprès de l'Europe aucune proposition, aucune concession; nous n'avons dit aucune parole qui altérât la position isolée, digne, expectante, que le cabinet précédent, avec raison, avait prise. Nous avons donné sur-le-champ au pacha d'Égypte des conseils de raison, de raison pratique et prompte. Nous lui avons dit sans détour, sans flatterie, sans faiblesse, ce que nous pensions de sa situation, et quelle conduite nous nous proposions de tenir.

Nous avons, je le répète, parlé avec sincérité à tout le monde.

Au milieu de cette situation, une dépêche est venue de Londres qui a été publiée, je ne sais comment ni par qui; mais j'ai droit de dire que je regarde comme un grand mal pour les affaires du pays cette pratique de correspondre diplomatiquement par les journaux (*De toutes parts*: Très-bien!), de publier les actes du gouvernement au moment même où ils s'accomplissent, les dépêches pendant que la négociation se suit. Soyez sûrs que ce sera un jour, pour les affaires, un grand embarras, et que vous rencontrerez sur votre chemin une foule d'inconvénients qui viendront de cette mauvaise pratique, si on la continue. (*Adhésion aux centres.*)

Messieurs, cette dépêche du 2 novembre a excité dans la Chambre et dans le pays de vives inquiétudes. On a cru y voir des arrière-pensées, des projets contre l'Égypte même. Le cabinet en a manifesté sur-le-champ sa surprise, je ne veux pas me servir d'une autre expression. On lui a répondu, dans les termes les plus convenables, qu'on n'avait eu aucune intention analogue à celle qu'ici on supposait. On lui a répondu que les inquiétudes que cette dépêche avait suscitées, quant à l'Égypte, étaient sans aucun fondement, que les intentions du cabinet britannique et de ses alliés étaient toujours les mêmes sur ce point. On a fait plus que parler, on a agi. Des ordres ont été transmis à l'amiral Stopford pour qu'il envoyât au pacha un officier chargé de lui dire que, s'il consentait à cesser les hostilités... (*Murmures à gauche.*)

Personne n'a le droit de s'en étonner..., s'il consentait à cesser les hostilités et à rendre la flotte, les quatre puissances s'engageaient à demander pour lui à la Porte le pachalik héréditaire de l'Égypte, et à le lui obtenir. (*Interruption.*)

Voilà, messieurs, l'état actuel de l'affaire. Presque au même moment où arriveront en Égypte la nouvelle de la prise d'Acre et celle du mouvement par lequel Ibrahim se replie avec ses troupes, presque au même moment arrivera au pacha l'offre du pachalik héréditaire de l'Égypte, offre qui lui est faite, je n'hésite pas à le dire, surtout en considération de la France. (*Rires ironiques aux extrémités.*)

On offre aujourd'hui au pacha, après tous les faits accomplis que je viens de vous retracer, on lui offre ce que vous avez réservé pour lui dans la note du 8 octobre.

M. VIGIER.—C'est vrai!

M. THIERS.—C'est inexact!

M. le ministre.—Je ne veux entrer, sur le sens et les limites de la note du 8 octobre, dans aucune discussion. Je maintiens seulement ceci: la note du 8 octobre n'a réservé, d'une réserve définitive et active, directement active de la part de la France, que l'Égypte.

M. THIERS.—J'ai dit le contraire.

Plusieurs voix au centre.—Mais la note du 8 octobre est précise!

M. le ministre.—Je n'entrerai pas dans cette discussion.

M. THIERS.—Permettez-moi une observation.

M. le ministre.—Parlez!

M. THIERS.—La note ne s'est nullement expliquée sur la limite territoriale, et c'est avec intention qu'elle a gardé à cet égard le silence; et, en vous l'adressant, je vous ai positivement dit que le cabinet, pour son compte, n'admettait pas les limites du traité du 15 juillet. Je ne prétends pas que cela doive déterminer aujourd'hui une autre conduite; mais il ne faut pas attribuer à la note un autre sens que celui que je lui attribuais le 8 octobre.

Plusieurs membres.—Lisez la note.

M. le ministre.—Je ne voudrais pas prolonger la discussion à cette tribune sur un point qu'il est difficile d'y éclaircir à la satisfaction de tout le monde. J'affirme cependant que la note a été prise en général, au dehors et au dedans, dans le sens que je lui attribue, et la raison en est bien simple. Contre quoi la note proteste-t-elle? Contre l'acte de déchéance prononcé par la Porte. Or, l'acte de déchéance s'applique à l'Égypte exclusivement (*C'est cela!*), à l'Égypte nominativement. Le reste était en dehors des stipulations de l'acte de déchéance; le reste était considéré comme perdu, soit par le traité, soit par les chances de la guerre. Toutes les dépêches portent que l'acte de déchéance ne s'applique qu'à l'Égypte, que c'est comme vice-roi d'Égypte que Méhémet-Ali est déchu; et quand la note proteste contre l'acte de déchéance, quand elle déclare que c'est à la déchéance que la France ne saurait en aucun cas consentir, c'est évidemment de l'Égypte qu'il s'agit.

Au centre.—C'est évident.

Plusieurs membres.—Lisez la note.

M. le ministre.—Je ne pousserai pas plus loin cette discussion. Je reprends la question de fait au point où elle est aujourd'hui.

Par les chances de la guerre, avant le 3 novembre, pendant la durée et sous l'action du cabinet du 1er mars, le pacha a perdu la Syrie tout entière. Par la note du 8 octobre, on avait fait la réserve du pachalik héréditaire de l'Égypte. Ce pachalik héréditaire est offert à Méhémet-Ali, au nom des puissances. Dans cet état des faits, des faits accomplis et diplomatiques, que voulez-vous qu'on fasse? Lui donneriez-vous le conseil de refuser l'Égypte héréditaire, dans l'espoir qu'au printemps, par la guerre, avec 950,000 hommes, vous lui ferez rendre la Syrie? (*Rires approbatifs au centre.*)

Voilà la question réelle; voilà la question pratique, la question sur laquelle, le cabinet d'une part, la Chambre de l'autre, sont appelés à se prononcer aujourd'hui.

Il faut choisir entre deux politiques, entre celle qui, acceptant la position que vous avez prise, acceptant les faits accomplis sous votre administration, acceptant la réserve que vous avez faite, se contente de cette réserve, et donne au pacha sincèrement, sans détour, le conseil de s'en contenter, et une politique qui, remettant en question les faits accomplis, remettant en question la position que vous avez prise, remettant en question les limites dans lesquelles vous vous êtes vous-mêmes renfermés, donnerait au pacha le conseil de continuer je ne sais quelle guerre, non en Syrie, où il ne sera bientôt plus, mais en Égypte même, dans l'espoir que, par une guerre générale, dans six mois, vous serez en état de lui faire recouvrer la Syrie.

Il n'y a pas d'autre question politique que celle-là. (*Approbation au centre.*)

M. THIERS.—Aujourd'hui.

M. le ministre des affaires étrangères.—L'honorable M. Thiers me dit: *Aujourd'hui.* Il a raison. Tout le reste est du passé, un passé qui nous est étranger, que nous n'avons pas fait, qui s'est fait, je le répète, en votre présence et sous votre influence. Je ne discute pas ce passé; je n'y rentre point. Je ne crois pas qu'il soit aujourd'hui d'une grande importance pour le pays de débattre les différentes actions qu'on aurait pu exercer, les différentes politiques qu'on aurait pu pratiquer. Je crois que ce qui importe au pays, c'est de mettre un terme à une situation difficile et périlleuse; et on ne peut le faire qu'en acceptant, je le répète, et les faits accomplis, et les réserves qui ont été faites au profit du pacha, et qui sont aujourd'hui reconnues et offertes. Voilà la politique du cabinet, sa politique actuelle, pratique, sans récrimination, sans discussion du passé. C'est sur cette politique que la Chambre a à se prononcer par son adresse. En l'adoptant, la Chambre reconnaît la sagesse de cette politique; la Chambre l'adopte, autant qu'il est dans sa mission, dans sa situation constitutionnelle, de l'adopter. Nous le lui demandons, car nous ne pouvons, pour notre compte, en pratiquer aucune autre. (*Vive approbation au centre.*)

CI

Continuation de la discussion de l'Adresse.—Affaires d'Orient.

—Chambre des députés.—Séance du 2 décembre 1840.—

M. Garnier-Pagès ayant dit, dans cette séance, que, dans l'état de la France et de son gouvernement à l'intérieur, la bonne politique extérieure leur était impossible, je lui répondis:

M. GUIZOT.—Messieurs. Je ne viens pas rentrer dans la discussion; je ne viens pas répondre aux faits personnels, aux récriminations qui ont été reproduites hier et aujourd'hui à cette tribune. J'en ai été tenté un moment; j'y renonce. Il s'agit de bien autre chose.

Vous venez d'entendre dire, vous avez entendu dire hier qu'il y avait, dans notre politique extérieure, des impossibilités, qu'il y avait des choses dont ceux-là même qui les avaient faites ne répondaient pas, ou ne répondaient qu'à moitié, qu'il y avait des choses que les ministres voulaient et ne pouvaient pas faire.

Qu'est-ce que cela veut dire, messieurs? (*Mouvements divers.*) Que signifient, je vous le demande, dans un gouvernement constitutionnel, ces attaques indirectes, ces insinuations? C'est le mal de la presse qui pénètre dans la Chambre... (*Approbation aux centres.*) C'est le tort que nous reprochons tous les jours à la presse qui envahit cette tribune... (*Nouvelle adhésion.*) Messieurs, dans le gouvernement constitutionnel tel que nous le pratiquons depuis dix ans, il n'y a que des ministres responsables assis sur ces bancs, et la Chambre ne peut pas souffrir qu'on parle d'autre chose à cette tribune. (*Très-bien!*) C'est violer la Charte même, c'est violer le principe de notre gouvernement, c'est manquer à ses règles élémentaires.

Une voix à droite.—Et la coalition! (*Bruit.*)

M. le ministre.—Il importe infiniment, messieurs, que la Chambre ne permette pas ces allusions, ces attaques indirectes. Elles se renouvellent tous les jours dans la presse, et si là elles ne peuvent être atteintes autant que le voudrait la sûreté du pays, au moins faut-il que la Chambre, ce grand jury national, ne les admette pas dans cette enceinte. (*Très-bien!*)

Messieurs, renfermons-nous dans les principes et dans les limites de notre Charte; que les discussions soient libres et complètes, que les actes appartiennent à ceux qui les ont faits, à ceux qui les ont signés.

Je suis sûr que les honorables membres du cabinet du 1er mars ne me démentiront pas. Tout à l'heure l'un d'entre eux, l'honorable M. de Rémusat, à cette tribune, acceptait complètement la responsabilité de ses actes. Je l'en honore et l'en remercie.

C'est là le gouvernement constitutionnel; ainsi tombent toutes les insinuations, toutes les attaques indirectes que je viens repousser en ce moment.

Savez-vous ce qu'il arrive de ces attaques? Comme vous l'avez entendu hier dans le discours de l'honorable M. Berryer, on commence par vous dire, «que les actes ne sont pas les actes des ministres;» et puis on vous dit: «Ce ne sont pas ceux de la France, ce n'est pas de la France qu'on parle, à la France qu'on pense.»

Messieurs, vous ne pouvez tolérer cela davantage. Vous êtes ici les représentants de la France; c'est en son nom que vous siégez ici; c'est de son droit que vous parlez; tout ce que font les deux Chambres, c'est la France qui le fait, c'est la France qui agit par elles, c'est la France qui parle par leur voix. Toute notre politique depuis dix ans, cette politique qu'on veut imputer à d'autres causes, à d'autres forces que les cabinets, c'est la France qui l'a approuvée, c'est la France qui l'a soutenue. Messieurs, la France, c'est vous, ce sont les Chambres de la Charte, c'est la majorité et l'opposition dans les Chambres; la France, c'est la lutte qui s'établit entre les opinions diverses; la France, c'est le résultat de cette lutte, c'est le vote qui proclame ce résultat. Tout ce qui se fait ainsi, la France l'a fait. Voilà ce qui se passe dans le cercle de nos institutions; là est notre droit, là est notre force, et personne ici, personne ne peut être admis à parler d'autre chose. (*Au centre*: Très-bien!)

C'est pour protester contre ce langage, contre cette pratique destructive et de la liberté et de la dignité de nos débats que je suis monté à cette tribune. Je ne rentrerai pas, je le répète, dans la question même; si elle se renouvelait dans l'examen des paragraphes, je reprendrais la parole; c'est uniquement pour couvrir ce qui doit être couvert, pour écarter ce qui doit être écarté, que je suis venu prononcer ici quelques mots. (*Marques d'approbation.*)

CII

Continuation de la discussion de l'Adresse.—Affaires d'Orient.

—Chambre des députés.—Séance du 4 décembre 1840.—

M. Odilon Barrot ayant proposé, sur le paragraphe de l'Adresse relatif aux affaires d'Orient et au traité du 15 juillet 1840, un amendement qui repoussait la politique adoptée et soutenue par le cabinet du 29 octobre, je le combattis immédiatement, et il fut rejeté.

M. GUIZOT.—Messieurs, j'ai peu de mots à dire pour faire comprendre à la Chambre toute la portée de l'amendement qui vient de lui être proposé.

Il porte sur un principe et un fait.

En principe, il refuse formellement, non pas seulement aux quatre, mais aux cinq, mais à toutes les puissances, le droit d'intervention dans les affaires de l'empire ottoman. Ce principe, c'est un démenti à toute la politique suivie depuis que la question a été élevée, non-seulement par le cabinet actuel, mais par tous les cabinets.

Une voix à gauche.—Il y a «sans la France» dans l'amendement.

M. le ministre des affaires étrangères.—Par tous les cabinets, il a été reconnu et pratiqué, depuis que la question est élevée, que, cette question intéressant la paix du monde, l'équilibre de l'Europe, il était impossible que les puissances intéressées n'y intervinssent pas.

Une voix.—Oui, mais toutes.

M. le ministre des affaires étrangères.—Et elles y sont intervenues en fait, quand elles ont interdit la continuation de la guerre entre le sultan et le pacha; elles ont usé alors du droit d'intervention. (*Rumeurs.*) C'est un fait tellement simple, messieurs, qu'il n'est pas contestable. Cela est évident de soi: le droit d'intervention dans l'intérêt de l'équilibre européen a été pratiqué depuis le commencement de la question.

Mais on dit: il est pratiqué maintenant par quatre puissances et non par cinq.

La réponse est très-simple; les quatre puissances ont offert à la France d'intervenir avec elles; elles n'ont pas entendu exclure la France de l'intervention; elles ne lui ont pas contesté le droit d'intervention qu'elles exerçaient elles-mêmes.

Les quatre puissances et la France n'ont pu s'accorder sur les conditions de l'intervention; elles n'ont pas voulu intervenir de la même manière et dans les mêmes limites. Mais, quant au droit, il n'a pas été contesté à la France; au contraire, elle a été constamment invitée à intervenir avec les autres, et si elle n'est pas intervenue, je le répète, c'est que les conditions et le mode de l'intervention ne lui ont pas convenu. C'est librement, c'est de son fait, c'est de sa propre volonté que la France n'est pas intervenue. Et c'est là ce qui rend pour elle la situation acceptable; croyez-vous que, si le principe que M. Barrot demande avait été admis par la France, elle n'aurait pas, dès le premier moment, protesté solennellement contre le traité du 15 juillet? Mais l'honorable M. Thiers sait bien qu'il n'a pas contesté le droit d'intervention aux quatre puissances; il a trouvé le traité dangereux, pourquoi?

M. THIERS.—Ce n'était plus l'intervention européenne.

M. le ministre des affaires étrangères.—Parce que le but du traité, et ce sont les termes mêmes du memorandum par lequel il a été répondu, parce que le but ne pouvait être atteint que par des moyens insuffisants ou dangereux. (*Réclamations de M. Thiers.*)

Il n'y a rien de si aisé que de mettre les paroles mêmes du memorandum du 24 juillet sous les yeux de la Chambre; elles les a entendues plusieurs fois; c'est l'acte qui contient la première et vraie pensée du cabinet sur le traité du 15 juillet; je suis prêt à le relire à la Chambre si elle le désire (*Non! non!*), mais je suis sûr que je le cite exactement.

Reste le second point. Je ne puis que me rappeler à peu près les paroles qui viennent d'être prononcées: «Ces armements seront maintenus et recevront tous les développements que pourront exiger la défense des droits que nous avons reconnus et la protection de nos intérêts en Orient.»

Mais, messieurs, c'est là engager absolument la France à la cause de Méhémet-Ali (*Réclamations*); ce sont les forces de la France vouées à la défense de ce qu'on appelle les droits de Méhémet-Ali.

Messieurs, permettez-moi, en finissant, au dernier terme de ce débat, d'entrer dans le vrai de la situation.

Toute notre politique, depuis que la question d'Orient est élevée, a eu pour base la supposition que le pacha opposerait une résistance énergique, efficace et prolongée. Quiconque lira tout ce qui a été dit et écrit dans cette grande question, quiconque en examinera tous les actes verra que c'est là l'idée qui a été la base de notre politique. Dans tous nos raisonnements, dans toutes nos pièces diplomatiques, qu'avons-nous dit? «Ce que vous entreprenez est très-difficile et très-périlleux; vous l'entreprenez avec des moyens insuffisants ou dangereux. Le pacha vous résistera de telle façon que vous mettrez en péril la paix de l'Orient et l'équilibre de l'Europe.»

Voilà la base de tous nos raisonnements; plus que la base de nos raisonnements, la base de nos actions, de notre politique.

Que faisait le cabinet du 1er mars quand il arrivait, quand il voulait développer les armements, dans la vue qu'au printemps il serait prêt à faire la guerre? Il agissait dans l'hypothèse que le pacha résisterait longtemps, énergiquement, efficacement, sans quoi la politique dans laquelle il entrait n'aurait pas été praticable.

Regardez à tout ce qui a été dit, regardez à tout ce qui a été fait, vous trouverez au fond la conviction de la résistance énergique et prolongée du pacha.

Eh bien, cette base de notre politique a manqué; c'est un fait qu'il est impossible de méconnaître. Voulez-vous continuer à parler et à agir comme si elle n'avait pas manqué, comme si le pacha avait résisté énergiquement, efficacement, longtemps? Voilà pourtant ce qu'on vous demande. (*Dénégations.*)

On vous demande de vous attacher à une cause qui n'a pas été soutenue par son propre maître. On vous demande de vouer les forces de la France à la défense d'autres forces étrangères qui se sont trouvées insuffisantes pour se protéger quelques semaines elles-mêmes.

Voilà la vraie situation. Voilà la vraie question. Il est impossible qu'on engage ainsi la France, quand la base de la politique a été une erreur évidente. Il est impossible qu'on ne tienne aucun compte des faits, et que l'on compromette les intérêts, la dignité, le sang de la France dans une cause qui a failli tout à coup. (*Mouvements divers. Vive agitation.*)

CIII

Discussion du projet de loi relatif aux secours à accorder aux réfugiés étrangers.—Relations de la France avec l'Espagne.

—Chambre des pairs.—Séance du 4 janvier 1841.—

Le gouvernement avait demandé un crédit de 700,000 francs pour secours aux réfugiés étrangers. Dans la discussion de ce projet de loi, M. le duc de Noailles s'éleva contre la politique adoptée dans nos relations avec l'Espagne depuis la mort de Ferdinand VII, et spécialement depuis que don Carlos avait été expulsé de la Péninsule. Je lui répondis:

M. GUIZOT.—Messieurs, la Chambre ne s'étonnera pas, j'en suis sûr, si, dans le discours de l'honorable préopinant, il y a des choses auxquelles je ne réponds point, sur lesquelles je n'exprime aucun avis, dont je ne parle même pas. Non-seulement il ne m'est pas permis de tout dire, mais il ne m'est pas permis de parler de tout. Il y a une foule de choses dans lesquelles la parole nuit d'avance à l'action. Quand on n'est pas obligé d'agir, quand on est simplement appelé à observer et à juger, on peut exprimer sans crainte et sans gêne toute sa pensée. Quand on est appelé à agir, et précisément pour agir, il faut savoir se taire.

Dans une occasion récente, j'ai eu l'honneur de dire à cette tribune que le projet du gouvernement était de ne pas intervenir activement dans les affaires intérieures de l'Espagne. Mais j'ai certes été bien loin de renier la part qu'il a prise dans les événements dont l'Espagne a été le théâtre...

M. LE MARQUIS DE BREZE.—Je demande la parole.

M. le ministre.—Lorsque, à la mort de Ferdinand VII, l'Espagne a reçu, de la volonté même de son roi, un gouvernement qu'elle a aussitôt entouré et appuyé de la sanction nationale, la France l'a reconnu; elle s'est empressée de le reconnaître, comme le disait l'honorable préopinant, parce que c'était le gouvernement légitime de l'Espagne, le gouvernement proclamé par le droit légal et le vœu national; et après l'avoir reconnu, la France l'a soutenu. Lorsque ce gouvernement, établi par le testament de Ferdinand VII et par le vœu national, a été attaqué, lorsqu'il a été mis en question par la guerre civile, le gouvernement du roi s'est empressé de le soutenir et de lui donner un appui public et efficace. Oui, nous avons levé des troupes, nous avons conclu des traités, nous avons envoyé la légion étrangère, nous avons pris de grandes mesures qui ont eu pour objet de soutenir le trône d'Isabelle II. Certes, je suis loin de renier cette politique, convaincu, aujourd'hui comme il y a cinq ans, qu'elle est conforme au vœu de l'Espagne et aux intérêts de la France.

Mais là s'est bornée, messieurs, et là se bornera l'intervention, l'action du gouvernement du roi en Espagne. Soutenir le gouvernement d'Isabelle II, voilà la politique du gouvernement du roi. Après cela, respecter la liberté de l'Espagne et le gouvernement de la reine, l'entière liberté de l'administration intérieure de ce royaume, ne pas y entrer dans les querelles des partis, ne pas épouser tel ou tel parti, tel ou tel cabinet contre tel autre, ne pas engager la France dans les discussions intérieures de ce gouvernement de la reine que la France est décidée à soutenir dans son ensemble, voilà la règle que nous nous sommes imposée. Voilà ce que je voulais dire quand je disais que la France ne chercherait pas à exercer une influence active dans les affaires intérieures de l'Espagne. J'ai en même temps avoué, continué la politique du gouvernement du roi depuis sept ans, et j'en ai marqué la limite. Je prie la Chambre et l'honorable préopinant de bien remarquer cette limite, parce qu'en effet c'est la règle de la conduite du gouvernement. Si le gouvernement de la reine Isabelle II était menacé dans son existence, si la cause que la France a soutenue, en même temps que l'Espagne la soutenait et parce que l'Espagne la soutenait, si, dis-je, cette cause était en péril, le gouvernement verrait ce qu'il aurait à faire, et il ne déserterait pas la politique qu'il a suivie jusqu'à présent. Mais, pour ce qui regarde les luttes de partis, de cabinets, l'administration intérieure de l'Espagne, le gouvernement du roi continuera à ne point s'en mêler: il laissera à l'administration intérieure de l'Espagne toute la liberté à laquelle elle a droit.

J'arrive aux circonstances actuelles. La situation qu'elles nous ont faite et la politique qu'elles nous ont déterminé à adopter, l'honorable préopinant le disait tout à l'heure, ne sont point du fait de la France. La France a été entièrement étrangère à des événements que je puis me dispenser de juger, mais que je déplore, et qui ont amené en Espagne l'administration qui y préside aujourd'hui. Mais cette administration, messieurs, c'est toujours le gouvernement de la reine Isabelle II. Le trône de la reine Isabelle II est intact, et les hommes qui aujourd'hui administrent en son nom n'ont donné à personne le droit de dire qu'ils veulent séparer leurs intérêts des intérêts de la reine Isabelle II. Le gouvernement actuel de l'Espagne est le gouvernement de droit.

C'est en même temps le gouvernement de fait, et à ce titre aussi nous restons en rapport avec lui. Quand nous disons que nous respectons la liberté intérieure des nations, nous ne disons pas, messieurs, de vaines paroles; nous entendons régler effectivement notre conduite sur ce principe, quand même son application peut entraîner certains dangers. L'administration qui régit aujourd'hui l'Espagne est son gouvernement de fait; elle est reconnue par le pays tout entier; il n'y a aucune guerre civile en Espagne. Quant à présent nous n'avons aucune raison pour ne pas continuer avec cette administration les relations que nous avions avec le gouvernement de la reine dans les années précédentes.

De plus, jusqu'ici, cette administration ne nous a donné, à nous Français, à nous gouvernement du roi, aucun sujet sérieux de plainte. Elle a entretenu les relations telles qu'elles existaient auparavant. Elle se montre disposée à entretenir ces relations sur un pied de bienveillance et d'amitié. Elle se montre disposée en même temps à faire des efforts pour être un gouvernement régulier, pour effacer ce qu'il peut y avoir, dans la manière dont elle est arrivée au pouvoir, de contraire à un ordre de chose régulier et monarchique. Pourquoi, par nos paroles publiques, la découragerions-nous de cette voie où elle veut entrer? Pourquoi, au contraire, ne lui donnerions-nous pas des conseils de prudence, de modération? Pourquoi ne continuerions-nous pas à ne pas nous mêler de l'administration intérieure de l'Espagne, et à appuyer le gouvernement de la reine Isabelle II partout où nous la rencontrerons, et toutes les fois qu'il s'efforcera de se conduire en gouvernement régulier?

C'est ce que nous faisons; nous ne sommes pas obligés d'exprimer notre jugement sur des événements accomplis; nous ne songeons qu'à maintenir des relations pacifiques et à seconder les efforts qu'on voudra faire en Espagne pour rentrer dans les voies régulières du gouvernement.

Voilà l'attitude que nous avons prise. Nous sommes loin de vouloir associer notre responsabilité aux destinées de l'administration qui gouverne aujourd'hui en Espagne. Mais si nous avions des craintes, des inquiétudes, nous ne nous croirions pas obligés, je le répète, de les porter publiquement à cette tribune, nous demeurerions en observation.

Mais on nous dit, et c'est un des principaux reproches que nous faisait tout à l'heure l'honorable préopinant, on nous dit: «Vous abandonnez donc votre influence en Espagne. Vous la livrez à vos rivaux. Cette politique est une politique inerte et sans résultat.»

Messieurs, il y a quelques mois, quand un ministère d'une autre couleur, qu'on appelait le ministère modéré, existait en Espagne, on disait que l'influence de la France était tout en Espagne, que notre ambassadeur gouvernait l'Espagne, que cela excitait la colère des Espagnols et la jalousie de la Grande-Bretagne.

M. LE DUC DE NOAILLES.—Ce n'est pas moi qui l'ai dit.

M. GUIZOT.—Je ne prétends pas que le noble duc l'ait dit lui-même; mais personne n'ignore que cela s'est beaucoup dit en Espagne, et que c'est même une des causes du mouvement qui s'y est opéré.

Le noble duc a suivi de trop près ces événements pour ne pas se rappeler que tel a été, en effet, pendant un certain temps, le langage qu'on tenait en Espagne et en France. Lorsque le cabinet modéré est tombé et a fait place au cabinet exalté, comme on dit en Espagne, on s'est regardé comme délivré de l'influence française.

Messieurs, ces influences qui s'en vont et qui reviennent, selon qu'un cabinet succède à un cabinet, ne sont donc pas si complétement détruites; elles ne périssent pas parce qu'elles paraissent un moment suspendues. Ce sont là des vicissitudes inévitables dans un pays qui est en proie aux agitations révolutionnaires.

Indépendamment des rivalités anciennes de la France et de l'Angleterre sur ce théâtre, il s'y est ajouté la rivalité des partis qui ont pris tel ou tel drapeau, qui se sont faits anglais ou français, beaucoup moins selon la réalité des choses que pour leur propre intérêt de parti, et pour avoir l'air de s'appuyer sur telle ou telle puissance étrangère. N'attachons pas à ces apparences et à ces vicissitudes d'influence et plus d'importance qu'elles n'en ont réellement. Oui, je suis prêt à en convenir, le parti qui gouverne aujourd'hui les affaires d'Espagne se dit attaché de préférence à l'influence anglaise; le parti qui les gouvernait, il y a peu de temps, se disait attaché de préférence à l'influence française. Mais ce sont là des faits trop superficiels, trop transitoires pour qu'on puisse en faire la règle de sa politique, pour qu'on puisse les considérer comme caractérisant véritablement la situation de la France vis-à-vis de l'Espagne.

Non certainement, nous ne sommes pas sans influence en Espagne. Permettez-moi de vous en faire à vous-mêmes la question: est-il possible que la France soit sans influence en Espagne, lorsque dans ce pays tous les regards sont tournés vers elle, quand en Espagne chacun se dit sans cesse: Que fera la France? que dira la France? Passez les divers partis en revue; vous les trouverez tous occupés de nous. Le parti modéré espère que l'influence française prédominera et le ramènera au pouvoir. Le parti exalté, je parle le langage de l'Espagne même et de ses journaux, le parti exalté craint l'influence française; ce parti compte beaucoup plus de personnes ennemies de l'influence française, je dirai plus, hostiles au gouvernement que la France possède. Pourquoi s'étonner de cela? Cela est inévitable: nos propres luttes, nos dissensions intestines ont là leur analogie, leur retentissement, leur écho. Il faut y bien regarder; mais il n'y a rien qui doive nous faire désespérer de notre influence. Si nous avons des adversaires, nous avons aussi des amis, des hommes qui ont besoin de nous, dans l'intérêt de leur propre cause. Nous n'épousons pas leurs querelles, mais nous profitons de leur appui quand l'occasion se présente de maintenir ou de retrouver l'influence que doit avoir la France en Espagne.

Regardez ce qui se passe en France même. Vous avez par milliers des réfugiés espagnols de tous les partis, non-seulement des réfugiés ordinaires, mais des têtes couronnées! Est-il possible qu'un pays qui offre un asile, des ressources à une si grande portion d'un peuple, aux hommes les plus animés des différents partis, aux têtes couronnées elles-mêmes qui représentent ces divers partis, est-il possible que ce pays soit sans influence sur l'Espagne? Il faudrait plus que de la maladresse pour ne pas profiter d'une telle situation, pour ne pas exercer, à un moment donné, dans une occasion véritablement utile, une influence efficace. Mais on n'agit pas tous les jours; il y a des époques d'action; il y a des époques d'inaction auxquelles il faut savoir se résigner. C'est là la politique.

Vous vous plaignez de l'inertie de la politique française. Eh bien, dans la situation, non pas d'indifférence comme on le dit, mais d'attente, où nous sommes, c'est la politique qu'il convient à la France d'adopter. La France, par la seule force des choses, par sa situation, par les rapports qui existent entre notre situation intérieure et celle de l'Espagne, la France a sur l'Espagne des moyens d'influence qui ne peuvent lui échapper, dont elle se servirait si elle en avait besoin. Mais, pour cela, il ne faut pas agir tous les jours et d'une manière inquiète. Il faut savoir attendre. Nous attendons que les événements se développent; nous respectons la liberté du peuple espagnol; nous respectons son action personnelle sur ses propres destinées; et le jour où l'occasion se présentera d'exercer, au nom de la France, dans l'intérêt de la France comme dans l'intérêt de l'Espagne, une influence utile, ce jour-là nous n'hésiterons pas.

Et ce jour-là, je ne craindrais pas, pour la cause de la péninsule, cet isolement auquel faisait allusion tout à l'heure le noble duc. Le fait a prouvé ce qui devait arriver en pareille circonstance. Malgré la rivalité d'influence, malgré les jalousies qui ont si longtemps existé entre l'Angleterre et la France, à la mort de Ferdinand VII, l'Angleterre a pensé comme nous, elle a agi comme nous. Il y a des intérêts supérieurs qui ont déterminé l'Angleterre à une conduite analogue à la nôtre; et quand le gouvernement espagnol s'est trouvé dans une situation difficile, quand il a eu besoin qu'une influence auxiliaire vînt le soutenir contre la guerre civile qui le dévorait, l'Angleterre s'est encore trouvée d'accord avec nous, et le traité de la quadruple alliance est intervenu. Ce traité, qu'on a bien souvent attaqué, parce qu'il n'a pas fait tout ce qu'on s'en était promis, parce qu'il n'a pas accompli tous les résultats qu'on a attachés à son nom, ce traité cependant a rendu à l'Espagne d'immenses services; il faut le compter parmi les causes les plus efficaces qui ont fait cesser la guerre civile en Espagne; et si pareille circonstance se renouvelait, si l'existence du gouvernement de la reine était mise en question, ne doutez pas que les mêmes faits ne se renouvelassent; ne doutez pas que, malgré la rivalité des influences, l'Angleterre et la France, engagées, quant à l'Espagne, dans un intérêt commun, dans une idée commune, ne fissent ce qu'elles ont fait une première fois. L'Angleterre, pas plus que la France, ne livrera jamais l'Espagne à des influences tout à fait étrangères, éloignées, et que leur position géographique n'appelle pas à jouer dans la péninsule le rôle qui appartient à l'Angleterre et à la France.

Je crois avoir mis sous les yeux de la Chambre les caractères essentiels de la politique du gouvernement du roi: maintenir, appuyer le gouvernement de la reine Isabelle II, qui est le gouvernement du droit et le gouvernement national de l'Espagne, rester étrangers à la lutte intérieure des partis, aux dissensions intestines, n'abandonner aucun des moyens d'influence légitime que cet état des partis et la position de l'Espagne donnent à la France, mais choisir, pour la manifestation et l'action de cette influence, le moment opportun: voilà notre politique; elle ne compromet rien dans le présent, et elle suffira, je l'espère, aux nécessités de l'avenir. (*Marques d'approbation.*)

CIII

Discussion du projet de loi relatif aux fortifications de Paris.

—Chambre des députés.—Séance du 25 janvier 1841.—

Le gouvernement présenta le 12 décembre 1840 un projet de loi relatif aux fortifications de Paris. M. Thiers, au nom de la commission chargée de l'examiner, en fit le rapport le 13 janvier 1841. Le débat s'ouvrit le 21 janvier. Je commençai à y prendre part le 25 janvier, en répondant à M. Janvier, député de Tarn-et-Garonne.

M. GUIZOT.—Messieurs, la discussion se prolonge, et, cependant, si je ne m'abuse, la perplexité de la Chambre continue. Avant-hier, un honorable membre, M. de Rémusat, attribuait cette perplexité à de bien petites causes, à des méfiances de personnes, à des misères parlementaires. Je crois qu'il se trompe, et que la disposition de beaucoup de bons esprits dans la Chambre a des causes plus sérieuses. La Chambre croit à l'utilité, à la nécessité de la mesure qu'elle discute; elle a des doutes, des inquiétudes sur ses résultats; elle n'en prévoit pas clairement la portée et les effets; elle craint que cette mesure ne devienne l'instrument d'une politique autre que celle qu'elle approuve et veut soutenir. Elle craint d'être entraînée dans une politique turbulente, belliqueuse, contraire à cette politique de paix, de civilisation tranquille et régulière qu'elle a proclamée et appuyée. Voilà la vraie cause de la perplexité et des inquiétudes de la Chambre. (*Adhésion au centre.*)

Si ces inquiétudes étaient fondées, messieurs, nous aurions, nous, un bien grand tort; car, nous voulons, comme la Chambre, la politique de paix, de civilisation tranquille et régulière. C'est au profit de cette politique et pour la servir, c'est autour de cette civilisation et pour la protéger, que nous voulons élever les fortifications que nous vous demandons. Nous serions impardonnables, si nous nous trompions en pareille matière. Mais nous sommes convaincus que le projet de loi, bien loin de contrarier la politique du cabinet et de la majorité de la Chambre, confirme, soutient, fortifie cette politique; c'est pour cela, et non pour aucun autre motif, que nous l'avons présenté et que nous l'appuyons.

Si dans ce projet, qu'on a appelé un héritage du cabinet précédent, nous eussions entrevu aucun des dangers, aucun des maux qu'on y a signalés, nous ne l'aurions pas accepté; nous savons répudier les héritages qui ne nous conviennent pas. Nous n'acceptons que les mesures conformes à notre politique. Celle-ci y rentre pleinement.

Messieurs, je n'hésite pas à l'affirmer, les fortifications de Paris sont, pour la France et pour l'Europe, une garantie de paix. Il est évident que c'est là de la politique défensive. Mais ce qu'on ne sait pas assez, c'est que quand cette mesure est née en France, quand elle y a été (je parle des temps modernes) sérieusement proposée et débattue, c'est dans un esprit de paix, au nom de la politique de la paix.

Elle apparut, pour la première fois, en 1818; c'est le maréchal Gouvion Saint-Cyr qui a institué la première grande commission pour la défense du territoire, commission qui a proposé la mesure que nous discutons.

C'est de 1818 à 1822 que cette commission a siégé, c'est-à-dire au moment où toute idée d'agression et de conquête était, à coup sûr, étrangère aux esprits, au moment où la seule défense du territoire les préoccupait.

La commission de défense remit, en 1822, à M. de Latour-Maubourg, alors ministre de la guerre, son projet de système général de la défense du royaume, il comprenait les fortifications de Lyon et celles de Paris. Ce projet resta quelque temps enfoui dans les cartons. M. de Clermont-Tonnerre, pendant son ministère, l'en tira et essaya de faire adopter, non pas la totalité du projet, mais une partie importante, les fortifications de Lyon. Elles furent proposées au conseil du roi; elles furent écartées: les deux ministres les plus influents de cette époque, M. de Villèle et M. de Corbière, s'y opposèrent. Un seul ministre, M. l'évêque d'Hermopolis se joignit à M. de Clermont-Tonnerre pour soutenir les fortifications. (*Hilarité prolongée.*)

La mesure n'eût donc aucune suite.

Elle fut reprise, en 1830, par M. le président du conseil, au moment où nous soutenions, dans cette enceinte, pour la politique de la paix, les luttes les plus violentes qui aient eu lieu de nos jours. C'est pendant que la politique de la paix prévalait complétement dans la Chambre que la défense et la fortification de Paris ont été commencées par M. le maréchal Soult.

Ainsi, vous le voyez, messieurs, la mesure, dans sa véritable origine, a eu le caractère pacifique, le caractère de la politique défensive, et les deux illustres maréchaux dont elle émane n'ont jamais pensé qu'à lui imprimer ce caractère.

Et ce n'est pas nous seuls, messieurs, c'est l'Europe qui, depuis 1814, a adopté le système de la politique défensive, et se conduit d'après cette vue.

Autour de vous, en Allemagne surtout, à toutes les portes de l'Allemagne, on se fortifie pour la défense et contre l'invasion. Toute la politique allemande est dirigée vers ce but. Aujourd'hui même, au milieu de l'émotion excitée par les derniers événements, les projets d'armement de la Confédération germanique, à quoi aboutissent-ils? À des mesures de politique préventive.

Quelques bruits ont été répandus de camps qui se formeraient sur le Rhin, de grands mouvements de troupes de la Confédération germanique: nous n'avons, je crois, à nous préoccuper d'aucune mesure semblable; ce sont des mesures défensives que l'Allemagne adopte.

Mais elle s'organise très-fortement dans ce système, elle ferme toutes ses portes, elle s'établit sur toutes les routes par lesquelles nous pourrions entrer chez elle.

Serons-nous moins prudents, moins fortement organisés pour la défense? Et dans une mesure qui n'a d'autre caractère que celui de la politique défensive, est-ce que nous ne persévérerons pas? Est-ce que nous ne la maintiendrons pas, parce qu'un moment elle aura eu un caractère moins rassurant pour l'Europe et pour nous-mêmes? L'honorable rapporteur me permettra de le dire; un moment la politique du 1er mars a pu faire croire à la France, je n'examine pas si c'est à tort ou à raison, que la mesure avait un autre but, qu'elle aurait d'autres effets; mais au fond, et aujourd'hui, il n'en est rien.

Oui, messieurs, le vrai caractère de la mesure, depuis son origine jusqu'à nos jours, c'est d'être un acte de politique défensive, d'une politique analogue à celle qui prévaut aujourd'hui dans toute l'Europe, à celle que l'Allemagne en particulier pratique sous nos yeux.

Il n'y a donc aucune raison de concevoir aucune des craintes qu'on a essayé, sous ce rapport, d'inspirer à la Chambre. (*Très-bien!*)

Voilà, messieurs, pour l'effet matériel de la mesure; voilà ce qu'elle est dans son rapport avec la défense générale du royaume.

Voyons son effet moral, son action sur les esprits.

Quels sont les obstacles, quels sont les dangers que rencontre et qui menacent, soit chez nous, soit en Europe, la politique de la paix? En France, le défaut de sécurité, de sécurité pour le territoire, pour Paris. Il est resté très-naturellement, à la suite des invasions, une inquiétude patriotique qui préoccupe fortement les imaginations.

En Europe, la même cause a laissé des espérances, des idées d'invasion facile.

Au milieu de la prépondérance de la politique de la paix en Europe, il y a partout, messieurs, ne vous y trompez pas, un parti belliqueux, un parti qui désire la guerre.

Il est très-faible, j'en suis convaincu; il ne prévaudra pas. Mais enfin il existe, il faut bien en tenir compte.

C'est dans ce parti que le souvenir des invasions a laissé des espérances présomptueuses contre lesquelles il importe de se prémunir.

La mesure que vous discutez a pour effet de rassurer les imaginations en France, de les refroidir en Allemagne. (*Très-bien!*)

Elle a pour effet de donner à la France la sécurité qui lui manque dans sa mémoire, et d'ajouter pour l'Europe, à la guerre contre la France, des difficultés auxquelles l'Europe ne croit pas assez. Voilà, messieurs, le véritable effet moral de la mesure. Elle laissera les esprits en France et en Europe dans une disposition autre que celle où ils sont aujourd'hui. Elle nous tranquillisera, nous; elle fera tomber les souvenirs présomptueux des étrangers. (*Très-bien!*)

La mesure a quelque chose de plus important encore, quelque chose de plus grand, et qui la caractérise encore plus fortement comme politique de paix.

On a beaucoup parlé de guerres d'invasion. Messieurs, les guerres d'invasion, de nos jours, sont des guerres de révolution. (*Mouvements divers.*) C'est au nom de l'esprit et des tendances révolutionnaires que les guerres d'invasion ont lieu. Quand la Convention s'est trouvée en guerre avec l'Europe, pourquoi est-elle allée sur-le-champ dans les capitales, à Turin, à Rome, à Naples, à Bruxelles? Pour changer les gouvernements, pour faire de la propagande républicaine. Elle a bien compris qu'il fallait viser sur-le-champ à la tête des sociétés avec lesquelles elle était en guerre. Elle est allée dans les capitales pour renverser les gouvernements.

Par d'autres causes, l'Empire a continué le même système. Là où la Convention voulait ériger des républiques, l'Empire a voulu élever des trônes, des dynasties. Mais la guerre d'invasion a presque toujours été une guerre destructive des gouvernements, faite non dans l'intérêt de telle ou telle question de territoire, de tel ou tel avantage commercial, de tel ou tel intérêt national, mais comme une guerre à mort. Eh bien, messieurs, croyez-vous donc que ce soit une chose indifférente que de mettre un terme, ou du moins d'apporter de grands obstacles à ce caractère révolutionnaire et destructif des guerres modernes? Croyez-vous donc qu'il soit indifférent, en mettant les capitales hors de cause, de mettre pour ainsi dire les gouvernements hors de cause? Ce sera là cependant, ne vous y trompez pas, si la mesure réussit, si elle atteint complétement son but, si Paris est véritablement fortifié, ce sera là le grand résultat que vous obtiendrez: le gouvernement que vous avez fondé, le gouvernement de Juillet, vous l'aurez mis hors de cause en Europe; vous aurez enlevé à l'Europe jusqu'à l'idée de venir renouveler contre lui ces tentatives de destruction que vous avez vues chez vous.

Souvenez-vous, messieurs, que l'Europe nous a rendu ce que nous lui avions fait. (*C'est vrai!*) Souvenez-vous du langage que l'on tenait en 1814 et 1815. Ce n'était pas à la France, disait-on, que l'on faisait la guerre, c'était à son gouvernement. Langage habile, et qui peut bien aisément devenir trompeur! Mettez une fois pour toutes votre gouvernement hors de cause; vous aurez, non pas réussi complétement, mais vous aurez beaucoup fait pour atteindre ce but quand vous aurez mis Paris hors de cause dans la guerre. (*Très-bien! très-bien!*)

Vous le voyez, messieurs, sous quelque point de vue que vous la considériez, la mesure est une garantie de paix; et soyez sûrs qu'elle est jugée ainsi en Europe par les hommes véritablement clairvoyants, par les grands chefs de la politique des États. Aux yeux du vulgaire, à des regards superficiels, elle peut paraître un danger, une menace. Tenez pour certain qu'elle rassure les hommes clairvoyants qui veulent la paix en Europe, Français ou étrangers.

Et pourtant, en même temps qu'elle a ce caractère, en même temps qu'elle est une garantie de paix, la mesure est une preuve de force. Elle prouve que la France a la ferme résolution de maintenir son indépendance et sa dignité; c'est un acte d'énergie morale. Et d'autre part, elle prouve le développement des immenses ressources militaires et financières de la France; c'est un acte de puissance matérielle.

Messieurs, une mesure qui assure, ou du moins qui protége la paix, et qui est en même temps une preuve de force, un acte d'énergie, c'est une mesure salutaire, une mesure précieuse, une mesure qu'un peuple sage et fier doit s'empresser d'adopter. (*Marques d'approbation.*)

Aussi quand nous l'avons adoptée, quand nous avons présenté à la Chambre le projet de loi, nous nous sommes soigneusement appliqués à lui maintenir, je ne veux pas dire à lui rendre ce caractère. C'est une des raisons pour lesquelles nous avons demandé cinq ans pour l'exécution des travaux. Il y avait pour cela des raisons financières, des raisons de bonne exécution, et aussi des raisons politiques. Nous avons pensé que nous ne devions pas avoir l'air pressé. Nous ne nous croyons pas menacés actuellement en Europe; nous n'avons pas voulu en avoir l'air. Nous n'avons pas voulu non plus avoir l'air menaçant. (*Très-bien!*) Nous sommes convaincus que nous avons le temps, tout le temps d'exécuter tranquillement et raisonnablement ces travaux. La précipitation, la crainte, la menace, la simple inquiétude, nous n'avons pas voulu en accepter l'apparence. C'est là la raison politique qui nous a déterminés à étendre à cinq ans l'exécution des travaux. (*Nouvelles marques d'adhésion.*)

Messieurs, dans les circonstances actuelles, après ce qui s'est passé depuis un an en Europe, j'ai envie de répéter l'expression dont se servait tout à l'heure mon honorable ami M. de la Tournelle: «C'est une bonne fortune qu'une telle mesure à adopter.» (*Mouvement.*)

Je vous le disais tout à l'heure; l'Europe a besoin d'être rassurée sur les dispositions de la France quant à la paix; l'Europe se souvient de l'esprit belliqueux, conquérant, qui a régné si longtemps en France. L'Europe le redoute; elle a besoin d'être rassurée. Et en même temps, au moment où vous pratiquez la politique de la paix, où vous la pratiquez dans des circonstances difficiles, vous avez besoin, vous, de faire preuve de vigilance pour votre propre force, de soin pour votre propre dignité.

J'envie quelquefois les orateurs de l'opposition. Quand ils sont tristes, quand ils sympathisent vivement avec les sentiments nationaux, ils peuvent venir ici épancher librement leur tristesse, exprimer librement toutes leurs sympathies. Messieurs, des devoirs plus sévères sont imposés aux hommes qui ont l'honneur de gouverner leur pays. Quand le pays a besoin d'être calmé, il n'est pas permis aux hommes qui gouvernent de venir exciter en lui les bons sentiments qui l'irriteraient et le compromettraient. Quand le pays a besoin d'être rassuré, il faut parler à cette tribune avec fermeté et confiance. Il ne faut pas se laisser aller à des récriminations, à des regrets. Il y a des tristesses qu'il faut contenir pendant que d'autres ont le plaisir de les répandre. (*Marques très-vives d'approbation.*) Nous n'avons pas hésité, nous n'hésiterons jamais à accomplir ce devoir. Je ne sais ce que nous ferions si nous étions sur les bancs de l'opposition; mais ici, dans les circonstances actuelles, nous ne viendrions pas parler des passions patriotiques en même temps que des passions révolutionnaires. Nous honorons, messieurs, les passions patriotiques, mais nous ne croyons pas qu'elles soient le meilleur boulevard contre les passions révolutionnaires; c'est là un fait démenti par l'expérience de tous les temps et par la nôtre. Le vrai boulevard contre les passions révolutionnaires, messieurs, ce sont les principes de l'ordre, la bonne organisation du gouvernement, le pouvoir fort et réglé. Voilà les véritables garanties contre les passions révolutionnaires; les passions patriotiques ont droit au respect, et doivent trouver leur place dans les soins du gouvernement; il ne peut pas, il ne doit pas les mettre en tête de sa conduite. Les passions patriotiques abondaient au commencement de la Révolution française; elles ont marché en tête des passions révolutionnaires, et tout à coup elles se sont trouvées devancées, surmontées par celles-ci. (*Très-bien!*)

Elles se sont trouvées à la suite après avoir été d'abord à la tête. C'est là le danger... (*Nouvelle approbation.*)

M. ODILON BARROT.—Pourquoi? Parce que l'étranger a menacé la France.

M. le ministre des affaires étrangères.—L'esprit dans lequel nous soutenons le projet de loi que nous avons présenté, c'est donc l'esprit de gouvernement en même temps que l'esprit de paix. Nous entendons fortifier le pouvoir en même temps que donner des sûretés à la paix en Europe. Et voyez l'ensemble des mesures que nous vous avons proposées. Pendant que nous défendions, que nous proclamions la politique de la paix au milieu des circonstances les plus difficiles, nous sommes venus vous proposer le maintien des armements que nous avons trouvés à notre avénement, et la cessation de tout armement plus étendu. Nous sommes venus vous proposer la prolongation de la durée du service militaire, l'organisation de la réserve, les fortifications de Paris: voilà l'ensemble des mesures du cabinet, voilà la véritable expression, le véritable caractère de sa politique: d'une part, la paix; de l'autre, la forte organisation du pouvoir et de la sûreté publique. (*Très-bien! très-bien!*)

Il sortira de là, messieurs, la paix rétablie, ou plutôt fortement maintenue en Europe, et l'établissement militaire de la France régulièrement fortifié.

Messieurs, croyez-moi; cette politique et ses effets n'ont rien de menaçant ni pour les libertés publiques ni pour notre gouvernement. Si vous portez vos regards au dedans comme je viens de les promener au dehors, la mesure ne vous offrira pas de caractère plus inquiétant. Vous le voyez, ce n'est pas une mesure de parti, ce n'est pas le triomphe du parti de la paix sur celui de la guerre, de la conservation sur le mouvement, du pouvoir sur la liberté. Non, ce n'est pas une lutte de parti (*Très-bien! très-bien!*) Les opinions sont disséminées, divisées sur tous les bancs de la Chambre. Je ne m'en afflige pas; je serais profondément fâché qu'une mesure semblable fût une victoire des uns sur les autres. (*Très-bien! très-bien!*) Il faut, pour son efficacité comme pour notre honneur à tous, qu'elle soit au-dessus de nous tous; il faut qu'elle obtienne, je voudrais pouvoir dire l'unanimité, mais au moins une grande majorité dans cette Chambre; tenez pour certain, messieurs, que la paix sera d'autant plus assurée et la France d'autant plus respectée que la mesure que vous discutez sortira plus grande et plus unanime de cette Chambre. (*Très-bien! très-bien!*)

On dit qu'elle est gigantesque, tant mieux! je voudrais, s'il était possible, que nous eussions en ce moment deux, trois, quatre Paris à fortifier. (*On rit.*)

M. DE VATRY.—Faites tout de suite les murailles de la Chine!

M. le ministre.—Je crois beaucoup à l'effet moral de la conduite des gouvernements sur les peuples qui les regardent; je crois beaucoup qu'un spectacle de résolution ferme, générale et tranquille, ne durât-il que huit jours, grandit et fortifie immensément notre patrie en Europe. (*Mouvement.*) Je désire donc passionnément que nous lui offrions ce spectacle; je désire que le sentiment du bien que la France retirera des fortifications de Paris soit assez puissant sur vous tous pour vous faire surmonter les difficultés d'exécution et de détail qui s'y rattachent. Que la question de l'utilité morale et politique soit énergiquement résolue par chacun de vous: que la conviction que je vous demande soit forte en vous tous, et les questions d'argent, et les questions de système descendront beaucoup à vos yeux. (*Très-bien!*)

Je sais la valeur de ces questions, mais je ne m'en effraye point. Les questions d'argent, quelque graves qu'elles soient, sont résolues dans le projet de M. le ministre des finances. Il a de quoi y pourvoir; sans cela nous n'aurions pas demandé les fortifications.

M. DE VATRY.—Oui, en renonçant à toute espèce de travaux jusqu'en 1848. (*Mouvement.*)

M. le ministre.—Les questions de système! je déclare que je n'en suis pas juge, et que je me trouverais presque ridicule d'en parler; je n'y entends rien. Ce que je demande, c'est une manière efficace, la plus efficace, de fortifier Paris. Tout ce qui me présentera une fortification de Paris vraiment efficace, je le trouverai bon. (*Très-bien! très-bien! Sensation prolongée.*)

Un seul mot, et je finis. Un homme dont j'honore autant le caractère que j'admire son talent, M. de Lamartine (*Mouvement*) s'est vivement préoccupé, quant à la mesure que nous discutons, de l'approbation qu'elle lui a paru rencontrer dans les partis extrêmes; il en a conclu qu'elle devait tourner à leur profit, et que nous devions la repousser.

Je ne puis partager cette crainte: les partis extrêmes travaillent à s'emparer de tout; nous les rencontrons partout; nous les rencontrons dans les élections, dans la presse, dans la garde nationale, je ne veux pas dire à cette tribune.

M. JOLY.—Pourquoi pas? (*Hilarité.*)

M. le ministre.—Je ne m'y refuse pas; c'est une preuve de plus à l'appui de ce que j'avais l'honneur de dire.

Nous les rencontrons partout. (*On rit.*) Partout ils travaillent à s'insinuer, à s'emparer de la force qui est devant eux. Est-ce une raison de nous méfier de tout? est-ce une raison de renoncer à tout, aux élections, à la tribune, à la garde nationale. (*Non! non!*)

Que les partis extrêmes s'efforcent autant qu'ils voudront, ils seront battus partout. (*Marques d'approbation.*) Toutes nos institutions, par leur libre et complet développement, toutes nos institutions tourneront contre eux. Ce qui se passe depuis dix ans m'en donne la complète assurance. Que les élections se fassent, que la presse écrive, que les fortifications de Paris s'élèvent, toutes ces forces tourneront contre les partis extrêmes. (*Très-bien! très-bien!*) Ils y trouveront peut-être des champs de bataille, mais certainement des défaites. (*Très-bien!*)

Les fortifications de Paris, vous croyez que les factions s'en empareront! Vous croyez qu'elles s'y enfermeront! Elles le tenteront peut-être, messieurs, et elles échoueront, comme elles ont partout échoué jusqu'ici.

J'ai encore plus de foi que l'honorable M. de Lamartine et dans nos institutions et dans le bon sens et l'énergie de mon pays. Je sais que c'est une condition laborieuse, rude; je sais qu'il en coûte d'avoir à se défendre sans cesse contre l'invasion des factions et des brouillons. Dans notre organisation sociale, il faut s'y résoudre, messieurs; c'est la liberté même; c'est à cette épreuve que les honnêtes gens, que les hommes sensés grandissent et deviennent les maîtres de leur pays.

Soyez tranquilles, messieurs, sur les fortifications de Paris, comme je le suis sur les élections, comme je le suis sur la garde nationale; elles seront défendues, elles seront possédées par ce même esprit de conservation et de paix, qui, depuis dix ans, à travers toutes nos luttes, a prévalu dans toute notre histoire, et qui a fait notre gloire comme notre sûreté. (*Mouvement prolongé d'assentiment.*)

Une longue agitation succède à ce discours, la séance reste suspendue. L'orateur qui succède à M. Guizot attend à la tribune que le silence se rétablisse.

CIV

Discussion du projet de loi relatif aux fortifications de Paris.

—Chambre des députés.—Séance du 30 janvier 1841.—

À diverses époques, spécialement en 1831, 1832 et 1833, le maréchal Soult, président du cabinet du 29 octobre 1840, avait exprimé, dans la question des fortifications de Paris, une opinion contraire au système de l'enceinte continue, et exclusivement favorable au système des forts détachés. En présentant, le 12 décembre 1840, le projet de loi où les deux systèmes étaient résumés et combinés, il fit, dans l'exposé des motifs, la réserve de son opinion précédente; mais, dans la discussion du projet de loi, cette réserve devint pour l'opposition une arme, et pour le maréchal Soult un embarras. Dans la séance du 27 janvier 1841, le général Schneider, qui passait pour avoir la confiance du maréchal, proposa un amendement qui écartait du projet de loi l'enceinte continue et le réduisait à un ensemble de forts détachés.

Dans la séance du 31 janvier, le maréchal Soult essaya de maintenir sa première opinion en expliquant pourquoi il avait accepté le nouveau projet; mais son explication confuse jeta la Chambre dans un grand trouble et fut sur le point de compromettre le sort du projet de loi et de la mesure. Je pris sur-le-champ la parole pour rétablir la vraie situation et le ferme dessein du cabinet, en expliquant la situation et la conduite de son président.

M. GUIZOT.—Messieurs, je tiens pour mon compte... (*Exclamations à gauche.—Au centre*: Très-bien! Écoutez! écoutez!) Je tiens pour mon compte à la clarté des situations encore plus qu'à celle des idées, et à la conséquence dans la conduite encore plus que dans le raisonnement. (*Très-bien!*)

Il y a quelques jours, je disais à cette tribune deux choses: l'une, que je voulais les fortifications de Paris réelles, efficaces; l'autre, que, sur la question de système, je n'avais pas d'avis personnel, que je ne me sentais pas en état d'en avoir un. (*Mouvements divers.*) Ces deux choses, messieurs, je les disais sincèrement, sérieusement; je les répète aujourd'hui. Cette longue discussion ne m'a point donné, sur la question de système, une conviction personnelle et arrêtée (*Rumeurs*); mais elle m'a confirmé dans la conviction que les fortifications de Paris devaient être efficaces, et que celles qui sont présentées dans le projet de loi étaient de beaucoup les plus efficaces. (*Très-bien! très-bien!*)

Je ne suis pas juge, je persiste à le dire, je ne suis pas juge compétent, éclairé, de la question de système (*Écoutez! écoutez!*); mais il m'est évident que le système proposé par le projet de loi est le plus efficace de tous. (*Nouvelle approbation.*) Je le maintiens donc tel que le gouvernement l'a proposé.

On lui a fait beaucoup d'objections sur lesquelles je ne m'arrêterai point. On l'a présenté comme dangereux pour l'ordre, dangereux pour la liberté, dangereux pour nos finances, dangereux pour Paris, en cas d'événements déplorables.

Il y a du vrai dans ces objections. (*Mouvements divers.*) Il y a une certaine part de vérité. Il n'y en a pas assez, à mon avis, pour détruire ces deux vérités que Paris doit être fortifié, et qu'il doit l'être d'une manière efficace.

S'il était vrai que le système proposé par le gouvernement fût radicalement, essentiellement dangereux pour l'ordre, pour la liberté, pour nos finances, je comprendrais toute la valeur qu'on attache à ces objections. Il n'en est pas ainsi. Il peut y avoir, dans certaines occurrences, quelques inconvénients pour l'ordre, quelques périls pour la liberté; il n'y en a pas assez pour détruire la nécessité de fortifier Paris et de le fortifier efficacement, le plus efficacement possible. (*Nouvelles marques d'adhésion.*)

S'il m'était démontré que l'amendement atteint le même but que le projet de loi, que c'est une fortification efficace, suffisante, je l'accepterais. Il a quelques inconvénients de moins que le projet. Il répond à quelques-unes des objections des adversaires du projet. Mais la discussion n'a élevé, dans mon esprit, que des doutes sur l'efficacité de l'amendement comme fortification de Paris.

À Dieu ne plaise que je me donne ici, à moi-même, le démenti et le ridicule de le discuter militairement! Je ne demande que la permission de récapituler les doutes que la discussion même a élevés, et laisse dans mon esprit.

Il me paraît évident que pour atteindre, par l'amendement et dans son système, le but de fortifier Paris, il faudrait un nombre de forts infiniment plus considérable, et, par conséquent, une dépense beaucoup plus étendue que l'amendement ne le propose... (*C'est vrai!*) Il me paraît évident également que la distance à laquelle les forts sont placés, dans le système de l'amendement, détruit ou du moins affaiblit beaucoup l'efficacité de la fortification... (*Marques d'adhésion.*) il me paraît enfin évident que le mur d'octroi ne répond à aucun usage réel pour la défense de Paris... (*Nouvelle adhésion.*) Voilà mes doutes sur la question technique.

Quant à la question politique, l'amendement détruit en partie l'effet moral, le grand effet moral de la mesure que nous discutons. (*Très-bien!*) Il faut que je redise encore ici ce que je disais la première fois que j'ai eu l'honneur de parler de cette mesure devant la Chambre. Un de ses grands mérites à mes yeux, c'est de n'être pas une mesure de parti (*Assentiment*)... de n'être pas votée à la suite d'une lutte des partis, de réunir dans cette Chambre un grand nombre de suffrages, et des suffrages appartenant à des opinions politiques différentes, de s'élever ainsi au-dessus de la politique. (*Très-bien!*)

Je maintiens que l'effet moral de cette mesure en dehors de nos frontières (*Adhésion générale*)... tient en grande partie à l'accomplissement de cette condition; l'amendement la fait perdre au projet. (*Nouvelle adhésion.*)

Je reste, messieurs, sur la question technique, ignorant comme au début de cette discussion; mais j'en ai assez entrevu pour comprendre que l'amendement ne résout pas cette question d'une manière aussi efficace, aussi incontestable que le projet de loi. (*Très-bien!*) Et quant à la question politique, dont il m'appartient de juger, je n'hésite pas à affirmer que l'amendement ne la résout pas du tout, et que le projet de loi la résolvait complètement. (*Nouvelles marques d'assentiment.*)

Je maintiens donc le projet de loi; je le maintiens dans les limites que je viens d'indiquer, avec le sens et le caractère d'une mesure qui garantit la paix en même temps qu'elle prouve la force de la France. (*Très-bien! très-bien!*)

C'est sous ce double caractère que j'ai présenté le projet à la Chambre; et il m'a paru que la Chambre comme la commission, comme le gouvernement, l'acceptait sous ce double caractère: je le maintiens donc.

D'où viennent donc les difficultés de la situation et le parti qu'on essaye d'en tirer?

Il faut que la Chambre me permette, sans que personne s'en offense, sans que personne s'en inquiète, de dire à ce sujet tout ce que je pense. (*Écoutez! écoutez!*) La situation est trop grave pour que je n'essaye pas de la mettre, dans sa gravité, dans sa nudité, sous les yeux de la Chambre: là seulement est le moyen d'en sortir. (*Sensation.*)

M. le président du conseil avait, il y a quelques années, exprimé sur cette question, sur les moyens de défendre Paris, une opinion qui a droit, plus que celle de personne au monde, au respect de la Chambre et de la France.

Personne ne peut présenter, sur une pareille question, ses idées avec autant d'autorité, avec autant de titres à la confiance du pays que M. le président du conseil. (*Très-bien!*)

Qu'a-t-il fait? Tout ce qu'il pouvait, tout ce qu'il devait faire en pareille situation. Il s'est rendu, dans le cabinet, à l'opinion de la majorité de ses collègues; il a présenté, au nom du gouvernement, le projet de loi que la majorité de ses collègues a jugé le meilleur dans la situation politique; et, en même temps, il a réservé l'expression libre, sincère, de son opinion personnelle, le respect de ses antécédents.

M. le président du conseil me permettra, j'en suis sûr, de le dire sans détour: il n'est pas étonnant qu'il n'apporte pas à cette tribune la même habitude, la même dextérité de tactique qu'il a si souvent déployée ailleurs. Il n'est pas étonnant qu'il ne soit pas aussi exercé ici qu'ailleurs à livrer et à gagner des batailles. (*Mouvement.*)

M. MAURAT-BALLANGE.—Ce n'est pas de la dextérité qu'on doit apporter à la tribune; c'est de la franchise.

M. le ministre.—Ce que je dis là, messieurs, c'est l'expression simple de la situation, c'est le simple bon sens. Il est arrivé à des hommes qui avaient plus d'habitude de la tribune que M. le président du conseil, à des hommes qui avaient passé leur vie dans l'enceinte du Parlement, de se trouver dans la même situation où il vient de se trouver. M. Pitt, M. Canning ont plusieurs fois parlé contre des mesures proposées par le cabinet dont ils faisaient partie; je ne dis pas seulement qu'ils ont réservé leur opinion, ils ont combattu les mesures même de leur cabinet.

M. Pitt, M. Canning étaient des hommes de chambre, habiles à échapper aux difficultés d'une telle situation. M. le président du conseil a cherché et trouvé ailleurs sa gloire. (*On n'entend pas.*)

Je parle sérieusement, et il n'y a rien, dans ce que je dis, qui puisse exciter le moindre murmure, la moindre surprise légitime.

Une voix.—On ne murmure pas; on se plaint seulement de ne pas entendre.

M. le ministre.—Je me ferai entendre.

J'affirme donc que, dans cette circonstance délicate, M. le président du conseil a usé d'un droit, d'un droit consacré dans notre forme de gouvernement, d'un droit qui a été souvent exercé ailleurs, et dans des occasions aussi graves. Il n'y a rien que de parfaitement simple, de parfaitement légitime dans sa conduite; il a bien fait de maintenir son opinion, son passé, et d'apporter à la tribune ce qu'il regarde comme l'expression de la vérité, dans l'intérêt du pays. (*Mouvement.*)

Mais le projet de loi est resté entier; c'est le projet du gouvernement, le projet du cabinet; le cabinet le maintient; M. le président du conseil le maintient lui-même. Il vient de le répéter tout à l'heure à cette tribune, de le répéter formellement; personne n'a le droit de le démentir, personne n'a le droit d'élever le moindre doute sur la sincérité de son intention et de son langage. (*Très-bien!*)

Je poursuis, messieurs, car toute la difficulté de la situation n'était pas là, et quand j'ai dit ce que je viens de dire, je n'ai pas tout expliqué; le gouvernement a rencontré dans cette Chambre, sur vos bancs, une difficulté analogue et bien plus grave. (*Mouvement.*)

Messieurs, je crois pouvoir dire qu'il n'y a personne dans cette Chambre qui doute de mon sincère attachement, non seulement aux formes légales du gouvernement représentatif, écrites dans la Charte, mais aux principes vitaux qui doivent présider à la pratique de ce gouvernement.

Le premier de ces principes, messieurs, c'est la formation, l'action, l'influence journalière d'une majorité ferme, compacte, décidée, d'une majorité liée par la communauté des principes politiques, des sentiments et des intentions. Quand cette majorité existe, c'est son devoir de soutenir les hommes qui parlent pour elle et qui la défendent sur ces bancs. Quand ces hommes ont l'honneur d'être avoués par une telle majorité, c'est leur devoir de lui être étroitement fidèles, de soutenir et de défendre les maximes et la politique qu'elle professe et veut faire prévaloir. (*Très-bien!*)

Quand une telle majorité existe, messieurs, quand elle a subi de longues et véritables épreuves, oh! alors, malgré les difficultés toujours inhérentes au gouvernement, on peut dire qu'il est facile; l'impulsion décidée, le point d'appui sûr ne lui manquent pas. Mais, après tant de crises, après la dissolution tant de fois répétée de la majorité parlementaire, quand la grande œuvre, à laquelle le cabinet est appelé, est précisément de reformer cette majorité, de la faire rentrer dans les voies régulières du gouvernement, de lui rendre à elle-même sur le gouvernement l'influence qui lui appartient et qu'elle doit exercer, alors la situation est difficile. Alors on peut rencontrer des embarras dont il n'y a pas moyen d'éviter l'explosion, et qui viennent se révéler à cette tribune. (*Rumeurs diverses.*)

Eh bien, messieurs, la diversité des opinions, des intentions sur la mesure qui nous occupe, nous l'avons rencontrée dans la majorité politique qui nous soutient, et à laquelle nous sommes dévoués; nous n'avons pas trouvé dans son sein, sur cette grande question, le même ensemble, la même décision qu'elle a montrés ailleurs.

Croyez-vous, messieurs, que ce ne soit pas là un fait grave, un fait dont il a été impossible au gouvernement de ne pas porter le poids devant vous? Je vous réponds que si l'opinion de la majorité de cette Chambre sur la question qui nous occupe avait été aussi formée, aussi décidée, aussi unanime qu'elle l'était, il y a deux mois, dans la discussion de l'adresse, vous ne verriez pas le spectacle que vous voyez. (*Mouvements divers.*)—Rien de ce qui se passe ne se serait passé.

Et croyez-vous qu'il fût facile, qu'il fût possible au pouvoir d'imposer son opinion et sa volonté à cette majorité troublée et divisée? Messieurs, cela ne se peut pas. Il y a de la liberté au sein de la majorité; elle agit par conviction, selon sa volonté, et pour lui faire adopter une opinion, une volonté, il faut l'y amener, l'y amener librement par la discussion à cette tribune.

C'est là l'œuvre qui est imposée au cabinet; et jamais peut-être cette œuvre n'a été plus difficile que dans la situation où nous nous trouvons; jamais l'opinion au sein de la majorité n'a été plus diverse, plus difficile à rallier.

Qu'a dû faire, qu'a fait le cabinet? Il n'est pas venu braver la majorité; il n'est pas venu lui imposer avec arrogance son opinion, son intention, son intérêt. Il a fait la part des situations; il a fait la part des opinions diverses; il a écouté, il a attendu, disposé, comme c'était son devoir, à transiger, s'il le fallait absolument. (*Mouvements divers.*) Je ne dis rien là d'étrange. (*Non! non!*) C'est là l'effet ordinaire, l'effet continuel du gouvernement représentatif. Nous ne sommes pas venus ici, pas plus sur cette question que sur une autre, avec la prétention de tout emporter, de dicter la loi; nous sommes venus ici pour la faire en la débattant librement avec vous, et en transigeant, s'il le faut. (*Très-bien!*)

Et ce que nous faisons là, messieurs, c'est ce qui se fait tous les jours, partout, ce que l'honorable M. Thiers, il le sait bien, a fait vingt fois, comme nous, dans sa vie parlementaire.

Mais en même temps que nous avons senti et accepté cette nécessité de notre situation, en même temps que nous nous sommes montrés disposés à lui faire sa part, nous n'avons pas renoncé à l'espérance de ramener la majorité à notre opinion, de la rallier au projet de loi. Et la preuve que nous n'avons pas renoncé à cette espérance, c'est que je la poursuis en ce moment. (*Très-bien!*)

Je n'ai pas la prétention d'imposer mon opinion à la majorité; elle est libre; elle est libre comme le gouvernement; elle peut dire: je ne veux de ce que vous me proposez que dans telle mesure, jusqu'ici et non pas plus loin. C'est au gouvernement à voir alors s'il lui convient d'accepter cette transaction, et si, dans l'intérêt du pays, qui seul nous occupe, cette transaction serait assez efficace pour résoudre la grande question que nous discutons, pour lui faire faire au moins un grand pas. Je dis que c'était le devoir, le devoir élémentaire du gouvernement de se conduire comme il l'a fait dans cette occasion. (*Mouvement d'approbation.*) Et en même temps je persiste dans ce que je disais en montant à cette tribune: le gouvernement a présenté le projet de loi; il l'a présenté sincèrement, sérieusement, comme celui qui convenait le mieux pour résoudre la question elle-même; il le maintient. M. le président du conseil, après l'usage qu'il a fait de sa liberté, de son opinion, de ses réserves, M. le président du conseil le maintient comme le cabinet tout entier. C'est sur ce projet que la Chambre est appelée à délibérer; c'est à la majorité à voir si elle veut faire au cabinet, je dirai la concession d'accepter le projet tout entier, tel que le gouvernement et la commission en sont tombés d'accord, ou si elle veut lui imposer des transactions sur lesquelles le gouvernement ne refuse pas et ne refusera jamais de délibérer, car son devoir est d'écouter tout ce qui peut se dire à ce sujet, et d'accueillir, dans une certaine mesure, tout ce qui serait conciliable avec l'intérêt du pays. (*Sensation et rumeurs diverses.*)

Messieurs, encore un mot, je finis.

Je maintiens le projet de loi; je persiste à dire que, dans l'opinion du gouvernement, c'est la meilleure manière, la plus efficace techniquement, la seule efficace politiquement et moralement (*Très-bien!*), de résoudre la grande question sur laquelle nous délibérons.

M. LACROSSE.—Je demande la parole. (*Bruit.*)

M. *le ministre.*—Si le projet de loi n'est pas adopté, soyez-en sûrs, la question ne sera pas complétement résolue, et la Chambre n'obtiendra pas de sa délibération tous les bons effets qu'elle a droit d'en attendre et que nous cherchons. (*Très-bien! Vive adhésion.*)

CV

Discussion sur le traité conclu le 29 octobre 1840 entre la France et la République argentine.

—Chambre des pairs.—Séance du 8 février 1841.—

Dans la séance du 8 février 1841, le marquis de Brézé interpella le cabinet sur le traité conclu à Buenos-Ayres, le 29 octobre 1840, par l'amiral de Mackau, et d'après les instructions du cabinet précédent, avec le général Rosas, dictateur de la République argentine, et aussi sur la question de savoir si le nouveau cabinet avait l'intention de ratifier ou non ce traité. Je lui répondis:

M. GUIZOT, *ministre des affaires étrangères.*—Messieurs, je pourrais dire, comme le reconnaissait tout à l'heure l'honorable préopinant, que je suis désintéressé dans cette question, car j'ai été complétement étranger aux actes qui ont amené le traité et au traité lui-même. Il a été signé le 29 octobre, le jour même où se formait le cabinet dont j'ai l'honneur de faire partie. Mais je ne me prévaudrai point de ce moyen échappatoire. Quelque diverse que puisse être la politique de deux cabinets, il y a certaines affaires, certaines portions du gouvernement qui passent solidairement de l'un à l'autre. Si je pensais, si le cabinet pensait que le traité dont il s'agit fût peu honorable ou nuisible à la France, il devrait lui refuser sa ratification. Ce serait grave, messieurs. En principe, dans le droit public régulier, quand un négociateur n'a pas dépassé ses instructions, la ratification est due au traité qu'il a conclu; car, sans cela, que signifieraient les pouvoirs donnés à un négociateur? Il faut, ou que le négociateur ait dépassé ses instructions, ou qu'il soit survenu, depuis que les instructions lui ont été données, quelqu'un de ces grands événements qui changent complétement la face des choses, pour que le gouvernement ait le droit de refuser la ratification.

Je crois que, dans l'occasion dont il s'agit, il n'y a rien eu de semblable. L'honorable M. de Mackau a agi dans les limites de ses instructions; il les a non-seulement accomplies, mais, comme j'espère le prouver à la Chambre, il a fait mieux que ses instructions ne lui prescrivaient: il n'a rien fait qui ne soit juste en soi, utile pour la France; le traité doit être ratifié, et l'intention du gouvernement du roi est de le ratifier.

Et d'abord, messieurs, avant le traité, dans les préliminaires de la négociation, M. de Mackau a mis tout le soin nécessaire pour que la dignité et l'honneur de la France fussent parfaitement à couvert. Envoyé avec ordre de négocier, il a commencé par s'assurer que les négociations seraient, non-seulement acceptées, mais proposées, ouvertes en quelque sorte par le gouvernement argentin lui-même; et ce n'est qu'après avoir acquis cette certitude qu'il est entré en négociation. Arrivé devant Buenos-Ayres, il a eu soin que les négociations se passassent sous le drapeau français, à bord d'un bâtiment français; il a témoigné une vive susceptibilité nationale. Et cette susceptibilité a été acceptée. C'est sous le pavillon français, à bord d'un bâtiment français, que la négociation a eu lieu. Enfin, poussant jusqu'au scrupule une fierté délicate, il a attendu que le ministre anglais, M. Mandeville vint lui faire à son bord la première visite, avant de profiter des offres que cet honorable agent diplomatique lui avait faites de s'entremettre entre lui et le gouvernement argentin.

Et, à cette occasion, je suis bien aise de dire que le gouvernement du roi, et M. de Mackau en particulier, ont à se louer et des instructions données au ministre anglais par le gouvernement britannique, et de la manière dont M. Mandeville a exécuté ses instructions.

Les préliminaires du traité ainsi connus, les soins apportés par M. de Mackau dans la négociation ainsi bien expliqués, j'entre dans l'examen du traité en lui-même, et je l'examine d'abord dans ses rapports avec les instructions que M. de Mackau avait reçues.

Les instructions du cabinet du 1er mars sont de deux dates; les unes du 15 mai 1840, adressées à M. Buchet de Martigny, les autres du 21 juillet de la même année, adressées à M. de Mackau. Ces instructions sont entièrement conformes aux instructions données par les cabinets précédents. Depuis l'origine, la France a fait porter ses réclamations à Buenos-Ayres sur deux points principaux: une indemnité pour les Français qui avaient souffert, et le traitement de la nation la plus favorisée, quant aux propriétés et aux personnes, pour les Français résidant sur le territoire de la république. C'est sur ces deux points que les cabinets du 15 avril et du 12 mai, comme celui du 1er mars, ont toujours insisté. Voici les termes des instructions. M. le ministre des affaires étrangères du cabinet du 1er mars écrivait le 15 mai, à M. Buchet de Martigny:

«Je n'ai pas besoin de vous dire que notre résolution bien arrêtée est d'obtenir la satisfaction qui nous est due, et que cette satisfaction doit reposer sur les deux bases suivantes: la concession à nos nationaux, pour leurs personnes et leurs propriétés, du traitement de la nation la plus favorisée, jusqu'à la conclusion d'un traité définitif; et, en faveur de ceux d'entre eux qui ont éprouvé des dommages par suite des actes arbitraires des autorités locales, l'admission du principe d'une indemnité modérée dont on réglerait plus tard la quotité par voie d'arbitrage. Ces deux bases, nous les avons depuis longtemps posées, et par cela même que, dès le premier moment, nous avons restreint nos demandes aux plus strictes exigences de notre dignité et de nos intérêts essentiels, il ne nous est pas possible de les réduire.»

Le 21 juillet suivant, les mêmes instructions étaient données à M. de Mackau en ces termes:

«Nous ferez part, soit aux agents anglais, soit à tous les agents des nations maritimes amies de la France et neutres dans cette querelle, vous leur ferez part des dispositions du gouvernement du roi; vous leur annoncerez qu'il est prêt à traiter, qu'il veut la paix, la paix immédiate, mais honorable, et toujours aux conditions si modérées que nous avons déjà posées. Bien que les hostilités se soient prolongées, que les dépenses de la France se soient accrues, elle n'ajoute rien à ses prétentions, elle se borne toujours à demander:

«1º Le traitement de la nation la plus favorisée pour les Français habitant la République argentine, sous le rapport seul des personnes et des propriétés;

«2º Le principe d'une indemnité pécuniaire pour ceux de nos nationaux qui ont souffert les mauvais traitements pour lesquels nous sommes en réclamation.

«Si vous pouvez obtenir que cette indemnité soit nominative, et que le chiffre total en soit approximativement fixé, sauf une liquidation ultérieure, cela vaudra mieux, car les difficultés seront moindres quand il faudra exiger définitivement cette indemnité. Toutefois, comme ces conditions secondaires n'étaient pas comprises dans notre ancien ultimatum, il ne faudrait pas y tenir péremptoirement, et vous en finiriez sur ce point, à la simple condition d'une indemnité, posée en principe dans le traité que vous aurez à souscrire.»

Voilà quelles étaient les instructions données à M. de Mackau. Je prends le traité même:

«Article 1er. Sont reconnues par le gouvernement de Buenos-Ayres les indemnités dues aux Français qui ont éprouvé des pertes ou souffert des dommages dans la République argentine; et le chiffre de ces indemnités, qui reste seul à déterminer, sera réglé dans le délai de six mois, par la voix de six arbitres nommés d'un commun accord, et trois pour chaque partie, entre les deux plénipotentiaires.

«En cas de dissentiment, le règlement desdites indemnités sera déféré à l'arbitrage d'une tierce puissance qui sera désignée par le gouvernement français.»

La Chambre voit que les instructions ont été scrupuleusement accomplies quant au principe de l'indemnité, et que M. de Mackau a fait mieux, puisqu'il a obtenu que l'arbitrage fût déféré en définitive, si l'on ne s'entendait pas, à un septième arbitre au choix du gouvernement français.

Sur le point de l'indemnité donc, les instructions ont été, non-seulement accomplies, mais améliorées.

J'en viens à ce qui regarde le traitement des personnes: le traité porte:

«Art. 5. Bien que les droits et avantages dont les étrangers jouissent actuellement sur le territoire de la Confédération argentine, en ce qui concerne leurs personnes et leurs propriétés, soient communs aux citoyens et sujets de toutes et de chacune des nations amies et neutres, le gouvernement de S. M. le roi des Français et celui de la province de Buenos-Ayres, chargé des relations extérieures de la Confédération argentine, déclarent qu'en attendant la conclusion d'un traité de commerce et de navigation entre la France et la Confédération argentine, les citoyens français sur le territoire argentin et les citoyens argentins sur le territoire français, seront considérés et traités, sur l'un et l'autre territoire, en ce qui concerne leurs personnes et leurs propriétés, comme le sont ou pourront l'être les sujets et citoyens de toutes et de chacune des autres nations, même les plus favorisées.»

Voilà donc, à ce sujet, les instructions scrupuleusement accomplies. Ce qui jusqu'ici avait toujours été refusé, c'est-à-dire le traitement de la nation la plus favorisée, est accordé aux Français quant aux personnes et aux propriétés.

L'honorable M. de Brézé parlait tout à l'heure d'avantages plus considérables obtenus par les Anglais. M. de Brézé n'a pas remarqué que les Anglais ont un traité de commerce conclu avec la République argentine. Quant à nous, nous ne l'avons pas encore; on le négociera bientôt. Ce qui regarde les relations commerciales de la France avec la République argentine n'est pas encore réglé. Il n'y avait en question, et il n'y a eu de réglé par le traité que ce qui concernait les personnes et les propriétés. Rien ne prouve (et j'ai lieu de supposer le contraire), rien ne prouve que, quand ces négociations seront mises à fin, nous n'aurons pas les mêmes avantages commerciaux dont jouissent les Anglais. Mais en ce qui touche les personnes et les propriétés, la situation de la France est absolument la même que celle des nations les plus favorisées, celle de l'Angleterre par exemple, dans la République argentine.

Maintenant voici l'art. 6 auquel M. de Brézé faisait allusion:

«Art. 6. Nonobstant ce qui est stipulé dans l'article précédent, si le gouvernement de la Confédération argentine accordait, aux citoyens de tous ou partie des États de l'Amérique du Sud, des droits spéciaux, civils ou politiques, plus étendus que ceux dont jouissent actuellement les sujets de toutes ou de chacune des nations amies et neutres, même les plus favorisées, ces droits ne pourraient être étendus aux citoyens français établis sur le territoire de la république, ni être réclamés par eux.»

La Chambre, je crois, comprendra sans peine la restriction.

Les États de l'Amérique du Sud se considèrent comme formant chez eux une sorte de ligue et pouvant accorder les uns chez les autres, à leurs citoyens, des droits civils et politiques, par exemple, le droit de voter dans les élections; mais ces droits n'ont jamais été concédés, non-seulement à aucun sujet des nations européennes, mais même à aucun Américain du Nord. Dans aucun des États de l'Amérique du Sud, les Américains du Nord ne jouissent de ces droits, ni les Anglais non plus. Cet article ne prive donc les Français, dans la République argentine, d'aucun droit qui soit possédé ou puisse l'être par des sujets de nations européennes, ou de l'Amérique du Nord; il n'a pour objet que de leur interdire toute ingérence dans le gouvernement et la politique des États de l'Amérique du Sud. En fait, je crois que cet article ne peut avoir que des avantages pour la France. Les Français qui se trouvent dans l'Amérique du Sud ne sont que trop disposés à intervenir dans la politique de ces pays, et c'est peut-être à cette disposition que nous devons les plus grands embarras que nous ayons rencontrés dans cette affaire. L'article ne fait donc qu'interdire à nos nationaux ce qui ne serait d'aucune utilité pour la France, ce qui, au contraire, lui serait nuisible.

Voilà quelle est la valeur réelle des restrictions apportées, pour nous, au traitement de la nation la plus favorisée.

La Chambre voit qu'en ce qui concerne les rapports de la France avec la République argentine, M. de Mackau a non-seulement obtenu ce qu'il était chargé de demander, mais mieux, à certains égards, et mieux qu'on n'avait espéré jusque-là. Je vais en donner une preuve qui frappera certainement la Chambre.

Les hommes qui avaient conduit nos affaires dans la République argentine d'après une politique tout autre que celle qui a présidé au traité, les hommes qui avaient lié les affaires de la France à celles de la république de Montevideo et à celle des insurgés de Buenos-Ayres, avaient d'avance posé, avec ces divers partis, les bases de la convention à intervenir entre la France et eux, si ces partis venaient à triompher et si le dictateur Rosas était renversé. Il y avait eu une espèce de convention préalable entre M. Buchet de Martigny et quelques-uns des chefs de l'insurrection argentine, convention destinée à régler les rapports de la France avec cette république quand l'insurrection aurait triomphé et amené le renversement de Rosas.

M. DE BREZE.—Cela regarde le ministère de M. Molé.

M. le ministre des affaires étrangères.—Cela n'a eu aucune suite... C'est une conférence tenue le 22 juin 1840, sous le ministère du 1er mars, et où M. Buchet de Martigny réglait les relations futures de la France avec la république de Buenos-Ayres quand le gouvernement serait changé. On stipulait en ces termes:

«Le gouvernement de Buenos-Ayres, voulant répondre à la générosité de la déclaration en date du... qui lui a été faite par M. le chargé d'affaires et plénipotentiaire de France, voulant aussi donner à cette nation une preuve de son amitié et de sa reconnaissance pour les secours efficaces qu'elle a prêtés, dans ces dernières circonstances, à la cause argentine;

«Considérant aussi la justice avec laquelle le gouvernement de S. M. le roi des Français a réclamé des indemnités en faveur de ceux de ses nationaux qui ont été victimes des actes cruels et arbitraires du tyran de Buenos-Ayres, don Juan Manuel de Rosas;

«A décrété et décrète ce qui suit, savoir:

«Art. 1er. En attendant la conclusion d'une convention d'amitié, de commerce, de navigation entre S. M. le roi des Français et la province de Buenos-Ayres, les citoyens français établis sur le territoire de la république seront traités, pour leurs personnes et leurs propriétés, comme le sont ceux de la nation la plus favorisée.

«Art. 2. Est reconnu le principe des indemnités réclamées par le gouvernement de Sa Majesté en faveur de ceux de ses nationaux qui ont eu à souffrir, soit avant, soit depuis la mise du blocus, des mesures iniques et arbitraires du dernier gouvernement de Buenos-Ayres ou de ses délégués. M. Buchet de Martigny sera invité par ce gouvernement à s'entendre avec lui pour faire déterminer, dans un bref délai, le montant de ces indemnités, par des arbitres choisis en nombre égal de part et d'autre, et qui, en cas de partage, auront la faculté de s'adjoindre un surarbitre nommé par eux à la majorité des voix.»

Voilà la convention préalable qui avait été conclue entre les agents de la France et le gouvernement futur de la république argentine. La Chambre voit que cette convention était exactement conforme à ce qu'a fait l'amiral de Mackau, et que même, s'il y a quelque avantage, c'est en faveur du traité signé par M. de Mackau; car l'arbitrage définitif est remis à la discrétion de la France. Les personnes qui avaient conclu d'avance cette convention auraient donc mauvaise grâce à se plaindre aujourd'hui de celle que M. de Mackau a signée.

Voilà pour ce qui regarde la France et la manière dont ses relations avec la république argentine ont été réglées par le traité.

Mais, comme le disait tout à l'heure l'honorable M. de Brézé, la France n'était pas seule en cause; elle avait, non pas des alliés, le mot n'est pas exact: on s'est servi du mot *auxiliaires*, et avec grande raison. Voici quelles instructions ont été données à l'amiral de Mackau à ce sujet, et je montrerai aussi, sous ce rapport, qu'il a accompli fidèlement ses instructions, et qu'il les a même améliorées à certains égards.

Il y avait deux classes d'auxiliaires: les républiques de Montevideo et de l'Uruguay, et les insurgés de Buenos-Ayres. La situation des uns et des autres était différente, et il y a eu des conditions différentes à obtenir.

Voici quelles étaient les instructions:

«Ce sujet m'amène à vous parler de nos rapports présents et futurs avec les auxiliaires que nous avons trouvés sur les bords de la Plata. Ces rapports sont d'une nature délicate, et mériteront de votre part la plus grande attention. Il ne faudrait pas, si nous traitons avec leur ennemi Rosas, qu'ils pussent nous accuser de déloyauté et d'abandon. S'ils n'ont pas réussi, ou s'ils ne sont pas très-près de réussir (auquel cas il vous est enjoint de traiter), vous serez en présence d'auxiliaires qui n'auront pas voulu ou n'auront pas pu tenir leurs promesses. Pour le premier cas, vous ne leur devez rien; pour le second, vous leur devez de l'intérêt, de bons offices, des secours même pour les arracher aux périls qui pourraient les menacer...; mais ils ne peuvent exiger de vous que vous poursuiviez indéfiniment, à cause d'eux, une lutte où nous ne les avons pas engagés, dans laquelle ils se sont spontanément et volontairement engagés eux-mêmes, et pour le succès de laquelle ils ont demandé et obtenu nos secours, sans nous rendre, à beaucoup près, autant de services qu'ils en ont reçu de nous. Toutefois, si vous parvenez à négocier avec le président Rosas, vous aurez à vous mettre en communication avec eux, à les avertir de vos démarches, à leur offrir votre intervention amicale, à les sauver, en un mot, autant que possible, des conséquences de la guerre civile par eux provoquée.»

Messieurs, la première prétention des auxiliaires dont je parle a été que nous ne traitassions pas sans eux, qu'ils fissent partie de la négociation: ils l'ont formellement demandé. Cela leur a été refusé, je crois, avec pleine raison. La France avait certainement le droit de traiter pour son propre compte et seule, car c'était de ses propres affaires qu'il s'agissait. De plus, les instructions prescrivaient à l'amiral de Mackau de traiter seul et pour le compte de la France.

Mais que demandait Montevideo? J'ai ici le procès-verbal d'une conférence tenue à Montevideo le 6 novembre 1840 entre l'amiral de Mackau et M. Vidal, ministre des affaires étrangères de la république de l'Uruguay; elle finit par ces mots de M. Vidal, qu'il devait faire partie du traité et avait le droit d'intervenir dans la négociation, «afin que l'indépendance et l'intégrité de l'État oriental fussent comprises dans l'arrangement à intervenir entre Buenos-Ayres et la France.»

Le but de la prétention était donc de faire consacrer de nouveau, par la république de Buenos-Ayres, l'indépendance et l'intégrité de Montevideo. L'amiral de Mackau ne voulait pas, avec raison, admettre la république de

Montevideo dans la négociation; mais il lui a fait obtenir ce qu'elle demandait, ce qui était le motif pour lequel elle voulait intervenir.

L'article 4 du traité porte:

«Art. 4. Il est entendu que le gouvernement de Buenos-Ayres continuera à considérer en état de parfaite et absolue indépendance la république orientale de l'Uruguay, de la manière qu'il l'a stipulé dans la convention préliminaire de paix, conclue le 29 août 1828 avec l'empire du Brésil, sans préjudice de ses droits naturels, toutes les fois que le demanderont la justice, l'honneur et la sécurité de la Confédération argentine.»

On dit que la république de Buenos-Ayres avait déjà violé cette convention de 1828. Ce n'est pas la première fois qu'il arrive à un État de violer une convention et puis de la consacrer de nouveau. C'est précisément parce que cette convention avait été violée que la république de Montevideo tenait à ce qu'elle fût de nouveau consacrée. C'est là le service que M. de Mackau a rendu à la république de l'Uruguay; il a fait insérer dans le traité une reconnaissance nouvelle, une consécration répétée de l'absolue et parfaite indépendance de la république de l'Uruguay.

Ainsi, en ce qui concerne l'Uruguay, il n'est pas exact de dire que la France l'a abandonné: au contraire, la France a fait consacrer dans le traité ce que la république demandait.

M. LE VICOMTE DUBOUCHAGE.—Mais il y a une restriction à la fin de l'article.

M. *le ministre des affaires étrangères.*—Cette restriction est sans importance. Elle veut dire que la république de Buenos-Ayres se réserve le droit de faire la guerre à la république de Montevideo, sans préjudice, dit-elle, de ses droits naturels en tant que le demanderont la justice, l'honneur et la sécurité de la fédération argentine.

M. LE MARQUIS DE BREZE.—La restriction est étrange.

M. *le ministre des affaires étrangères.*—Les termes de la restriction n'ont rien d'étrange. C'est l'annonce de la possibilité d'une guerre. Or, personne ne peut prétendre que, entre deux États qui proclament leur parfaite indépendance, le droit de faire la guerre ne puisse pas exister.

Je passe à la seconde classe des auxiliaires, aux insurgés de Buenos-Ayres, aux proscrits. Vous avez vu quelles étaient les instructions données à l'amiral de Mackau. Voici l'article du traité:

«Art. 9. Si, dans le délai d'un mois, à partir de ladite ratification, les Argentins qui ont été proscrits de leur pays natal à diverses époques, depuis le 1er décembre 1828, abandonnent, tous ou partie d'entre eux, l'attitude hostile dans laquelle ils se trouvent actuellement contre le gouvernement de la province de Buenos-Ayres chargé des relations extérieures de la Confédération argentine, ledit gouvernement, admettant dès aujourd'hui, pour ce cas, l'interposition amiable de la France relativement aux personnes de ces individus, s'offre à accorder la permission de l'entrer sur le territoire de leur patrie à tous ceux dont la présence sur ce territoire ne sera pas incompatible avec l'ordre et la sécurité publique, de telle sorte que les personnes à qui cette permission aura été accordée ne soient molestées ni poursuivies pour leur conduite antérieure.

«Quant à ceux qui se trouvent les armes à la main sur le territoire de la Confédération argentine, le présent article n'aura son effet qu'en faveur de ceux qui les auront déposées dans un délai de huit jours, à dater de la communication officielle de la présente convention qui sera faite à leurs chefs, par l'intermédiaire d'un agent français et d'un agent argentin, spécialement chargés de cette mission.

«Ne sont pas compris dans le présent article les généraux et les chefs de corps, excepté ceux qui, par leurs actes ultérieurs, se rendront dignes de la clémence et de l'indulgence de Buenos-Ayres.»

Je prie la Chambre de remarquer la date insérée dans cet article (1828). Notre querelle avec la République argentine n'a commencé qu'en 1837; par conséquent les seuls proscrits auxquels nous fussions intéressés, pour ainsi dire, qui fussent venus à nous, c'étaient les proscrits depuis 1837; eh bien, M. de Mackau a eu le soin de faire remonter l'amnistie, le pardon, ce qu'on voudra, je ne qualifie pas, mais enfin la faveur qu'il obtenait, jusqu'en 1828, de telle sorte qu'elle fut applicable à tous les proscrits de l'État de Buenos-Ayres.

Je ne prétends en aucune façon exagérer la valeur de cet article; je ne prétends pas l'appeler une amnistie selon nos idées de justice et d'humanité européennes; je dis que c'est la permission de rentrer dans leur pays accordée à des émigrés; ce n'est certes pas une amnistie complète, c'est une amélioration dans leur condition. M. de Mackau, après beaucoup d'efforts, n'a pas cru pouvoir obtenir davantage. Et j'ajoute que le ministre de la république argentine avec lequel il traitait, et de la sagesse duquel il a eu beaucoup à se louer, n'a pas cru pouvoir en sûreté accorder davantage aux proscrits argentins. Il disait à M. de Mackau: «Vous voyez l'état de notre pays; nous sommes en révolution; si les proscrits rentrent tous, il y a tels d'entre eux que nous ne pourrons protéger efficacement; malgré nous, sous nos propres yeux, il leur arrivera quelqu'un de ces malheurs dont vous vous plaignez; pour leur propre sûreté, il vaut mieux qu'ils restent encore hors du territoire.»

Messieurs, la question des proscrits a été traitée entre M. de Mackau et le ministre plénipotentiaire de la république argentine, avec bonne foi, dans des intentions sincères et humaines, et, de part et d'autre, on a fait ce qui était possible. En voici une preuve qui ne se trouve pas dans les pièces de la négociation, mais qui est un fait éclatant. M. de Mackau, le traité une fois signé, a dit; «Il faudrait à présent quelque mesure qui fût un heureux signal de la réconciliation de la France et de Buenos-Ayres, un signe apparent du retour de la justice et de l'humanité.» Eh bien, le jour même où M. de Mackau est entré dans Buenos-Ayres, le président Rosas a fait sortir des prisons 673 personnes enfermées pour délits politiques ou pour soupçons: et la plupart de ces personnes appartenaient à la classe des ennemis les plus acharnés de Rosas, aux familles les plus considérables du parti unitaire; de sorte que la signature du traité et la rentrée de la France dans Buenos-Ayres ont été signalées par la libération de 673 individus.

C'est là sans doute une preuve de l'insistance et du zèle que M. de Mackau a mis à servir la cause des proscrits.

La Chambre voit donc qu'en ce qui regarde la cause des proscrits argentins comme pour celle de la république de l'Uruguay, il est inexact de dire que la France a négligé les devoirs qui lui étaient imposés et a abandonné ses auxiliaires. Elle a couvert la république de l'Uruguay, elle a protégé autant que possible les proscrits argentins. Il y avait des proscrits éloignés, très-compromis. C'était le général Lavalle lui-même avec son armée; M. de Mackau ne les a pas oubliés non plus. Je voudrais pouvoir vous dire les instructions qu'il a données à cet égard; mais ce ne serait pas prudent, et je ne le ferai pas; je me bornerai à dire qu'il a envoyé le meilleur de ses bateaux à vapeur, avec un officier qu'il savait parfaitement lié avec le général Lavalle. Il a dit à cet officier: «Remontez le Parana et allez trouver le général Lavalle; expliquez-lui la situation; dites-lui que j'ai traité, que cela était de mon devoir, que mes instructions me l'ordonnaient, que j'ai obtenu des conditions que la France réclamait depuis longtemps; dites-lui ce que j'ai fait pour la république de l'Uruguay et pour les proscrits argentins; et, après cela, dites-lui que, soit pour lui-même, soit pour ses compagnons qui ne croiront pas pouvoir on ne voudront pas rentrer à Buenos-Ayres, je leur offre, non-seulement un asile en France, mais tous les moyens de supporter leur mauvaise fortune.»

Je ne puis à ce sujet, messieurs, entrer dans tous les détails que je voudrais donner à la Chambre; mais soyez assurés que M. de Mackau a pris, pour la sûreté et l'avenir du général Lavalle et des chefs de son armée, toutes les précautions, et leur a offert tous les avantages qu'il était en son pouvoir de leur offrir.

Voilà quel a été le traité, voilà comment il a pourvu à toutes les difficultés de la situation.

Maintenant, oublions un moment les instructions; voyons les choses seules; consultons l'état de l'Amérique du Sud, et recherchons si en lui-même le traité est bon ou mauvais.

Il y a, dans les États de l'Amérique du Sud, deux grands partis, le parti européen et le parti américain, partis qui, tous deux, furent également compromis dans la cause de l'indépendance, qui luttèrent tous deux contre la métropole et pour l'affranchissement de l'Amérique. L'Amérique affranchie, les deux partis se séparèrent. Le parti européen, le moins nombreux, comprend les hommes les plus éclairés, les plus accoutumés aux idées de la civilisation européenne. Ces hommes se sont empressés de lier avec l'Europe des relations. Ils ont voulu assimiler l'Amérique à l'Europe, les faire entrer dans des relations fréquentes et suivies. Mais il y avait en Amérique un autre parti plus attaché au sol, imprégné d'idées purement américaines; c'était le parti des campagnes. Ce parti a été tout à fait opposé au parti européen. Il a voulu que la société se développât d'elle-même, à sa façon, sans emprunts, sans relations avec l'Europe. L'animosité s'est promptement établie entre les deux partis. Les idées des uns et des autres se sont exagérées par le simple cours des faits; et la domination est tombée, dans presque tous les États, au parti américain, purement national, au parti des campagnes contre celui des villes.

Le triomphe du général Rosas, depuis onze ans, dans la république de Buenos-Ayres, n'est que l'expression de ce fait. Le général Rosas est le chef du parti des campagnes et l'ennemi du parti européen.

Nous avons eu sous les yeux en Europe, et presque à nos portes, un fait propre à nous faire comprendre celui-là. Vous avez vu en Espagne les joséphins, parti opposé au parti des cortès, au parti proprement national. Les joséphins étaient un parti d'hommes très-éclairés, qui, à beaucoup d'égards, étaient plus avancés que leurs compatriotes. Mais ils s'étaient détachés des habitudes, des croyances, des mœurs nationales; ils n'étaient pas, en un mot, le parti national en Espagne, malgré la supériorité de leurs lumières. Cela a fait la faiblesse de ce parti.

Il en a été de même dans la république argentine; le parti éclairé s'est trouvé le plus faible, et le pouvoir est tombé entre les mains du parti américain. Quelle est l'idée dominante dans la conduite de ce gouvernement vis-à-vis de l'Europe? Il n'a pas voulu avoir de relations écrites, réglées avec les puissances européennes, il a éludé toute espèce de conclusion de traité. L'Angleterre a forcé la république de Buenos-Ayres à traiter avec elle. Mais depuis que ce traité existe, vingt fois la république de Buenos-Ayres a cherché les occasions d'y échapper. S'il lui avait été possible de le rompre, elle n'y aurait pas manqué. Elle n'a pas de traité avec les États-Unis, il n'existe entre les deux pays que des conventions, des promesses verbales.

En présence d'un tel parti, vainqueur depuis onze ans à Buenos-Ayres, vainqueur tyranniquement, révolutionnairement, je ne le conteste pas, mais vainqueur; en présence d'un tel parti qui se refusait à traiter, croyez-vous que ce n'ait pas été quelque chose de considérable que de l'amener à traiter avec nous, à s'engager dans les termes mêmes que la France demandait, dans des termes conformes à ceux de ses traités avec l'Angleterre, par exemple, et aux conventions verbales qui existent entre la république argentine et les États-Unis?

Voilà le résultat du traité conclu par M. de Mackau; voilà comment il est quelque chose de considérable. C'est presque le premier pas fait dans l'Amérique du Sud par le parti américain, pour contracter avec les nations européennes des relations régulières, pour entrer dans la grande famille civilisée du monde. Sous ce rapport, le traité a beaucoup d'importance; et quand même les conditions n'en seraient pas aussi exactement conformes qu'elles le sont en effet aux instructions données, la Chambre devrait le considérer comme un grand pas dans la carrière de nos relations avec l'Amérique du Sud.

Je n'entrerai pas, messieurs, dans la discussion de la conduite des divers agents français, ni des faits qui ont précédé le traité; la Chambre en comprendra la raison. Nous nous sommes trouvés là dans une situation très-difficile; nous faisions un blocus, ce qui n'est pas la guerre complète et déclarée. Nous nous sommes, par le simple entraînement des personnes et des choses, trouvés engagés dans une guerre étrangère, dans la guerre de Montevideo avec Buenos-Ayres, dans une guerre civile, la guerre des proscrits argentins avec le gouvernement de leur pays. Il était difficile de sortir de cette situation; nous en sommes sortis par un traité, le premier de ce genre, avec un grand État de l'Amérique du Sud. Je ne fais aucun doute que le secours prêté par nos agents, soit à la république de Montevideo, soit aux proscrits argentins, n'ait puissamment contribué à amener ce traité. Il ne faut donc pas reprocher sévèrement aux agents leur conduite à cet égard, car nous en avons profité; c'est parce que Rosas se trouvait menacé par la république de Montevideo et par l'insurrection argentine qu'il a cédé. Ainsi, les deux systèmes de conduite, quoique très-différents, ont concouru au même résultat. À tout prendre, je crois que ce résultat est bon, et je crois avoir prouvé à la Chambre qu'il ne contient rien que d'honorable pour la France, rien que d'utile pour ses relations, pour son avenir et pour sa gloire. (*Marques générales d'assentiment.*)

CVI

Discussion sur le traité conclu avec le dictateur de la République argentine et sur les affaires de la Plata.

—Chambre des députés.—Séance du 20 février 1841.—

Le débat qui avait eu lieu, le 8 février, dans la Chambre des pairs, sur les interpellations de M. le marquis de Brézé, au sujet des affaires de la Plata, se renouvela le 20 dans la Chambre des députés, sur les interpellations de M. Mermilliod, député de la Seine-Inférieure. J'y pris part en ces termes:

M. GUIZOT.—Messieurs, je prie la Chambre de ne pas s'effrayer de cet énorme paquet de papiers. (*On rit.*) Je serai fort court, et je tâcherai de réduire à des termes très-simples les explications que j'ai à donner. J'ai déjà eu l'honneur de les produire dans une autre enceinte, et j'espère qu'une partie de ce que j'ai pu dire est présent à l'esprit des honorables membres qui m'écoutent. Je n'y reviendrai pas.

J'ai besoin de soumettre à la Chambre deux observations préliminaires. La première, c'est que les réclamations que vous venez d'entendre, la pétition présentée à la Chambre par un certain nombre de Français résidant à Montevideo, ont été complétement inconnues du gouvernement; il n'en a pas entendu parler; rien ne lui est directement parvenu. Cependant, puisque la ratification n'était pas consommée, puisque je n'avais pas encore exprimé, il y a quelques jours, les intentions du gouvernement, c'était à lui que les réclamations devaient d'abord être adressées. Sans aucun doute, les personnes qui ont agi ainsi avaient parfaitement le droit de s'adresser à la Chambre seule; je fais une simple remarque. On a présumé les intentions du gouvernement; on les a présumées, quoique le cabinet qui siége sur ces bancs ne fût pas le même que celui qui avait donné les instructions.

Ma seconde observation est celle-ci: c'est un simple fait que je veux mettre sous les yeux de la Chambre sans en tirer les conséquences, et pour que la Chambre les tire elle-même. Je crois que le fait parle assez haut par le simple énoncé.

Avant le blocus de Buenos-Ayres, en 1835 et 1836, la valeur des importations à Montevideo, d'après l'évaluation des douanes, s'élevait à environ 15 à 20 millions par an; c'était la valeur annuelle du commerce de Montevideo avant le blocus.

Pendant le blocus de Buenos-Ayres, la valeur, non plus annuelle, mais mensuelle, du commerce de Montevideo, s'est élevée à 15 ou 16 millions: ce sont là les faits relevés sur les états de la douane même de Montevideo.

Il en résulte clairement pour tout le monde que Montevideo trouvait, dans le blocus de Buenos-Ayres, un avantage énorme. L'État de Montevideo et les négociants établis dans cette ville profitaient tous du blocus de Buenos-Ayres, à un degré prodigieux. Ils avaient donc au maintien de ce blocus un intérêt personnel considérable. Je n'en tire aucune conséquence spéciale. Je mets le fait sous les yeux de la Chambre.

Les intérêts personnels ont parfaitement droit de s'exprimer, de se défendre; seulement il faut qu'on sache qu'ils existent et qu'on les appelle par leur nom.

Ces deux observations préliminaires présentées à la Chambre, j'entre dans la question.

M. l'amiral de Mackau a agi en vertu des instructions qui lui avaient été données par le cabinet du 1er mars. Il faut que la Chambre sache que ces instructions n'ont rien eu de particulier, qu'elles ont été conformes à toutes celles qui avaient été données précédemment. L'affaire a passé par les mains de trois cabinets différents: elle est née sous le cabinet du 12 mai, et le cabinet du 1er mars l'a accueillie. Tous les trois ont arrêté le même *ultimatum* et donné à nos négociateurs, quels qu'ils fussent, les mêmes instructions.

Je vais, pour que la Chambre n'ait à cet égard aucun doute, mettre sous ses yeux les instructions des trois cabinets.

Le 12 octobre 1838, le cabinet du 15 avril, sous lequel l'affaire était née, terminait des instructions adressées à M. Buchet de Martigny en ces termes:

«Je ne puis, monsieur, que vous engager de nouveau à hâter de tous vos efforts la solution de nos différends avec Buenos-Ayres. Certes, je ne veux pas dire qu'il faille renoncer, dans ce but, à obtenir les justes satisfactions que réclament la dignité de la France et l'intérêt de nos nationaux. Je sais assez quelles seraient les conséquences d'un tel abandon pour l'avenir de nos relations avec l'Amérique du Sud. Mais il faut aussi calculer que les populations de ce continent ne ressemblent point à la plupart de celles des autres contrées, qu'habituées à l'anarchie et à tous ses maux, elles offrent beaucoup moins de prise que les Européens à l'action des privations et de la contrainte, et qu'un blocus maritime (le seul moyen de coercition que nous puissions raisonnablement employer contre elles, et surtout contre Buenos-Ayres), est plus exposé peut-être, au fur et à mesure qu'il se prolonge, à perdre de son effet moral qu'à le voir augmenter et s'étendre.

«J'ajouterai que ces considérations ne sont pas les seules dont nous ayons à tenir compte, et que nous ne saurions nous dispenser non plus de vouer une attention très-sérieuse aux raisons fondées sur le grave préjudice qu'imposerait aux neutres la prolongation, sans terme à peu près certain, de l'état présent des choses.

«De tout cela, je conclus, monsieur, que vous devrez, si vous ne l'avez déjà fait au moment où vous recevrez cette dépêche, entrer immédiatement en communication avec le gouvernement argentin, et lui proposer un arrangement sur des bases et dans des formes telles qu'il en ressorte clairement aux yeux de tous que, loin de vouloir humilier la république et lui imposer des conditions incompatibles avec son indépendance, nous ne lui demandons que ce que le droit des gens nous autorise à réclamer d'elle: une équitable indemnité en faveur de la famille du malheureux Bacle; l'engagement d'indemniser en outre, après une vérification sincère et consciencieuse, ceux des autres Français qui auraient eu également à souffrir des actes arbitraires ou de la violence des autorités argentines; celui de faire exécuter sans retard les décisions judiciaires rendues en faveur de nos nationaux; leur exemption de tout service militaire; enfin une clause ou déclaration conçue dans le sens que j'ai indiqué plus haut: tels sont les points que la république ne saurait guère se refuser à nous accorder, à moins de se placer elle-même, pour ainsi dire, hors de la loi des nations.»

Le 6 mars 1839, le même cabinet adressait à M. Buchet de Martigny les instructions suivantes:

«Le gouvernement du roi, sans désapprouver l'expédition de Martin-Garcia, du moment que l'occupation de ce point devenait un complément nécessaire du blocus, a vivement regretté que cette expédition n'ait pas conservé un caractère exclusivement français, et qu'un détachement des troupes de Fructuoso Ribera y ait coopéré. Cette association d'entreprises militaires contre Buenos-Ayres, entre le commandant de nos forces navales et un général qui n'était encore qu'un chef d'insurgés, constituait un fait d'une nature fort grave un elle-même, et pouvait entraîner les conséquences les plus sérieuses. Il importait, en effet, dans une opération du genre de celle que nous employons en ce moment contre le gouvernement argentin, que des mesures purement coercitives ne prissent point ce caractère agressif, hostile, qui permet à peine de les distinguer de l'état de guerre ouverte. Il n'importait pas moins d'éviter toute ingérence positive dans les affaires intérieures des républiques de Montevideo et de Buenos-Ayres, comme dans les querelles qu'elles pouvaient avoir entre elles. Le seul but de la France, en adoptant les mesures rigoureuses qu'elle emploie contre certains gouvernements de l'Amérique, ne peut, ne doit être que de se faire justice à elle-même, que d'obtenir la satisfaction qui lui est due, la réparation qu'exigent ses justes griefs. Elle n'a à se mêler que de ses propres affaires et non de celles des autres. L'oubli de ce principe pourrait l'entraîner dans des embarras de plus d'un genre et de la nature la plus grave. Si elle n'évite pas, par tous les moyens, que son action en Amérique ne s'étende sur les relations d'État à État, que la présence de ses forces, que son influence ne soit exploitée par les ambitions et les rivalités, si elle sort, en un mot, du cercle où son rôle doit être contenu, non-seulement elle risque de compromettre l'avenir de ses relations avec les différents États de l'Amérique, mais elle s'expose en Europe à des soupçons, à des méfiances qu'il importe avant tout à sa dignité comme à son repos de ne point éveiller. Déjà cette affaire de Martin-Garcia, sur laquelle le cabinet de Londres doit être interpellé dans le Parlement, nous a mis dans le cas de donner des explications qui seront sans doute regardées comme suffisantes, mais qui n'en laissent pas moins subsister tout l'inconvénient attaché à la nécessité d'avoir à les produire.

«Outre ces dangers généraux, l'alliance des forces françaises avec celles de Ribera pouvait encore amener de grands embarras dans la marche des affaires à Buenos-Ayres même. Indépendamment de l'effet qu'elle risquait de produire dans un sens peu favorable à notre dignité, elle tendait encore à aggraver notre position à l'égard du gouvernement argentin, à fournir à ce dernier de nouveaux prétextes de résistance à nos légitimes réclamations, et peut-être à discréditer notre cause aux yeux des Argentins eux-mêmes.»

Voilà pour le cabinet du 15 avril. Vous le voyez, trois choses sont recommandées: 1º la reconnaissance du principe de l'indemnité pour les Français qui ont souffert, sans aucune fixation de quotité; 2º le traitement de la nation la plus favorisée; 3º éviter de se compromettre dans les querelles particulières des deux républiques.

Le 21 octobre 1839, le cabinet du 12 mai adressait les instructions que voici:

«Le gouvernement du roi désire sincèrement la fin de ses démêlés avec Buenos-Ayres; mais il la veut telle qu'il convient à la dignité et aux intérêts de la France, telle que la demande l'avenir de nos rapports avec l'Amérique. D'un autre côté, nous ne pouvons oublier que notre position, à l'égard du gouvernement argentin, se complique de la question non moins grave des neutres, que leur navigation et leur commerce ont grandement à souffrir de l'existence de nos différends avec Buenos-Ayres, et que, si cette querelle doit se prolonger sans qu'on puisse en entrevoir le terme, il importe de prouver, jusqu'à la dernière évidence, que la responsabilité ne saurait, à aucun titre et sous aucun prétexte, nous en être imputée. Dès lors, monsieur, l'intention positive du gouvernement du roi est qu'à l'arrivée de M. le contre-amiral Dupotet vous adressiez au gouvernement argentin une communication officielle pour lui annoncer que, la France ayant à cœur de faire cesser une situation préjudiciable à tant d'intérêts, vous êtes autorisé à traiter sur les bases indiquées dans la lettre si remarquable que vous avez écrite au commodore Nicholson, le 29 avril dernier, à savoir: 1º qu'en attendant la conclusion d'un traité de commerce et de navigation entre la France et la confédération des provinces unies du Rio de la Plata, les Français résidant sur le territoire de la république jouiront, quant à leurs personnes et à leurs propriétés, du traitement de la nation la plus favorisée; 2º que les indemnités dues à la famille de Bacle, à Lavie et aux autres familles françaises qui ont eu à souffrir des dommages par le fait du gouvernement ou de ses délégués, seront expressément reconnues, sauf à en régler le chiffre par voie d'arbitrage. Après renonciation que vous-même avez faite de ces conditions, après la publicité qui leur a été donnée, et dans le désir où il est de continuer à mettre la modération de son côté comme il a déjà pour lui le bon droit, le gouvernement de Sa Majesté ne croit pas pouvoir montrer plus d'exigence, d'autant plus que les clauses en question sont, en réalité, les seuls points essentiels à obtenir, puisque la première surtout aurait pour effet de nous assurer, à Buenos-Ayres et dans toute la république argentine les avantages dont les Anglais y jouissent, en vertu de leur traité de 1825. Mais ces conditions doivent être regardées comme invariables et c'est ainsi que vous devez les présenter, en concluant par l'annonce positive de l'inébranlable résolution où nous sommes de maintenir le blocus avec la plus grande vigueur, jusqu'à ce qu'il ait été donné satisfaction à nos justes demandes.»

Vous voyez que le cabinet du 12 mai donnait les mêmes instructions que celui du 15 avril.

Je ne relirai pas celles du cabinet du 1er mars; elles sont les mêmes; la même latitude est laissée au négociateur; il a la faculté de conclure en adoptant le principe de l'indemnité et celui du traitement de la nation la plus favorisée; ces deux conditions sont les seules qui doivent être regardées comme un ultimatum.

M. MERMILLIOD.—Et l'indemnité nominative?

M. *le ministre*.—J'en demande pardon à l'honorable M. Mermilliod; il a parlé d'une indemnité nominative; les instructions de l'honorable M. Thiers, s'il les avait lues tout entières, prévoient cette objection; elles disent:

«Si vous pouvez obtenir que cette indemnité soit nominative, et que le chiffre total en soit approximativement fixé, sauf une liquidation ultérieure, cela vaudra mieux, car les difficultés seront moindres quand il faudra exiger définitivement cette indemnité. Toutefois, comme ces conditions secondaires n'étaient pas comprises dans notre ancien *ultimatum*, il ne faudrait pas y tenir péremptoirement, et vous en finiriez sur ce point à la simple condition d'une indemnité posée en principe dans le traité que vous aurez à souscrire.»

Et ailleurs, les instructions données par l'honorable M. Thiers à M. Buchet de Martigny s'exprimaient en ces termes:

«Je n'ai pas besoin de vous dire que notre résolution bien arrêtée est d'obtenir la satisfaction qui nous est due, et que cette satisfaction doit reposer sur les deux bases suivantes: la concession à nos nationaux, pour leurs personnes et leurs propriétés, du traitement de la nation la plus favorisée, jusqu'à la conclusion d'un traité définitif; et, en faveur de ceux d'entre eux qui ont éprouvé des dommages par suite des actes arbitraires des autorités locales, l'admission du principe d'une indemnité modérée dont on réglerait plus tard la quotité par voie d'arbitrage. Ces deux bases, nous les avons depuis longtemps posées, et par cela même que, dès le premier moment, nous avons restreint nos demandes aux plus strictes exigences de notre dignité et de nos intérêts essentiels, il ne nous est pas possible de les réduire.»

Messieurs, j'ai uniquement à cœur de bien établir que tous les cabinets successifs ont donné au fond les mêmes instructions, et que M. de Mackau, en les faisant réussir, a bien accompli la mission que tous avaient donnée.

Je ne rentrerai pas à cet égard dans les détails que j'ai présentés devant l'autre Chambre; mais on a soulevé ici une question nouvelle; on a soutenu qu'il ne fallait pas traiter avec Rosas. La pétition et toutes les réclamations qui arrivent de Montevideo portent ce caractère qu'elles demandent toutes que la France ne traite jamais avec Rosas, et ne s'arrête pas dans la guerre jusqu'à ce que le gouvernement de Rosas soit renversé. Elles ne s'élèvent pas contre telle ou telle disposition du traite; ce n'est pas de cela qu'elles se préoccupent; ce qu'elles demandent, c'est la guerre jusqu'à ce que le gouvernement de Rosas n'existe plus.

Comment vouliez-vous que M. l'amiral de Mackau se conduisit d'après ces idées? Il était envoyé précisément pour négocier. Ses instructions portaient: «Vous négocierez pour peu que vous trouviez accès à la négociation.» C'était là sa mission. Il a trouvé accès à la négociation et d'une manière honorable, après une première ouverture de Rosas, après avoir reçu une première visite du ministre anglais qui servait d'intermédiaire, en s'établissant sous pavillon français. À de tels termes, il était impossible qu'il se refusât à négocier.

Du reste, messieurs, ce droit de négocier, de négocier avec Rosas indépendamment des alliés, non-seulement il résultait de toutes les instructions, de celles des cabinets du 15 avril, du 12 mai et du 1er mars; mais il avait été expressément réservé par les agents français eux-mêmes qui ont suivi là une politique différente de celle qu'ont suivie les agents qui ont cru devoir nous engager dans les querelles des deux républiques, et se servir de la république de Montevideo et des insurgés de Buenos-Ayres pour triompher de Rosas. Ils avaient si bien senti qu'il était impossible de lier la cause de la France à celle de la république de Montevideo et des proscrits argentins, qu'ils avaient fait la réserve expresse du droit du gouvernement français de traiter sans eux; voici en quels termes écrivait l'honorable M. Buchet de Martigny, dans une dépêche du 20 novembre 1833, au moment même, ou très-peu de temps après son arrivée à Montevideo, et lorsqu'il entrait dans le système d'intervention au milieu des débats des deux républiques:

«MM. Roger et Baradère m'avaient fait connaître qu'en leur offrant sa coopération, par une lettre du 2 du courant, le chef de l'Uruguay semblait y mettre deux conditions: 1° que la France déclarerait Rosas hors de la civilisation, et proclamerait que la guerre qu'elle allait faire dans la Plata était dirigée seulement contre sa personne; 2° que nous conviendrions dès à présent d'une transaction sur notre différend avec Buenos-Ayres, dans le cas où une nouvelle administration viendrait à remplacer celle de Rosas.

«Au sujet de la première de ces conditions, mon avis bien positif fut que nous ne pouvions y souscrire, parce qu'aucun de nous n'avait mission pour le faire; parce que la déclaration qu'on nous demandait avait évidemment pour but de nous enchaîner sans retour à la république orientale, dans la lutte qu'elle allait entreprendre contre Rosas, et, par conséquent, de rendre tout arrangement impossible avec lui, ce qui était contraire à l'esprit de nos instructions; parce qu'enfin la position qu'on voulait nous faire prendre semblait nous présenter aux yeux du monde comme les protecteurs d'un État, d'un parti contre un autre, comme nous mêlant des différends, des divisions intestines des peuples de l'Amérique, ce qui n'était ni dans l'intérêt bien entendu de la France, ni dans la manière de voir du gouvernement du roi, si je l'avais bien comprise; que la prudence nous faisait un devoir, au contraire, de demeurer entièrement libres de nos mouvements dans notre lutte contre Rosas; et conséquemment de ne rien promettre, ni même dire, qui pût nous obliger à rester liés un instant de plus que nous ne le voudrions avec l'État oriental.»

Il est évident que le gouvernement français a toujours conservé le droit de traiter avec Buenos-Ayres, indépendamment de la république de Montevideo et des proscrits argentins, qu'il ne s'est jamais considéré comme lié à leur cause, et qu'il l'a toujours hautement proclamé.

Après le point de droit reste le point de fait que je tiens à éclaircir complétement devant la Chambre.

Les instructions de l'honorable M. Thiers à M. de Mackau lui disaient: «Les propositions du gouvernement argentin qui nous ont été transmises récemment par l'amiral Dupotet, ainsi que plusieurs circonstances accessoires, nous conduisent à penser que le président Rosas est enfin disposé à traiter.

«Il faut profiter de cette disposition pour mettre fin à ce long différend. Négocier avec le gouvernement de Rosas est donc votre premier soin en arrivant dans le Rio de la Plata.

«Toutefois, il y a deux cas dans lesquels vous seriez dispensé d'en agir ainsi. Le premier est celui où, le parti de Lavalle et Ribera ayant triomphé de Rosas, vous ne seriez plus en présence que de nos alliés victorieux; c'est avec eux alors que vous auriez à traiter, et la chose ne devrait plus présenter de difficultés. Le second cas est celui où le général Lavalle, avec ou sans Ribera, serait si près du but qu'il y aurait presque certitude du succès.»

Il est clair qu'au moment où M. l'amiral de Mackau est arrivé, Lavalle n'avait pas triomphé, et qu'il n'était pas près d'atteindre le but; il en était bien loin, car il avait abandonné la province de Buenos-Ayres, dans laquelle il était entré avec l'espoir d'y exciter une prompte insurrection, et de triompher facilement de Rosas. L'insurrection n'avait pas eu lieu, Lavalle n'avait pu livrer bataille à Rosas, il avait été obligé de s'éloigner de Buenos-Ayres à plus de cent lieues vers le nord. M. l'amiral de Mackau ne trouvait donc pas les affaires près de leur solution au profit de Lavalle. Il n'y en a pas de meilleure preuve que la lettre que Lavalle lui-même écrivait à M. de Martigny le 17 août 1840:

«Mon estimable ami, de San Pedro l'armée s'est dirigée sur la villa de Arrecifes, dans l'intention de se bien monter et de grossir ses rangs. Là elle s'est divisée en deux corps principaux et deux forts détachements, et a exécuté ensuite une marche divergente jusqu'à la hauteur d'Areco, et convergente à partir de ce point jusqu'au quartier général actuel, où elle s'est réunie tout entière ce soir, après s'être bien remontée et avoir augmenté sa cavalerie de plus de 400 hommes.

«Je me proposais de commencer demain une opération décisive; mais une heure avant que tous les corps d'armée se fussent réunis, j'ai reçu une lettre de Montevideo, en date du 11, dans laquelle on annonce l'arrivée de l'amiral Baudin avec 2,000 ou 3,000 hommes d'infanterie. Ce nombre me porte à croire que ces troupes sont uniquement destinées à coopérer avec mon armée...

«Rosas a une infanterie quadruple de la mienne, et le double ou le triple d'artillerie; si l'événement ne répondait pas aux espérances de tous et aux miennes, mon nom serait maudit pour n'avoir pas attendu la jonction des troupes françaises. Je m'empresse donc de vous faire connaître d'avance mon opinion sur le moyen de les réunir à mon armée dans le cas où leur arrivée serait un fait positif, et j'espère de votre bonté qu'elle me fera savoir le plus tôt possible ce qui en est, car rien ne serait plus fâcheux pour moi qu'une longue incertitude.

«J'établis deux hypothèses. Dans la première, l'amiral Baudin ne peut mettre cette infanterie sous mes ordres et voudra la faire opérer séparément. En ce cas, elle ne pourrait agir efficacement que dans la capitale même, dont elle pourrait s'emparer, à l'aide des Français qui y sont établis, et de l'armée libératrice qui s'en approcherait. L'occupation même d'un quartier (*barrio*) serait suffisante. Mais vous ne méconnaîtrez pas les inconvénients de ce plan, dont le plus grave est que, pour que les troupes françaises pussent compter sur la coopération de l'armée libératrice, il faudrait que celle-ci se fût mise d'abord à portée de l'armée de Rosas, avec laquelle une bataille, où elle ne serait pas immédiatement secondée par les Français, serait inévitable. Pour résumer toutes les observations à faire sur l'hypothèse que je discute en ce moment, le résultat est que l'armée libératrice et la colonne française ne se prêteraient un mutuel secours qu'en ce qu'elles multiplieraient les embarras de Rosas. Vous conviendrez donc que tout l'avantage est du côté de la seconde hypothèse que je vais établir, parce qu'elle résout la question en quelques heures.

«Cette hypothèse est celle de l'incorporation des troupes françaises dans l'armée libératrice.»

Vous voyez qu'avant l'arrivée de M. de Mackau, Lavalle lui-même ne se croyait pas en état d'entreprendre une lutte sérieuse contre Rosas, de lui livrer bataille, s'il n'avait pas des troupes françaises de débarquement, et si ces troupes françaises n'étaient pas incorporées dans son armée.

Quand M. de Mackau est arrivé, il n'avait pas de troupes de débarquement, Lavalle n'était plus près de Buenos-Ayres, il avait été obligé de se retirer à plus de cent lieues vers le nord. Le deuxième cas, dans lequel M. Thiers avait prescrit de ne pas négocier, ne se présentait donc pas. Aux termes de ses instructions, et par les simples inductions du bon sens, M. de Mackau a donc dû négocier. Il a négocié comme ses instructions le prescrivaient, il a même atteint plus que ses instructions ne prescrivaient. Il est impossible de lui adresser un reproche fondé, un reproche sérieux, à moins qu'on ne soutienne, comme les Français de Montevideo, qu'il ne fallait en finir que par le renversement de la dictature de Rosas.

Voilà, messieurs, à quelle situation le traité a mis un terme. Il nous a fait obtenir les conditions que tous les cabinets qui se sont occupés de cette affaire avaient demandées comme définitives. Il a fait cesser un état de choses défavorable, non-seulement au commerce français, mais à nos relations avec les neutres; un état de choses qui donnait lieu à des réclamations incessantes de la part de la Grande-Bretagne, des États-Unis, de toutes les puissances qui négociaient avec Buenos-Ayres. Il a mis fin à une expédition qui coûtait chaque année des sommes énormes. Enfin, il nous a fait sortir d'une lutte dans laquelle nous nous étions imprudemment engagés, d'une guerre étrangère qui ne nous regardait pas complétement, d'une guerre civile qui ne nous regardait pas du tout.

La Chambre n'attend pas de moi que je qualifie ici les différents partis qui se disputent le pouvoir dans l'Amérique du Sud; que je donne à l'un le nom de légitime, de sage, de modéré; à l'autre, le nom de tyrannique, de violent, de sanguinaire, en dehors de la civilisation. Étrangers, ce n'est pas à nous à qualifier ainsi les étrangers. (*C'est vrai!*)

M. Desmousseaux de Givre.—C'est pourtant ce qu'a fait le traité.

M. le ministre des affaires étrangères.—Il y a en Amérique des gouvernements de fait, avec lesquels nous traitons quand ils nous accordent les conditions que nous demandons et qu'ils les exécutent. Nous n'avons pas à nous occuper de ce qui se passe entre eux; nous n'avons pas à prendre parti pour les uns contre les autres. C'est surtout ici le cas d'appliquer le principe de non-intervention dans toute sa rigueur. À de telles distances, dans l'ignorance où nous sommes des véritables causes des événements, de la véritable force des partis, il y a plus que de l'imprudence, permettez-moi de le dire, il y a un orgueil aveugle à prétendre démêler où est le droit, lequel est modéré, lequel est violent, à prendre parti pour les uns contre les autres, et à engager la France dans des affaires qui ne sont pas les siennes, dans des intérêts où elle n'a aucune part.

Si le gouvernement de Rosas ne respecte pas les conditions qu'il a acceptées, si la convention conclue avec lui ne nous assure pas les avantages auxquels nous avons droit, nous réclamerons, et même par la force, s'il le fallait. Mais, en attendant, M. de Mackau a mis fin à une situation onéreuse, embarrassante, compromettante. Nous avons obtenu ce que nous demandions; nous sommes sortis d'une guerre étrangère et d'une guerre civile dans lesquelles nous n'avions rien à voir.

Je conçois que les intérêts personnels qui ont eu à souffrir se soient adressés à la Chambre; mais ce ne sont pas là des considérations qui puissent dicter les résolutions de la Chambre ni celles du gouvernement du roi. Le traité sera ratifié, attendu qu'il me paraît conforme aux intérêts de la France, aux intérêts des neutres, et aux bonnes relations que nous devons chercher à entretenir avec l'Amérique du Sud. (*Marques générales d'assentiment.—Aux voix! aux voix!*)

CVII

Débat sur les fonds secrets complémentaires demandés pour l'exercice 1841.

—Chambre des députés.—Séance du 25 février 1841.—

Dans la séance du 2 février, le comte Duchâtel, ministre de l'intérieur, avait demandé un crédit d'un million pour complément des dépenses secrètes de cet exercice. Dans le rapport fait à la Chambre, le 18 février, sur ce projet de loi, la commission, par l'organe de M. Jouffroy, son rapporteur, conclut, à l'unanimité, à l'adoption du projet. Les idées développées dans ce rapport, sur l'état des partis, furent attaquées par l'opposition, et M. Portalis, député de Seine-et-Marne, demanda au cabinet s'il les adoptait. Je lui répondis:

M. GUIZOT, *ministre des affaires étrangères.*—Il n'est, je crois, jamais arrivé qu'un cabinet fût sommé de s'expliquer pour savoir s'il donnait ou s'il refusait son adhésion à un rapport.(*Mouvement.*) Le gouvernement présente à la Chambre des projets de loi et les soutient; les commissions donnent leur avis sur ces projets de loi et sur les motifs qui les ont fait proposer. Ce sont les projets et la politique du gouvernement qui sont en discussion, non pas les rapports et les exposés des motifs.

M. BILLAULT.—Je demande la parole. (*Rumeur.*)

M. *le ministre des affaires étrangères.*—Je ne dis pas cela, et je suis sûr que la Chambre me rend d'avance la justice de le croire, je ne dis pas cela pour éluder de m'expliquer sur la situation; je veux rétablir les véritables principes de la discussion dans cette Chambre.

Depuis l'origine de la session, une idée dominante a préoccupé le cabinet: reconstituer dans cette Chambre une majorité de gouvernement depuis trop longtemps désunie ou flottante.

Le cabinet est convaincu, et il l'a dit dès les premiers jours, que la réorganisation d'une vraie majorité de gouvernement est en ce moment le plus pressant intérêt du pays, de la Chambre, de la couronne, de l'honneur de nos institutions. Sous ce point de vue, l'honorable M. Jouffroy n'a fait que répéter les intentions et les opinions du gouvernement. (*Rires ironiques aux extrémités.*)

Y a-t-il quelqu'un dans cette Chambre, sur quelque banc que ce soit, qui pense que la réorganisation d'une majorité de gouvernement, la constitution des deux grands éléments d'action dans la Chambre, la majorité et l'opposition, ne soient pas très-désirables?

Y a-t-il quelqu'un qui croie que la confusion, la désunion, l'éparpillement des opinions et des partis soient une bonne chose pour le gouvernement, pour l'honneur de la Chambre et la dignité de nos institutions? Personne ne le pense. C'est là une idée si simple qu'elle est devenue un lieu commun, et qu'il n'y a pas un banc dans cette Chambre sur lequel elle n'ait été exprimée. Il n'y a donc rien de nouveau ni dans ce qu'a dit à ce sujet l'honorable M. Jouffroy, ni dans ce que pense et répète le gouvernement.

Toute majorité, messieurs, de tout temps, dans tous les pays, toute majorité a des nuances. Il n'y a aucune majorité dont toutes les parties aient la même origine, pensent exactement la même chose. Cela n'est jamais arrivé: et à l'instant même, sous nos yeux, dans un pays voisin, ne voyez-vous pas que le parti conservateur en Angleterre est composé d'hommes qui ont approuvé et soutenu vivement le bill de réforme, et d'hommes qui l'ont combattu? Est-ce que sir Robert Peel ne siége pas à côté de lord Stanley?... Est-ce qu'ils ne pourraient pas se reprocher l'un à l'autre leurs antécédents, leur origine diverse, les opinions diverses qu'ils ont professées à telle ou telle époque? Ils ont le bon sens de ne pas le faire. Ils comprennent très-bien que, lorsque sur les questions présentes, sur la politique pratique, réelle, des hommes sont sincèrement et loyalement d'accord, ils n'ont point à s'inquiéter de leur origine, ni des idées diverses qui les ont autrefois séparés. (*Très-bien!*)

C'est à cette condition, c'est en se respectant ainsi les uns les autres dans le passé, lorsqu'on est uni dans le présent, que les majorités sont possibles. (*Marques d'approbation.*) C'est à cette condition qu'elles se réorganisent. Il faut que tous leurs éléments puissent y concourir avec honneur. Ce qui importe, c'est que les convictions qui les unissent dans le présent, sur la politique pratique, soient loyales et sincères; ce qui importe, c'est que leur rapprochement n'ait pas été le résultat de faiblesses réciproques, qu'ils ne se soient pas fait des concessions aux dépens de leurs opinions et de leur honneur. (*Marques d'assentiment.*) Mais quand il en est ainsi, messieurs, et personne, je pense, ne peut contester qu'il n'en soit ainsi pour la majorité qui s'est manifestée à l'ouverture de la session, alors il ne faut plus tenir aucun compte des nuances; il ne faut plus reporter la politique dans le passé ou dans un avenir lointain; il faut savoir se renfermer dans les questions actuelles, dans la politique véritable.

C'est là ce que le cabinet s'est appliqué à faire, ce qu'il fera toujours; c'est sous ce point de vue qu'il considère la majorité, et il est convaincu que, sur tous les bancs de cette Chambre, les divers éléments de cette majorité sont animés des mêmes sentiments, que tous ces éléments ont les mêmes desseins et restent loyalement unis, parce qu'ils pensent et veulent les mêmes choses sur les questions qui occupent actuellement la Chambre.

Quand cette majorité s'est produite dans le débat de l'adresse, est-ce que toutes les questions n'ont pas été traitées? Les questions extérieures, les questions intérieures n'étaient-elles pas posées dans le discours de la couronne? Est-ce qu'elles ne l'ont pas été dans l'adresse de la Chambre? Qu'est-il arrivé depuis? Qu'y a-t-il de changé? Quelles questions nouvelles ont surgi, sur lesquelles la majorité ait pu se désunir? Quels événements sont survenus qui aient pu donner une autre direction à cette majorité, lui conseiller une autre conduite? Rien de pareil n'est arrivé: nous sommes exactement aujourd'hui dans la situation où nous étions pendant le débat de l'adresse; la majorité qui s'est produite alors, c'est la même qui existe aujourd'hui; elle est composée des mêmes éléments; elle est également sincère, également unie. Permettez-moi de vous le dire; il y aurait de sa part quelque chose de peu sensé, de peu sérieux à venir rechercher aujourd'hui d'anciens dissentiments qu'elle n'a pas recherchés il y a trois mois. Pourquoi n'aurait-on pas dit, il y a trois mois, ce qu'on dit aujourd'hui? Pourquoi n'aurait-on pas également rappelé la diversité des origines et des opinions sur tel ou tel point de la politique passée? On ne l'a pas fait; on n'en a tenu aucun compte; nous sommes aujourd'hui dans la même situation. Il n'y a pas de raison d'aller réveiller ces dissentiments; il n'y a pas de raison d'aller jeter, au sein de la majorité, qui importe tant au pays, des éléments de division qu'elle ne provoque pas elle-même.

Voilà comment le cabinet considère la majorité, comment il considère l'opposition; il n'entrera donc pas dans des questions inutiles; il n'ira pas lui-même au-devant des dissidences qui ne se produisent pas naturellement; il se renfermera dans la politique pratique; il discutera le projet qu'il a présenté, les motifs de confiance que la majorité ou l'opposition peuvent avoir ou ne pas avoir dans sa politique. Voilà ce qui est réellement en discussion; voilà le seul point sur lequel nous ayons réellement à répondre. (*Marques nombreuses d'approbation.*)

CVIII

Continuation du débat sur les fonds secrets demandés par le cabinet pour l'exercice 1841.

—Chambre des députés.—Séance du 27 février 1841.—

Le rapporteur de la commission, M. Jouffroy, ayant fermement maintenu les idées et les termes de son rapport, le débat se rengagea vivement quand on en vint au vote des articles, et la question fut de nouveau nettement posée entre la politique du cabinet du 1er mars 1840 et celle du cabinet du 29 octobre, dans les affaires d'Orient. M. Piscatory ayant défendu la politique du cabinet du 1er mars, je lui répondis. Les fonds secrets furent votés à 90 voix de majorité.

M. GUIZOT, *ministre des affaires étrangères.*—Messieurs, ma réponse à l'interpellation de l'honorable M. Piscatory sera fort simple. Dans l'état actuel des affaires du pays, je ne puis (*Rires à gauche.*—*Interruption*)... dans l'état actuel des affaires du pays, je ne puis et ne dois rien dire. (*Approbation au centre.*)

La position que le cabinet a prise dans la politique extérieure, lorsqu'il s'est assis sur ces bancs, est connue de tout le monde. Quelles négociations ont eu lieu depuis, quel cours sera imprimé aux événements, comment la situation de la France sera modifiée, et si elle le sera, je répète que je ne puis et ne dois en rien dire aujourd'hui. Je manquerais à mon devoir si je répondais autrement.

Voix au centre.—Très-bien! très-bien!

M. le ministre.—J'écarte donc complétement cette partie du discours de l'honorable préopinant.

Il a dit d'ailleurs, et plusieurs honorables membres avaient dit avant lui, que le cabinet avait refusé de s'expliquer sur des questions plus faciles à traiter que celles de la politique extérieure, qu'il avait refusé de s'expliquer sur le rapport de l'honorable M. Jouffroy, et de dire s'il adoptait ou repoussait les principes, les idées, la politique exposés dans ce rapport.

Messieurs, le cabinet, et tout le cabinet, fait autre chose que d'exposer des principes, des idées, une politique; il agit, il gouverne, c'est son devoir, c'est son métier. Eh bien, dans la situation où nous sommes, j'affirme que le cabinet ne devait pas s'expliquer plus complétement qu'il ne l'a fait sur le rapport de l'honorable M. Jouffroy (*Mouvement*); et voici pourquoi.

Depuis trois jours, nous assistons à un singulier spectacle.

De toutes parts.—C'est vrai! (*On rit.*)

M. le ministre.—Personne ne le trouve plus singulier que moi.

On parle de clarté, on repousse toute équivoque, on demande des explications; et deux ou trois fois la discussion a failli s'arrêter, parce qu'on n'y prenait pas part; je dis *on*, c'est-à-dire tout le monde, dans toutes les parties de cette Chambre. Il a fallu, le premier jour de la discussion, que je montasse à cette tribune pour la rengager. (*Exclamations.*)

Voix à gauche.—Sur l'interpellation de M. Portalis. (*Agitation.*)

M. le ministre.—L'interpellation de M. Portalis a prouvé précisément ce que je disais: tout le monde laissait tomber la discussion. (*Marques nombreuses d'assentiment.*) M. Portalis s'en est plaint et il a eu raison de s'en plaindre; et c'est sur sa plainte que je suis monté à la tribune pour rengager la discussion. (*Mouvement en sens divers.*)

Ce n'est donc pas le cabinet qui a refusé la discussion, ce n'est pas lui qui s'est refusé aux explications, c'est lui qui est venu le premier prendre la parole quand on le lui a demandé.

Maintenant s'agissait-il ici d'une simple discussion, de simples explications? Évidemment non. Voulez-vous que je vous dise de quoi il s'agissait, ce qu'il y avait au fond de tout ce qui se passe depuis trois jours? Il s'agissait d'une espérance de porter dans la majorité le trouble et la désunion. (*Réclamations.*)

Voix au centre.—C'est vrai! (*Vive agitation.*)

M. le ministre des affaires étrangères.—Voilà la question. J'entends dire qu'il faut savoir si la majorité existe. Messieurs, la présomption du moins est en sa faveur, convenez-en. Nous avons eu déjà une grande discussion. Pendant quinze jours, je crois, le débat sur le projet d'adresse a continué; la majorité s'est prononcée. Je répète que la présomption, et je suis modeste quand je dis la présomption, est en faveur de l'existence de la majorité.

M. TASCHEREAU.—L'adresse a été changée.

M. le ministre.—Eh bien, l'espérance qui s'est élevée, c'est de porter dans la majorité le trouble et la désunion. Le cabinet n'a pas voulu y concourir.

Une voix.—Je le crois bien!

M. le ministre.—Le cabinet n'a pas voulu se prêter à cette espérance. Et voulez-vous que je vous montre, dans cette discussion même, la preuve de ce que j'ai l'honneur de vous dire? Quels efforts a-t-on faits hier? On s'est attaché à effacer, à atténuer autant qu'on le pouvait, les différences, les dissidences entre la majorité et l'opposition. On a parlé d'abord de politique extérieure. Que vous a-t-on dit? On vous a dit que vous n'aviez pas, que vous n'aviez jamais eu une question de paix ou de guerre à décider. Mon Dieu non! les événements l'avaient décidée. La Chambre, quand elle est venue, a-t-on dit, a trouvé la question toute résolue; la Chambre n'a jamais délibéré sur la paix ou sur la guerre. Entendez-vous? jamais! (*Agitation.*) Rappelez-vous cependant, messieurs, ce que vous discutiez il y a trois mois, ce que vous disiez dans cette enceinte; il s'agissait de savoir si vous auriez 936,000 hommes sous les armes, ou si vous en auriez 500,000.

M. DE REMUSAT, *et plusieurs membres des extrémités.*—Allons donc! allons donc!

Au centre.—C'est vrai! c'est vrai!

M. le ministre.—Nous n'avons pas eu autre chose à discuter pendant quinze jours. (*Oui! oui!*) Nous avons délibéré sur la question de la paix ou de la guerre (*C'est vrai!*); et l'honorable M. Thiers, quand je suis monté à la tribune, me disait: «Par votre seul avénement, la question est résolue, la paix est certaine.» (*Réclamations à gauche.—Approbation au centre.—À M. Thiers qui se lève et se dispose à parler de sa place:* Attendez donc; attendez!) Et je lui répondais: «Si vous, vous étiez resté assis sur ces bancs, la question était également résolue; la guerre était certaine.» (*Nouvelles réclamations à gauche.—Vive approbation au centre.*)

Voilà quelle était ma réponse; et apparemment, quand nous discutions, c'était pour savoir si nous resterions sur ces bancs ou si le cabinet du 1er mars y reviendrait. (*Explosion de bravos au centre.*)

Vous aurez beau faire, vous aurez beau vous efforcer d'atténuer et de réduire la question; vous aurez beau vous efforcer de vous faire petits aujourd'hui; (*Au centre:* Très-bien! très-bien!) vous aurez beau vous efforcer de vous faire petits aujourd'hui pour vous rendre agréables à la majorité qui vous a repoussés; vous ne l'abuserez pas. (*Agitation croissante.*) Laissez-moi conserver aux débats, aux actes de la Chambre, leur importance et leur grandeur; laissez-moi lui dire, laissez-moi vous dire que nous avons délibéré sur la question de la paix ou de la guerre, que lorsque vous êtes descendus du pouvoir, vous faisiez des préparatifs pour être en état de faire la guerre au printemps, d'exiger (c'étaient vos expressions) la modification du traité du 15 juillet; sans quoi, la guerre!

Voilà le langage que vous teniez; c'était sur vos actions, c'était sur vos préparatifs que la Chambre délibérait et ce n'était pas là la paix ou la guerre! Ce n'était pas là une politique décisive! Vous viendriez aujourd'hui nous tenir un tout autre langage! (*Très-vives marques d'approbation.*)

Non, non, il faut que vous me laissiez croire que nous avons résolu une grande question, que vous aviez des intentions sérieuses, que, quand nous les avons repoussées, nous l'avons fait sérieusement, que nous savions bien tous ce que nous faisions, vous, ce que vous vouliez, nous, ce que nous ne voulions pas, et que tout ce que nous avons dit et fait, vous et nous, n'a pas été une insignifiante comédie. (*Nouvelle et bruyante approbation au centre.*)

Voilà pour l'extérieur, messieurs; voyons l'intérieur.

Là aussi on s'est appliqué à effacer, à atténuer du moins les différences entre la majorité et l'opposition. On a dit qu'on avait eu aussi, dans le centre, de nombreuses majorités, les majorités du 1er mars. On n'a pas dit combien de temps on les avait gardées, ni pourquoi on les avait perdues. (*Adhésion aux centres.*) On a dit qu'on les avait eues. On a fait plus. On a dit qu'on avait trouvé le véritable centre. Il y en a donc un faux?

Messieurs, permettez-moi de vous le dire, cela n'est pas sérieux. Il y a dans cette Chambre deux grands partis, deux grandes opinions; elles y existent depuis 1830.

Une voix à gauche.—Depuis 1815.

M. le ministre.—Elles sont naturelles. Elles su retrouvent dans tous les pays où le gouvernement représentatif est en vigueur.

Il y a des hommes qui ont cherché leur point d'appui, leur allié nécessaire; celui sans lequel ils n'auraient pas eu la majorité, de ce côté de la Chambre (la gauche); je ne leur en fais en aucune façon un reproche...

M. DE MALLEVILLE, *et plusieurs autres membres.*—Vous l'avez fait comme eux!.... Et la coalition!

M. le président.—L'orateur ne doit pas être interrompu!

M. le ministre.—On parle de la coalition. (*Ah! ah!*) Soyez tranquilles, messieurs; je ne donnerai à personne, pas plus à propos de la coalition qu'à propos du rapport de l'honorable M. Jouffroy, le plaisir de me contraindre, malgré moi, à porter le trouble et la désunion dans la majorité. (*Très-bien! très-bien!*) Je refuserai...

Voix diverses.—Ah! ah! c'est plus facile!

M. le ministre.—Je refuserai les discussions qui ne me paraissent pas convenir à la politique que je veux faire prévaloir, comme je refuse les discussions sur la politique extérieure, quand je crois que le moment n'en est pas venu.

Une voix.—C'est commode.

M. le ministre.—Je dirai un seul mot, et l'honorable M. Odilon Barrot sera témoin de la vérité de ce que je dirai. Quand les débats de la coalition se sont engagés, j'ai pris le soin, non pas implicitement, mais formellement, de déclarer que je restais attaché à la politique que j'avais constamment soutenue depuis la Révolution.

M. DUBOIS (*de la Loire-Inférieure*).—C'est vrai!

M. le ministre.—Que je n'abandonnais aucun de mes antécédents (*Interruption*); que j'entendais rester fidèle à la portion de l'assemblée à laquelle j'avais constamment appartenu. (*Mouvements divers.*)

Une voix.—Et que vous abandonniez.

M. le ministre,—Je l'ai dit à toutes les époques de la discussion. Et cela est si vrai que, lorsque après la coalition nous avons essayé de former une administration en commun, cela s'est trouvé impossible. (*Rires et mouvements divers.*)

Voix nombreuses à gauche.—Pourquoi? pourquoi?

M. le ministre.—Je n'en dirai pas davantage et je n'ai pas besoin d'en dire davantage. (*Murmures et exclamations à gauche.*)

Les honorables membres de ce côté savent très-bien que les interruptions et les murmures ne me feront dire ni plus ni moins que ce que j'ai l'intention de dire. (Très-bien! *au centre.*)

Je n'en dirai pas davantage, et je répète que je n'ai pas besoin d'en dire davantage, car je suis sûr que sur tous les bancs de cette Chambre je suis parfaitement compris. (Oui! oui! *au centre.*—*Murmures à gauche.*)

Je reviens à la situation actuelle et je dis que tout ce que vous avez vu et entendu depuis trois jours n'ayant d'autre but que de porter le trouble et la désunion dans la majorité, le cabinet, qui veut sincèrement le maintien et l'empire de cette majorité, a dû se refuser à toutes les paroles, à toutes les explications qui pouvaient servir les espérances et les desseins qu'il comprenait et qu'il combattait.

La majorité dont je parle, messieurs, cette majorité nouvelle, s'est formée par la nécessité, en présence de ce que nous appelons un grand danger, quoi qu'on en ait dit, en présence de la question de la paix et de la guerre; elle s'est formée pour rétablir, au dehors, la pratique d'une politique prudente et modérée, au dedans, la pratique d'une politique ferme, conséquente, favorable à l'affermissement et à l'exercice du pouvoir.

Voilà par quels motifs s'est formée cette majorité. Et elle s'est formée dans des intentions sincères, qui ne redoutent aucune clarté. Et au nom de toutes les nuances de cette majorité, elle peut dire tout ce qu'elle a fait, elle peut avouer tous les motifs par lesquels elle a agi, toutes les intentions qui la gouvernent, aujourd'hui comme il y a trois mois.

Et j'ai bien le droit de le dire; si le repos du pays s'est rétabli à l'apparition de cette majorité, par l'appui qu'elle a donné au cabinet, si les espérances du pays s'attachent à son affermissement, il est bien naturel que ceux qui lui sont attachés, simples députés ou ministres, ne permettent pas qu'elle soit légèrement compromise; il est bien naturel qu'ils prennent leur majorité au sérieux, et que, pour la conserver, ils acceptent un inconvénient momentané, une contrariété vive; pour moi, par exemple, la contrariété de ne pas parler, autant que je l'aurais voulu, du rapport de l'honorable M. Jouffroy, de ne pas entrer en ce moment dans une discussion approfondie de ses idées, de ses principes et de la politique qu'il a exposée. Tout homme attaché à la majorité, et voulant son succès, a dû faire ce sacrifice. Voilà ce qui a gouverné notre conduite; et comme toute majorité a des éléments divers qui ont leurs droits, leur honneur, qui se respectent mutuellement, nous avons eu les uns pour les autres ce juste respect de ne pas élever des questions qui ne nous étaient pas impérieusement commandées, de ne pas entrer dans des débats que l'état actuel des faits, les nécessités de la politique ne nous imposaient pas.

Votre commission, messieurs, qui n'était pas un cabinet, votre honorable rapporteur, qui n'était pas chargé du poids du gouvernement, a pu très-légitimement, et je dirai plus, a pu utilement venir exposer ici sa politique extérieure et sa politique intérieure, l'ensemble de ses idées, de ses intentions. Nous n'aurions pas dû faire cela; puisque nous ne devions pas le faire, nous ne devions pas le discuter. (*Très-bien!*)

Vous le voyez, messieurs, je n'apporte ici, en ce moment, qu'une prétention, celle (*Agitation à gauche*) d'une sincérité complète; la prétention de dire la raison, la vraie raison qui m'a fait refuser d'entrer dans les débats où l'on voulait nous pousser. Et je fais à tous les membres de la majorité, à tous ceux qui ont apporté la même réserve que nous, je leur fais cet honneur, je leur rends cette justice qu'ils ont agi par les mêmes motifs, sous l'empire des mêmes sentiments.

Ils n'ont pas hésité plus que moi, dans une foule d'occasions, à venir ici exposer et soutenir leurs idées. Ils en ont eu le courage dans les moments les plus difficiles; ils l'auraient aujourd'hui si cela était opportun, si cela était utile aux intérêts du pays.

Quoique le gouvernement représentatif, messieurs, soit le gouvernement de la discussion et de la parole, il y a dans ce gouvernement, comme dans tout autre, des moments où il faut savoir s'abstenir, des choses qu'il faut savoir taire, des questions qu'il faut savoir ne pas aborder. C'est bien assez, pour le gouvernement, de porter le poids des difficultés réelles et pratiques. C'est bien assez de suffire aux questions posées pour le jour même, sans entrer dans des discussions générales, dans ces grands et beaux débats systématiques qui ne répondent pas à des nécessités actuelles et inévitables.

Voilà, messieurs, je le répète, voilà le motif qui a gouverné notre conduite dans ce débat. La majorité tout entière veut rester unie; elle sait qu'elle le peut, car elle sait que, sur toutes les questions qui sont aujourd'hui à l'ordre du jour, sur les questions de conduite, sur les questions qu'il faut vraiment résoudre pour agir aujourd'hui, pour agir demain, elle sait qu'elle est du même avis, qu'elle se conduira unanimement. Et si jamais il lui arrivait des dissentiments intérieurs, elle serait sincère alors comme elle l'est aujourd'hui; nous parlerions au besoin, comme nous savons au besoin nous taire. (*Vif mouvement d'adhésion. Applaudissements au centre.*)

Une vive agitation succède à ce discours; des conversations animées s'engagent sur tous les bancs. La séance est suspendue pendant un quart d'heure.

CIX

Discussion du projet de loi sur les fortifications de Paris.

—Chambre des pairs.—Séance du 25 mars 1841.—

Après son adoption par la Chambre des députés, le projet de loi sur les fortifications de Paris fut présenté à la Chambre des pairs le 1er février 1841. Le rapport en fut fait le 16 mars, par le baron Mounier, qui, au nom de la commission, proposa plusieurs et de graves amendements. Un long et vif débat s'engagea, au terme duquel tous les amendements furent rejetés et le projet de loi adopté par 145 voix contre 85.

Dans le cours du débat, je répondis au duc de Noailles:

M. GUIZOT, *ministre des affaires étrangères*.—Messieurs, avant d'entrer dans la discussion, j'ai besoin de répéter une réponse déjà faite à une allégation plusieurs fois répétée. On semble s'obstiner à présenter le projet de loi comme un héritage imposé au cabinet. Il n'en est rien, messieurs; nous avons répudié, dans l'héritage dont on parle, ce qui ne convenait pas à nos opinions et à notre politique. Nous n'avons accepté que ce qui nous convenait. Sans cela nous n'aurions pas eu, et dans l'autre Chambre et dans celle-ci, les vifs débats qui ont déjà marqué cette session. Quand le cabinet a présenté aux Chambres le projet de loi, il l'a fait sien; il l'a présenté parce qu'il le pensait, parce qu'il le voulait, avec la ferme résolution de le soutenir, et croyant rendre service au pays. Mon honorable collègue, M. le président du conseil, a exprimé à ce sujet et hier encore, devant cette Chambre, la même idée, la même assertion. En vérité, messieurs, permettez-moi d'espérer qu'un pareil doute ne se renouvellera pas.

Des deux questions que présente le projet de loi, il en est une spéciale, militaire, que je n'aurai garde d'aborder; outre que j'y serais incompétent, elle vient d'être traitée et résolue à cette tribune par un honorable général, d'une manière qui, si je ne me trompe, a pleinement satisfait les amis du projet de loi et frappé beaucoup ses adversaires; je la regarde donc comme résolue. C'est de la question politique seule que je désire occuper un moment la Chambre.

Que la Chambre me permette, et je dirai que le noble duc qui vient de descendre de la tribune me permette lui-même d'exprimer tout de suite le sentiment qui me préoccupe depuis l'ouverture de ce débat, ma surprise, ma profonde surprise de l'opposition que rencontre dans cette enceinte la mesure qui en est l'objet. Jamais, à mon avis, mesure ne fut plus en droit de s'attendre à être ici, dans cette Chambre, comprise et bien accueillie; jamais Chambre ne parut plus appelée à accueillir, à soutenir la mesure que vous discutez. Messieurs, vous ne jugez pas les choses isolément, ni sur les seules apparences, ni sous l'empire de l'impression du moment ou d'une préoccupation exclusive. La plupart d'entre vous ont vécu, ont grandi dans le maniement des affaires publiques, vous avez agi, vous avez commandé, vous avez gouverné. Vous êtes accoutumés à voir les choses dans leur ensemble et au fond, à placer une mesure au milieu de tous les faits auxquels elle se rattache, dans la situation politique générale sur laquelle elle influe. Le grand côté, le caractère essentiel du projet qui vous est soumis, c'est évidemment son influence sur la situation de la France en Europe, sur nos relations avec l'Europe. Quel est, je vous demande, le fait qui, depuis 1815, pèse sur la situation de la France en Europe, sur les relations de l'Europe avec nous et sur les nôtres avec l'Europe? C'est le souvenir de ces prodigieuses alternatives de triomphes et de revers, de conquêtes et de retraites qui, de 1792 à 1815, ont fait notre histoire. La France a inondé l'Europe et envahi toutes ses capitales; l'Europe a inondé la France et envahi deux fois sa capitale. Il y a vingt-six ans que ces faits sont consommés, et pourtant ils subsistent, ils agissent encore chez nous et autour de nous; ils exercent sur les relations internationales une influence immense. Savez-vous ce qui en résulte dans tous les esprits, chez nous et autour de nous? Un singulier mélange d'orgueil et d'inquiétude, des prétentions présomptueuses et des alarmes continuelles. Tout le monde, en France et en Europe, semble croire à la possibilité de nouveaux triomphes, et en même temps à la possibilité continuelle de nouveaux désastres. Et cette croyance entretient un état d'irritation et d'inquiétude, d'espérance et de sollicitude, qui se manifeste dans les régions les plus élevées comme les plus humbles de l'ordre social. N'avez-vous pas entendu, avant-hier, un honorable membre de la Chambre, M. le duc de Coigny, prononcer le mot de vengeance avec une énergie douloureuse, comme s'il souffrait encore dans le bras qu'il a si glorieusement perdu à 500 lieues de son pays. N'avez-vous pas entendu hier un honorable général parler avec la même impression, la même âpreté de souvenir? Et cela n'arrive pas seulement dans cette enceinte, cela arrive au dehors...

M. LE GENERAL LASCOURS.—Oui, beaucoup plus au dehors qu'ici; on le conçoit facilement.

M. le ministre des affaires étrangères.—Cela arrive en Europe comme en France; c'est un fait grave en présence duquel vous vivez, vous délibérez, et qu'il n'y a pas moyen d'effacer de sitôt de vos délibérations. C'est ce fait qui trouble, altère, compromet souvent au dehors nos relations, notre situation, notre influence.

Je sais, messieurs, qu'on ne changera pas ce fait en un jour, ni par une mesure législative. Je sais que la disparition de ce fait ne sera l'œuvre que du temps et d'une politique juste et sensée de part et d'autre. Cependant il y a des actes, il y a des mesures qui peuvent contribuer puissamment à ce résultat si désirable. Eh bien, tenez pour certain que la mesure que vous discutez, loyalement et complétement acceptée, est un des moyens les plus assurés d'apaiser dans les cœurs ces souvenirs qui jouent encore, en France et en Europe, un rôle si triste et si dangereux. C'est évidemment une mesure de défense, de conservation, de paix. Votre honorable rapporteur vous a dit que cette mesure avait été souvent prise, reprise, proposée, rejetée. Cela est vrai; mais qu'il regarde à quel moment elle a été proposée: c'est toujours dans les moments où la politique défensive préoccupait vivement le pays; c'est toujours dans un intérêt de défense et de conservation que la mesure a été reprise. Et quand elle a été abandonnée, c'est au moment où les espérances présomptueuses, où la politique de conquête prévalaient.

Et quel est l'effet que produit en France aujourd'hui cette mesure? Comment est-elle reçue, jugée? Elle est bien accueillie par les hommes les plus susceptibles, les plus jaloux en fait de dignité nationale; elle est considérée par eux comme une satisfaction; elle relève la France à leurs yeux; elle les calme eux-mêmes et les apaise. La masse de la population est du même sentiment. Mon honorable ami, M. le duc de Broglie, vous l'a dit avant-hier; la mesure est-elle repoussée par ces clameurs qui s'élèvent souvent, et qui attestent du moins nos discordes de partis? Non. Pas de clameurs, pas de pétitions. Sans doute, la mesure n'est pas accueillie avec cet enthousiasme, cet entraînement qu'on a vu à d'autres époques; les femmes, les enfants, les vieillards, ne viennent pas vous proposer, comme dans d'autres jours, de travailler aux fortifications de Paris. Non, il n'y a rien de cet enthousiasme subit, de cet entraînement un peu puéril; mais il y a l'adhésion sincère et sérieuse du pays. Croyez-vous que, s'il n'en était pas ainsi, en présence des charges que cette mesure impose, des passions qu'on essaye de soulever en la discutant, le pays resterait tranquille et immobile? Non, non; il prendrait part à vos débats; il exprimerait, dans un sens ou dans l'autre, une opinion ardente. Il n'en fait rien; il vous écoute et il adhère; il approuve gravement, sensément, un peu tristement peut-être, et il a raison, car, dans une situation pareille, de telles mesures qui pèsent sur le pays, même quand elles sont nécessaires, même quand elles lui font honneur, même quand elles le relèvent et satisfont à sa dignité compromise dans de grands désastres, de telles mesures n'inspirent qu'une approbation grave et qui porte l'empreinte des souvenirs auxquels elles se rattachent et des fardeaux qu'elles imposent. (*Très-bien! très-bien!*)

Et l'Europe, messieurs? L'Europe juge de la mesure comme la France; l'Europe ne s'inquiète pas, l'Europe ne croit pas que ce soit le commencement d'une ère de politique agressive et guerroyante. Non, l'Europe pense, comme nous, que c'est une mesure de défense et de conservation. Elle la voit donc sans inquiétude. Mais elle ne la voit pas sans quelque mélange de dépit et de regret, comme tout ce qui relèvera l'influence, tout ce qui accroîtra la force morale de la France. (*Nouvelles marques d'approbation.*)

Il ne faut pas s'en plaindre, messieurs, ni s'en blesser. Les États ont le droit et le devoir d'être ainsi vigilants et jaloux les uns envers les autres. Il ne faut point reprocher à l'Europe sa jalousie de notre influence augmentée, de notre force morale relevée; mais il faut en croire le sentiment qu'elle témoigne et le conseil qu'elle vous donne en le témoignant. Par l'accueil qu'elle fait à la mesure que vous discutez, l'Europe vous donne le plein droit de l'adopter, car elle vous montre que vous ne l'inquiétez point; elle vous en donne le conseil, car elle manifeste sa pensée que la France en sera grandie et fortifiée. (*Très-bien! très-bien!*) Je vous laisse à penser ce qui arriverait si la mesure était rejetée. (*Mouvement.*) Croyez-vous que la France sortît de ce débat grande et fortifiée, comme l'Europe craint que cela n'arrive par l'adoption de la mesure?

Messieurs, soit que vous la considériez en elle-même, soit que vous considériez l'effet qu'elle produit en France et en Europe, vous verrez que la mesure correspond admirablement à la situation politique dans laquelle nous sommes placés depuis vingt-cinq ans; vous verrez qu'elle relève la dignité de la France en même temps que sa sécurité, qu'elle l'apaise et la fortifie à la fois.

Messieurs, nous défendons depuis dix ans, et avec quelque succès, quoique à travers toute sorte d'obstacles, la politique de l'ordre et de la paix; il ne faut pas refuser aux défenseurs de cette cause les moyens dont ils ont besoin, les seuls moyens qui puissent leur procurer le succès. La France veut sincèrement la paix; mais si la sécurité et la dignité de la France étaient compromises par la paix ou au sein de la paix, si elle n'avait pas satisfaction, et une satisfaction toujours croissante, l'amour sincère de la France pour la paix en pourrait être altéré. (*Très-bien!*)

L'Europe veut sincèrement la paix. Le parti de la paix, de la politique juste et sensée, prévaut en Europe depuis dix ans. Mais ne vous y trompez pas, ce parti n'est pas le seul. Indépendamment même de tout mauvais vouloir, de tout mauvais dessein, ces habitudes, ces velléités révolutionnaires qui exercent encore, au milieu de nous, tant de pouvoir, ce penchant à aller au-devant des révolutions en les prévoyant, en y croyant, cette disposition des imaginations à regarder les révolutions comme toujours possibles, comme toujours probables, cette maladie existe en Europe comme en France; elle a monté bien haut, elle a descendu bien bas dans la société européenne. (*Marques d'approbation.*) Il y a partout des esprits passionnés et légers, qui se croient et se disent les conservateurs par excellence, et qui cependant, au bout d'une guerre avec la France, entrevoient, je ne veux pas dire espérent, des révolutions en France. Il faut défendre ces esprits-là de leurs propres égarements; il faut qu'on puisse entrevoir la guerre avec la France, sans qu'il en résulte une révolution en France; il faut mettre votre gouvernement, vos institutions, la tête et le cœur de votre société, à l'abri d'un pareil danger. Il faut persuader à tout le monde en Europe qu'une révolution en France n'est pas possible, et que, fit-on la guerre à la France, on ne viendrait pas dans Paris changer son gouvernement. (*Très-bien!*) Il faut, messieurs, que cette admirable sagesse, que l'expérience et l'adversité avaient enseignée au vieux roi de Prusse, devienne la sagesse obligée de tous les souverains. (*Nouvelles marques d'approbation.*) Par là, vous rendrez au parti sensé, au parti de la bonne politique, de la politique conservatrice en Europe, un service immense; vous ferez faire à la politique de l'ordre et de la paix un grand pas, et les fortifications de Paris tourneront au profit de la sagesse de tout le monde, au profit de tous les gouvernements. (*Très-bien! très-bien!*)

Certes, messieurs, il convient, ce me semble, à la Chambre des pairs de s'associer à une œuvre dont c'est là réellement le caractère et l'effet. Je dis plus; il appartient à la Chambre des pairs d'imprimer à une telle œuvre ce caractère-là. J'ai entendu souvent, depuis trois jours, se plaindre à cette tribune de l'origine de cette loi, des desseins ou du moins des espérances dans lesquelles elle a été conçue. Messieurs, l'honorable général Dode vous le disait tout à l'heure; elle a eu des origines très-diverses: 1818, 1831, 1840, 1er mars, 29 octobre. Qu'importe? Choisissez, entre ces dates, celle qui nous convient; ne vous inquiétez pas de cette variété de noms; imprimez à la loi votre politique, la politique conservatrice; secondez le cabinet qui s'est attaché dans les débats de l'une et de l'autre Chambres, à lui donner ce caractère, à en faire une œuvre d'ordre et de conservation. Vous vous croyez donc bien peu de puissance! Comment! il ne serait pas au pouvoir de la Chambre des pairs et de la Chambre des députés de donner à une loi son véritable sens? Comment! les grands pouvoirs de l'État, la royauté et les Chambres de concert, n'auraient pas la force de déterminer la direction de la politique qui présidera à une œuvre législative? Cela n'est pas. Vous pouvez plus que vous ne croyez, messieurs, plus qu'on ne vous dit. S'il était vrai, ce que je suis loin de dire, que des pensées de guerre et de conquête, des pensées contraires à votre politique, se fussent associées un moment à ce projet de loi, il dépend de vous de les en chasser, d'en faire une œuvre d'ordre et de conservation. Mais ce n'est pas en rejetant le projet, en le répudiant, que vous atteindrez un pareil résultat. Ç'a été trop souvent la faute des partis conservateurs de ne pas savoir s'emparer des mesures nationales, de ne pas savoir faire ce qui était adapté à la situation et au sentiment du pays. Il dépend des partis conservateurs de se faire nationaux; il dépend des gouvernements voués à la cause de l'ordre et de la conservation, d'enlever à leurs adversaires les armes dont leurs adversaires voulaient se servir contre eux. Vous le pouvez dans cette occasion. Pour Dieu! ne la manquez pas!

Je n'entrerai pas dans l'examen des diverses objections qu'on a faites au projet de loi. On vous l'a présenté comme dangereux pour l'ordre, pour la liberté, pour nos finances, pour Paris lui-même. Je ne reviendrai pas sur cette partie de la discussion; mais permettez-moi une seule observation.

Après avoir énuméré tous ces dangers, que vous propose-t-on pour les conjurer? De substituer une espèce d'enceinte continue à une autre espèce d'enceinte continue. Si l'on vous proposait le rejet de la loi, si l'on vous proposait de renoncer à toute fortification de Paris, je le concevrais! mais non; quand on vous a dit que les fortifications de Paris compromettaient l'ordre, la liberté, nos finances, Paris, le gouvernement lui-même, on vous propose une réduction de quelques millions, et la suppression de quelques fossés et de quelques bastions. Cela n'est pas sensé, cela n'est pas sérieux. De deux choses l'une, ou les dangers ne sont pas réels, et alors le remède est inutile; ou les dangers sont réels, et alors le remède est inefficace. (*Très-bien! très-bien!*) Il faut choisir entre ces deux partis.

Et, en même temps que vous ne supprimez pas ces dangers par le projet de la commission, que vous les laissez subsister presque tout entiers, que faites-vous? Vous créez des dangers politiques d'une autre nature, et bien plus graves. Vous ne voulez pas rejeter le projet; la plupart des adversaires même du projet disent qu'ils veulent la fortification de Paris; eh bien, vous la compromettez tout entière. Oui, messieurs, quelque délicate que soit cette question, je l'aborderai et je vous dirai: vous compromettez la loi tout entière. Vous savez comment elle a été adoptée, avec quelles difficultés, par quels efforts, de quels éléments divers une majorité s'est formée. Croyez-vous qu'il soit possible de recommencer souvent une telle œuvre? (*Mouvement.*) Il faut bien que je le dise, puisque cette question a été abordée à cette tribune. Ne vous y trompez pas; une pareille œuvre est difficile à recommencer; une pareille majorité, très-sincère cependant, sera difficile à rallier, quand vous viendrez lui représenter une loi mutilée, dénaturée; non pas celle qu'elle a voulue, qu'elle a votée; non pas la conciliation, comme on l'a dit, des deux systèmes de fortification, mais une loi tout autre, et qui ne la satisfera point. Si vous délibérez dans l'espérance que la loi, amendée comme la commission le propose, ne serait pas essentiellement compromise, permettez-moi de le dire: vous vous trompez. (*Sensation.*)

Et quand même elle ne serait pas compromise, savez-vous ce qu'elle serait? Elle serait énervée, moralement tuée. J'attache sans doute beaucoup d'importance à la valeur matérielle des fortifications de Paris, si jamais l'occasion se présentait de s'en servir; mais enfin leur véritable importance, c'est leur valeur morale, l'effet moral produit aujourd'hui même en France et en Europe. Pour que cet effet subsiste, il faut que ces remparts de Paris s'élèvent par le concours du pays et du gouvernement bien unis, sous les auspices de tous les grands pouvoirs publics; il faut qu'ils ne soient pas renversés d'avance par les mains mêmes qui les élèvent.

Messieurs, je le répète, si le projet de loi n'était pas compromis par l'amendement, il serait tellement affaibli, tellement énervé qu'il perdrait les trois quarts de sa valeur. Et ce ne serait pas le projet de loi seul; le gouvernement lui-même serait affaibli, profondément affaibli en France et en Europe. (*Mouvement en sens divers.*) Oui, messieurs, en France et en Europe.

Voilà, messieurs, quel serait le résultat de votre délibération. La France aurait perdu tous les avantages de la loi: elle aurait substitué à ces avantages des risques politiques immenses. Pourquoi, messieurs? Pour supprimer quelques fossés et quelques bastions! Permettez-moi de le dire, cela est impossible. (*Marques très-nombreuses d'approbation.*)

Après ce discours, la séance reste suspendue pendant quelques instants.

CX

Renouvellement du débat sur les affaires d'Orient et sur les politiques comparées des cabinets du 1er mars et du 29 octobre 1840.

—Chambre des députés.—Séance du 13 avril 1841.—

Dans la discussion du projet de loi sur les crédits supplémentaires et extraordinaires pour l'exercice 1841, la question d'Orient fut relevée, et les politiques des deux cabinets du 1er mars et du 29 octobre 1840 rentrèrent en lutte. Après avoir refusé d'engager dans cette lutte la négociation alors pendante, je l'acceptai pleinement sur les faits passés, et je répondis à M. Billault:

M. GUIZOT.—Messieurs, la Chambre n'attend pas, après ce que j'ai eu l'honneur de lui dire hier, que je me laisse entraîner dans un débat que je ne crois pas opportun.

Lorsque je l'ai refusé hier, c'est par des raisons sérieuses et puisées dans l'intérêt du pays. Si je ne croyais pas la négociation utile au pays, je ne m'y serais pas engagé; si je ne croyais pas le but que je me propose d'atteindre utile au pays, je ne le poursuivrais pas. C'est pour réussir dans cette négociation, c'est pour atteindre à ce but, c'est pour assurer au pays les avantages qui en résulteront, que je me refuse en ce moment à la discussion sur laquelle on insiste. Je l'ai refusée hier directement; je ne m'y engagerai pas aujourd'hui indirectement.

Le moment viendra, la Chambre peut en être assurée, où toutes les questions que l'honorable préopinant vient de soulever à cette tribune seront traitées et résolues: le moment viendra où la Chambre verra si nous nous sommes écartés de la politique qu'elle nous avait conseillée dans son adresse, où la Chambre verra si l'attitude d'isolement et de paix armée qu'elle avait recommandée n'a pas été maintenue aussi longtemps, aussi dignement que le prescrivait l'intérêt du pays, et si le jour était venu d'en sortir.

Je refuse donc de nouveau, aujourd'hui, d'entrer dans ces questions, parce que je ne pourrais le faire sans nuire au pays, ni le faire avec la vérité, l'étendue qu'elles exigent pour que la Chambre connaisse tout, et décide en pleine connaissance de cause. (*Assentiment au centre.*)

Mais il y a des choses qui regardent le passé, et que l'honorable préopinant vient de traiter. J'aborderai celles-là.

M. Billault a représenté le budget, et en particulier la loi que vous discutez, la loi des crédits supplémentaires, comme conçus dans un esprit partial, comme ayant dissimulé la vérité de la situation, et ayant voulu uniquement faire servir les faits à une politique particulière.

Messieurs, quand l'adresse a été débattue dans cette Chambre, nous avons exposé notre politique pleinement, sans la moindre réticence, comme la politique opposée s'est produite également à cette tribune.

On parle du silence du ministère; mais, ce me semble, dans aucune session, les questions politiques n'ont été aussi profondément, aussi longuement débattues; jamais elles ne se sont tant de fois renouvelées. L'adresse, les fortifications de Paris, les fonds secrets! Est-ce que toute la politique n'a pas été traitée dans ces divers débats? Est-ce que l'on peut se plaindre du silence du ministère?

Il est vrai que, dans la question des fonds secrets, nous n'avons pas voulu nous engager dans le défilé où vous nous poussiez; nous n'avons pas voulu accepter le piége que vous nous tendiez; nous ne le ferons jamais. Mais cela même, messieurs, c'est de la discussion, c'est de la publicité; ce que nous avons fait là, nous ne l'avons pas fait en cachette. Nous sommes venus dire à cette tribune que nous le faisions, et pourquoi nous le faisions. Notre opinion a été discutée; notre conduite, nous vous l'avons livrée; nos raisons, nous vous les avons exposées. Si jamais le régime représentatif a été en vigueur, si jamais les débats se sont hardiment déployés, c'est dans cette session, je ne crains pas de l'affirmer; à aucune époque, la politique d'aucun cabinet ne s'est produite, je ne dirai pas aussi franchement, aussi complétement, mais plus franchement, plus complétement. Il n'y a aucun cabinet qui ait, à cet égard, le droit de faire au cabinet actuel le moindre reproche, la moindre leçon.

Je viens à la question.

Messieurs, en vérité, je crois que, si jamais le budget a été proposé avec quelque sincérité, je dirai quelque courage, c'est le budget que vous discutez. Nous avons fait de l'héritage qui nous était laissé deux parts: nous avons répudié l'une complétement, hautement, en donnant nos raisons; nous avons accepté l'autre avec la même franchise et aussi complétement. Et croyez-vous que ce fût une chose bien facile pour nous? Croyez-vous qu'il ne nous eût pas été plus commode de répudier une plus grande partie de l'héritage qu'on nous laissait? Croyez-vous qu'il ne nous eût pas été plus commode de ne pas soutenir dans les deux enceintes législatives, à propos des fortifications de Paris, ce grand débat qui a partagé nos amis, et a mis le gouvernement dans une des situations les plus délicates où il se soit jamais trouvé? Certes, il nous eût été aisé de l'écarter. Pourquoi ne l'avons-nous pas fait? Parce que nous avons cru que notre devoir nous ordonnait d'accepter ces difficultés, de prendre notre part de ce fardeau. Nous l'avons fait sans hésiter, loyalement, complétement; et pendant que ce débat avait lieu dans cette enceinte, l'honorable président du cabinet du 1er mars lui-même ne manquait pas de rendre justice à la loyauté, à la fermeté avec laquelle nous avions accepté cette part de son héritage... (*Interruption.*)

J'en appelle aux souvenirs de toute la Chambre.

M. THIERS.—J'en appelle aussi aux souvenirs de toute la Chambre!

M. LE MINISTRE.—Ce que nous avons fait pour les fortifications de Paris, nous l'avons fait pour les armements; nous avons fait deux parts des armements; nous avons dit: vous vouliez 639,000 hommes de troupes régulières et 300,000 hommes de gardes nationales mobilisées...

M. THIERS.—Mais non!

M. *le ministre.*—Voici les paroles de M. Thiers.

M. THIERS.—C'était dans le cas de guerre.

M. *le ministre.*—Non! je m'en vais lire:

«À l'appui de la note du 8 octobre, notre projet était d'armer jusqu'à 939,000 hommes, et puis de négocier à la tête de nos forces.»

M. THIERS.—Permettez.

M. *le ministre.*—Pardon! je vais la lire jusqu'au bout et vous me répondrez.

Je lis textuellement:

«Notre projet était d'armer jusqu'à 939,000 hommes, et puis de négocier à la tête de toutes nos forces... Mes collègues et moi, nous nous sommes retirés le jour où nous n'avons pu pousser jusqu'à son terme naturel et nécessaire la grande résolution que nous avions prise après le 15 juillet, non pas de faire la guerre à l'Europe, mais d'exiger, dans un langage qui ne l'aurait pas offensée, la modification du traité, ou, je l'avoue, le mot est grave à prononcer, de déclarer la guerre.»

M. THIERS.—Permettez-moi de dire un mot.

Au centre.—Vous n'avez pas la parole.

M. *le ministre.*—Je ne laisse pas la parole à l'honorable M. Thiers en ce moment. Je demande à aller jusqu'au bout de mon idée, et M. Thiers me répondra.

Je dis donc que la politique du cabinet du 1er mars, la politique à raison de laquelle, d'après son propre dire, le cabinet s'est retiré, était celle-ci:

Au mois d'octobre, armer 639,000 hommes de troupes de ligne, 300,000 hommes de gardes nationales mobiles; et, cela fait, négocier à la tête de ces forces pendant l'hiver, avec la résolution prise, une fois ces forces debout et le printemps venu, d'exiger de l'Europe (ce sont les termes) la modification du traité du 15 juillet, ou de déclarer la guerre. (*C'est cela!*) Je n'ajoute rien.

À gauche.—Oui, c'est cela!

M. le ministre.—Les honorables membres approuvent, et ils ont raison. Je sais fort bien que c'est là leur politique, que c'était la politique du cabinet du 1er mars, c'est de celle-là que le cabinet du 29 octobre n'a pas voulu.

M. THIERS.—Nous sommes d'accord là-dessus!

M. le ministre.—C'est pour ne pas suivre cette politique que le cabinet du 29 octobre s'est formé; c'est cette politique que nous avons débattue, à propos de l'adresse. Et quelle est celle qu'à la place de celle-là nous avons, nous, apportée à la tribune?

Nous avons dit: nous acceptons les armements jusqu'à la concurrence de 500,000 hommes; nous n'avons aucun projet de les pousser plus loin; nous n'avons pas le projet de nous préparer à faire la guerre au printemps prochain, d'*exiger*, à cette époque, de l'Europe la modification du traité du 15 juillet ou de lui déclarer la guerre; non! Nous voulons rester en paix; nous ne croyons pas que la question qui s'est engagée, et à raison de laquelle vous voulez déclarer la guerre à l'Europe si elle ne modifie pas le traité du 15 juillet, nous ne croyons pas, dis-je, que cette question vaille une telle conduite et de tels périls pour la France. Nous l'avons dit tout haut à cette époque, et c'est pour ce but-là que le cabinet s'est formé.

Nous avons dit en même temps: «Le traité du 15 juillet a fait à la France une situation d'isolement; elle ne concourra pas au traité, elle ne s'y ralliera pas, elle n'y adhérera pas, elle restera en dehors et du traité et des événements. Et comme cet isolement lui impose des précautions extraordinaires, elle maintiendra les armements actuels; elle restera dans l'état de paix armée, avec 500,000 hommes, aussi longtemps que la situation d'isolement se prolongera, et la situation d'isolement se prolongera aussi longtemps que la France le jugera nécessaire à sa dignité et à ses intérêts.» (*Mouvement.*)

Voilà la politique que nous avons adoptée, soutenue, qui s'est trouvée en présence de la politique du cabinet du 1er mars et de ses honorables amis de la gauche, qui, tout à l'heure, le reconnaissaient hautement. (*Approbation au centre.*)

Qu'y a-t-il de changé, aujourd'hui, messieurs? Qu'avons-nous fait de contraire à ce que nous avons dit dans la discussion de l'adresse? N'avons-nous pas maintenu les armements? N'avons-nous pas développé, adopté, fait prévaloir le projet des fortifications de Paris? Nous avons négocié, nous négocions, il est vrai; nous l'avons dit; nous l'avons annoncé; nous avons dit que nous continuerions à négocier pour mettre un jour un terme à la situation dans laquelle l'Europe était engagée...

Ici je m'arrête; je n'en dirai pas davantage. Oui, une négociation est ouverte, et j'espère qu'elle mettra un terme à cette situation exceptionnelle et tendue que le traité du 15 juillet a créée et pour l'Europe et pour la France. Personne, à coup sûr, ne prétendra, messieurs, que cette situation soit l'état normal, l'état régulier de l'Europe et de la France; personne ne prétendra que, s'il se présente une possibilité raisonnable, digne, conforme aux intérêts de la France, d'en sortir, il faille la refuser.

Eh bien, le jour où la négociation aura abouti, si elle aboutit, le jour où je pourrai la discuter sans lui nuire et avec toutes mes armes, ce jour-là je le ferai.

D'ici là je n'en dirai pas davantage; mais, dès aujourd'hui, il est évident, il est incontestable que le cabinet est demeuré fidèle à la politique qu'il a soutenue dans l'adresse, fidèle à la politique que la Chambre elle-même a soutenue; il est évident que le cabinet a adopté et pratiqué cette politique à la sueur de son front, à travers des discussions sans cesse répétées, et malgré les obstacles et les périls que cette politique lui suscitait; obstacles, périls qu'avec un peu plus de laisser-aller, de complaisance pour lui-même, avec un peu moins d'attachement à ses devoirs, il aurait pu éviter, du moins en grande partie. Voilà, messieurs, dans quel esprit le budget a été rédigé; voilà dans quel esprit la loi des crédits supplémentaires a été présentée.

Oui, nous avons adopté une portion des armements, une portion des précautions, une portion de l'héritage militaire du ministère du 1er mars; nous avons répudié l'autre portion. Oui, nous avons professé et pratiqué la paix armée d'abord, et nous espérons que le jour viendra où la paix pourra exister, pour l'Europe comme pour la France, sans qu'il soit nécessaire de la tenir aussi énergiquement, aussi constamment armée qu'elle l'a été et l'est encore à l'heure qu'il est.

Je dis à l'heure qu'il est, car la situation n'a pas encore cessé; la négociation dont je vous parle n'est pas encore conclue, quoi qu'on en dise. Si elle était conclue, j'accepterais à l'instant même la discussion.

M. THIERS.—Je demande la parole. (*Mouvement.*)

M. le ministre.—Quoique vous en disiez, il n'y a rien de définitivement conclu: mais j'espère que tout se conclura dans l'esprit que je viens de développer devant la Chambre. Oui, notre politique est la politique de la paix, de la paix armée, tant que les armements seront nécessaires au maintien de la paix. Le jour où ces armements ne seraient plus nécessaires et à la dignité et aux intérêts de la France, certainement nous n'imposerions pas à la France ni à l'Europe de telles charges devenues inutiles; mais aujourd'hui nous les jugeons encore nécessaires. C'est pour maintenir jusqu'au bout la politique que nous avons défendue dans l'adresse, et que la Chambre a adoptée, c'est pour la maintenir, dis-je, que nous avons présenté les crédits supplémentaires et le budget. Il n'y a pas de réticence, pas de complaisance. Nous n'avons jamais éludé la discussion; nous avons accepté les devoirs les plus rudes, les devoirs qui nous ont obligés à lutter contre une portion de nos amis, et ceux qui ne nous engageaient que contre nos adversaires; nous les avons acceptés les uns et les autres; nous les remplirons jusqu'au bout, et vous ne me ferez pas parler plus tôt que je ne le jugerai convenable aux intérêts du pays, pas plus que vous ne nous ferez dévier un moment de la ligne de conduite que nous avons adoptée. (*Très-bien! très-bien!*)

M. Thiers répondit à M. Guizot et termina son discours en disant:

«Le jour où il y a eu un cabinet qui a pris à tâche de dire à son prédécesseur: Vous vouliez la guerre et nous voulons la paix; du jour où il s'est fait cette situation commode auprès de certains esprits, cette situation commode pour avoir une majorité, du jour où l'on s'est fait de cela un mérite et où l'on a fait de cela un reproche pour les autres, il est évident que, de ce jour, toute force pour le pays a été perdue.»

M. le ministre des affaires étrangères, s'élançant à la tribune.—Comment, messieurs, le jour où il y aura une opinion favorable à la guerre et une opinion favorable à la paix, ce jour-là, toute force sera perdue pour le pays!

M. THIERS.—Mais non!

M. le ministre des affaires étrangères.—Vous venez de dire à l'instant que le jour où vous avez vu qu'il y avait un cabinet qui voulait la guerre et un autre qui voulait la paix, où vous avez vu qu'on faisait un mérite à l'un et un tort à l'autre de son opinion, ce jour-là vous avez vu que tout était perdu! Je le demande à la Chambre, n'est-ce pas là ce que vous venez de dire? (*Oui! oui! Non! non!*)

En vérité, messieurs, on dirait que la question de la guerre et de la paix n'a jamais été posée dans une grande assemblée! On dirait que cette question n'a jamais divisé les hommes d'État! Que venez-vous dire? C'est précisément le spectacle que les pays libres de l'Europe ont offert depuis cinquante ans. Certes, il n'y a rien de plus légitime que de conseiller la guerre à son pays quand on croit la guerre utile ou honorable; il n'y a rien de plus légitime que de conseiller la paix quand on croit la paix utile et honorable. C'est là une question naturelle, nécessaire dans certaines situations; il peut arriver que le pays puise sa force dans la paix tout aussi bien que dans la guerre: c'est précisément le point à débattre, à juger. Mais dire que, par cela seul qu'on a parlé de la paix, le pays a perdu sa force, en vérité, c'est méconnaître et les situations les plus vulgaires de l'histoire, et les notions du plus simple bon sens. (*Très-bien! très-bien!*)

Je reviens à la discussion.

Messieurs, pas plus l'honorable M. Thiers que l'honorable M. Billault ne me fera sortir de la réserve que je me suis imposée. (*Très-bien! très-bien! Rires à gauche.*)

Quand j'ai dit à cette tribune que je ne croyais pas que le moment fût venu de débattre la négociation pendante, je l'ai dit après y avoir bien pensé, parce que j'ai cru que le débat ne valait rien, ni dans l'intérêt du pays, ni dans l'intérêt de la vérité, les deux seuls intérêts qui me préoccupent et me possèdent à cette tribune.

Je persiste dans cette opinion; je n'accepte point le débat dans lequel M. Thiers vient d'entrer. Malgré le désavantage où il croit me placer par là, je saurai remplir mon devoir. Il a parlé tout à l'heure des conditions du gouvernement; la première des conditions imposées aux hommes qui ont l'honneur d'être appelés au gouvernement de leur pays, c'est de savoir persévérer dans la conduite qu'ils ont adoptée, c'est de ne pas se laisser ébranler ni entraîner par les difficultés momentanées de la situation. J'accepte les difficultés que vous voulez me faire; j'accepte les embarras que vous voulez me créer; j'accepte les avantages que vous vous donnez, et je persiste dans mon devoir, qui m'impose d'attendre le moment où la discussion sera nécessaire et possible pour tout le monde; vous savez bien que je ne vous la refuserai pas ce jour-là.

J'ai pourtant quelque chose à dire aujourd'hui. (*Très-bien!—Écoutez!*)

À gauche.—Il n'y a pas de quoi applaudir.

M. le ministre du commerce.—Mais certainement si! Que voulez-vous de plus?

M. le ministre des affaires étrangères..—J'ai deux choses à dire: la première, c'est que, dans les assertions que M. Thiers vient de porter à cette tribune, il y a beaucoup et de graves inexactitudes. Quoi qu'il en ait dit, il est mal informé et il affirme légèrement bien des choses. (*Très-bien!*)

M. THIERS.—Tant mieux!

M. le ministre des affaires étrangères.—Quand le moment viendra, je le prouverai.

M. THIERS.—Nous verrons.

M. le ministre des affaires étrangères.—Je le prouverai en tenant à la main les paroles que M. Thiers vient de prononcer, et je montrerai, quand les faits seront à découvert, que plusieurs de ses assertions sont remplies d'inexactitudes. Je le montrerai non-seulement avec mes propres assertions, mais avec les actes, les documents, les pièces qui, à leur date, prouveront qu'il était mal informé des faits, et qu'il les avait crus légèrement.

Voici ma seconde observation.

Je relisais tout à l'heure à la tribune les paroles de l'honorable M. Thiers; je ne discuterai pas les explications qu'il en a données; mais que résultait-il de ces paroles? Que la perspective du cabinet du 1ᵉʳ mars, sa perspective au bout de six mois, pour le printemps, qui est arrivé, où nous sommes en ce moment, c'était la guerre. C'était la guerre que préparait le cabinet du 1ᵉʳ mars; c'était à la guerre qu'il s'attendait au printemps, si l'Europe ne lui accordait pas la modification du traité qu'il voulait exiger. (*C'est cela!*)

Il m'est permis d'opposer mon opinion à la vôtre; et mon opinion à moi, c'est que l'Europe, pas plus les deux puissances continentales dont vous parlez que les autres, ne vous auraient pas accordé la modification que vous auriez exigée; à vous moins qu'à d'autres. (*Très-bien!*)

Je le répète, je ne puis parler ici que de mon opinion; l'honorable M. Thiers n'a donné que la sienne, il n'avait que la sienne à donner; j'oppose la mienne à la sienne. Voilà tout.

C'était la guerre que le cabinet du 1ᵉʳ mars attendait au printemps. Nous avons atteint le printemps; nous avons la paix, la paix armée. Vous convenez vous-même qu'elle est honorable, que l'attitude que nous avons tenue jusqu'à présent, et qui subsiste encore, l'isolement et la paix armée dans l'isolement, convient aux intérêts du pays. C'est là, messieurs, ce que nous avons donné au pays au printemps, au lieu de la guerre que vous lui aviez fait entrevoir.

Eh bien, maintenant, notre attente à nous, je ne veux pas dire notre confiance, c'est un mot trop présomptueux dans de telles affaires, notre attente, c'est qu'à cette paix armée, mais pesante pour la France comme pour l'Europe, succédera une paix plus douce, plus libre, qui ne portera aucune atteinte aux intérêts particuliers de la France, tels qu'ils résultent des faits accomplis. (*Mouvements divers. Rumeurs.*) Messieurs, si vous avez un moyen de ne tenir aucun compte des faits accomplis, si vous avez un moyen de régler les faits selon vos désirs, sans y prendre plus de peine, sans y courir plus de dangers réels que le cabinet du 1ᵉʳ mars n'en a courus pour soutenir sa politique, je suis tout prêt à accepter vos moyens et à vous céder, sur ces bancs, la place que j'ai l'honneur d'y occuper. (*Très-bien!*) Pour moi, je ne sais aucun moyen de ne pas tenir compte des faits accomplis.

Je dis donc que ma conviction est qu'à cette paix armée, à cet isolement honorable mais pesant pour tout le monde, que les événements nous ont fait, nous substituerons une paix plus douce, plus libre, plus sûre, je le crois. Quand le moment sera venu de débattre cette question, vous en jugerez; c'est devant vous qu'elle sera portée; rien ne vous sera caché; les circonstances, les actes, les documents, vous connaîtrez tout.

On disait tout à l'heure (et c'était à moi en particulier que le reproche s'adressait) on disait que je n'ai point de confiance dans mon pays, que la méfiance envers le pays, envers sa pensée, sa liberté, sa force, est le caractère fondamental de ma politique.

Messieurs, si jamais j'ai eu l'honneur de faire quelque chose dans ma carrière politique, c'est en en appelant à l'opinion, à la liberté, à la force et à l'intervention du pays dans ses propres affaires.

Est-ce que nous avons pratiqué la tyrannie? Est-ce que nous avons gouverné en dehors des institutions du pays?

M. MANUEL.—L'auriez-vous pu?

M. *le ministre.*—Est-ce que le pays n'a pas été constamment maître de juger entre vous et nous? Est-ce que toutes nos institutions, l'élection, la discussion, la garde nationale, n'ont pas été respectées? Est-ce que ce n'est pas au pays que nous en avons appelé? Est-ce que ce n'est pas la confiance dans le pays, dans son opinion, dans sa liberté, dans son influence, dans son intervention, qui a dirigé le cabinet du 29 octobre? Est-ce que le pays lui-même ne s'est pas prononcé? (*Oui! oui! Non! non!*)

C'est par la discussion libre, par la liberté, par l'influence active du pays que nous avons gouverné.

Ne parlez donc pas de méfiance: nous avons confiance dans le pays. Au milieu des obstacles que nous rencontrons, dans les difficiles défilés que nous avons à traverser, c'est au pays que nous nous adressons; c'est sur lui que nous comptons; c'est par lui que nous agissons.

Non, messieurs, non! nous ne nous méfions pas du pays, et c'est parce que nous ne nous méfions pas de lui que nous sommes convaincus qu'il saurait soutenir, et soutenir jusqu'au bout, une guerre juste et nécessaire.

On prétend que nous n'osons pas prononcer le nom de guerre, que nous avons renoncé à ce grand moyen de gouvernement.

Non, messieurs, ne croyez pas cela; cela n'est pas vrai. Nous saurions au besoin prononcer le mot de guerre; mais nous n'avons pas voulu de la guerre que vous prépariez (*Rumeurs diverses*), parce que nous ne la croyions pas juste, parce que nous ne la trouvions pas nécessaire, parce que nous la considérions comme fatale au pays (*Bruit*), fatale à son honneur comme à sa sécurité (*Oui! oui! Non! non!*), fatale à son honneur, à sa considération (*Nouveau mouvement*) morale comme à son bien-être. Mais s'il s'était agi d'une guerre juste, nécessaire, vraiment nationale, nous aurions pensé, nous aurions agi tout autrement. Dieu, je l'espère, éloignera de nous une telle perspective. J'espère que mon pays ne sera pas de longtemps appelé à ces guerres justes et nécessaires qui exigeraient toutes ses forces et lui imposeraient tous les sacrifices. Mais si jamais ce cas arrive, ce jour-là nous saurons faire appel à tous les sentiments généreux, hardis, dévoués. Je ne dis pas que ce jour-là vous ne seriez pas avec nous; mais soyez sûrs que nous, nous ne manquerions pas au rendez-vous. *(Très-bien! Bravo!)*

CXI

Discussion du traité de commerce et de navigation conclu le 25 juillet 1840 entre la France et les Pays-Bas.

—Chambre des députés.—Séance du 22 mai 1841.—

Le cabinet présidé par M. Thiers avait conclu, le 25 juillet 1840, un traité de commerce et de navigation avec le royaume des Pays-Bas. Le cabinet du 29 octobre 1840 présenta à la Chambre des députés, le 21 juillet 1841, le projet de loi nécessaire pour modifier les tarifs des douanes françaises en exécution de ce traité. Je pris la parole dans ce débat pour défendre le traité et repousser divers amendements dont il fut l'objet.

M. GUIZOT.—Si je trouvais dans le projet de loi et dans le traité l'amendement que vient de proposer l'honorable M. J. Lefebvre, je le soutiendrais avec empressement; je regrette qu'il n'en soit pas ainsi; ce sentit évidemment une condition meilleure que la France aurait obtenue dans la négociation. Je ne sais s'il était possible d'obtenir cette condition. L'honorable M. Thiers vous a dit hier que, dans sa conviction, cela ne se pouvait pas; il vous a dit qu'il avait réclamé longtemps, dans la négociation, le principe que vient de soutenir l'honorable M. J. Lefebvre, et qu'il n'avait pu l'obtenir. J'admets le fait, et je lis dans le traité cet article réservé:

«Il est convenu que les clauses du présent traité, dont l'exécution comporte des dispositions législatives en France, seront présentées aux Chambres dans leur prochaine réunion, et de manière à ce que la sanction en soit obtenue dans le courant de la session; faute de quoi, le traité sera nul et non avenu pour chacune des hautes parties contractantes.»

C'est donc dans l'intérêt du traité tout entier que je suis forcé de repousser l'amendement de M. J. Lefebvre, comme tout autre amendement. Toutes les dispositions soumises à la Chambre sont essentielles à l'adoption du traité, et si une seule de ces dispositions est rejetée, le traité tombe. (*Oui! oui! c'est évident.*)

Quel serait le résultat d'une négociation nouvelle? Je l'ignore; tout ce que je puis dire, d'après l'assertion de l'honorable M. Thiers, c'est que, dans la première négociation, il a été impossible d'obtenir plus qu'on n'a obtenu. Or, ce n'est certainement pas au moment où une négociation aurait ainsi échoué, au moment où un traité serait rejeté, qu'on pourrait espérer, ne fût-ce que par les difficultés d'amour-propre et de dignité nationale, de renouer immédiatement une nouvelle négociation qui eût de meilleurs résultats. Il faut, messieurs, ou accepter le projet de loi, ou renoncer au traité. La Chambre est assurément libre de le faire; il est dans son droit de rejeter le projet et d'annuler indirectement le traité; mais il ne faut pas qu'elle se fasse illusion sur les conséquences de son vote; il n'y a pas d'amendement possible; l'adoption de l'amendement de M. J. Lefebvre, comme de tout autre, c'est le rejet complet du projet de loi et l'annulation du traité, en livrant la négociation aux chances de l'avenir et d'un avenir lointain. (*C'est cela!*)

La question ainsi bien éclaircie, est-il de l'intérêt du pays que la Chambre rejette le projet de loi et annule le traité?

Je demande à la Chambre la permission d'écarter d'abord les intérêts locaux qui se sont produits à cette tribune; non que je ne les tienne pour fort respectables, fort légitimes: non-seulement je n'ai pas de dédain pour les intérêts locaux, mais je pense que c'est un des mérites, un des grands mérites de notre gouvernement de les amener dans cette enceinte, de les faire entendre à cette tribune et de leur permettre d'y faire valoir tous leurs droits; cela est très-bon, cela est essentiel à notre gouvernement. Les intérêts locaux doivent être entendus, il faut leur faire leur part; mais quand ils ont été entendus, quand leur part a été faite, il y a un intérêt général au delà et au-dessus des intérêts locaux, qui doit servir de règle au gouvernement et aux Chambres, et d'après lequel les questions doivent être décidées.

J'écarte donc les intérêts locaux; la Chambre saura leur faire leur part: elle les a entendus, ils se sont très-habilement produits à cette tribune. Je consulte l'intérêt général.

Il n'y a, en réalité, qu'un seul intérêt général qui ait été produit contre le traité, c'est l'intérêt de la navigation française; cet intérêt est grand, je le reconnais; il est grand pour le commerce, pour le gouvernement et le pays.

Mais d'abord, messieurs, ce n'est pas l'intérêt de la navigation tout entière qui est ici engagé. M. Fould tout à l'heure a justement apprécié à cette tribune la valeur de la portion de l'intérêt de la navigation qui se trouve en question dans les rapports de la France avec la Hollande, et par conséquent dans le traité dont il s'agit. Je ne reviendrai pas sur les chiffres qu'il a produits; ils sont présents à la mémoire de la Chambre. Il s'agit, je le reconnais, de l'intérêt de la navigation française, mais elle n'est pas tout entière comprise dans le traité et dans le projet de loi.

Y a-t-il des intérêts généraux autres que l'intérêt de la navigation? Y a-t-il des intérêts politiques supérieurs qui doivent déterminer la Chambre à admettre le projet de loi et à valider le traité? Voilà toute la question.

Le gouvernement est convaincu qu'il y a pour nous, dans de bonnes relations avec la Hollande, un grand intérêt politique, intérêt qui légitime le traité et qui doit déterminer la Chambre à accepter le projet de loi. Cela me paraît si évident que je ne retiendrai pas longtemps l'attention de la Chambre.

Si vous jetez un regard sur la position géographique de la Hollande, sur la place qu'elle occupe vers notre frontière du nord, entre nous et les grandes puissances avec lesquelles nous pouvons être en conflit, vous reconnaîtrez qu'il nous importe d'être avec elle dans les meilleurs termes possibles, et de pouvoir compter, en temps de paix et en temps de guerre, sur sa bienveillance, je dirai même sur son amitié. Ce n'est là que la continuation de la vieille politique que la France a toujours suivie avec les petits États situés près de ses frontières, et qui la séparent des grands États. C'est ainsi qu'elle a toujours cherché à s'unir avec le Wurtemberg, le grand-duché de Bade, les électorats ecclésiastiques sur le Rhin. La France a un immense intérêt politique à ce que le Rhin coule dans des États amis. Ainsi la seule position géographique de la Hollande nous est un motif déterminant de soigner son amitié, et, si c'était ici le lieu d'entrer dans quelques détails historiques à ce sujet, il me serait aisé de démontrer que c'est là pour la France un intérêt de premier ordre.

Si, après la position géographique, je regarde à la constitution intérieure de la Hollande, je suis conduit au même résultat.

La France a intérêt à être bien avec tous les pays qui ne sont pas des pays de grande production, et qui sont des pays de consommation. Or, il a été constaté que la Hollande, pays d'environ 3,000,000 d'hommes, consommait à peu près autant que 7,000,000 d'Allemands. (*On rit.*)

Cela a été établi dans les recherches faites à l'occasion du lien de la Hollande avec l'association prussienne. La Hollande est donc un pays de grande consommation: ce n'est évidemment pas un pays de production. Il n'y a point de rivalité possible sous ce rapport entre elle et nous; ainsi, sous le point de vue économique comme sous le point de vue géographique, il nous convient d'être avec la Hollande dans des relations intimes.

Et, remarquez-le, messieurs, il ne s'agit pas de la Hollande seule; il s'agit aussi des grandes colonies hollandaises en Asie. On a trop légèrement parlé de ces colonies et de l'importance qu'elles peuvent avoir pour la France. Savez-vous, messieurs, ce qui est arrivé il y a dix-sept ans? L'Angleterre a commis la même faute qu'on vous conseille aujourd'hui. Elle a conclu, en 1824, avec la Hollande, un traité dans lequel il a été stipulé que les Anglais renonçaient à tout établissement dans les îles des grands archipels situés au sud de l'Inde et de la Chine, et que les Hollandais, de leur côté, renonçaient à tout établissement sur le continent asiatique. L'Angleterre a cru, à cette époque, qu'en s'assurant la complète domination de ce continent et en abandonnant les îles à la Hollande, elle faisait un excellent marché. Elle s'aperçoit aujourd'hui que le marché n'est pas aussi bon qu'elle l'imaginait; elle s'aperçoit qu'elle a méconnu l'importance que devaient acquérir les colonies néerlandaises, les archipels de la Sonde, des Moluques, toutes ces grandes îles qui couvrent les mers du midi de l'Inde et de la Chine. Vous êtes sur le point de commettre la même faute; on vous conseille de ne pas faire cas, dans nos relations avec la Hollande, de ses colonies asiatiques; on vous dit que là nos relations ne sont rien aujourd'hui; on ne vous dit pas ce qu'elles seront un jour: personne ne peut le dire, personne ne le sait; mais il est évident qu'il y a là une masse nombreuse de populations d'une richesse croissante, dont les consommations s'étendent tous les jours, et avec lesquelles, il vous importe beaucoup de vous assurer, dès aujourd'hui, des relations fréquentes.

Donc, sous le point de vue économique comme sous le point de vue politique, la France a un grand intérêt à vivre avec la Hollande, dans les meilleurs, les plus intimes rapports.

Portez plus haut votre vue; les considérations d'intérêt matériel, quelque puissantes, quelque déterminantes qu'elles soient, ne sont pas les seules qui doivent nous toucher en parcille affaire.

Vous n'avez pas en Europe un très-grand nombre de peuples qui vous soient analogues par les institutions, par les sentiments, par les idées.

Eh bien, messieurs, le peuple hollandais est un de ceux qui, sous ce rapport, ont avec vous les liens les plus réels, les plus assurés. Permettez-moi de le dire: la Hollande est le plus ancien des peuples qui appartiennent à la civilisation moderne; c'est en Hollande que les idées politiques modernes ont poussé leurs premières racines et porté leurs premiers fruits; c'est presque la terre natale de la liberté civile et religieuse en Europe. Il vous appartient, il vous convient de vivre, avec un tel peuple, dans de bienveillants rapports. Vous le comprenez, il vous comprend.

Et ce n'est pas du peuple hollandais seul, messieurs, c'est aussi de son gouvernement que je dois parler. Je disais tout à l'heure qu'il n'y avait pas en Europe trop de peuples qui fussent avec nous en sympathie étroite sous le rapport politique; les gouvernements y sont peut-être moins enclins que les peuples. Eh bien, vous avez, en Hollande, une maison régnante qui, depuis deux siècles, défend en Europe la cause de la liberté civile et religieuse. La maison de Nassau a rendu à cette cause les plus grands services, et le caractère qu'elle a déployé au XVIIe siècle, elle le conserve aujourd'hui. C'est un hommage que je suis bien aise de rendre, à cette tribune, au prince qui règne depuis un an en Hollande; son illustre aïeul, Guillaume III, est allé en Angleterre pour y faire prévaloir les principes de la liberté civile et religieuse. Le roi Guillaume II les soutient aujourd'hui en Hollande même; il les soutient à travers de graves difficultés; il les soutient, je hasarderai cette expression, malgré quelques restes d'injustice et d'imprévoyance fanatique qu'il rencontre dans ses propres États. Il faut lui savoir gré de cette politique honorable; il faut, autant que cela convient à notre situation, l'y soutenir, l'y aider, dans l'intérêt de la Hollande elle-même aussi bien que dans celui de la civilisation et de la justice générale.

Soit donc que vous regardiez le peuple hollandais lui-même, ou le prince qui le gouverne, soit que vous considériez sa situation géographique, économique, politique, morale, vous arrivez toujours au même résultat: convenance et utilité pour la France à étendre, à resserrer tous les liens qui garantissent, entre la France et la Hollande, la bonne intelligence, les bons rapports.

Par un malheur des temps, cette bonne intelligence, ces bons rapports avaient été interrompus: la Hollande et son roi sont le seul pays et le seul souverain qui aient perdu quelque chose à la révolution de 1830; elle a coûté la Belgique à la maison de Nassau. C'était un sujet naturel, je ne dis pas légitime, de rancune et d'humeur. Les bons rapports entre la France et la Hollande en ont souffert, souffert pendant longtemps. Depuis quelque temps, par un concours de circonstances heureuses, ce mal tend à disparaître; depuis quelque temps les bons rapports se rétablissent entre la France et la Hollande. La politique des deux pays se rapproche.

Les preuves de ce fait ne manquent pas: vous avez vu le dernier roi de Hollande, ce roi qui vient de descendre du trône par sa libre volonté, vous l'avez vu, le premier entre les souverains du continent, vous l'avez vu, dis-je, reconnaître la reine d'Espagne, Isabelle II. Il s'est le premier détaché, je ne dirai pas de cette coalition, le mot serait trop inexact, mais de cet ensemble de gouvernements qui avaient refusé cette reconnaissance.

Tout récemment, au milieu des obstacles que vous avez rencontrés quand vous avez voulu rétablir votre force militaire et remonter votre cavalerie, la Hollande seule a maintenu pour vous la libre exportation. Et ne croyez pas qu'il n'y ait pas eu à cela quelque mérite; elle a résisté à tous les efforts pour l'entraîner dans le système de l'interdiction.

Voici ce que vous devez à la bonne volonté de la Hollande dans cette occasion: vous avez tiré du pays même 8,000 chevaux, et il a donné passage, par son territoire, à des chevaux allemands au nombre de 3 à 4,000. Ainsi, vous avez dû à la bonne volonté de la Hollande 11 à 12,000 chevaux pour remonter votre cavalerie, quand toute l'Allemagne empêchait l'introduction des chevaux sur votre territoire.

M. THIERS.—La moitié de l'acquisition.

M. le ministre des affaires étrangères.—Encore un fait de même nature. Vous avez été embarrassés pour faire construire chez vous un certain nombre de machines à vapeur. La Hollande vous a ouvert ses ateliers. Vous avez trouvé dans son gouvernement bienveillance et faveur.

Ainsi cette mésintelligence déplorable qui s'était établie entre la France et la Hollande, depuis la révolution de 1830, a cessé et cesse de jour en jour. Et c'est ce moment où les deux pays rentrent dans de bons rapports, où l'harmonie se rétablit entre eux, c'est ce moment que vous prendriez pour donner à la Hollande une marque, je ne dirai pas de malveillance, ce serait injuste, mais de froideur, pour ne pas saisir du moins l'occasion de resserrer et d'étendre vos liens avec elle!

Et vous prendriez ce parti, lorsque la Hollande sort de l'association prussienne dont elle avait fait partie! Oui, messieurs, l'association prussienne ne renouvelle pas son traité avec la Hollande; la Hollande sera complétement en dehors de cette association; elle sera libre, elle demeurera suspendue, en quelque sorte entre la France et l'Allemagne. Choisirez-vous ce moment pour la repousser, pour l'éloigner? Ne saisirez-vous pas, au contraire, cette occasion de l'attirer à vous, de contracter avec elle de nouveaux liens? (*Très-bien! très-bien!*)

Messieurs, permettez-moi de rappeler un fait ancien qui sera pour tout le monde, si je ne me trompe, un utile enseignement.

À la fin du XVIe et au commencement du XVIIe siècle, Sully d'abord, Richelieu ensuite, voulurent s'assurer l'amitié de la Hollande; ils en avaient besoin dans leurs relations avec le reste de l'Europe, dans leur lutte contre la maison d'Autriche, pour des guerres flagrantes ou prochaines. Que firent Sully et Richelieu? Ils donnèrent à la Hollande la fourniture de tous les approvisionnements du gouvernement français. Voilà le prix que Sully et Richelieu payèrent à la Hollande pour s'assurer son concours politique dans leurs rapports avec l'Europe. Et cela a duré cinquante ou soixante ans.

Messieurs, on ne nous demande pas aujourd'hui de payer si cher. Si je pouvais mettre sous vos yeux le résultat des conventions conclues par Sully et Richelieu avec la Hollande, et les résultats du traité qu'on vous propose de sanctionner, vous verriez que la différence est grande et que nous pouvons nous assurer les bons rapports avec la Hollande à infiniment meilleur marché que Sully et Richelieu ne l'ont fait.

Il est vrai que Sully et Richelieu voulaient se servir de la Hollande pour des projets de conquête et de guerre contre l'Europe. Nous n'avons aucun projet semblable; nous ne cherchons ni la guerre ni la conquête, nous n'avons nul besoin et nul désir des alliances exclusives, hostiles, conçues en défiance et presque en menace contre d'autres nations.

Notre politique, la politique que nous tenons à pratiquer en fait comme à soutenir en principe, c'est la politique de la paix, de la bonne intelligence avec toutes les nations de l'Europe, de la bonne intelligence plus étroite, plus intime avec celles qui se montreront disposées à l'étendre et à la resserrer. Nous y prêterons-nous, ou nous y refuserons-nous? Voilà la vraie question.

Messieurs, il faut que je le répète, ce n'est pas au nom des intérêts commerciaux seuls, c'est surtout au nom des intérêts politiques que cette question doit être résolue. Je crois que, sous le point de vue des intérêts commerciaux, l'importance du traité est infiniment moins grande qu'on ne l'a dit de part et d'autre. La discussion doit laisser dans l'esprit de la Chambre cette impression que, soit sous le rapport des dommages pour certains intérêts, soit sous le rapport des avantages pour certains autres, commercialement parlant, le traité a moins d'importance qu'on ne veut lui en attribuer; politiquement, il a une importance très-grande, c'est de celle-ci que j'ai essayé de frapper l'esprit de la Chambre; c'est ce qui détermine le gouvernement à persister dans le projet de loi et à repousser tout amendement. (*Très-bien! Très-bien!—Aux voix! aux voix!*)

CXII

Sur les affaires d'Espagne et d'Orient dans la discussion générale du projet d'adresse.

—Chambre des pairs.—Séance du 12 janvier 1842.—

À la Chambre des pairs, dans la séance du 11 janvier, plusieurs orateurs, entre autres M. de Montalembert, avaient traité des affaires d'Orient, et M. de Brézé avait parlé, à la fin de cette séance, de notre politique et de nos relations envers l'Espagne. Dans la séance du 12, je repris les deux questions.

M. GUIZOT, *ministre des affaires étrangères.*—Messieurs, j'avais demandé la parole, hier, à la fin de la séance, pour répondre, en peu de mots, à ce que venait de dire l'honorable M. de Brézé sur les affaires d'Espagne. Je viderai sur-le-champ, aujourd'hui, ce que je regarde comme un incident dans cette discussion.

L'honorable M. de Brézé a remarqué le silence du discours de la couronne sur les affaires d'Espagne; il a eu raison. Ce silence a été réfléchi et volontaire. Il expliquera le mien. L'état de nos relations en Espagne m'interdit d'entrer dans une vraie discussion à cet égard; il y a, en ce moment, entre la France et l'Espagne, des difficultés pendantes, des questions flagrantes sur lesquelles il me serait impossible de m'expliquer sans courir le risque de nuire aux affaires de mon pays.

Cependant, j'ai, non pas sur les questions dont je parle, mais sur nos relations générales avec l'Espagne, une observation à faire en réponse à ce qu'a dit l'honorable M. de Brézé.

Il a rappelé le traité de Bergara et la satisfaction que nous avons témoignée au moment où il a été conclu; il nous a demandé si, après ce qui s'est passé depuis deux ans, nous ressentions aujourd'hui la même satisfaction. Sans aucun doute, messieurs. Le traité de Bergara nous a causé une véritable satisfaction, parce qu'il annonçait le terme d'une guerre civile en Espagne. Nous n'avons pas eu l'espérance qu'il mît un terme, en même temps, à toutes les dissensions civiles de ce pays, à toutes les difficultés de nos relations avec lui. Nous avons une trop longue expérience des révolutions, de leur durée, de leurs vicissitudes, pour croire qu'elles puissent se terminer ainsi en un moment et par un acte isolé; mais il n'en reste pas moins vrai que le traité de Bergara mettait fin à la guerre civile en Espagne. C'est la cause de la satisfaction qu'il nous a fait et qu'il nous fait encore éprouver.

Une autre guerre civile a paru, tout à l'heure, sur le point de recommencer; des bruits ont été répandus sur la part que le gouvernement du roi y avait prise. Ces bruits étaient dénués de tout fondement. Le gouvernement du roi, dans cette occasion comme dans toutes les autres, s'est conduit envers l'Espagne dans la seule pensée d'aider au rétablissement de l'ordre et à la pacification générale dans ce pays. Au milieu de cette crise récente, quand le gouvernement espagnol s'est adressé à nous pour nous demander les mesures qui lui paraissaient propres à en empêcher le développement, quand il nous a demandé de faire interner les réfugiés carlistes qui s'agitaient sur la frontière et rentraient en Espagne pour prendre part à la nouvelle insurrection, nous les avons fait interner. Quand il nous a adressé la même demande à l'égard des *christinos* qui se pressaient vers la frontière dans le même dessein, nous les avons fait également interner. Une seule de ses demandes lui a été à l'instant et positivement refusée. Je n'ai pas besoin de dire laquelle; la Chambre le sait; elle comprend notre prompt et catégorique refus. (*Marques d'approbation.*)

Il est donc faux que le gouvernement français ait eu la moindre part aux derniers troubles de l'Espagne. Si nous avions voulu nous plaindre à notre tour de ce qui se passe en Espagne à l'égard du gouvernement du roi, des réunions publiques, des menées odieuses, des propos tenus, je ne veux pas dire par qui, mais par des hommes importants, menaçant de fomenter en France des insurrections, des révolutions nouvelles, et adressant leurs menaces au gouvernement du roi, à la personne du roi, les sujets de récrimination ne nous auraient pas manqué. Nous nous en sommes abstenus. Nous savons quelles sont les difficultés que rencontrent, en pareille matière, les gouvernements libres, quelle est la part qu'il faut attribuer aux passions populaires, à l'entraînement qu'elles exercent souvent sur les gouvernements eux-mêmes, indépendamment de leurs véritables intentions. Mais nous savons aussi qu'il est du devoir des gouvernements de s'en défendre; nous espérons que ce devoir sera rempli de l'autre côté des Pyrénées comme il l'est de notre côté.

Le gouvernement du roi n'est dirigé dans sa conduite, quant à l'Espagne, que par deux idées qu'il peut exprimer tout haut: l'une, c'est de contribuer à l'affermissement de la monarchie régulière, à la pacification du pays; l'autre, c'est que, ne prétendant point à exercer en Espagne une influence exclusive, et, certes, nous l'avons assez témoigné en nous refusant à l'intervention quand on nous la demandait de toutes parts, nous avons aussi la prétention qu'aucune influence exclusive n'y soit exercée à nos dépens et contre nous. La pacification de l'Espagne, ses bonnes et égales relations avec tous les gouvernements avec lesquels elle est en paix, voilà notre politique quant à l'Espagne, celle que nous pratiquons chaque jour.

L'honorable M. de Brézé nous a rappelé la politique de Louis XIV, la politique de Napoléon, quant à l'Espagne. Dans cette politique, messieurs, il y avait du bon et du mauvais, du vrai et du faux. Il y a certains côtés par lesquels elle est encore bonne pour la France et pour l'Espagne; il y en a d'autres qui ne conviennent plus au temps, aux intérêts actuels de la France, aux principes et aux formes des gouvernements. C'est donc un exemple à consulter, mais non un guide à suivre. Il faut aujourd'hui travailler, autant qu'il appartient à un gouvernement étranger, à pacifier l'Espagne, à affermir sa monarchie, et, en même temps, empêcher en Espagne toute influence exclusive qui nuirait aux intérêts français, sans prétendre à exercer nous-mêmes une semblable influence; voilà les deux règles de notre politique: je n'hésite pas à affirmer que nous les suivons exactement. Le jour où nous pourrons examiner de près ce qui se passe aujourd'hui entre l'Espagne et la France, le jour où les questions pendantes seront résolues, on verra que nous nous sommes conformés exactement aux idées que je viens de rappeler.

La Chambre pensera comme moi, je l'espère, que le moment n'est pas encore venu d'entrer dans ce débat. (*Mouvement d'adhésion.*)

Je passe à la question essentielle qui a occupé, hier, toute la séance de la Chambre, à la question d'Orient, à la convention du 13 juillet 1841.

Je demande la permission d'écarter du débat toute politique rétrospective, tout ce qui est antérieur à l'avénement du cabinet dont j'ai l'honneur de faire partie. Ce sont là des faits et des questions qui ont été jugés l'an dernier.

J'écarte également, et j'en demande la permission à l'honorable M. de Brézé lui-même, le débat tant de fois renouvelé sur l'incurable situation de notre gouvernement et ses funestes conséquences; cette situation, qui ne lui permet pas, dit-on, de faire le bien, même quand il le veut, qui le frappe de tendances radicalement mauvaises, ou au moins d'impuissance. Je ferai à ce sujet une seule observation.

Messieurs, lorsque quelque grande crise éclate, lorsque quelque danger pressant pèse sur le pays, et que des hommes à qui on attribue un peu de sens et de courage s'engagent dans la lutte, on les en loue, on les en remercie presque; et puis, quand la crise est passée, quand le danger ne pèse plus sur personne, on les décourage, on leur dit qu'ils poursuivent une victoire impossible, qu'ils sont condamnés à tourner toujours dans le même cercle, sans jamais réussir. Cela ne me paraît ni juste ni sage; cependant je ne m'en plains pas. C'est un fait que je me borne à rappeler.

Je me rappelle aussi, messieurs, ce qui se passait sous la Restauration; elle s'efforçait quelquefois d'effacer le vice de son origine, l'étranger. Elle s'y appliquait par des efforts honorables et sincères. J'ai vu des hommes qui, au moment même où elle faisait de tels efforts, lui rappelaient sans cesse, lui reprochaient amèrement le vice de son origine, cherchaient à l'y retenir, à l'y enfoncer, à l'empêcher de prendre un plus beau drapeau. C'était un acte de mauvais citoyen. Je le pensais alors, je le pense encore aujourd'hui.

Pour nous, messieurs, nous acceptons hautement notre situation et notre origine; nous en connaissons la gloire et le péril. Le grand acte de la France en 1830 a été un acte légitime, nécessaire, accompli avec une modération et une magnanimité dont aucun temps et aucun pays n'avaient offert l'exemple. Nous en recueillons pieusement la gloire et, en même temps, nous avons, plus que personne peut-être, le sentiment du péril, car il y a onze ans que nous luttons contre ce péril. Jamais gouvernement n'a plus franchement, plus complétement accepté une mission difficile, la mission de séparer le bien du mal, le bon grain de l'ivraie, de garder sa situation et de s'arrêter sur la pente où cette situation même le plaçait. (*Marques d'adhésion.*) Le gouvernement du roi l'a fait depuis onze ans, il le fait tous les jours; c'est son honneur en même temps que son fardeau. Nous acceptons cette situation tout entière avec sa gloire et avec son danger; nous ne demandons qu'à lui rester fidèles. Qu'on se le rappelle ou qu'on l'oublie, qu'on l'allége ou qu'on l'aggrave, notre conduite sera toujours la même. (*Nouvelles marques d'adhésion.*)

J'entre enfin dans le débat.

Messieurs, à la fin de 1840, nous avons pris les affaires d'Orient dans un certain état, dans l'état où on nous les laissait. Elles sont aujourd'hui dans un état tout différent. Quel était le point de départ? à quel point sommes-nous arrivés? Qu'avons-nous fait des questions qui ont été remises entre nos mains? C'est là ce que je voudrais clairement établir.

Trois questions étaient comprises dans ce qu'on appelle l'affaire d'Orient. Une à Alexandrie, les rapports du pacha d'Égypte avec le sultan; une à Constantinople, les rapports de la Turquie avec l'Europe; une à Paris, les rapports de la France avec les grandes puissances de l'Europe. Voilà les trois questions que nous avons trouvées flagrantes en prenant les affaires.

En quel état était, à cette époque, la question d'Égypte? Le pacha était chassé de Syrie, sa déchéance prononcée, son existence en Égypte menacée. Dans quel état est-il aujourd'hui? Le pacha est en Égypte; son existence n'est plus contestée par personne; elle est consacrée par la Porte; non pas garantie, mais reconnue, approuvée par les grandes puissances de l'Europe. Voilà, quant à lui, la différence entre l'état où nous avons pris les affaires et l'état où elles se trouvent en ce moment.

Quelles conditions ont été d'abord et sont aujourd'hui attachées à l'existence du pacha? Peu après notre avénement aux affaires, la Porte a réglé les conditions d'existence du pacha. C'est dans le hatti-schérif du 13 février que ces conditions étaient contenues. Le voici: le pacha n'obtenait qu'une hérédité incomplète et mensongère; la Porte se réservait le droit de choisir dans sa famille le successeur qui lui conviendrait. Le pacha ne possédait pas réellement le pouvoir administratif en Égypte. Il devait payer à la Porte un tribut égal au quart du revenu brut de l'Égypte, et des inspecteurs de la Porte devaient être en Égypte pour contrôler sans cesse et l'administration et le revenu. Il n'avait pas non plus la réalité du pouvoir militaire; il ne pouvait faire de nomination d'officiers que jusqu'au grade de simple capitaine, et encore était-il obligé d'obtenir le consentement de la Porte.

Voilà à quelles conditions la Porte, même après avoir accepté l'existence du pacha d'Égypte, même après avoir cessé de la menacer, entendait la régler le 13 février 1841.

Voyons à quelles conditions elle est réglée aujourd'hui, en vertu du hatti-schérif du 25 mai.

Le pacha est investi de l'hérédité réelle, pleine et entière, dans sa famille, par ordre de primogéniture.

Le pacha possède le pouvoir administratif. Ce n'est plus du quart du revenu brut de l'Égypte qu'il s'agit; il n'a plus d'inspecteurs, de contrôleurs de la Porte auprès de lui. Il a un tribut fixe, annuel, à payer. Il administre seul son pays.

Il a également le pouvoir militaire. Il nomme tous les officiers et tous les chefs de corps; il les nomme en vertu de son droit; ce n'est que quand il veut nommer des généraux qu'il est obligé de recourir à l'approbation de la Porte.

Ainsi l'hérédité, le pouvoir administratif, le pouvoir militaire, tout cela est réel aujourd'hui pour le pacha; rien de tout cela ne l'était en vertu du hatti-schérif du 13 février.

Voilà le changement qui s'est opéré dans la question d'Alexandrie. Je n'examine pas encore qui en a le mérite, par quelles voies on y est parvenu; je le constate en fait.

Je constate en même temps un résultat d'un autre ordre, c'est que l'unité du monde musulman est rétablie; la Porte est réellement réconciliée avec le pacha; le pacha est en bonnes relations avec la Porte, et tourne toute son application à maintenir, à affermir ces bonnes relations.

 Voilà pour la question d'Alexandrie. Je prends la question de Constantinople.

On fait aujourd'hui, messieurs, très-bon marché du principe de la clôture des détroits, de ce principe devenu maxime écrite et convenue du droit public européen. Il y a quelques années, on n'en pensait pas si légèrement. Si le lendemain du traité d'Unkiar-Skélessi, on était venu offrir à l'Europe la convention du 13 juillet, la fermeture des détroits acceptée par l'Europe entière, signée de toutes les puissances, on aurait regardé cela comme une grande victoire de la bonne politique, de la politique européenne, sur la politique envahissante de telle ou telle puissance. On aurait eu raison. Le principe de la clôture des détroits n'est pas aussi indifférent, tant s'en faut, que le disait hier un honorable pair: sans doute, ce n'est pas une garantie à l'abri de tout événement, de toute force supérieure; mais c'est un gage de sécurité pour l'empire ottoman et de paix pour l'Europe. Substituez par la pensée au principe de la clôture des détroits le principe de l'ouverture (cette substitution a été discutée, l'idée en a été émise): à l'instant vous voyez la Russie sans cesse inquiète dans la mer Noire, inquiète de voir entre les mains de tout le monde, comme le disait l'empereur Alexandre, la clef de sa maison; vous voyez la Porte sans cesse menacée, compromise par le passage continuel des marines militaires européennes, à travers la mer de Marmara et les deux détroits. L'empire ottoman n'aurait pas un moment de sécurité; l'Europe serait sans cesse dans la crainte de voir la paix troublée par des tentatives contre cet empire.

Permettez-moi, à cet égard, de vous citer une anecdote.

La question de la substitution de l'ouverture des détroits à la clôture des détroits a été agitée en Angleterre en 1835, non pas officiellement, mais dans des conversations particulières entre les hommes qui gouvernaient ou avaient gouverné ce pays. L'un d'entre eux consulta à cet égard le duc de Wellington, et lui dit: «Ne vaudrait-il pas mieux substituer le principe de l'ouverture des détroits au principe de la clôture? Dans les affaires qui s'engagent en Orient, ne pourrions-nous pas prendre cette marche?—Non, répondit le duc de Wellington; dans ces parages nous sommes trop loin de nos ressources, et la Russie est toujours à portée des siennes.»

La réponse fut trouvée pleine de sens, et le cabinet anglais n'hésita pas à maintenir le principe de la clôture des détroits.

Croyez-moi, messieurs, ce principe a une valeur réelle. C'est une véritable conquête que la convention du 13 juillet dernier a fait passer dans le droit public européen.

Et ce n'est pourtant là que le petit côté de cette convention. Son acte vraiment important, c'est d'avoir fait passer la Porte elle-même, l'inviolabilité des droits souverains du sultan, le repos de l'empire ottoman dans le droit public européen.

Il n'y a pas là sans doute une garantie expresse, formelle, un engagement de faire la guerre pour maintenir le repos de l'empire ottoman; les gouvernements sensés ne s'engagent pas ainsi. Mais il y a la reconnaissance générale, la reconnaissance faite en commun, officiellement constatée, de l'inviolabilité des droits souverains de la Porte et de la consolidation de l'empire ottoman. Et je dirai, à ce propos, ce que j'ai dit tout à l'heure du principe de la clôture des détroits. Si, il y a quelques années, un acte pareil eût été offert à l'approbation de l'Europe, on l'aurait regardé comme une véritable conquête, il eût fait l'honneur des négociateurs qui l'auraient conclu.

J'ai montré ce que sont devenues, entre le 29 octobre et le 13 juillet, les questions d'Alexandrie et de Constantinople. Voyons la question de France.

Vous vous rappelez tous, messieurs, dans quel état cette question était au 29 octobre. D'abord, la guerre imminente, un armement considérable, une situation qui présentait toutes les apparences révolutionnaires; ensuite, la paix armée, l'isolement de la France, une situation tendue, pesante, périlleuse.

Aujourd'hui, l'isolement a cessé; la bonne intelligence est officiellement rétablie et proclamée entre toutes les puissances de l'Europe; déjà une réduction considérable est opérée dans les charges de notre pays; réduction contre-balancée, motivée par des réductions analogues de la part des autres puissances. C'est une situation régulière, pacifique, qui a encore ses chances, qui n'est pas à l'abri de tout danger, mais qui a remplacé une situation tendue, pesante, pleine de dangers pressants.

Voilà, messieurs, ce que nous avons fait des trois questions que nous avons reçues; voilà l'état dans lequel nous les avons mises. Par quelle voie? À quel prix?

Par un seul moyen bien simple: nous avons eu la conscience de la force qu'avait la France, tranquille dans la situation que le traité du 15 juillet avait créée en Europe. Nous avons cru que cette situation pesante, périlleuse pour tout le monde, ne pouvait cesser que du consentement de la France.

Un homme d'État considérable l'a dit: On ne peut rien faire pour la paix de l'Europe sans le concours de la France. Nous l'avons compris. Avons-nous été au-devant de l'Europe? Avons-nous fait des sacrifices pour obtenir la convention du 13 juillet? Pas du tout. Nous avons dit simplement: La France ne peut entendre parler de rien tant que la question turco-égyptienne ne sera pas terminée; non pas terminée sur le papier, mais réellement terminée, tant que l'existence du pacha d'Égypte ne sera pas réellement réglée. La France n'a pas à aller au devant de l'Europe; c'est à l'Europe à se rapprocher de nous dans les termes, avec les formes qui conviennent à de grands États qui se traitent respectueusement les uns les autres.

Nous avons dit de plus: Nous ne pouvons, en aucun cas, adhérer au traité du 15 juillet; nous ne pouvons sanctionner ce que nous n'avons pas approuvé; nous y resterons étrangers après comme avant.

Enfin, si on nous eût demandé, pour prix de notre rentrée dans le concert européen, quelque sacrifice de dignité, une diminution de nos armements, par exemple, nous n'aurions pas écouté; je ne dis pas que nous n'aurions pas accordé, je dis que nous n'aurions pas écouté.

On est venu au-devant de nous. La question turco-égyptienne est réellement terminée. On ne nous a demandé aucun sacrifice. On ne nous a pas demandé d'adhérer au traité du 15 juillet. Sur notre demande, on a changé, dans les actes qu'on nous proposait, toutes les expressions qui pouvaient impliquer une adhésion quelconque à ce traité. La question ainsi posée, la France pouvait-elle refuser de rentrer en bonne intelligence avec l'Europe, lorsqu'elle n'avait pas jugé à propos de faire la guerre à raison de ce traité? Aucun homme sensé ne pouvait hésiter. On offrait à la France d'accepter en commun un principe réclamé depuis longtemps, de le faire consacrer en droit comme dans la pratique; on lui demandait de contribuer par son adhésion à faire passer l'empire ottoman, sa souveraineté, son repos, dans le droit public européen, et la France aurait refusé! Cela ne se peut imaginer.

Voilà ce que nous avons fait; voilà par quel moyen nous avons changé l'état des trois questions que nous avons trouvées pendantes, nous les avons amenées à l'état où elles sont aujourd'hui. C'était là évidemment la conduite sensée, raisonnable, la seule bonne politique possible dans la situation du pays.

Ne croyez pas, messieurs, que je veuille dire que nous n'avons qu'à nous applaudir de cette situation; ne croyez pas que je prétende que la convention du 13 juillet a réparé, effacé tout ce qui s'est passé en 1840. Je respecte trop mon pays et la Chambre devant laquelle j'ai l'honneur de parler pour ne pas être complétement sincère. Oui, la politique de la France a essuyé un échec; la France s'est trompée sur deux choses, sur l'importance de l'intérêt qu'elle avait dans l'établissement égyptien, et sur la force de l'établissement égyptien. Sous l'empire de cette double erreur, que je n'impute spécialement à personne, qui a été celle de tout le monde, la France a poussé cette question outre mesure, au delà des limites de la bonne politique. Je ne veux pas me servir de mots tristes pour mon pays, mais l'événement a prouvé à la France qu'elle s'était trompée.

Était-ce là, messieurs, un de ces cas où un peuple doit tout risquer, tout sacrifier pour soutenir même son erreur? Évidemment non. L'intérêt n'était pas assez grand, assez national, assez profond pour imposer à la France une telle épreuve.

Dans les résultats, d'ailleurs, tout n'est pas échec, tout n'est pas perdu. Si la France s'est trompée à certains égards, d'autres aussi se sont trompés. À cette même tribune, j'avais l'honneur de dire l'an dernier que l'Angleterre avait fait une faute, qu'elle avait sacrifié la grande politique à la petite, l'amitié de la France au mince avantage de voir quelques districts de la Syrie passer quelques années plus tôt de la domination d'un vieillard à celle d'un enfant. C'est une erreur grave et dont la politique anglaise ressentira peut-être longtemps le dommage, comme nous ressentons celui qui nous a été causé.

Quand je me permets de parler des erreurs et des fautes de la politique de mon pays, je peux bien prendre la même libellé à l'égard des étrangers. J'ai dit quelle avait été, à mon avis, l'erreur de la politique anglaise. Deux autres puissances, l'Autriche et la Prusse, qui, depuis, nous ont prêté une utile et loyale assistance, n'ont pas, dès le premier jour de la question, pensé assez haut de leur propre force, de leur propre influence. Il dépendait d'elles d'arrêter la question dans son origine, d'empêcher qu'on ne mît en péril le repos et l'avenir de l'Europe, comme on l'a fait. Leur faute a été de ne pas oser et de ne pas faire, dès le premier jour, tout ce que, dans la sagesse de leurs pensées, elles désiraient.

La Russie aussi a eu son erreur et sa faute. Selon moi, elle a sacrifié ses intérêts essentiels et permanents en Orient à des impressions superficielles et passagères; elle a sacrifié sa politique d'État à... comment dirai-je?... à ce qui n'est pas de la politique.

Messieurs, de cet ensemble d'erreurs et de fautes, où chacun a eu sa part, il est cependant résulté pour tous quelque profit, quelques grands enseignements.

On a cru et on a dit, à l'origine de la question, qu'on pouvait peser sans crainte sur la France, qu'après s'être défendue, elle ferait comme les autres, qu'elle signerait le traité du 15 juillet, qu'elle mettrait sa politique à la suite d'une autre politique. La France ne l'a pas fait; elle a persisté dans son refus de concourir au traité du 15 juillet.

Quand on a vu que la France n'accédait pas au traité, qu'elle n'acceptait pas une autre politique que la sienne, on s'est flatté du moins que, la France restant en dehors, ne faisant pas la guerre, on se passerait sans embarras de sa présence et de son action. Ici encore on s'est trompé; l'absence de la France a été un grand fardeau pour tout le monde; on s'est trouvé dans une situation que tout le monde a été pressé de faire finir, de sorte que, sans se mêler de l'affaire, sans y être partie active, en restant simple spectatrice, la France a fait acte d'indépendance et acte d'influence.

Soyez-en sûrs, messieurs; on ne recommencerait pas légèrement ce qu'on a fait, bien qu'on ait réussi: on a senti tout le péril de tels succès.

Voilà le véritable sens, voilà les avantages de la convention du 13 juillet; voilà quels ont été, dans les négociations qui l'ont amenée, le rôle et l'influence de la France.

Messieurs, il faut se défendre, dans l'état de nos affaires, de deux dispositions, les illusions de la vanité et les faiblesses du découragement; il ne faut pas croire que la France puisse faire tout ce qu'elle a envie de faire; il ne faut pas croire que, parce qu'elle n'a pas fait tout ce qu'elle désirait faire, elle n'a rien fait. Tenez pour certain que l'Europe est plus convaincue aujourd'hui qu'elle ne l'était il y a deux ans, qu'on ne fait pas faire à la France tout ce qu'on veut, et qu'on ne se passe pas aisément de sa participation.

Messieurs, un point reste encore sur lequel j'éprouve le besoin de donner quelques éclaircissements à la Chambre. La question dont je demande la permission de vous entretenir quelques minutes me tient autant au cœur qu'à l'honorable membre qui vous en a entretenus hier. Je veux parler du sort des populations chrétiennes en Orient. Je désire que la Chambre sache bien sous quel point de vue le gouvernement du roi la considère, et quelle politique il suit à cet égard.

Il y a parmi les chrétiens d'Orient un mouvement naturel, résultat de ce qui se passe dans le monde depuis quarante ans, et qui les porte à l'insurrection et à la séparation de l'empire ottoman. Eh bien, je le dis très-haut, nous ne poussons pas à ce mouvement-là, nous ne l'approuvons pas, nous ne l'encourageons pas. Notre politique envers l'empire ottoman est loyale. Quand nous disons que nous voulons l'intégrité de l'empire ottoman, nous le disons sérieusement; nous la voulons au dedans comme au dehors.

Il est commode, quand on se laisse aller au libre mouvement de son esprit et de sa parole, de réclamer l'intégrité de l'empire ottoman, de se plaindre des envahissements de telle puissance extérieure, et d'applaudir en même temps aux insurrections intérieures qui déchireraient l'empire; mais cela n'est ni loyal ni sérieux.

Comme elle est loyale, notre politique envers l'empire ottoman est prudente. Toute insurrection, même chrétienne, tout démembrement, même partiel, dans cet empire, peut avoir des conséquences immenses. Voyez la Grèce, voyez l'Égypte. Ce sont des complications infinies. C'est l'ébranlement de toute l'Europe, peut-être la guerre générale.

Quand il plaît à la Providence d'imposer de telles crises aux gouvernements et aux peuples, il faut avoir le courage de les accepter; il ne faut pas aller au-devant. Nous ne voulons pas plus tromper à ce sujet les chrétiens que les Turcs. C'est un tort grave, c'est presque un crime que de se laisser aller, en pareille affaire, aux fantaisies de son imagination. Il y a des malheurs affreux en Orient au bout de nos paroles étourdies en Occident. Il ne faut dire que ce qu'on fera.

Est-ce à dire, messieurs, qu'il n'y a rien à faire, que nous ne faisons rien pour les chrétiens d'Orient? Bien loin de là.

Et d'abord nous travaillons à bien convaincre l'empire ottoman lui-même que son plus grand danger aujourd'hui provient des insurrections intérieures, que les insurrections chrétiennes sont le véritable mal qui le ronge et qui peut le perdre, qu'il n'y a qu'un moyen d'y échapper, c'est de faire aux populations chrétiennes un meilleur sort, c'est de se conduire envers elles avec plus de justice et de douceur, de changer leur condition et de l'améliorer.

Nous travaillons en même temps à faire comprendre à l'Europe que l'intérêt de la paix générale lui impose le devoir de peser sur la Porte en faveur des populations chrétiennes; et à ce sujet, je demande à la Chambre la permission de mettre sous ses yeux quelques fragments d'une pièce que j'ai apportée dans cette intention, et pour laquelle la publicité est à coup sûr sans inconvénient. Voici ce que j'écrivais le 13 décembre dernier aux agents du roi près des principales cours de l'Europe, avec ordre de le communiquer à ces cours:

«Nous sommes frappés du danger des associations propagandistes formées pour seconder ou même exciter, au sein de l'empire ottoman, le soulèvement des populations chrétiennes; mais ce serait, à notre avis, une grave et périlleuse erreur que de voir dans ces associations l'unique ou même la principale cause du mouvement qui agite l'Orient. L'affaiblissement graduel de la puissance ottomane ne pouvait manquer de réveiller les espérances des chrétiens orientaux et de susciter dans leur esprit des pensées d'affranchissement et d'indépendance; enhardis par le succès de l'insurrection grecque, trouvant, dans la tendance générale des idées du siècle et dans les dispositions de l'opinion publique en Europe, des encouragements qu'il n'était au pouvoir de personne de leur enlever, on les eût vus probablement se livrer à d'audacieuses tentatives pour recouvrer leur liberté, quand même la conduite du gouvernement ottoman n'y eût donné aucun prétexte. Malheureusement, ces prétextes, on pourrait dire ces légitimes excuses, n'ont pas manqué. Dans ces derniers temps surtout, la Porte s'est trop souvent montrée impuissante à couvrir ses sujets de cette protection qui constitue le titre principal des gouvernements capables de l'exercer. Les horreurs dont la Bulgarie a été récemment le théâtre, celles qui désolent, en ce moment, la montagne du Liban, ne fournissent que de trop justes griefs à des populations déjà peu satisfaites de leur situation habituelle. Que de coupables intentions, que des intrigues révolutionnaires cherchent et réussissent parfois à s'emparer de ces légitimes mécontentements, pour les faire concourir à d'odieux projets de bouleversement et d'anarchie, rien n'est plus certain. C'est un devoir de loyauté, comme un acte de sagesse, pour les puissances alliées de la Porte, de travailler à faire échouer ces projets. Mais le meilleur, et peut-être le seul moyen d'y réussir, c'est d'enlever aux agitateurs leurs armes les plus puissantes, c'est-à-dire de soustraire les chrétiens orientaux à l'intolérable oppression sous laquelle ils gémissent. Qu'ils cessent d'être en proie à toutes sortes d'iniquités et de misères, qu'ils voient leur condition s'améliorer graduellement par des voies régulières et pacifiques, ils seront bien moins enclins à poursuivre leur but à travers les chances terribles des révolutions, et les intrigues anarchiques perdront leur principal moyen de succès. Quelque difficile que puisse être une telle entreprise, elle n'est pas, nous le croyons, au-dessus des forces des puissances alliées de l'empire ottoman. Qu'elles s'accordent à lui conseiller, en faveur des populations chrétiennes soumises à son autorité, une politique plus juste, plus prévoyante, plus énergique; et pourvu que ces conseils soient donnés avec ensemble, sans réserve, sans arrière-pensée, sans aucune de ces circonstances équivoques qui trop souvent affaiblissent auprès des musulmans la voix de l'Europe en laissant soupçonner ses dissentiments, il est permis d'espérer qu'ils seront entendus, qu'ils porteront d'heureux fruits, que le pouvoir du sultan, devenu tolérable pour ses sujets, se raffermira pour longtemps encore, et que les complots des sociétés propagandistes échoueront misérablement. Si on suivait une autre marche, si les puissances, uniquement préoccupées des attaques dirigées contre le pouvoir du sultan, négligeaient de faire disparaître les causes qui font la gravité de ces attaques et les rendent réellement dangereuses, on peut prédire que ces puissances ne réussiraient pas dans leurs efforts, et que tôt ou tard le sentiment européen, révolté des atrocités d'un tel régime, les forcerait de l'abandonner à sa destinée. Ce qui s'est passé, il y a quinze ans à l'égard de la Grèce dit clairement ce qui arriverait.»

Voilà, messieurs, la politique que nous travaillons à faire prévaloir, et dans l'empire ottoman et en Europe. En même temps, nous exerçons tous les jours ce protectorat ancien, traditionnel, que les capitulations, les traités, l'histoire, confèrent à la France sur les chrétiens d'Orient. Il nous a paru que ce qu'il y avait de mieux à faire, c'était d'exercer effectivement nos droits, de ne laisser aucun intérêt chrétien en Orient sans lui faire sentir la protection de la France, sans le défendre activement. Il n'y a pas un district, une ville, un village, un monastère, qui n'éprouve la protection de la France à Constantinople. Grâce à la sagesse des Chambres, grâce à l'augmentation qui, dans le budget de l'an dernier, a été accordée aux établissements chrétiens dans l'Orient, des secours continuels, des secours beaucoup plus considérables que par le passé font sentir partout la présence de la France.

Voilà, messieurs, la politique que nous suivons quant aux populations chrétiennes: politique loyale et prudente envers l'empire ottoman, politique active et efficace envers les chrétiens.

Suffira-t-elle pour guérir le mal? Personne n'est en droit de l'affirmer; cependant je n'hésite pas à dire que, si elle est suivie par toutes les puissances avec la même activité, la même sincérité, le mal sera, sinon complétement et pour toujours guéri, du moins fort diminué, et les conséquences en seront indéfiniment ajournées.

Que l'honorable M. de Montalembert en soit bien convaincu: nous avons cette question à cœur autant que lui; nous croyons comme lui que l'honneur de l'Europe occidentale y est engagé; mais nous croyons en même temps que ce n'est pas en encourageant des insurrections qu'on peut réellement protéger les chrétiens d'Orient.

Je m'arrête, messieurs. Je vous ai retracé l'état des affaires à Alexandrie, à Constantinople et en Occident, au moment où nous sommes arrivés au pouvoir; je vous ai décrit leur état actuel, le point où elles ont été amenées; je vous ai montré par quelle route nous y étions parvenus. J'ai prouvé, si je ne me trompe, que le mal qui reste encore dans la situation n'est pas de notre fait, que l'amélioration qu'elle a reçue, nous pouvons en réclamer quelque chose. Je me borne à ce simple exposé, et je laisse au jugement de la Chambre à en tirer les conséquences pour la convention du 13 juillet et pour le cabinet. (*Très-bien! très-bien!*)

CXIII

Sur les affaires d'Orient et la convention du 13 juillet 1841.

—Chambre des députés.—Séance du 19 janvier 1842.—

La discussion du projet d'adresse de la Chambre des députés, à l'ouverture de la session de 1842, commença le 17 janvier. La question d'Orient en fut le principal objet. Dans les séances des 17 et 18 janvier, plusieurs orateurs, entre autres MM. Fould, de Carné et de Tocqueville, la traitèrent avec beaucoup de développements. Je pris la parole le 19 pour bien établir la politique du cabinet, les motifs et les résultats de la convention du 13 juillet 1841, dite *Convention des détroits.*

M. GUIZOT.—Messieurs, après deux jours de ce débat, au point où il est parvenu, au moment où il s'ouvre sur un objet spécial et précis, la Chambre trouvera bon, je pense, que je supprime tout préambule, toute précaution oratoire, et que j'aille droit à la question.

Un mot seulement sur l'incident qui s'est élevé hier à l'occasion du discours de l'honorable M. Liadières. M. le comte Jaubert a reparlé de la coalition, et de moi dans la coalition. J'ai refusé l'an dernier de descendre sur ce terrain, et j'ai dit pourquoi. Il m'a paru que cela pourrait nuire à ma cause, à mon parti, à la politique que je sers, à la majorité qui la soutient. Les mêmes motifs subsistent encore, et je persiste dans ma résolution. M. le comte Jaubert peut recommencer; je ne m'en détournerai point. Je ne sens, pour mon propre compte, aucun besoin de m'en détourner. L'expérience d'une vie déjà longue a confirmé en moi ma pente naturelle, qui est d'avoir confiance dans la vérité. Dans les choses un peu grandes, et qui se passent au grand jour, comme nos actions et nos débats, la vérité finit toujours par déterminer le jugement du public. J'y compte, et je n'aurai pas besoin d'attendre longtemps pour que le public et la Chambre sachent et disent qui de nous a quitté son camp et son drapeau... (*Exclamations à gauche. Mouvement prolongé.*)

J'entre dans le débat. Il faut que la Chambre connaisse exactement les faits avant d'en apprécier les résultats.

La Chambre sait dans quel état se trouvaient les affaires d'Orient, et du pacha d'Égypte en particulier, lors de l'avénement du cabinet: le pacha frappé de déchéance, vaincu en Syrie, et déjà, en perspective du moins, menacé en Égypte. Cependant, le cabinet ne renonça point à le servir dans son péril; le cabinet ne se borna point, à son début, à réclamer ce que demandait la note du 8 octobre, c'est-à-dire l'Égypte; la première phase de la négociation eut pour objet de sauver, s'il était possible, en faveur du pacha, quelque chose de plus que l'Égypte. Je demande à la Chambre la permission de mettre sous ses yeux quelques-unes des pièces qui le prouvent.

Le 9 novembre, j'écrivais au consul général du roi à Alexandrie:

«Ma dépêche officielle du 2 vous fait connaître la pensée du nouveau cabinet sur l'ensemble de la situation que le traité du 15 juillet a faite à l'Europe et particulièrement à la France. Le discours de la couronne, prononcé jeudi dernier à l'ouverture de la session des Chambres, est l'expression la plus solennelle et la plus haute de cette même pensée. Je crois donc inutile de m'y arrêter ici, et je passe à ce qui concerne spécialement le vice-roi, sa position telle qu'elle me semble résulter de vos derniers rapports, et son avenir.

«Je ne sais, monsieur, si Méhémet-Ali se flatte d'un retour de fortune en Syrie, s'il espère pouvoir reprendre ce qu'il y a perdu, s'il se croit tout au moins en mesure de conserver par les armes la possession des territoires situés à l'est des chaînes du Liban. Je ne sais si, à défaut de cette confiance dans ses propres ressources, il compte purement et simplement sur la France pour échapper, je ne veux pas dire à sa ruine complète, mais à la nécessité de subir, dans toute leur teneur, les conditions du traité du 15 juillet. L'impression que j'ai reçue de la lecture de vos rapports du 18 octobre s'accorderait plutôt avec cette dernière supposition.

«Quoi qu'il en soit, il est bon que Méhémet-Ali sache comment aujourd'hui, en France et dans le reste de l'Europe, ses plus chauds partisans eux-mêmes apprécient sa situation. Il est bon, surtout, que Méhémet-Ali ne s'abuse pas sur ce que la France veut ou peut faire pour lui.

«Tout le monde, à cette heure, est convaincu que s'il reste au vice-roi une chance de conserver ou d'obtenir quelque chose au delà de l'Égypte seule, cette chance n'existe qu'à la double condition de se déclarer immédiatement prêt à accepter tout ce qui lui serait offert, et de renoncer à toute résistance, fondée sur l'espoir de concessions plus amples. Cette conviction, le gouvernement du roi la partage. Je ne dis pas que Méhémet-Ali ne puisse point, pour un temps encore assez long peut-être, prolonger la lutte en Syrie. Je l'ignore; mais le sentiment général, mais mon propre sentiment est que, dans cette voie, le temps ne peut, en définitive, que tourner contre lui et amener des complications nouvelles dont l'effet pourrait aller jusqu'à l'atteindre au siége même de sa puissance.

«Quant à la France, elle ne veut pas, elle ne fera pas la guerre pour permettre à Méhémet-Ali d'alimenter la lutte dans cette contrée. Méhémet-Ali est encore aujourd'hui maître de demeurer tranquille possesseur, possesseur héréditaire de l'Égypte; il a même encore, je le crois du moins, quelque chance d'obtenir, par la voie des négociations, un peu plus que l'Égypte: s'il entre sans retard dans cette voie, s'il est franchement disposé à accepter désormais les décisions du divan, la France redoublera d'efforts pour que ces décisions soient aussi favorables au vice-roi que la situation le comporte. Mais s'il était au contraire dans la pensée de Méhémet-Ali de jouer le tout pour le tout, de risquer même son existence en Égypte pour se maintenir en Syrie, s'il espérait pouvoir entraîner ainsi la France à prendre pour lui les armes, il tomberait dans la plus dangereuse des illusions. La France ne souffrira pas que qui que ce soit l'entraîne dans une guerre pour des intérêts qu'elle ne regarderait pas comme siens et comme assez puissants pour lui faire prendre une telle résolution.

«Je crois en avoir assez dit, monsieur, pour vous faire clairement comprendre ce que doivent être votre attitude et votre langage. Le meilleur, le plus grand service que nous puissions rendre aujourd'hui au vice-roi, c'est de lui dire la vérité tout entière et sur sa situation et sur la pensée du gouvernement du roi. Je crois d'ailleurs inutile d'ajouter que cette lettre est toute confidentielle, et que vous devez avoir soin d'imprimer le même caractère aux communications et aux conseils dont elle vous fournira la matière auprès de Méhémet-Ali.»

C'est, en effet, un des premiers devoirs que nous nous soyons imposés d'apporter dans cette occasion, avec tout le monde, avec le pacha comme avec les puissances européennes, une entière sincérité.

Au même moment où nous tenions à Méhémet-Ali ce langage, nous faisions à Londres des tentatives pour obtenir en sa faveur quelque chose en dehors du traité du 15 juillet, quelque chose de plus que l'Égypte, et nous trouvions appui pour cette tentative. La Prusse en particulier, M. le baron de Bulow, par ordre de son gouvernement, faisait à Londres une ouverture pour que les hostilités fussent arrêtées en Syrie dans le *statu quo*, chacun restant en possession de ce qu'il occupait encore, et que cette occupation servît de base à un arrangement définitif. Cette proposition, accueillie par nous, était repoussée par d'autres. L'Angleterre, en particulier, ne s'y prêtait pas. Voici ce que m'écrivait M. de Bourqueney:

«Londres, le 15 novembre 1840.

«Dans ma première conférence, avec lord Palmerston (elle avait eu lieu le jour même où se réunissait le conseil de cabinet), j'ai établi avec netteté, avec fermeté, les éléments de la situation telle que l'ont faite les premiers événements de Syrie, telle que l'ont modifiée les mouvements de notre politique intérieure, telle que s'apprêtaient à la modifier plus gravement encore les efforts volontaires et non provoqués des cabinets de Vienne et de Berlin, pour raffermir par un prompt arrangement la paix au moins ébranlée de l'Europe.

«Lord Palmerston n'a contesté aucune de mes propositions: il m'a parlé de l'esprit de conciliation manifesté par le gouvernement du roi avec l'expression de la plus vive satisfaction: «Mais ce même esprit de conciliation est déjà acquis en fait, m'a-t-il dit, au cabinet britannique! C'est aux vœux empressés de la France qu'est due la démarche relative au retrait de la déchéance du vice-roi d'Égypte, déchéance encourue aux termes du traité du 15 juillet!»

Là s'arrêtait l'Angleterre. Elle réclamait l'exécution complète du traité du 15 juillet en ce qui concernait la Syrie, et se refusait à toute concession au delà de ces termes.

Cependant la négociation se poursuivait, l'ambassadeur d'Autriche appuyait celui de Prusse, quand les événements de Syrie s'accomplirent. Acre tomba; le Taurus fut évacué. Il ne resta plus au pacha aucune force efficace en Syrie; il ne lui resta que des troupes débandées, découragées. Dès ce moment, il fut impossible d'obtenir pour le pacha quelque chose de plus que l'Égypte; dès ce moment, les puissances mêmes qui nous avaient d'abord prêté leur appui dans la tentative d'obtenir une concession plus large, se retirèrent, disant que les événements avaient prononcé, qu'il était impossible de défaire, par des négociations à Londres, ce qui avait été fait par les armes en Syrie.

À l'instant s'éleva la question d'Égypte, et c'est ici la seconde phase de la négociation; à l'instant il nous fut évident que l'Égypte elle-même était menacée. À Constantinople, la Porte ne pouvait entrevoir sans plaisir la possibilité d'achever la ruine du pacha, de lui enlever l'Égypte. L'ambassadeur d'Angleterre, qui, depuis longtemps, poursuivait à Constantinople la ruine du pacha, sa ruine complète, ne pouvait non plus entrevoir cette perspective sans y entrer vivement. Je suis persuadé que le dessein prémédité de détruire le pacha en Égypte n'a point fait partie de la politique active du cabinet britannique; mais il en admettait la chance: il n'avait pas d'ardeur pour la faire échouer; et lorsque les événements semblaient la faire entrevoir, la Porte et l'ambassadeur de Londres à Constantinople y poussaient; à Londres, lord Palmerston s'en défendait mollement; il laissait entrevoir que si les chances de la guerre allaient jusque-là, si une insurrection éclatait en Égypte comme elle avait éclaté en Syrie, après tout, le pacha ayant encouru la déchéance, ni la Porte ni les puissances n'étaient obligées de se donner beaucoup de peine pour lui conserver l'Égypte. Le maintien de l'Égypte entre les mains du pacha fut dès lors une œuvre difficile. Quelques pièces le prouveront à la Chambre.

M. de Bourqueney m'écrivait le 18 novembre:

«Si Méhémet-Ali, me disait lord Palmerston, persistant dans sa résistance, refusait de renvoyer la flotte, même après l'évacuation de la Syrie, s'il continuait une attitude hostile au sultan, une attitude qui fût vraiment un essai d'indépendance, nous ne pourrions plus conseiller au sultan de retirer son décret de déchéance. La Porte serait même autorisée à suivre les opérations militaires jusque contre l'Égypte rebelle...

«J'ai interrompu lord Palmerston par ces mots: «Le traité du 15 juillet n'a rien stipulé pour le cas dont vous me parlez; je ne puis consentir à le discuter.»

«Mais, a repris lord Palmerston (et il était allé prendre un exemplaire du traité), le préambule *comprend tout*...

«Je sais que l'article 7 de l'acte séparé stipule formellement qu'en ce qui concerne l'Égypte, les puissances alliées ne s'engagent qu'à des *conseils*.»

«Lord Palmerston a timidement argumenté.

«Non, milord, ai-je repris, il faudrait un nouveau et bien plus *grave traité*.»

«Lord Palmerston n'a rien répondu; mais je le connais assez pour affirmer que son esprit ne s'est pas même encore placé sérieusement en face de l'éventualité qu'il venait de m'indiquer.»

Et le 29 novembre:

«Je ne sais s'il faut uniquement attribuer à la prise d'Acre et à l'enivrement de ce succès un certain renouvellement de zèle pour les intérêts du sultan, même en Égypte; mais lord Palmerston, après m'avoir exprimé, il est vrai, l'espoir que toutes les circonstances rendaient en ce moment vraisemblable la soumission du vice-roi, après m'avoir ajouté que, dans ce cas, les quatre puissances tiendraient leur promesse à Constantinople, et demanderaient la conservation de l'hérédité de l'Égypte dans la famille de Méhémet-Ali, lord Palmerston a conclu avant-hier par ces mots: «Bien entendu qu'il ne se sera passé aucun événement entre les dernières dates et l'arrivée de l'officier porteur de nos paroles à Alexandrie.» Et comme je le regardais d'un air étonné qui exigeait l'explication du mot *événement*. «Bien entendu, a-t-il repris, qu'il n'y aura pas eu d'insurrection en Égypte.»

«Et quand il y aurait eu une insurrection, ai-je répondu, cela ajouterait-il un article au traité du 15 juillet? Cela vous donnerait-il le droit d'offrir plus que des conseils à la Porte? Cela autoriserait-il la présence d'un seul de vos *marins* sur le territoire égyptien, le voyage d'un seul de vos bâtiments pour transporter des soldats turcs en Égypte?»

«Lord Palmerston hésitait à s'expliquer: la question de *droit* était au moins incertaine dans son esprit.

«Mais, a-t-il repris, ne parlons pas d'insurrection; supposons que Méhémet-Ali, après la Syrie évacuée, garde la flotte turque et refuse de se soumettre, est-ce que la concession de l'hérédité de l'Égypte ne se trouvera pas de fait annulée? Est-ce que nous pourrions laisser le souverain dans cette situation relative avec le vassal?»

«J'ai interrompu de nouveau: «Eh bien, ai-je dit, je ne vois, je ne puis consentir à voir, même dans cette hypothèse, qu'une occasion de *conseils* à la Porte; je n'y vois rien surtout qui autorise les quatre puissances à entrer de vive force dans des événements d'un ordre qui n'est pas prévu par leurs propres stipulations. Comment, arrivée à cette phase, la question égyptienne ne se résoudrait pas par la négociation! N'est-il pas évident comme la lumière du jour que ce ne saurait plus être alors qu'une affaire de patience pour laisser à la vérité le temps de reprendre son empire à Alexandrie? Brusquer le dénoûment au lieu de l'attendre, ce serait faire naître d'une question vidée une question peut-être bien plus grave que celle qu'elle remplacerait.»

«Lord Palmerston n'a voulu ni me contredire, ni engager son consentement.

«L'état vrai de son esprit me semble celui-ci:

«Au fond, il croit à la soumission de Méhémet-Ali; mais si Méhémet-Ali ne se soumet pas, il voudrait avoir réservé sa liberté d'action. Tant qu'il ne le fera ici que par des paroles, je suis peu inquiet; ma seule sollicitude se porte sur quelque démarche ordonnée de Londres sur le théâtre même des événements.

«C'est dans cette pensée que j'ai dirigé hier ma conversation avec le baron de Bulow et avec le prince Esterhazy. Je n'avais point avec eux le même intérêt qu'avec lord Palmerston à circonscrire étroitement les limites de la discussion. Je les sais tous deux préoccupés, au moins autant que moi, de la nécessité de maintenir l'Égypte hors du débat. Leurs instructions sont positives comme leurs intentions.»

Vous le voyez, messieurs; ici commence à se manifester, entre les quatre puissances, une dissidence réelle; ici nous commençons à trouver dans les cours allemandes un véritable appui, je ne dirai pas contre les intentions, mais contre les velléités d'une politique tentée de profiter des événements pour pousser plus loin ce qu'elle regarde comme sa fortune.

Cet appui se déclara bientôt plus hautement encore. Le 1er décembre, M. de Saint-Aulaire m'écrivit de Vienne:

«Vivement préoccupé de la crainte que l'Égypte ne fût compromise ou qu'elle fût préservée indépendamment de notre influence, M. de Metternich a défendu au baron de Sturmer de s'associer à la démarche prescrite par lord Palmerston pour engager la Porte à relever Méhémet-Ali de la déchéance, sous la condition qu'il évacuerait immédiatement la Syrie et restituerait la flotte ottomane. Cette démarche, faite en temps inopportun, pouvait en effet produire une complication nouvelle; le refus de Méhémet-Ali était à prévoir tant qu'il conservait des forces en Syrie, et un accommodement ultérieur en devenait d'autant plus difficile. Si, au contraire, Méhémet-Ali se fût soumis sans consulter la France, nous perdions une occasion de nous rencontrer sur le même terrain que les signataires du 15 juillet, occasion d'autant plus favorable que chacun sera resté fidèle aux antécédents de sa politique: les puissances, en exécutant les stipulations de leur traité, et la France, sans y adhérer, n'intervenant que pour en empêcher les conséquences extrêmes.

«La prise de Saint-Jean d'Acre, ou le mauvais succès de l'attaque tentée sur cette place, était le terme fixé dans la pensée du prince de Metternich pour reprendre les négociations et les pousser avec vigueur. Depuis que le résultat est connu, nos relations, devenues plus rares ainsi que je l'ai dit en commençant cette dépêche, ont repris une grande activité; chaque jour il m'écrit ou me fait prier de venir causer avec lui. Avant-hier, il m'a communiqué une expédition de Saint-Pétersbourg, du 17 novembre, qui présente l'empereur Nicolas comme parfaitement d'accord avec l'Autriche quant à la conservation de l'Égypte sous le gouvernement héréditaire de Méhémet-Ali. M. de Metternich voyait un gage de l'adhésion de l'Angleterre à cette même politique dans l'ordre donné récemment par lord Palmerston à l'amiral Stopford de négocier à Alexandrie la réconciliation du vice-roi et du sultan. Pour ma part, j'inclinais plutôt à voir dans cette intervention une nouvelle tentative pour écarter la France de l'arrangement définitif, et lui enlever le mérite d'avoir sauvé Méhémet-Ali. Fort empressé de dissiper ce soupçon, le chancelier m'a annoncé hier matin que, sur les représentations du prince Esterhazy, lord Palmerston avait reconnu la convenance de vous informer, monsieur le ministre, de la démarche prescrite à l'amiral Stopford, en vous priant de vous y associer. Notre assentiment à cette demande a été considéré comme le gage d'une réconciliation générale et l'on en éprouve ici une vive joie.

«Une difficulté subsiste cependant encore. Après l'irritation qui a existé entre elles, il faut un à-propos pour que les puissances avancent l'une vers l'autre avec bonne grâce, et se tendent amicalement la main. M. de Metternich croit avoir trouvé l'expédient désirable dans l'assurance qui serait donnée, par les puissances signataires du traité du 15 juillet, qu'elles désirent se maintenir avec la France dans les meilleurs rapports de concorde et d'amitié, et que, conséquemment à ce vœu, ayant égard aux déclarations faites par notre gouvernement, elles renoncent à consommer la ruine de Méhémet-Ali, et interviendront même auprès du sultan pour lui faire obtenir la concession du gouvernement de l'Égypte, à titre héréditaire.

«Assurez M. Guizot, m'a dit M. de Metternich, que nous agirons dans ce sens, d'accord avec l'Angleterre, j'en suis certain; mais, m'expliquant dès aujourd'hui pour le compte de l'Autriche, je vous déclare qu'elle s'abstiendra de toute attaque contre l'Égypte, et qu'elle s'en abstiendra par égard pour la France. Si M. Guizot trouve quelque avantage à faire connaître cette vérité dans les Chambres, il peut la proclamer avec la certitude de n'être pas démenti par moi.»

Je sais, messieurs, que quelques personnes se plaisent à dire que c'était là un jeu joué, une politique convenue, qu'il n'y avait rien de sérieux au fond.

C'est cependant en soi quelque chose de sérieux que l'adhésion d'une grande puissance au vœu de la France, et son refus de pousser jusqu'au bout la politique dans laquelle ses propres alliés sont engagés. Mais quand j'accorderais que ceci a été écrit dans l'hypothèse que je pourrais m'en servir à cette tribune, voici un acte complétement étranger à une pareille intention; voici un acte qui s'est passé entre les quatre puissances elles-mêmes, sans aucune arrière-pensée de publicité; vous y verrez exactement ce que vous venez de voir dans la dépêche que j'ai eu l'honneur de vous lire, le parti pris par l'Autriche d'appuyer la politique de la France quant à l'Égypte, et de se refuser à la politique de l'Angleterre, si l'Égypte est menacée.

Voici le protocole d'une conférence tenue à Constantinople, au ministère des affaires étrangères, le 20 décembre 1840, entre le ministre des affaires étrangères de la Porte d'une part, et les envoyés d'Autriche, d'Angleterre, de Prusse et de Russie de l'autre.

«*M. le ministre des affaires étrangères* de la Porte dit:

«Vous savez, messieurs, qu'une lettre a été adressée par Méhémet-Ali à la Sublime-Porte, et vous en connaissez le contenu. La Sublime-Porte a également reçu avant-hier le *memorandum* de la conférence de Londres du 14 novembre. Le sultan m'a ordonné de vous demander, messieurs, si Méhémet-Ali s'est conformé, par cette lettre, à l'esprit du *memorandum*, et si sa soumission doit être considérée comme réelle.

«*M. l'ambassadeur d'Angleterre.*—Je pense que c'est au sultan qu'il peut seulement appartenir de décider ce point.

«*M. le ministre des affaires étrangères.*—Jusqu'ici il n'y a de la part de Méhémet-Ali que des paroles; s'il exécute les promesses faites dans la lettre, alors sa soumission pourra être considérée comme réelle.

«*M. l'ambassadeur d'Angleterre.*—Je laisse à mes collègues de décider là-dessus. Quant à moi, je ne vois pour le moment rien devant moi qui m'autorise à m'expliquer ni à énoncer une opinion.

«*M. l'internonce d'Autriche.*—Dans le but de me décharger de toute responsabilité et de faire clairement connaître les vues de mon gouvernement dans une circonstance aussi importante, j'ai cru convenable de mettre mon vote par écrit. Je vais en faire la lecture à la conférence:—«J'ai lu et relu avec la plus scrupuleuse attention la lettre que Méhémet-Ali vient d'adresser au grand-vizir et sur laquelle je suis appelé à dire mon opinion. Je n'y ai rien trouvé qui ne soit correct; le ton qui y règne m'a paru répondre à tous les sentiments de convenance. Il eût été désirable qu'il n'y eût pas été question de la convention du commodore Napier: mais nous sommes tous d'accord qu'il l'eût été bien plus encore que cette convention n'eût jamais été conclue; et Méhémet-Ali, en s'y référant, n'a fait que se prévaloir d'un avantage qui lui a été offert gratuitement. Il n'aurait tenu d'ailleurs qu'au capitaine Fanshawe de lui représenter qu'un acte, que les commandants alliés avaient déclaré nul et comme non avenu, ne devait pas être mentionné dans la lettre au grand-vizir. Mais je ne m'appesantirai pas sur cette circonstance qui, à tout prendre, n'a plus maintenant qu'un intérêt secondaire. Je reviens à la lettre de Méhémet-Ali: dans cette lettre, le pacha déclare être prêt à faire tout ce qu'on lui demande, et sous ce rapport sa soumission me paraît entière.

«Je serais donc d'avis que cette soumission fût acceptée, qu'un officier de Sa Hautesse fût envoyé à Alexandrie, que Méhémet-Ali reçût l'injonction de lui remettre la flotte ottomane; que, d'après les termes de l'acte séparé de la convention du 15 juillet, les commandants alliés fussent invités à assister à cette remise; que le pacha fût sommé d'évacuer les provinces ou villes de l'empire ottoman qu'occupent encore les troupes égyptiennes, et qui se trouvent situées en dehors des limites de l'Égypte; enfin, que le vizir, en répondant à sa lettre, lui annonçât que ces conditions, une fois remplies en entier, Sa Hautesse, par égard pour ses alliés, daignerait le réinstaller dans ses fonctions de pacha d'Égypte. Ce conseil est celui que la conférence de Londres a voulu que nous donnassions à la Sublime-Porte, dans le cas où Méhémet-Ali se rendrait à la sommation qui vient de lui être faite. Quant au tribut, aux forces de terre et de mer, et aux lois qui devront gouverner l'Égypte, ces points ont été réglés d'avance par la convention du 15 juillet, et il suffira d'exécuter, à cet égard, les stipulations que renferment les art. 3, 5 et 6 de l'acte séparé annexé à la convention.

«Je regarderais comme regrettable, à tous égards, toute hésitation de la Porte à se conformer aux conseils de ses alliés. Les plus brillants succès ont couronné leurs efforts en Syrie: ces succès ont dépassé nos calculs, nos prévisions, nos espérances. La Syrie est rentrée sous le sceptre de Sa Hautesse, et le principal objet de l'alliance se trouve ainsi rempli. Aller plus loin n'entre pas dans les vues des puissances alliées: la *conférence* de Londres s'est assez clairement prononcée à cet égard. La Sublime-Porte peut sans doute avoir de bonnes raisons pour désirer l'anéantissement de Méhémet-Ali; mais n'ayant pas les moyens de l'effectuer elle-même, ce serait sur ses alliés qu'en retomberait la charge. Or, voudrait-elle, pour prix des services qu'ils lui ont rendus, les jeter dans une entreprise qui mettrait en péril la paix générale, si ardemment désirée par tous les peuples et si heureusement maintenue jusqu'ici.

«C'est vers la France surtout que se porte aujourd'hui l'attention de nos *gouvernements*: cette puissance a droit à leurs égards et à leur intérêt; et si l'attitude menaçante et belliqueuse du ministère Thiers n'a pu les arrêter dans leur marche vers le but qu'ils se proposaient et qu'ils ont atteint, ils semblent désormais vouloir vouer tous leurs soins à ménager le ministère qui lui succède, et dont le langage annonce une politique sage, modérée et conciliante. Ils doivent, en conséquence, entrer dans sa position, faire la part des difficultés dont il est entouré, et ne pas l'exposer à se voir entraîné malgré lui dans une fausse route. Dans l'état où sont les esprits en France, un incident imprévu peut tout bouleverser; et n'est-il pas dans l'intérêt de tous et dans celui de la justice qu'on s'unisse franchement à ceux qui la gouvernent pour prévenir un pareil malheur?»

M. ODILON BARROT.—Continuez, glorifiez-vous-en!

M. *le ministre des affaires étrangères*.—Comment! messieurs, depuis trois mois on répète que si le pacha a été maintenu en possession de l'hérédité de l'Égypte, s'il a obtenu des conditions meilleures au moment où sa ruine semblait imminente, la France n'y est pour rien, qu'on n'a tenu aucun compte de la France, que l'influence de la France a été étrangère à tout ce qui s'est passé! Et au moment où l'on met sous vos yeux la preuve évidente que c'est en considération de la France que ces mesures ont été adoptées...

M. ODILON BARROT.—En considération de son ministère. (*Exclamations au centre.*)

M. *le ministre des affaires étrangères*.—Vous feriez au ministère une trop grande part. Comment, ce serait par égard pour le ministère, pour le ministère seul, pour le ministère qui parlait au nom de la France qu'on accorderait ce que la France a demandé, ce que le ministère précédent avait demandé lui-même, ce que la note du 8 octobre posait comme un cas de guerre! Eh bien, messieurs, j'accepte, pour le ministère du 29 octobre l'honneur que vous lui faites. (*Bravos au centre.*) S'il a obtenu cela, c'est que sa politique, en effet, a été sage et modérée... Et ne croyez pas que je sois embarrassé de ces termes, ne croyez pas que je les repousse. Dieu me garde de ne pas trouver bon que la politique du cabinet soit traitée de sage et de modérée à Londres et à Vienne comme à Paris, dans les cabinets des gouvernements européens comme au sein de cette Chambre! Oui, notre intention est qu'elle soit trouvée sage et modérée partout, et que, précisément parce qu'elle est sage et modérée, on fasse pour elle ce qu'on n'a pas fait pour une politique menaçante et agressive. (*Nouvelle approbation au centre.*) Oui, nous nous en glorifions; nous croyons que c'est là un service rendu à la France, un service qui honore le cabinet et qui élève l'influence de notre pays. (*Très-bien! très-bien!*)

Je tenais à établir un fait, précisément le fait qu'on a nié: que c'est devant l'influence de la France, devant la considération de la France, devant le désir de rentrer en bonne intelligence avec elle, que la dissidence s'est introduite entre les quatre puissances, et qu'une portion d'entre elles a fermement maintenu ce que l'autre portion avait quelque velléité de ne pas maintenir. C'est le fait que je tenais à mettre en lumière, c'est le fait qui a marqué la seconde phase de la négociation. Oui, c'est en considération de la France, c'est par le désir de vivre en bonne intelligence avec elle, de maintenir, de concert avec elle, la paix générale de l'Europe, que l'hérédité a été accordée au pacha, que toute tentative contre lui, en Égypte, s'est arrêtée, et que le but réel de la note du 8 octobre a été atteint, par l'influence et sans la menace, comme je le disais à cette tribune l'an dernier.

Dans le cours du mois de janvier, la question a été décidée: la Porte cédant aux représentations de ses alliés, et parmi les alliés, l'Angleterre cédant à la crainte de voir l'Autriche et la Prusse se séparer effectivement de la coalition et refuser désormais à la Porte leur appui moral et matériel, l'hérédité a été formellement accordée au pacha.

Une fois l'hérédité accordée, la question d'Égypte semblait terminée. Alors a commencé à se manifester à Londres, de la part des puissances, le désir de rentrer officiellement en bons rapports avec la France: on a commencé à nous faire des ouvertures.

Qu'avons-nous répondu? Qu'il fallait que la question d'Égypte fût réellement réglée, qu'il ne suffisait pas que l'hérédité fût accordée en principe au pacha, qu'il fallait voir quelles conditions lui seraient faites, de quelle manière sa situation serait réglée dans cette Égypte qu'on lui concédait héréditairement; que, jusque-là, tant que cette question ne serait pas résolue, la France ne pouvait considérer le traité du 15 juillet comme éteint.

On nous disait qu'il était éteint; on nous disait qu'on ne ferait plus rien en vertu du traité du 15 juillet; que les puissances se considéraient comme dégagées des obligations qu'il leur imposait; que, désormais, si de nouveaux différends s'élevaient entre le sultan et le pacha, ils se videraient entre eux, sans aucune intervention des puissances étrangères. On nous l'assurait à Londres.

Nous répondions: Nous croyons à votre assurance, mais elle ne nous suffit pas: il nous faut le fait, il faut que la situation du pacha soit effectivement réglée.

Pendant que ces pourparlers avaient lieu, arriva en Occident le hatti-schérif du 13 février, qui réglait les conditions de l'existence du pacha héréditaire. Que contenait-il? Une hérédité mensongère, mise à la merci de la Porte qui restait maîtresse de choisir dans la famille de Méhémet-Ali son successeur; le pacha, dépouillé de la réalité de l'administration de l'Égypte, obligé de payer un tribut, et quel tribut? le quart du revenu brut de l'Égypte; et, pour constater ce revenu, des hommes de la Porte, des employés du sultan placés à côté du pacha, contrôlant l'administration de l'Égypte, et, par conséquent, nulle réalité dans le pouvoir administratif du pacha. En même temps la destruction du pouvoir militaire du pacha: tout droit de nommer les chefs de corps de ses troupes lui était retiré; il était obligé de faire approuver par la Porte toutes ses nominations d'officiers.

Il avait accepté beaucoup d'autres conditions du hatti-schérif du 13 février. Il se refusa à celles-ci; il réclama auprès de la Porte contre la non-hérédité, contre la destruction de son pouvoir administratif et de son pouvoir militaire.

Au même instant, la France déclara que la question n'était pas terminée pour elle; qu'elle ne voyait là rien de ce qu'elle avait attendu; que l'hérédité n'existait pas; qu'elle était soumise à de telles conditions que le pacha ne pourrait vivre en paix avec la Porte; qu'il recommencerait à chaque instant à lutter contre elle pour s'affranchir; que le but qu'on avait voulu atteindre n'était pas atteint; qu'il ne pouvait l'être à de telles conditions; que la France, en un tel état des choses, ne pouvait reconnaître que la question fût réglée, ni donner sa signature aux ouvertures qu'on lui avait faites.

Cependant, pour prouver sa bonne foi et sa parfaite sincérité dans les négociations, le cabinet consentit à parapher les projets d'actes qui lui avaient été communiqués, et dans lesquels plusieurs modifications importantes, non pas de simples modifications grammaticales, comme on l'a dit à cette tribune, mais des modifications qui touchaient au fond des choses, qui changeaient le véritable caractère des actes, avaient été adoptées.

Le cabinet, dis-je, consentit à parapher les actes pour constater sa bonne foi, déclarant qu'il ne les signerait définitivement que lorsque la question d'Égypte serait réellement terminée, lorsqu'on aurait réellement assuré l'existence du pacha à des conditions raisonnables et qui lui permissent de vivre en paix avec le sultan.

Ces négociations ont rempli plusieurs mois. La même situation que j'indiquais tout à l'heure à la Chambre s'y est reproduite. Les puissances allemandes ont pesé à Constantinople pour obtenir de la Porte les concessions nécessaires pour que la France signât les actes qu'on lui avait offerts. Plus d'une fois l'ambassadeur d'Angleterre à Constantinople, et peut-être le ministre britannique à Londres, ont entrevu la possibilité que ces négociations ne réussissent pas, qu'un conflit nouveau s'élevât entre le sultan et le pacha, dans lequel le pacha succomberait peut-être. L'intervention active des puissances allemandes a décidé la question dans notre sens; le hatti-schérif a été modifié dans toutes les parties essentielles sur lesquelles le pacha avait réclamé.

Je prie la Chambre de bien remarquer ce point: toutes les réclamations essentielles du pacha ont été accueillies; par le hatti-schérif du 25 mai, l'hérédité réelle lui a été assurée; le pouvoir administratif lui a été rendu; toute surveillance directe de la Porte en Égypte a été supprimée; un tribut fixe a été substitué au quart du revenu brut de l'Égypte. Le pouvoir militaire réel lui a été rendu également: le pacha a le droit de nommer tous les chefs de corps; pour les généraux seulement, il est obligé d'obtenir le consentement de Constantinople.

Aussi, lorsque le hatti-schérif du 25 mai est arrivé à Alexandrie, à l'instant même le pacha s'en est saisi comme d'un triomphe pour lui, comme de la meilleure solution qu'il pût espérer.

Voici les termes des deux dépêches d'Alexandrie, l'une du 12 juin, l'autre du 6 août; la première après la réception à Alexandrie du hatti-schérif du 25 mai, la seconde après l'arrivée à Alexandrie de la nouvelle que la convention du 13 juillet venait d'être signée à Londres:

«Le 10 au matin, le vice-roi, entouré des principaux dignitaires de l'Égypte, a reçu les deux envoyés ottomans dans la grande salle de son palais de Rasettin. Muhib-Effendi lui ayant présenté le hatti-schérif, Méhémet-Ali l'a porté sur ses lèvres et sur son front, et Samy-Bey en ayant fait la lecture à haute voix, le pacha s'est revêtu de la décoration envoyée par le sultan. Des salves de toutes les batteries des forts et de l'escadre, un pavoisement général et d'autres démonstrations publiques ont signalé à la ville la promulgation solennelle du décret impérial.

«Si, comme Méhémet-Ali s'en montre persuadé, d'après le soin qu'a mis le divan à écarter du hatti-schérif d'investiture la question du tribut et à retarder encore le départ des quatre consuls généraux, quelques objections de sa part sur le chiffre arrêté sont attendues à Constantinople, si, au fond, comme il l'espère, l'on y est disposé à résoudre la difficulté par une nouvelle transaction, le parti que vient de prendre le pacha est incontestablement le plus sage. Tout en se réservant de faire atténuer encore, par la voie des négociations, l'obligation la plus onéreuse qui résulte pour lui de la solution qui lui est offerte, il s'empare de toutes les importantes concessions garanties par le hatti-schérif modifié, et met un terme à la situation d'antagonisme dans laquelle les derniers événements l'avaient placé à l'égard de l'Europe.

«J'ai revu hier matin Méhémet-Ali, et je l'ai trouvé fort satisfait de la situation actuelle de ses affaires. Il m'a dit que Muhib-Effendi s'étant chargé de rendre un compte détaillé de la promulgation du hatti-schérif par le retour du paquebot russe qui est reparti ce matin, il attendrait, pour répondre officiellement au divan, le départ de cet envoyé ou celui de Kémial-Effendi, à la disposition desquels il tient un bateau à vapeur. Je serais tenté de croire, monsieur le ministre, que Muhib-Effendi s'est engagé à appuyer assez vivement, auprès de la Porte, les considérations que le pacha ne cesse de faire valoir contre un tribut annuel de 80,000 bourses, et que les deux envoyés ne prolongent leur séjour ici que pour recueillir, à cet effet, les éléments sur lesquels le vice-roi appuie ses calculs. Quoi qu'il en soit, Méhémet-Ali m'a paru plein d'espoir dans une solution, plus favorable pour l'Égypte, de cette dernière difficulté; et, sachant que j'écrivais à M. de Pontois par le paquebot russe, il m'a prié de signaler de nouveau à notre ambassadeur les objections qu'il élève contre la quotité de tribut fixée, tout en l'informant de la déférence avec laquelle il avait accueilli le nouveau hatti-schérif d'investiture.»

Et plus tard, lorsqu'on apprend que la France, voyant la question définitivement réglée, a enfin consenti à signer la convention du 13 juillet:

«Je me suis rendu, sur-le-champ, auprès du vice-roi pour lui communiquer la nouvelle officielle de la signature à Londres du protocole final et de la convention du 13 juillet. Dans des entretiens précédents, j'avais eu souvent l'occasion de calculer d'avance avec Méhémet-Ali les conséquences de la transaction déjà paraphée; mais bien que la conclusion en fût depuis longtemps attendue à Alexandrie, j'ai pu remarquer que le vice-roi a accueilli avec une grande satisfaction la nouvelle de la signature définitive. Méhémet-Ali me paraît apprécier, monsieur le ministre, avec sa sagacité habituelle, toute la portée de l'acte qui met solennellement un terme à l'union exclusive des quatre puissances dont les efforts combinés ont menacé jusqu'à son existence politique. Il s'applaudit de voir la France reprendre, avec les quatre autres grandes cours de l'Europe, des relations qui ne lui interdisent plus d'exercer son influence salutaire dans les affaires du Levant d'une manière active et officielle. Il me semble enfin partager entièrement avec moi l'espoir que les conseils isolés des puissances dont il redoute les dispositions à Constantinople ne pourront plus exercer sur le divan l'action que l'on n'était que trop fondé à attendre de leur intervention collective au nom d'une conférence européenne, aujourd'hui virtuellement dissoute. «Je n'ai plus, dès ce jour, à compter avec l'Europe,» m'a dit le pacha en apprenant que la conclusion de la convention de Londres pouvait être regardée comme certaine et définitive, «je suis en face de la Porte seule, et c'est en famille que nous réglerons dorénavant nos affaires.»

Voilà, messieurs, quel a été le jugement du pacha sur cette convention si vivement attaquée devant vous; voilà ce qu'il en a pensé; voilà comment il y a vu le terme des difficultés de sa propre situation: il a compris que, d'une part, si elle mettait un terme, en Occident, à l'isolement de la France, elle mettait un terme, en Orient, à son propre isolement, à lui, en face de toute l'Europe; il a compris qu'elle le laissait seul avec la Porte, qu'elle rétablissait, avec la bonne intelligence dans l'Occident, l'unité entre les musulmans en Orient, qu'ainsi le grand but que la France s'était proposé à cet égard était atteint, autant que la faiblesse de la résistance égyptienne nous en avait laissé les moyens, autant que, par de simples négociations, on pouvait se flatter d'y réussir.

Sans doute, si le pacha s'était défendu énergiquement en Syrie, si sa puissance avait eu des racines plus fortes, il aurait obtenu davantage. Mais personne ne peut prétendre être à l'abri de sa propre faiblesse; personne ne peut prétendre que la protection, la bienveillance d'une puissance étrangère le dispense de se défendre soi-même et d'être fort pour son propre compte. Il est impossible de suivre de près les diverses phases de cette affaire sans être convaincu de ces deux points: que la France a obtenu pour le pacha tout ce qu'il était possible d'obtenir après ses malheurs; qu'elle l'a obtenu par la voie de l'influence, par son poids dans les conseils de l'Europe, dans ces conseils auxquels elle n'assistait pas, mais dans lesquels son absence se faisait sentir. La France a obtenu pour le pacha une existence durable et des rapports réguliers possibles avec la Porte. C'est à Méhémet-Ali et à ses enfants à faire le reste; c'est à eux, en restant dans les termes du hatti-schérif, en en remplissant envers la Porte toutes les conditions, en exerçant sagement la mesure de force et d'indépendance qui leur est assurée, c'est à eux de fonder en Égypte quelque chose de durable, quelque chose qui subsiste par soi-même et qui rende à la France des services correspondants à ceux que la France lui a rendus malgré les difficultés de la situation.

Maintenant, messieurs, les choses conduites à ce terme, la question turco-égyptienne effectivement terminée, qu'avait à faire la France? Fallait-il qu'elle restât dans son isolement? Pourquoi? Je demande qu'on m'en donne un motif sérieux. La question turco-égyptienne était réglée. Restait la question de Constantinople. Quel est le but que se propose, depuis longtemps, la politique européenne à l'égard de Constantinople? C'est de soustraire officiellement Constantinople à tout protectorat exclusif, de faire admettre la Turquie dans le droit européen, de faire en sorte que la Turquie ne soit plus le Portugal de la Russie. (*Sensation.*)

Voilà quel a été, depuis cinquante ans, le véritable but de la politique européenne, de la bonne politique. Eh bien, messieurs, on a fait un pas vers ce but. Sans doute, on n'a pas mis la Porte à l'abri de toutes les ambitions, de toutes les chances de l'avenir; mais il y a un acte officiel, signé de toutes les grandes puissances de l'Europe, qui fait entrer la Porte dans le droit public européen, qui déclare commune l'intention de toutes les grandes puissances de respecter l'inviolabilité des droits du sultan et de consolider le repos de l'empire ottoman.

Je le demande, messieurs, si, avant ces derniers événements, un pareil acte avait été tout à coup présenté à l'Europe, si l'on avait montré la Russie le signant comme les autres puissances, est-ce que cela n'aurait pas été regardé comme une conquête de la politique européenne? Est-ce que cela n'aurait pas été regardé comme une grande et heureuse innovation? C'est cependant là ce qui a été obtenu: en même temps que la question turco-égyptienne était réglée aussi bien que le permettaient les faits accomplis, en même temps la question de Constantinople était réglée mieux qu'elle ne l'avait jamais été depuis qu'on en parlait.

Y avait-il donc une raison pour que la France ne sortît pas de son isolement? La France avait-elle été au-devant des puissances? Leur avait-elle demandé à rentrer dans le concert européen? Lui imposait-on quelques conditions qu'elle ne pût, qu'elle ne dût pas honorablement accepter? On ne lui imposait aucune condition, on ne lui demandait rien; on lui demandait tout simplement ce qu'elle avait toujours elle-même proclamé le but de sa politique. Permettez-moi de vous le dire, il eût été insensé de refuser; il eût été impossible de donner une raison sérieuse pour un entêtement puéril dans un isolement inutile. (*Aux centres:* Très-bien!) Ce que le cabinet a fait, c'est ce que tout homme sensé, étranger aux préoccupations de l'esprit de parti, eût fait nécessairement dans une pareille circonstance. (*Nouvelle approbation.*)

Messieurs, on s'effraye de ces mots *concert européen*. Oui, la France est rentrée dans le concert européen: cela veut-il dire que la Sainte-Alliance est ressuscitée, que la France s'est engagée dans quelque coalition semblable? Cela veut-il dire que la France a abdiqué une portion quelconque de son indépendance, de sa politique? Non, messieurs, il n'y a point d'engagement sur aucun point déterminé; il n'y a point de traité conclu dans tel ou tel but; il n'y a aucune abdication d'aucune partie de la politique, de l'indépendance de la France. Ce qu'on appelle le *concert européen*, c'est simplement l'esprit de paix entre les grandes puissances de l'Europe; c'est simplement la manifestation de cette pensée commune que, si quelque grand événement survient, avant de recourir aux chances de la guerre, on essayera de s'entendre et de résoudre en commun les grandes questions politiques. Voilà ce qu'on appelle le concert européen. (*Très-bien!*)

Messieurs, c'est à cette politique que, depuis plus de vingt-cinq ans, l'Europe doit la paix: c'est à cette politique que la Grèce doit son existence; c'est à cette politique que la Belgique doit son existence. Jamais de tels événements ne s'étaient ainsi accomplis pacifiquement, régulièrement, par la seule puissance des négociations et du bon sens européen. (*Nouvelles marques d'approbation au centre.*)

C'est la politique du concert européen qui a obtenu ces résultats: elle ne nous a rien coûté, aucun sacrifice d'indépendance, ni de politique; elle a maintenu la paix, elle a fondé des États, elle a mis la stabilité là où autrefois seraient venus le bouleversement et la guerre. (*Approbation au centre.*)

Messieurs, il faut savoir choisir dans ce monde. Il n'y a, pour un pays sensé, que trois systèmes de politique possibles: les alliances, l'isolement ou l'indépendance au sein de la bonne intelligence avec tout le monde.

Les alliances intimes, déterminées, je crois que, pour nous, le moment en est passé. (*Chuchotements.*)

Je ne dis pas cela pour méconnaître les services qu'une alliance réelle et intime avec la Grande-Bretagne nous a rendus lorsqu'en 1830 nous avons fondé notre gouvernement. Pour mon compte, quels que soient les événements qui sont survenus depuis, quels que soient ceux qui pourraient survenir, j'ai un profond sentiment de bienveillance pour le peuple généreux qui, le premier en Europe, a manifesté de vives sympathies pour ce qui s'était passé en France; pour le gouvernement sensé et courageux qui, le premier, a hautement avoué notre cause et accepté notre amitié. (*Approbation au centre.*) C'est un vrai service que l'Angleterre nous a rendu, et je suis bien aise aujourd'hui même, après ce qui s'est passé, je suis bien aise de lui en exprimer ici ma reconnaissance. (*Nouvelle approbation au centre.*)

Mais les événements suivent leur cours, les années n'ont pas toutes les mêmes nécessités; les temps sont changés. Des difficultés sont survenues; la diversité des politiques des deux pays s'est manifestée sur plusieurs points; l'alliance intime n'existe plus.

Une voix à gauche.—Dieu merci!

M. le ministre.—Est-ce à dire que la politique de l'isolement doive être la nôtre et remplacer celle des alliances. Ce serait une folie. Messieurs, ne vous y trompez pas, la politique d'isolement est une politique transitoire qui tient nécessairement à une situation plus ou moins critique et révolutionnaire. On peut l'accepter, il faut l'accepter à certain jour; il ne faut jamais travailler à la faire durer. (*Très-bien!*) Il faut, au contraire, saisir les occasions d'y mettre un terme, dès qu'on le peut sensément et honorablement.

Quelle politique avons-nous donc aujourd'hui? Nous sommes sortis de l'isolement; nous ne sommes entrés dans aucune alliance spéciale, étroite; nous avons la politique de l'indépendance en bonne intelligence avec tout le monde; nous sommes, avec toutes les puissances de l'Europe, dans des rapports réguliers et pacifiques, plus ou moins bienveillants, plus ou moins empressés (*Rires à gauche*), partout réguliers et pacifiques; nous sommes, je le répète, dans la politique de l'indépendance et de la bonne intelligence. Regardez-y bien; c'est celle vers laquelle tous les gouvernements sensés, tous les peuples éclairés tendent aujourd'hui; c'est celle que l'Angleterre elle-même pratique.

Pour vous, voici l'alternative où vous êtes places. (*Mouvement d'attention.*) Si vous restez dans l'isolement, vous resserrez à l'instant même l'alliance des quatre grandes puissances contre vous ou du moins en dehors de vous. Si vous contractez une alliance intime, étroite, avec l'Angleterre, à l'instant vous coupez l'Europe en deux, vous faites ce qu'on a appelé l'alliance des États constitutionnels et l'alliance des États despotiques.

L'alliance intime avec l'Angleterre a pour vous cet inconvénient qu'elle resserre l'alliance des trois grandes puissances continentales.

L'isolement a pour vous l'inconvénient plus grave encore de resserrer l'alliance des quatre grandes puissances.

Ni l'une ni l'autre situation n'est bonne. Que chaque puissance agisse librement suivant sa politique, mais dans un esprit de paix, de bonne intelligence générale: voilà le véritable sens du concert européen tel que nous le pratiquons. Voilà la situation dans laquelle nous sommes entrés par la convention du 13 juillet.

Croyez-vous que notre pays y ait perdu?

Je demande à la Chambre la permission de me reposer un moment.

La séance est suspendue quelques minutes.

Messieurs, je voudrais terminer ici ce débat, et descendre de cette tribune, car j'ai traité complétement, je crois, la question spéciale qui m'y a fait monter. J'ai fait connaître à la Chambre les diverses phases de la négociation; j'en ai discuté les résultats; j'ai montré dans quelle situation se trouvaient aujourd'hui les questions diverses et les divers intérêts qui y étaient engagés.

En Orient, Alexandrie et Constantinople.

En Occident, les rapports de la France avec l'Europe, le concert européen, les alliances, l'indépendance nationale.

Il semble que j'ai tout dit.

Mais il y a une autre question qui me tient à cœur autant qu'à ceux qui l'élèvent si bruyamment tous les jours; c'est ce qu'on appelle l'abaissement de mon pays, le défaut de dignité de sa politique. Je regrette qu'une telle question soit ainsi vaguement posée. À mon avis, nous ne devrions monter à cette tribune, surtout en matière de politique extérieure, que pour y débattre des questions réelles, actuelles, pour savoir comment les affaires de notre pays ont été conduites en chaque occasion, si elles l'ont été selon ses intérêts et son honneur. J'ai peu de goût, je l'avoue, pour ces conversations universelles, sans objet précis, qu'on recommence sans cesse pour prouver l'abaissement de notre pays. Cependant, et bien qu'à regret, j'y entrerai. On a abusé si étrangement de ces idées vagues pour irriter, pour égarer, pour attrister la France, que, quelque inconvénient qu'il puisse y avoir, il faut bien que je les aborde à mon tour, et que je nie ce dont on nous accuse.

Tout cela est faux. Il n'est pas vrai que, depuis 1830, la France soit abaissée. (*Mouvement et exclamations à gauche.*) Il n'est pas vrai qu'elle ait perdu de son influence et de sa dignité en Europe.

La France a débuté en 1830 par l'acte d'indépendance le plus grand, le plus éclatant que jamais un peuple ait accompli: elle s'est dégagée de toute influence, de toute apparence d'influence étrangère dans ses affaires intérieures et dans son gouvernement. Depuis 1830, qu'a-t-elle fait? On dit que des événements analogues aux nôtres se sont produits en Europe et que la France les a abandonnés, qu'elle a trahi la cause des peuples après avoir fait triompher la sienne. Cela n'est pas vrai. D'abord je n'accorde pas aisément qu'il se soit accompli en Europe des événements analogues à la révolution de 1830. (*Au centre*: Très-bien! très-bien!) Je ne reconnais pas la parenté, la fraternité de toutes les révolutions avec la nôtre. Nous avons eu pour notre révolution des motifs légitimes, une nécessité impérieuse, évidente; aucun des événements qu'on appelle analogues en Europe ne s'est produit avec de tels caractères. Cependant il n'est pas vrai que nous ayons abandonné, que nous ayons trahi tous ceux qui se sont produits. La Belgique, la Suisse, l'Espagne, nous les avons avouées et soutenues, nous les avons avouées et soutenues de manière à les faire réussir. Je sais que ce succès n'est pas complet, tranquille. Je sais que la Belgique, que la Suisse, que l'Espagne ont traversé, traverseront peut-être encore de douloureuses vicissitudes. Il n'en est pas moins vrai qu'après les avoir aidées au premier moment par notre éclatant aveu, nous les aidons encore tous les jours par l'appui de notre influence et de nos conseils. Voilà comment la France a abandonné les causes analogues à la sienne.

Deux autres pays, la Pologne et l'Italie, sont plus douloureux à nommer. Je crois qu'il est du devoir des bons citoyens de n'en pas parler. (*Rires aux extrémités.*) Ce que la France a fait, la politique qu'elle a suivie à cet égard, a été, à mon avis, bonne, sage, conçue dans l'intérêt de notre pays et selon les règles du droit des gens et de la raison. Je suis tout prêt à recommencer cette discussion si on l'exige; mais je ne la crois bonne pour personne.

Voilà comment la France a été abaissée depuis 1830, dans sa conduite envers les événements analogues à notre révolution. Prenez les autres parties de notre conduite au dehors, et dites-moi si vous y trouvez plus d'abaissement. Quand un intérêt français a exigé quelque part un déploiement de forces, y avons-nous manqué? Au Mexique, à Buenos-Ayres, partout, quand un intérêt national a appelé le déploiement de la force nationale, elle s'y est précipitée avec imprudence, plutôt qu'elle ne s'est contenue avec timidité. Et j'ajoute que partout où la force nationale s'est portée, elle a obtenu un résultat conforme aux vues de l'entreprise.

Il faut, messieurs, il faut donner un démenti éclatant à ces allégations d'abaissement et de pusillanimité contre toute notre politique en général depuis 1830. Cela est faux: à prendre notre politique dans son ensemble, nous n'avons abandonné aucune grande cause, aucun grand intérêt national.

On allègue, comme preuve d'abaissement, que nous n'avons pas conquis de territoire. Messieurs, vous êtes engagés, depuis dix ans, dans la conquête d'un grand territoire. La guerre d'Afrique est une conquête à laquelle vous travaillez tous les jours. Je sais qu'il y a beaucoup de personnes qui méprisent cette conquête et la regardent uniquement comme un fardeau. Cela s'est dit, messieurs, de beaucoup de grandes conquêtes analogues. Et, en effet, elles ont été longtemps un fardeau. Mais consultez l'Europe, consultez les connaisseurs en fait de conquêtes et d'agrandissement territorial; vous verrez ce qu'ils vous diront: ils regardent tous l'occupation de l'Afrique par la France comme un grand fait, comme un fait destiné à accroître beaucoup un jour son influence et son poids en Europe. Et pourtant ils reconnaissent que ce fait s'accomplit, s'affermit; ils n'ont plus la pensée de le contester et de le combattre. (*Mouvement.*)

M. de Saint-Aulaire m'écrivait, il y a trois mois, à propos des mesures que nous avons prises sur Tunis, et en me rendant compte d'une conversation qu'il avait eue avec lord Aberdeen:

Le comte de Saint-Aulaire au ministre des affaires étrangères.

«Londres, 4 octobre 1841.

«J'ai commencé par établir que la sûreté de nos possessions d'Afrique était pour nous un intérêt de premier ordre que nous ne pourrions laisser fléchir devant aucune considération. Lord Aberdeen, après m'avoir écouté attentivement, m'a dit: «Je suis bien aise de m'expliquer nettement avec vous sur ce sujet. J'étais ministre en 1830, et si je me reportais à cette époque, je trouverais beaucoup de choses à dire; mais je prends les affaires en 1841 et telles que me les a laissées le précédent ministère: je regarde donc votre position à Alger comme un fait accompli, contre lequel je n'ai plus à élever aucune objection.»

Est-ce là, messieurs, un symptôme de notre abaissement?

Mais, dit-on, nous ne nous connaissons pas en fait de dignité, notre politique en manque essentiellement. Messieurs, il y a deux éléments de la dignité politique: le droit et la force. Je conviens que, quand la force manque au droit, la dignité lui manque bientôt aussi également. Mais la force sans le droit ne suffit pas pour donner de la dignité à une politique, et nous l'avons trop souvent oublié: dans notre histoire contemporaine, la séparation de la force et du droit, le culte de la force est une idolâtrie que, pour mon compte, je répudie absolument. (*Approbation au centre.*)

Nous avons vu trop longtemps, à travers le déploiement de la force nationale, le droit oublié et méconnu. Le jour est venu où la force seule n'a plus suffi pour assurer la dignité, où, après avoir méconnu le droit des autres, après avoir méconnu la mesure, la sagesse qui est prescrite à la politique d'un grand pays, il a fallu porter nous-mêmes la peine de ces fautes.

On parle beaucoup de la politique de la Révolution et de l'Empire. À Dieu ne plaise que je méconnaisse les grands services que ces gouvernements ont rendus à notre pays! À Dieu ne plaise que je répudie l'héritage de leur gloire! Mais ne vous y trompez pas; c'est pour avoir méconnu le respect du droit, pour avoir trop cru en la force, et en la force seule, qu'ils ont imposé à notre pays de grandes souffrances, de grands sacrifices. En reconnaissant leurs bienfaits, en acceptant avec transport leur gloire, permettez-moi de reconnaître aussi leurs erreurs et tout ce qu'elles nous ont coûté.

Eh bien, c'est l'honneur de la France et de son gouvernement, depuis 1830, d'avoir soigneusement recherché l'union du droit et de la force, de n'avoir jamais cru qu'il lui fût permis de méconnaître le droit, de dépasser cette limite de mesure, de prudence, qui est commandée, par la nécessité autant que par la sagesse, aux plus puissants États.

Nous assistons, en vérité, à un étrange aveuglement: par une bonne fortune rare, nous sommes appelés à prospérer, à nous honorer, à grandir, à influer en Europe, par les voies régulières et morales, par le respect du droit, par l'ordre, par la paix; et on s'en plaint, on s'en dégoûte, on voudrait nous ramener dans les voies de la politique agressive et belliqueuse! Ah! messieurs, c'est méconnaître toutes les conditions actuelles de la grandeur et de l'influence; dans l'état actuel de l'Europe, c'est précisément à la politique tranquille et régulière, c'est précisément au maintien de tous les intérêts réguliers et pacifiques que la grandeur et l'influence sont attachées, aussi bien que la prospérité intérieure des nations. Ne nous détournons pas de cette voie pour nous faire marcher vers un abîme en nous traînant dans une ornière.

Je dirai plus: c'est méconnaître également la grande pensée, la pensée nationale de la France en 1789. Ce que voulait cette pensée, c'était, d'une part, le gouvernement libre, de l'autre, le développement pacifique de la civilisation générale. Voilà quel était l'instinct national, le vœu, et ce qu'on a appelé le rêve de la France en 1789. Le régime révolutionnaire, le régime impérial, les égarements de la propagande et de la conquête, ont été des déviations naturelles, inévitables, mais des déviations réelles de cette pensée primitive et profonde. (*Marques d'assentiment.*) Messieurs, nous y ramenons la France. Oui, nous entendons mieux que vous le véritable vœu de nos pères; nous sommes plus fidèles que vous à leur intime pensée politique: paix et liberté, c'était là leur vœu; c'était là le fond de toutes leurs croyances souvent aveugles, inexpérimentées, mais sincères et bienveillantes pour l'humanité tout entière.

Messieurs, j'ai vu sur nos bancs un homme de bien, un ami très-sincère et très-sévère de la liberté de son pays, M. Comte; il avait pris pour épigraphe de son journal le *Censeur européen*: «Paix et liberté.» C'est la vraie devise de la France. (*Éclats de rire sur quelques bancs de la gauche. Marques générales d'étonnement.*)

M. DE SADE.—On n'a pas ri de ce que vous avez dit, monsieur le ministre, on a ri d'autre chose qui s'est dit sur ces bancs. (*Mouvement.*)

M. *le ministre.*—Je n'en doute pas; je ne comprendrais pas comment on aurait pu rire de ce que je disais.

Je finis, messieurs, et je finis par ces mêmes paroles: l'union du droit et de la force, dans toute notre politique, la liberté au dedans, la paix au dehors, à moins d'une nécessité évidente et impérieuse qui nous oblige à rompre la paix, voilà notre politique; c'est la politique de la France depuis 1830. La France a grandi, la France grandira en prospérité et en influence par cette politique, et il y a autant de dignité que de sagesse à la pratiquer tous les jours. (*Marques nombreuses et prolongées d'approbation.*)

CXIV

Sur les conventions de 1831, 1833 et 1841 pour l'exercice du droit de visite en mer, afin d'arriver à l'abolition de la traite des nègres.

—Chambre des députés.—Séances des 22 et 24 janvier 1842.—

Dès l'ouverture de la session de 1842, et dans la première séance de la discussion de l'adresse (17 janvier), les conventions de 1831 et 1833, pour l'abolition de la traite des nègres par l'exercice du droit mutuel de visite, et la nouvelle convention conclue à Londres le 20 décembre 1841 dans le même but, furent vivement attaquées, entre autres par M. Billault qui proposa un amendement tendant à leur abolition. Je lui répondis:

M. GUIZOT.—Messieurs, l'honorable préopinant a déterminé lui-même avec précision le but de son amendement. Il s'agit de décider la Chambre à exprimer un blâme, un blâme positif contre les conventions conclues en 1831 et en 1833 pour rendre efficace la répression de la traite des noirs. Ce n'est pas uniquement du nouveau traité, non encore ratifié, qu'il s'agit, mais des conventions antérieures et du principe sur lequel elles reposent.

Je prie la Chambre de permettre que je lui retrace en peu de mots l'histoire de cette négociation.

La convention de 1831, conclue seulement entre la France et l'Angleterre, portait (art. 9): «Les hautes puissances contractantes au présent traité sont d'accord pour inviter les autres puissances maritimes à y accéder dans le plus bref délai possible.»

Des négociations furent constamment suivies pour amener l'adhésion des autres puissances maritimes.

Le Danemark, la Sardaigne, les villes hanséatiques, Lubeck, Brême, Hambourg, la Toscane, les Deux-Siciles, ont successivement adhéré au traité. Toutes ces puissances, dont l'honorable membre vous disait tout à l'heure qu'elles n'obtiendraient pas, comme la France l'avait obtenu, le droit de réciprocité, mais qu'elles seraient soumises à la visite absolue de l'Angleterre, toutes ces puissances ont accédé au traité et ont obtenu le droit de réciprocité comme la France. (*Aux centres:* Très-bien!—*Rires à gauche.*)

Voix à gauche.—Ce n'est pas étonnant, elles ont peur!

M. le ministre.—On peut sourire du principe de réciprocité; mais il est impossible de ne pas reconnaître que c'est la meilleure protection, le droit le plus efficace que les faibles puissent réclamer contre les forts. (*Dénégations à gauche.*)

Si, en toute occasion, les forts accordaient aux faibles, seulement en principe, la réciprocité, soyez sûrs que ce serait pour les faibles une grande conquête, et tenez... (*Interruption*) et tenez pour certain que ces mêmes puissances, qui ont accepté le traité à cause du principe de réciprocité, ne l'auraient pas accepté à d'autres conditions. J'ai une trop haute idée de leur honneur pour ne pas croire que c'est précisément le principe de réciprocité, introduit dans le traité, qui les a déterminées à y accéder.

Mais trois grandes puissances restaient en dehors; depuis 1836 des négociations furent suivies pour les déterminer à entrer dans le traité. Elles firent une objection de forme et de dignité personnelle; elles dirent qu'il ne leur convenait pas d'accéder à une convention antérieurement conclue entre deux puissances; elles demandèrent qu'un traité spécial et nouveau fût conclu avec elles. La base de ce traité nouveau fut posée à Londres, en décembre 1838, dans une conférence. La France et l'Angleterre proposèrent à l'Autriche, à la Prusse et à la Russie, une convention qui devait être, entre les cinq puissances, la reproduction des deux conventions déjà conclues entre la France et l'Angleterre.

Vous voyez, messieurs, qu'il me serait facile d'éluder, d'atténuer, du moins pour mon compte personnel, la responsabilité de cet acte. Je n'ai fait que conclure ce qui avait été décidé et formellement proposé en 1838, qu'étendre aux trois puissances nouvelles ce qui se pratiquait entre les deux autres depuis dix ans.

Mais je n'élude point cette responsabilité; je l'accepte et pour le traité de 1841, et même pour les conventions antérieures auxquelles j'ai été étranger.

Je crois que ces conventions ont eu pour objet, pour objet unique, d'atteindre un but louable, un but généreux, la répression d'un trafic infâme; je crois qu'elles ont, en effet, puissamment contribué à atteindre ce but, qu'elles ont donné lieu à de minces abus, et qu'elles contiennent en elles-mêmes des garanties efficaces contre les abus possibles.

Écartons d'abord de cette question tout ce qu'on a dit sur le droit des neutres; il n'est point question du droit des neutres, et il n'est en aucune façon entamé ni réduit par les conventions dont il s'agit.

M. THIERS.—Je demande la parole.

M. *le ministre.*—Nous maintenons, sur le droit des neutres, tous les principes que la France a constamment maintenus; nous n'accordons sur les neutres, en temps de guerre, pas plus de droit de visite qu'on n'en accordait auparavant. Ils sont, je le répète, tout à fait en dehors de la question.

Je vais plus loin; le droit de visite n'a point été inventé pour le cas particulier dont il s'agit; le droit de visite existe, dans certains cas, à l'égard des neutres:

en cas de blocus, en temps de guerre, pour tout ce qu'on appelle la contrebande de guerre, les neutres sont sujets au droit de visite; dans cette limite, il est reconnu et accepté par toutes les puissances.

Ce qu'on a fait dans le cas qui nous occupe, c'est d'assimiler la traite des nègres à la contrebande de guerre en cas de blocus. On a considéré, en quelque sorte, les côtes d'Afrique comme en état permanent de blocus, quant au trafic des esclaves, et on a traité les bâtiments négriers comme porteurs de contrebande de guerre.

Non-seulement donc le droit des neutres, dans ce qu'il a de légitime et de sacré, est ici hors de question; mais c'est la législation même des neutres, sur le point par où elle admet le droit de visite, qui a été, par voie d'assimilation, appliquée à la traite des noirs.

Maintenant voyons si les conventions de 1831 ne contiennent pas des garanties efficaces contre l'abus de ce droit. Je reconnais que l'abus est possible, qu'il est dangereux, qu'il faut avoir les moyens d'y échapper. Je dis que les conventions contiennent ces moyens.

Le premier, et je m'étonne que le préopinant ne l'ait pas lu dans les conventions, c'est qu'il n'est pas au pouvoir de l'une des parties contractantes de faire un croiseur; il faut qu'il ait reçu en même temps un mandat de l'autre. Il n'appartient pas à la reine d'Angleterre seule de donner à un croiseur anglais le droit d'arrêter un bâtiment négrier français: il faut qu'il ait reçu, en outre, un mandat du roi des Français.

C'est le texte même de l'article 5 de la convention de 1831:

«Les bâtiments de guerre, réciproquement autorisés à exercer la visite, seront munis d'une autorisation spéciale de chacun des deux gouvernements.»

En sorte que si un croiseur anglais prétendait arrêter un bâtiment français sans exhiber le mandat français qui lui donne cette autorisation, il serait hors de son droit, hors du traité, et le bâtiment français aurait le droit de résister.

Croyez-vous, messieurs, que ce ne soit pas là une garantie efficace? Croyez-vous que si le gouvernement français s'apercevait qu'on abuse réellement du droit de visite, qu'on en abuse dans d'autres intentions que celles du traité, au delà des limites du traité, il ne saurait pas refuser de nouveaux mandats? Il les refuserait, et à l'instant même l'abus serait arrêté.

Voilà une première garantie; en voici une seconde.

M. LEON DE MALLEVILLE.—Le nombre des mandats n'est pas limité.

M. le ministre.—Peu importe que le nombre des mandats soit limité ou illimité (*Murmures à gauche*); dès qu'on est obligé d'avoir deux mandats, cela suffit, car le gouvernement qui doit donner le sien peut le refuser, si on en abuse contre lui.

À gauche.—Alors plus de traité!

M. le ministre.—Vous répondrez.

M. le président.—La question est grave, les deux opinions se défendront successivement à la tribune, M. le ministre a droit d'être écouté.

M. le ministre des affaires étrangères.—La seconde garantie est la nationalité de la juridiction. Le croiseur étranger n'a que le droit, déjà grave sans doute, d'amener le bâtiment qu'il a saisi devant la juridiction nationale; c'est la juridiction nationale qui prononce seule, et elle prononce, non-seulement comme cour d'assises, mais sur les dommages et intérêts. Je parlerai tout à l'heure de cette troisième garantie.

On avait demandé à la France que la traite des nègres fût déclarée piraterie. Quel eût été le résultat de cette déclaration? Le crime de la traite des nègres devenait un délit du droit international, au lieu d'être un délit du droit national; on aurait pu saisir tout bâtiment présumé négrier, et le mener dans un port quelconque pour faire juger son capitaine et son équipage comme des voleurs de grand chemin. La France s'est constamment refusée à cette mesure exorbitante; elle a voulu maintenir le délit de la traite des nègres dans les limites du droit national, sous l'influence de la juridiction nationale, et c'est ce qui a été réglé par l'art. 7 de la convention de 1831.

Voici la troisième garantie:

Si le bâtiment étranger amené devant la juridiction nationale est reconnu par elle avoir été arrêté sans motifs suffisants (je prie la Chambre de bien remarquer la grande généralité de ces expressions, *sans motifs suffisants*), elle a le droit d'imposer, au gouvernement étranger auquel appartient le capteur, des dommages et intérêts.

M. ESTANCELIN.—Pardon; c'est à l'officier capteur.

M. le ministre des affaires étrangères.—Je vais lire l'article; c'est un exemple unique peut-être d'un si grand pouvoir donné à un tribunal sur un gouvernement étranger.

La convention de 1833 dit (art. 8):

«Lorsqu'un bâtiment de commerce de l'une ou de l'autre nation aura été visité et arrêté indûment ou sans motif suffisant de suspicion, ou lorsque la visite et l'arrestation auront été accompagnées d'abus ou de vexations, le commandant du croiseur ou l'officier qui aura abordé ledit navire, ou enfin celui à qui la conduite en aura été confiée, sera, suivant les circonstances, passible de dommages-intérêts envers le capitaine, l'armateur et les chargeurs.

Ces dommages-intérêts pourront être prononcés par le tribunal devant lequel aura été instruite la procédure contre le navire arrêté, son équipage et sa cargaison; et le gouvernement du pays auquel appartiendra l'officier qui aura donné lieu à la condamnation payera le montant desdits dommages-intérêts dans le délai d'un an à partir du jour du jugement.»

J'ajoute que le nouveau traité a réduit le délai d'un an à six mois.

Voici donc, messieurs, la vérité des faits; voici comment les choses se passent. Un bâtiment français a été arrêté par un croiseur anglais; le croiseur anglais n'a pu l'arrêter sans un mandat du gouvernement français; et, s'il l'a arrêté sans motif suffisant, l'un et l'autre sont amenés devant une juridiction française, qui condamne à des dommages-intérêts le gouvernement du capteur.

M. MERCIER.—Et le moyen de faire exécuter la condamnation?

M. le ministre des affaires étrangères.—Je demande s'il est possible d'introduire dans une convention de cette nature (et j'admets la gravité des conventions et les abus auxquels elles pourraient donner lieu), je demande s'il est possible d'introduire des garanties plus réelles, plus indépendantes?

Telle a été, en fait, l'efficacité de ces garanties, que, dans l'espace de dix ans, il y a eu une seule réclamation. Une réclamation en dix ans! J'en conclus que l'exercice du droit s'est maintenu dans les limites du traité.

Mais on dit: Il y aura une nuée de croiseurs étrangers qui pèseront sur notre commerce, tandis que nous aurons, dans deux ou trois stations éparses, un petit nombre de bâtiments qui n'useront que très-imparfaitement de la réciprocité. Ici encore je réponds par les faits.

Depuis dix ans, il y a eu 124 croiseurs anglais, commandités, passez-moi cette expression, commandités par les deux gouvernements, et 105 croiseurs français. La différence, certes, est peu considérable. Voulez-vous connaître la répartition de ces bâtiments?

Dans la station des Antilles, 37 croiseurs français, 38 croiseurs anglais; sur les côtes du Brésil, 42 croiseurs français, 47 croiseurs anglais; sur les côtes occidentales d'Afrique, 13 croiseurs français, 35 croiseurs anglais. C'est le point où l'inégalité est la plus grande. (*Interruption à gauche.*) Vous n'êtes pas au bout. Sur les côtes de Bourbon et de Madagascar, deux points où ce commerce se fait avec beaucoup d'activité, 13 croiseurs français et 4 croiseurs anglais.

Vous le voyez, s'il y a eu inégalité, elle a existé, tantôt dans un sens, tantôt dans un autre, et, à tout prendre, elle a été sans importance pour des hommes sérieux et impartiaux. (*Approbation au centre.*)

J'ai mis sous vos yeux le droit, le texte des traités, les garanties attachées au droit de visite et les faits depuis dix ans. Les faits prouvent que les abus ont été rares, et les traités montrent que, s'il devait y avoir des abus, nous étions en mesure de les réprimer, et d'en commettre autant nous-mêmes qu'on pouvait en commettre contre nous. (*Nouvelle approbation au centre.*)

Le nouveau traité contient toutes les garanties que contenait l'ancien. Il les reproduit, et même il en ajoute quelques-unes; par exemple, celle que l'indemnité doit être payée dans six mois, au lieu d'une année.

Il y a un point, je me garderai bien de laisser ignorer à la Chambre ce changement, il y a un point sur lequel le nouveau traité a introduit une innovation assez notable. La voici.

L'ancienne convention accordait le droit de visite dans de certaines zones, autour des lieux que j'appellerai le point de départ du commerce des nègres et autour des lieux que j'appellerai le point d'arrivée. Les côtes d'Afrique sont le point de départ; le Brésil et l'île de Cuba sont le point d'arrivée. La convention avait déterminé, autour de ces points, certaines zones dans lesquelles le droit de visite pouvait s'exercer. Dans l'espace intermédiaire entre ces zones, le droit de visite ne s'exerçait pas. Cependant, quand un bâtiment soupçonné de faire la traite avait été aperçu, quand le croiseur prétendait l'avoir aperçu dans la zone où pouvait se faire la visite, il avait droit de le poursuivre dans l'espace intermédiaire; il ne pouvait l'arrêter et le visiter dans l'espace intermédiaire, s'il l'y avait aperçu pour la première fois; mais quand il l'avait aperçu dans la zone autorisée, il pouvait le suivie partout.

De là résultaient des contestations assez fréquentes sur la question de savoir où le bâtiment visité avait été aperçu pour la première fois.

De là naissait aussi un autre inconvénient. Quand je parle d'inconvénients, je parle selon la pensée des hommes qui veulent sincèrement, réellement, l'abolition de la traite des nègres, et qui pensent que le but des traités est un but moral, honorable et utile à atteindre. Il y avait donc, à l'ancienne démarcation des zones, cet inconvénient que des bâtiments qui voulaient faire la traite, quand une fois ils avaient échappé à la zone du point de départ, restaient dans l'espace intermédiaire jusqu'à ce qu'ils trouvassent un moment favorable pour traverser la zone d'arrivée, et se rendre au but de leur destination. L'objet de la convention était ainsi souvent éludé, et la traite s'accomplissait.

Ce que le nouveau traité a fait, c'est de supprimer cet espace intermédiaire entre les zones de départ et d'arrivée. Lord Palmerston avait d'abord proposé d'étendre le droit de visite, ce droit spécial contre les bâtiments présumés négriers, à la totalité de l'Océan, en n'exceptant que les mers intermédiaires, comme la Méditerranée. Cette extension a été repoussée, et on n'a accordé que celle que je viens d'expliquer.

Je suis loin de nier que celle-ci ne soit réelle. Ce que je dis, c'est qu'elle a été uniquement déterminée par le besoin de réprimer efficacement la traite, et de supprimer une partie des contestations auxquelles le régime précédent donnait lieu.

(M. Estancelin adresse à l'orateur une interpellation qui n'arrive pas jusqu'à nous.)

M. CUNIN-GRIDAINE, *vivement.*—Monsieur Estancelin, montez à la tribune si vous avez à parler!

M. ESTANCELIN.—Oui, je demande à faire une observation.

M. le ministre des affaires étrangères.—La Chambre sait bien que je n'ai pas l'intention d'éluder la discussion, et que je ne dissimule aucune des objections. Je ne veux échapper à rien, rien éluder; on montera après moi à cette tribune; j'y remonterai, s'il est nécessaire; mais aucune interruption n'est utile.

Le but du nouveau traité, comme des premières conventions, n'est autre, messieurs, que de réprimer efficacement, réellement, d'abolir, s'il se peut, la traite des nègres. On a dit et on disait tout à l'heure à cette tribune que l'Angleterre se proposait de tout autres desseins, et que des intérêts fort temporels, fort mondains, étaient sa véritable pensée. Messieurs, je ne contesterai jamais la présence, le mélange des intérêts personnels et temporels au milieu des plus nobles et des plus désintéressés sentiments. Cela existe; c'est la condition de notre nature, la condition de la société humaine. Mais ne croyez pas qu'il ait jamais été donné à des intérêts égoïstes d'exciter dans le monde un mouvement pareil à celui qui a déterminé de grands peuples à s'imposer de grands sacrifices pour abolir la traite des nègres. Ne croyez pas qu'il ait été donné à une prétention ambitieuse d'imprimer une telle impulsion aux hommes, et d'atteindre de tels résultats. Non, messieurs, quel qu'ait été le mélange des intérêts personnels, de l'ambition, ou de l'égoïsme national, c'est un mouvement moral, c'est l'ardent désir de mettre fin à un commerce honteux, c'est le désir d'affranchir une portion de l'humanité (*Très-bien! très-bien!*) qui a lancé et accompli cette œuvre.

M. ISAMBERT.—C'est la vérité. (*Hilarité prolongée.*)

M. le ministre des affaires étrangères.—Messieurs, s'il y a un pays dans lequel ceci ne doive pas être contesté, c'est assurément le nôtre. Depuis 1789, la France a fait de grandes choses; elle les a faites avec beaucoup d'aveuglement, de passion, d'erreur, beaucoup de mauvais systèmes et d'intérêts personnels. Mais c'est un élan généreux, ce sont de nobles désirs qui vous ont fait tenter et poursuivre ces grandes et belles choses. Ne contestez pas à d'autres une gloire que vous avez vous-mêmes méritée. Si vous assistiez, messieurs, à ces grandes réunions, à ces *meetings*, où tant d'hommes de bien, réunis par le sentiment d'une piété ardente, se dévouent à cette cause, si vous voyiez, si vous entendiez ce que l'honorable M. Isambert a vu et entendu comme moi, il n'y a pas un de vous qui ne fût convaincu qu'au-dessus des sentiments personnels, au-dessus de l'égoïsme national, il y a des sentiments désintéressés, des sentiments généreux, un grand amour du bien et de l'humanité, véritable mobile de ce grand travail que maintenant il faut poursuivre ou abandonner. (*Très-bien! très-bien!*)

M. LANJUINAIS, *de sa place.*—Il ne s'agit pas des principes, il s'agit des moyens.

M. le ministre des affaires étrangères.—Je dis qu'il s'agit de le poursuivre ou de l'abandonner. Eh bien, je suis de ceux qui veulent le poursuivre; je suis de ceux qui croient que ce qui se passe au milieu de nous, ces travaux qui se préparent au nom du gouvernement du roi pour l'abolition de l'esclavage, ces commissions, ces études auxquelles tant d'hommes de bien se livrent, je suis, dis-je, de ceux qui pensent que tout cela n'est pas vain, que tout cela ne doit pas être vain, et qu'il serait étrange, qu'il serait ridicule, au moment où vous préparez l'abolition de l'esclavage, de détruire, d'affaiblir du moins les mesures qui ont pour objet d'abolir la traite. Songez-y bien, messieurs; ne renoncez pas à ce que vous avez entrepris. L'expérience qui nous donne la sagesse ne doit pas nous rendre égoïstes; parce que nous aurons appris à nous défendre des chimères, parce que nous aurons appris à être patients et modérés, deviendrons-nous glacés et impuissants? Non, non; cela ne sera pas. Nous acquerrons, nous déploierons les qualités qui sont indispensables pour mener à bien de telles œuvres: d'abord la persévérance, et quand je dis persévérance, je ne parle pas de dix ans, je parle de bien plus. Une autre qualité plus difficile peut-être, c'est de savoir accepter les inconvénients du bien qu'on veut faire et des mesures qui y conduisent. Il n'y a point de bien gratuit en ce monde; il n'y a point de bien qui ne coûte des sacrifices, des efforts, qui ne fasse courir des dangers; cela est vrai. Ainsi, dans les conventions de 1831 et 1833, il y a des inconvénients, des abus, des dangers possibles. Je soutiens qu'il y a aussi des garanties, des moyens de lutter contre ces dangers. C'est à vous, c'est à votre gouvernement de savoir se servir des garanties; mais résignez-vous aux inconvénients, résignez-vous aux abus; luttez contre le mal, et ne renoncez pas au bien; n'affaiblissez pas aujourd'hui, entre les mains de votre gouvernement, les moyens qu'on lui avait donnés il y a dix ans pour poursuivre cette œuvre, ces moyens qui n'ont jamais donné lieu à aucun abus qui vaille le bruit qu'on en fait aujourd'hui. (*Marques nombreuses d'assentiment.*)

M. Thiers m'ayant répondu, je lui répliquai immédiatement.

M. le ministre des affaires étrangères.—Messieurs, je serai fort court; je ne veux que rétablir quelques faits.

Le premier, il est impossible que je ne le fasse pas remarquer à la Chambre, c'est que la convention de 1833 a été faite par le ministère du 11 octobre, et que l'honorable M. Thiers, alors ministre du commerce, y a eu certes autant de part que moi, ministre de l'instruction publique.

Quand je suis monté tout à l'heure à cette tribune, j'ai accepté, sans hésiter, ma part de responsabilité dans la convention de 1833; je ne vois pas pourquoi l'honorable M. Thiers répudie la sienne. (*Réclamations diverses.*)

M. THIERS.—Je n'ai pas dit cela.

M. le ministre des affaires étrangères.—Je prie les honorables membres d'être bien convaincus que je ne veux pas éluder la distinction que l'honorable M. Thiers a établie entre la convention de 1831 et celle de 1833; j'en parlerai tout à l'heure. Ce que je dis à présent, c'est qu'en vérité je ne trouve pas qu'un ministre du 11 octobre ait bonne grâce à venir dire, en parlant du traité de 1833: «Voilà ce que vous avez fait; vantez-vous-en!» (*Rires et murmures.*)

Je n'ai aucun désir de prolonger ce qu'il peut y avoir de personnel dans cette discussion; mais j'ai voulu, j'ai dû relever un fait étrange qui m'a frappé comme la Chambre.

M. THIERS.—Un fait inexact. (*Bruit.*)

M. TESTE, *ministre des travaux publics.*—Un fait très-exact: consultez les notes du *Moniteur.*

M. le ministre des affaires étrangères.—Je prie l'honorable M. Thiers de vouloir bien relever, de sa place, l'inexactitude qu'il me reproche; mais auparavant, qu'il veuille bien me laisser achever ma phrase.

L'honorable M. Thiers parlait tout à l'heure des effets de la convention de 1833, de l'incident du *Marabout*, par exemple, incident qui s'est passé sous l'empire de la convention de 1833, et non pas du traité nouveau, puisqu'il n'est pas en exécution. Il décrivait les déplorables conséquences de cet incident pour notre commerce, pour nos matelots, et il disait: *Vantez-vous-en!* Voilà sur quoi porte mon observation; je suis tout prêt à m'en vanter; mais il faut que l'honorable M. Thiers s'en vante tout autant que moi. (*Rire général.*)

M. THIERS.—Je ne nie pas ce qui est vrai. Je n'ai pas l'habitude de vouloir faire dire aux documents ce qu'ils ne disent pas. Je me suis franchement expliqué sur les deux conventions; j'ai dit que la convention de 1831 avait fait une concession déplorable, que celle de 1833 n'avait fait qu'une chose, de limiter la concession et de donner quelques garanties pour nous rassurer contre les dangers qui pourraient menacer notre commerce; mais ces garanties étaient insuffisantes, elles ne couvraient pas suffisamment notre pavillon, elles ne couvraient que la vie de nos matelots. Je n'ai pas entendu attaquer la convention de 1833. (*Quelques voix*: Ah! ah!)

Je dis que cette convention a été insuffisante parce que, après la concession qu'on avait faite dans le traité de 1831, il n'y avait plus de garanties suffisantes pour couvrir notre commerce.

J'ai voulu dire et répéter que la convention de 1833, qui a été faite avec le plus grand soin, que j'ai louée en l'attribuant à M. le duc de Broglie, avait offert une plus grande garantie pour notre marine, mais qu'elle n'avait pu corriger complétement la convention de 1831. J'ajoute que, lors du traité de garantie de 1833, vous n'avez pu prévoir tous les inconvénients qui nous menaçaient en mer; mais cette convention valait encore mieux que celle que vous avez faite.

À gauche.—Vantez-vous-en maintenant.

M. le ministre des affaires étrangères.—J'en demande pardon à l'honorable M. Thiers, mais il vient de mêler des questions que j'avais soigneusement séparées; l'affaire des zones n'est ici pour rien, et quant à la différence entre la convention de 1831 et celle de 1833, j'allais y arriver. Je ne suis pas plus responsable de la convention de 1831 que l'honorable M. Thiers, et s'il y avait à s'en vanter, ce ne serait pas à moi plus qu'à lui de le faire, comme le reproche, s'il y avait lieu, ne s'adresserait pas plus à moi qu'à lui. Mais je laisse là ces misères (*Exclamations ironiques à gauche*), je laisse là ces misères que je n'ai pas portées à cette tribune, et je rappelle la question à son véritable caractère. Je dis que les principales garanties étaient contenues dans la convention de 1831; que la garantie, par exemple, qui exige que le mandat soit donné par les deux gouvernements et qu'aucun croiseur ne puisse exercer en vertu du mandat d'un seul gouvernement, appartient à la convention de 1831. (*Au centre*. C'est vrai!) La convention de 1833 a eu pour objet de compléter la convention de 1831, d'assurer l'efficacité des mesures prises par celle-ci pour la répression de la traite, en même temps que de porter remède à quelques-uns des abus possibles. La convention de 1833 n'a pas fait ce que l'honorable M. Thiers vient de faire ici; elle n'a pas désavoué la convention de 1831; elle a accepté ses bases comme ses précautions, elle l'a complétée et améliorée quand elle l'a pu; le préambule même le dit: «Ayant reconnu la nécessité de développer quelques-unes des clauses contenues dans la convention signée en 1831...» Et il suffit, en effet, de lire attentivement la seconde convention pour reconnaître qu'elle contient le développement des clauses répressives aussi bien que l'intention de porter remède aux abus possibles.

Je passe à une autre erreur plus grave encore. L'honorable M. Thiers a parlé tout à l'heure du droit des neutres, et il a dit que nous l'avions abandonné. Je dis que non.

M. Thiers a cité entre autres ce grand principe du droit des neutres qui veut qu'un bâtiment convoyé ne puisse être visité, et il en a déploré la perte. Mais il n'a donc pas lu la convention de 1833; ce principe y est rappelé et consacré dans un article formel, l'art. 3, et le voici:

«Il demeure expressément entendu que si le commandant d'un croiseur de l'une des deux nations avait lieu de soupçonner qu'un navire marchand, naviguant sous le convoi ou en compagnie d'un bâtiment de guerre, s'est livré à la traite, il devra communiquer ses soupçons au commandant du convoi ou du bâtiment de guerre, lequel procédera seul à la visite de ce navire suspect.»

Voilà donc ce grand principe du droit des neutres, le voilà respecté, consacré autant que l'honorable M. Thiers peut le souhaiter.

M. Thiers vous a dit que les États-Unis, par leur résistance au droit de visite, restaient les seuls protecteurs du droit des neutres, et qu'ils résistaient à ce que nous avions accepté.

J'ai eu l'honneur de dire tout à l'heure à cette tribune que nous n'entendions abandonner aucun des principes du droit des neutres, et que si, en temps de guerre, quelqu'un de ces principes était violé, nous le soutiendrions aussi énergiquement que nous l'avons jamais soutenu, et que nous soutiendrions les nations qui le soutiendraient, si elles avaient besoin de notre concours.

J'ai dit cela, et je le répète. Mais les États-Unis ont, dans leur résistance actuelle au droit de visite, une raison que M. Thiers n'a pas rappelée. L'Angleterre prétend exercer, sur les bâtiments des États-Unis, un droit de presse des matelots anglais. L'Angleterre prétend que, lorsque par un motif quelconque, elle visite un bâtiment américain, elle a le droit d'y reconnaître les matelots anglais déserteurs, de les y prendre et de les renvoyer en Angleterre. Elle ne prétend pas au droit de visiter les bâtiments américains dans ce but spécial; non, elle ne va pas jusque-là; mais elle soutient que toutes les fois qu'elle visitera un bâtiment américain pour un objet quelconque, elle pourra exercer le droit de presse sur les matelots anglais qu'elle trouvera à bord.

C'est là, messieurs, le grand motif de la résistance si énergique des Américains contre tout droit de visite anglais, sous quelque forme et sous quelque prétexte qu'il se produise; et, à mon avis, les Américains ont raison. Si les Anglais prétendaient venir chercher des matelots anglais à bord des vaisseaux français, certainement nous résisterions comme les Américains. Mais tenez pour certain que, s'il ne s'agissait que du droit de visite, dans les limites où il est renfermé pour nous, sous les conditions auxquelles il doit s'exercer, avec les garanties qui y sont attachées, tenez pour certain, dis-je, que vous ne verriez pas aux États-Unis un soulèvement pareil à celui qui y a éclaté toutes les fois que la prétention de l'Angleterre, quant à ses matelots, s'est manifestée.

Je poursuis.

M. Thiers a regardé comme un fait grave la suppression présumée, dans la convention nouvelle, de l'article qui disait que le nombre des croiseurs de chaque nation ne pourrait jamais être le double des croiseurs de l'autre.

Le véritable motif de la suppression de cet article a été celui-ci: c'est qu'il était impossible de l'appliquer à la Russie et à la Prusse. Il était impossible de prétendre que les Anglais ou les Français ne pussent pas avoir le double des croiseurs de la Russie ou de la Prusse. On a donc supprimé la limitation, et on a pensé que la nécessité du double mandat était une limitation aussi efficace, que celle-là suffisait, et qu'on n'avait pas besoin de l'autre. Évidemment, on a eu raison.

Quant au reproche tiré de ce que le traité n'a pas été rédigé exclusivement en français (*Mouvement*), messieurs, je ne le trouve pas sérieux. Il y a une rédaction en français, rédaction donnée comme un texte original, signée comme un texte original par tous les plénipotentiaires. Que l'Angleterre ait voulu une rédaction en anglais, et signée de même, je ne crois pas qu'on pût la refuser. Si l'Autriche avait voulu en avoir une version allemande, pour mon compte, je n'y aurais apporté aucune objection, et je ne crois pas que l'amour-propre national y fût engagé.

M. Thiers a beaucoup insisté, et c'est l'objection qui revient sous toutes les formes, sur ce que la totalité des mers commerciales se trouverait livrée aux croiseurs anglais. Je réponds à cela que notre marine a eu, en dix ans, 105 croiseurs contre 124 croiseurs anglais. Si cet état de choses devait entraîner pour nous des inconvénients, nous avons dans la convention le moyen d'y porter remède. Je ne puis que répéter ici ce que j'ai déjà eu l'honneur de dire à la Chambre en finissant. Sans doute il y a des dangers possibles dans les conventions dont il s'agit; ces dangers sont inséparables de la grandeur de l'œuvre que nous voulons accomplir. Il a été reconnu que l'extension des conventions à toutes les grandes puissances et la modification des zones étaient nécessaires pour l'efficacité de la répression de la traite. Si des abus graves se produisaient, nous ne sommes point désarmés; nous userions du droit de refuser les mandats, du droit de réclamer des indemnités. Comme je pense qu'entre nations civilisées, même quand on s'appelle la France et l'Angleterre, les traités sont quelque chose, je n'hésiterais pas à en réclamer énergiquement l'observation; et je suis sûr qu'avec la justice pour nous et la force de la France, nous obtiendrions toutes les réparations auxquelles nous aurions droit. (*Très-bien! très-bien!—Aux voix! aux voix!*)

M. le ministre des affaires étrangères.—Messieurs, je n'avais pas le projet de reprendre la parole dans ce débat, et, à l'état de ma voix (la voix du ministre est très-affaiblie), la Chambre voit bien que je ne la garderai pas longtemps. (*Parlez! parlez!*)

Mais, quelle que soit la difficulté que j'éprouve, un double devoir m'appelle impérieusement à cette tribune: le premier, envers une grande et sainte cause que j'ai toujours défendue et que je ne déserterai pas aujourd'hui (*Bruits divers*); le second, envers la couronne que j'ai l'honneur de représenter sur ces bancs et dont je ne livrerai pas les droits. (*Nouveaux bruits.*)

On vous disait tout à l'heure que la traite avait été depuis dix ans efficacement réprimée, qu'on ne pouvait plus l'imputer à la France, que depuis dix années pas un bâtiment français n'en avait été trouvé coupable. J'accepte, messieurs, j'accepte avec empressement ce fait; je suis ravi qu'on en soit à ce point convaincu. Pourquoi est-il arrivé? Parce que les conventions de 1831 et de 1833 ont mis à la traite, pour la France comme pour l'Angleterre, un obstacle efficace. C'est aux conventions de 1831 et de 1833 qu'appartient le mérite d'avoir réellement supprimé chez nous la traite et lavé le pavillon français de cette infamie.

Maintenant, messieurs, voulez-vous que je vous dise pourquoi on a demandé, on a poursuivi l'extension des traités qui, en France et en Angleterre, avaient atteint ce but? Pour que ce même but fût atteint partout et avec la même efficacité. Savez-vous ce qui arrivait depuis que la traite ne se faisait plus sous le pavillon français ou anglais? Elle se faisait sous d'autres pavillons, sous des pavillons que ni la France ni l'Angleterre n'avaient le droit de visiter. Les petits États que j'ai nommés à cette tribune servaient d'instruments à la traite; leur pavillon s'y prêtait. Eh bien, on a voulu que les mêmes moyens qui réprimaient efficacement la traite française et anglaise s'appliquassent aux autres nations. C'est dans ce dessein qu'on a réclamé l'extension des deux conventions premières; et quand elle a été obtenue, tel pavillon sous lequel la traite se faisait jusque-là a cessé de la faire. Voilà le véritable objet des négociations poursuivies depuis 1832 et 1833.

Et M. Berryer ne vous disait-il pas tout à l'heure: S'il reste un seul pavillon en dehors des conventions, si le pavillon des États-Unis, par exemple, continue à pouvoir couvrir la traite, elle continuera, et vos traités seront illusoires. Ah! M. Berryer reconnaît donc l'efficacité des conventions! (*Mouvements divers.*)

Voix à gauche.—La question n'est pas là!

M. le ministre des affaires étrangères.—Je conjure la Chambre de vouloir bien me prêter un peu d'attention silencieuse, car les efforts que je fais en ce moment sont tels que, si j'avais à surmonter les orages de la Chambre, je ne pourrais y suffire.

M. Berryer reconnaît, dis-je, que, partout où les conventions sont appliquées, elles sont efficaces, et que la traite est réellement supprimée. Il dit que si un seul pavillon, celui des États-Unis, reste en dehors, à lui seul il fera la traite.

Aussi, messieurs, je désirerais bien vivement que les États-Unis acceptassent ce que toutes les grandes puissances du monde ont accepté aujourd'hui. Je croirais avoir rendu à l'humanité un grand service si je pouvais obtenir l'adhésion des États-Unis à la convention que nous débattons en ce moment. Je vous ai dit avant-hier pour quelle grande raison ils s'y refusaient; mais, n'eussent-ils pas cette raison de refus, à Dieu ne plaise que leur liberté soit entamée sur cc point! À Dieu ne plaise que, comme M. Berryer vous le disait, la contrainte soit jamais employée par qui que ce soit, Angleterre ou France, pour forcer une nation à accepter un pareil arrangement! On n'a employé la contrainte contre personne; aucune puissance, petite ou grande, n'a été amenée par la contrainte à accepter la convention; toutes l'ont fait librement, noblement, pour s'associer à cette grande œuvre que la France et l'Angleterre ont poursuivie depuis cinquante ans, et qui, pour la première fois, est, sinon complétement abandonnée, du moins menacée aujourd'hui.

Messieurs, les États-Unis sont libres, les États-Unis resteront libres. Le jour où ils adhéreront aux conventions, ils auront fait une grande et belle chose, ils auront accompli l'abolition de la traite dans le monde. Et ne croyez pas que leur liberté, pas plus que celle des mers, que celle des terres, ait à en souffrir. Ne croyez pas que la liberté des mers, comme, on l'a tant répété, soit le moins du monde engagée dans cette question: la liberté des mers n'a rien à y voir; la liberté des mers reste aujourd'hui ce qu'elle était auparavant. (*Dénégations aux extrémités.*)

M. le président.—Ces interruptions sont insupportables. On peut contester à la tribune les doctrines d'un orateur, mais on doit lui permettre d'être entendu.

M. le ministre des affaires étrangères.—Un cas a été ajouté à ceux que toutes les nations civilisées ont mis en dehors de la liberté des mers; voilà tout. Ne dites pas qu'il n'y a point de cas semblables; vous en avez vous-mêmes proclamé à cette tribune. Vous avez parlé de la piraterie, de la contrebande de guerre; vous avez reconnu que, selon les principes avoués par toutes les nations les plus jalouses de la liberté des mers, selon les principes professés par la France elle-même, la contrebande de guerre était interdite, et que le droit de visite existait sur les neutres pour arrêter la contrebande de guerre.

M. ODILON BARROT.—Je demande la parole.

M. le ministre des affaires étrangères.—Ce que les conventions de 1831 et de 1833 ont fait, c'est de considérer la chair humaine comme une contrebande de guerre; elles ont fait cela, rien de moins, rien de plus; elles ont assimilé le crime de la traite au délit accidentel de la contrebande de guerre: à Dieu ne plaise que la liberté des mers soit compromise à si bon marché! Il ne s'agit pas plus de la liberté des mers que de la liberté des États-Unis. Les mers restent libres comme auparavant; il y a seulement un crime de plus inscrit dans le code des nations, et il y a des nations qui s'engagent les unes envers les autres à réprimer en commun ce crime, réprouvé par toutes. (*Bravo!*)

Et le jour où toutes les nations auront contracté ce même engagement, le crime de la traite disparaîtra; et ce jour-là, les hommes qui auront poursuivi ce noble but à travers les orages politiques et les luttes des partis, à travers les jalousies des cabinets, à travers les rivalités personnelles, les hommes, dis-je, qui auront persévéré dans leur dessein, sans s'inquiéter de ces accidents et de ces obstacles, ces hommes-là seront honorés dans le monde; et j'espère que mon nom aura l'honneur de prendre place parmi les leurs. (*Bravo!*)

Il me reste un second devoir à remplir. J'ai défendu la cause des noirs, je viens défendre celle des prérogatives de la couronne. Quand je parle des prérogatives de la couronne, je suis modeste, messieurs, car je pourrais dire aussi que je viens défendre l'honneur de mon pays. C'est l'honneur d'un pays que de tenir sa parole (*Sensation*), de ne pas proposer, de ne pas entamer légèrement ce qu'on désavouera deux ou trois ans après. En 1838, au mois de décembre, la France et l'Angleterre réunies, après y avoir bien pensé sans doute, car de grands gouvernements, de grands pays pensent à ce qu'ils font, la France et l'Angleterre réunies, dis-je, ont proposé à l'Autriche, à la Prusse et à la Russie, non pas d'adhérer simplement aux conventions antérieures de 1831 et de 1833, mais de faire un nouveau traité dont elles leur ont proposé le texte, conforme au traité qui vous occupe en ce moment.

Après deux ou trois ans de négociations, de délibérations, les trois puissances ont accepté: le traité a été conclu. Il n'est pas encore ratifié, j'en conviens, et je ne suis pas de ceux qui regardent la ratification comme une pure formalité à laquelle on ne peut se refuser d'aucune façon, quand une fois la signature a été donnée. (*Bruits divers.*) La ratification est un acte sérieux, un acte libre, je suis le premier à le proclamer. La Chambre peut donc jeter dans cette question un incident nouveau, elle peut apporter, par l'expression de son opinion, un grave embarras... je ne dis rien de plus (*Sensation*), un grave embarras à la ratification; mais, dans cet embarras, la liberté de la couronne et des ministres de la couronne reste entière.

Voix nombreuses.—C'est évident.

M. le ministre.—La liberté de ratifier ou de ne pas ratifier, quelle qu'ait été l'expression de l'opinion de la Chambre, reste entière dans tous les cas. (*Nouvelles marques d'adhésion.*)

Sans doute l'opinion de la Chambre, si la Chambre exprime son opinion, est une considération grave qui doit peser dans la balance; mais elle n'est pas décisive. (*C'est juste!*)

Et j'ajoute qu'à côté de cette considération, il y en a d'autres bien graves aussi, car il y a peu de choses plus graves pour un gouvernement que de venir dire aux puissances avec lesquelles il est en rapport régulier et amical: «Ce que je vous ai proposé il y a trois ans, je ne le ratifie pas aujourd'hui. (*Mouvement à gauche.*) Vous l'avez accepté à ma demande; vous avez fait certaines objections, vous avez demandé certains changements. Ces objections ont été accueillies, ces changements ont été faits. Nous étions d'accord, n'importe, on ne ratifie pas aujourd'hui.» (*Nouveau mouvement.*)

Je dis qu'il y a là quelque chose de bien grave pour l'autorité du gouvernement de notre pays, pour l'honneur de notre pays lui-même... (*Interruption à gauche.*) Oui, l'honneur de notre pays est intéressé à n'avoir rien proposé que sérieusement, à n'avoir rien fait que sérieusement, à avoir bien pesé, il y a trois ans, la question sur laquelle on délibère aujourd'hui. L'autorité du gouvernement, l'honneur du pays, l'intérêt de la grande cause qui se débat devant nous, voilà certes des motifs puissants, voilà des considérations supérieures qu'un ministre serait bien coupable d'oublier.

Je le répète en finissant: quel que soit le vote de la Chambre, la liberté du gouvernement du roi reste entière (*Oui! oui!*); quand il aura à se prononcer définitivement, il pèsera toutes les considérations que je viens de vous rappeler, et il se décidera sous sa responsabilité. Vous le trouverez prêt à l'accepter. (*Marques d'assentiment aux centres.*)

CXV

Sur l'envoi d'un ambassadeur à Madrid, et sur nos relations avec la cour d'Espagne.

—Chambre des députés.—25 janvier 1842.—

Après une interruption des relations diplomatiques entre la France et l'Espagne, le gouvernement du roi avait envoyé à Madrid un nouvel ambassadeur, M. le comte de Salvandy. Cette mission avait donné lieu, entre les deux États, à des difficultés graves, encore pendantes, dont le discours de la couronne n'avait point parlé. Dans la discussion de l'adresse, M. Gustave de Beaumont proposa, à ce sujet, l'insertion d'un paragraphe que je combattis et qui fut rejeté.

M. GUIZOT, *ministre des affaires étrangères.*—Je devrais me refuser à ce débat...

Plusieurs voix.—Plus haut! plus haut!

M. le ministre.—Je parlerai aussi haut qu'il me sera possible; mais la Chambre sait que j'ai la voix un peu affaiblie.

Je devrais, dis-je, me refuser à ce débat. Il porte sur une affaire encore pendante, délicate, compliquée, qui peut d'un moment à l'autre prendre des faces diverses. Ce serait mon droit et peut-être mon devoir de me taire absolument; mais on abuserait de mon silence pour induire en erreur la Chambre. L'amendement qu'on lui propose me paraît plein d'inconvénients pour notre pays, pour le gouvernement du roi, pour la Chambre elle-même. Je veux le repousser en peu de mots et par un simple exposé de notre situation envers l'Espagne. Je le fais, comme je le disais tout à l'heure, contre mon gré, avec le sentiment que c'est de la mauvaise politique, mais par une nécessité absolue.

La Chambre se rappelle à quel moment le cabinet du 29 octobre 1840 est entré en relations avec l'Espagne, au moment même où la révolution de septembre venait de s'accomplir à Madrid. La Chambre sait quel mouvement, il faut bien que j'appelle les choses par leur nom, quel mouvement antifrançais a accompagné cette révolution. Je pourrais en dire les causes; je ne le ferai pas: je me borne à rappeler le fait; il est notoire. La révolution de septembre s'est accomplie au milieu d'un mouvement antifrançais et par l'influence d'un parti antifrançais.

L'attitude du gouvernement du roi était donc délicate. Il prit celle d'une politique parfaitement tranquille, en rapports réguliers, mais point empressés, avec le gouvernement espagnol. Le cabinet s'est surtout appliqué à convaincre l'Espagne de deux choses: la première, que nous n'entendions aucunement intervenir dans ses affaires intérieures, et nous ingérer dans son gouvernement par une influence étrangère; la seconde, que nous ne considérions point l'Espagne comme un théâtre de nos rivalités, de nos luttes avec telle ou telle puissance européenne, sacrifiant sans cesse dans ces luttes les intérêts de l'Espagne et même nos intérêts.

Voilà les deux idées qui ont été la règle de la politique du cabinet du 29 octobre envers l'Espagne. Il les a scrupuleusement mises en pratique. Nous avons évité toute occasion de débat, de querelle. Elles ne nous ont pas manqué. Plusieurs incidents sont survenus, que la Chambre peut se rappeler: l'affaire des Aldudes et l'affaire de l'îlot del Rey. Nous n'avons voulu envenimer aucune de ces questions; nous avons été modérés, patients, tolérants, uniquement occupés d'entretenir avec l'Espagne des rapports réguliers, et de la bien convaincre que nos intentions étaient bienveillantes et sincères.

Au bout de quelque temps, nous avons gagné du terrain. Cette tendance antifrançaise, qui avait éclaté dans la révolution de septembre, s'est atténuée; les rapports sont devenus plus faciles, plus bienveillants. Un ministre espagnol est venu à Paris, où il n'y avait auparavant qu'un chargé d'affaires. Enfin, une autre circonstance, qui pouvait être très-importante pour les affaires d'Espagne, est survenue: le cabinet britannique a changé.

Nous avons pensé que ces trois circonstances, l'amélioration de nos rapports, l'arrivée à Paris d'un ministre espagnol, le changement du cabinet britannique, motivaient l'envoi d'un ambassadeur à Madrid. Je dirai tout à l'heure dans quelle pensée l'ambassadeur a été envoyé; je rappelle en ce moment les circonstances au milieu desquelles l'envoi a été résolu.

Au moment même où le gouvernement du roi venait de prendre cette résolution, l'insurrection christine a éclaté. La Chambre sait quelles accusations ont retenti à ce sujet contre le gouvernement français: on l'a représenté comme complice, comme auteur de l'insurrection christine; j'affirme de la façon la plus positive qu'il y a été complétement étranger.

Je vais plus loin: des avertissements ont été donnés au gouvernement espagnol sur des préparatifs qui se faisaient contre lui, sur des envois d'armes, de munitions de guerre, etc., dans les provinces basques: on en ignorait l'objet, l'origine; mais on l'informait du fait. Et peu après ces avertissements, l'insurrection a éclaté. Je répète que le gouvernement y a été tout à fait étranger. À cette occasion, le ministre espagnol à Paris a adressé au gouvernement du roi plusieurs demandes. Il a demandé que les réfugiés carlistes qui se pressaient sur la frontière pour aller prendre part au mouvement fussent internés; la demande a été accordée. Il a demandé que les réfugiés christinos qui prenaient la même route fussent également internés; ils l'ont été. Il a désigné quelques noms propres qui inquiétaient spécialement, sur cette frontière, le gouvernement espagnol; on les a fait interner. Il a adressé au gouvernement du roi une autre demande qui a été à l'instant même et péremptoirement refusée; je n'ai pas besoin de dire pourquoi: la Chambre le sait. (*Marques d'approbation.*)

Voilà, messieurs, quelles ont été, avant l'insurrection christine, l'attitude et la conduite du gouvernement du roi; voilà quelles ont été son attitude et sa conduite pendant l'insurrection. Cependant tout le monde sait que, pendant et après cette insurrection, ce même mouvement antifrançais, ces mêmes emportements, ces mêmes suppositions déclamatoires et injurieuses, qui avaient éclaté en Espagne contre la France au moment de la révolution de septembre, se sont renouvelées avec violence: il y a eu plus que des déclamations, plus que des suppositions calomnieuses; des atteintes ont été portées à notre territoire; sur plusieurs points, en Espagne, nos nationaux ont été menacés; dans le port de Barcelone, nos bâtiments ont été inquiétés. Nous avons dû prendre des précautions à l'occasion de ces menaces; nous les avons prises avec une extrême prudence, dans le seul but de garantir partout la personne et les intérêts de nos nationaux; et, dès que la nécessité des précautions s'est éloignée, les précautions mêmes, les mouvements de troupes et de vaisseaux se sont éloignés aussi. Je puis l'affirmer sans crainte: dans les mesures adoptées pour préserver et notre territoire et nos nationaux des mouvements qui éclataient en Espagne, la plus grande modération a été pratiquée.

L'insurrection étouffée, le mouvement anarchique qui se produisait sur plusieurs points fit sentir au gouvernement espagnol la nécessité d'une répression plus efficace, d'un retour plus énergique aux principes d'ordre. Nous avons jugé que c'était là un moment favorable pour faire partir l'ambassadeur du roi. Dans cette crise naissante, le gouvernement espagnol devait sentir un besoin d'appui; et quand je dis appui, je ne le dis pas d'une façon qui puisse être désagréable ni insultante pour une grande nation; je parle de cet appui moral, de cette adhésion éclatante que la présence d'un ambassadeur donne au pays, au gouvernement auprès duquel il est accrédité. Le départ de l'ambassadeur du roi pour Madrid était, dans notre pensée, d'abord une grande marque d'affection et de déférence pour la jeune reine à laquelle la France et son roi doivent et veulent donner toute la protection qu'un pays et un gouvernement étranger peuvent donner hors de leur territoire... (*Marques d'adhésion au centre.*) C'était en même temps une marque d'impartialité, de neutralité dans les dissensions intérieures de l'Espagne. C'était aussi, comme je le disais tout à l'heure, un appui prêté au gouvernement espagnol contre l'anarchie qui le menaçait, et qu'il sentait le besoin pressant de réprimer; c'était enfin un grand appui moral donné à ce gouvernement auprès de l'Europe, pour l'aider à atteindre le but qu'en gardant toutes les convenances de leur dignité les gouvernements nouveaux ont toujours raison de poursuivre, leur reconnaissance par les peuples civilisés et les gouvernements anciens. (*Nouvelles marques d'adhésion.*)

C'est là un but très-légitime; c'est une grande force dont les gouvernements nouveaux ont besoin, et qu'il serait insensé à eux de ne pas rechercher. On recherchait cette force pour l'Espagne; nous le savions, et nous avons pensé que l'arrivée d'un ambassadeur du roi à Madrid seconderait puissamment les négociations entreprises dans ce dessein.

Voilà dans quelles idées, dans quel sentiment l'ambassadeur du roi a été nommé et est parti. Si je ne me trompe, l'honorable préopinant lui-même, malgré ses préventions, doit trouver cela sérieux et légitime.

Quand l'ambassadeur est parti, messieurs, il était nommé depuis plusieurs mois; on savait auprès de qui il était accrédité. Il était accrédité auprès de la reine Isabelle II; on savait quelles étaient ses lettres de créance; il ne pouvait y avoir à cet égard aucune incertitude.

Quand il est arrivé, non pas le premier jour de son arrivée, non pas dans sa première entrevue avec M. le ministre des affaires étrangères d'Espagne, mais le lendemain seulement, la question dont on a tant parlé a été élevée. On dit aujourd'hui: Pourquoi ne l'avez-vous pas prévue? Et de quel droit nous aurait-on demandé de la prévoir? Nous avons agi dans cette occasion, comme dans toutes les autres, loyalement, publiquement, selon nos précédents, selon les principes de toute monarchie, constitutionnelle ou autre, selon les règles du droit public européen.

Quant aux précédents, je ne parlerai pas, si vous voulez, des anciens, de ceux qui sont antérieurs à l'établissement du régime constitutionnel en Espagne et en France: ils sont nombreux, clairs, tous semblables. Je veux bien les omettre, quoique je fasse grand cas de leur autorité. Je me bornerai aux précédents nouveaux, aux précédents de notre propre gouvernement, précédents auxquels toute l'Europe a concouru.

En Grèce, l'Europe a envoyé des ministres à un roi mineur. Ces ministres, ceux de la France comme les autres, ont été accrédités auprès du roi mineur. C'est à lui-même qu'ils ont remis leurs lettres de créance en présence de la régence.

Voulez-vous un autre exemple plus frappant encore, plus analogue à l'Espagne, un exemple absolument pareil au cas qui nous occupe?

Au Brésil, l'empereur dom Pedro II était mineur; le régent, M. Feijão, élève la même prétention qu'on élève aujourd'hui à Madrid, la prétention que les lettres de créance, quoique adressées au souverain, lui soient remises à lui en personne, comme investi, dit-il, de la plénitude de l'autorité royale. Il élève cette prétention; il la porte à la connaissance de tous les membres du corps diplomatique, à Rio-Janeiro. Elle est unanimement repoussée, repoussée plus tard par les instructions venues d'Europe, comme elle l'avait été au premier moment par les agents diplomatiques établis à Rio-Janeiro. L'Autriche, la France, l'Angleterre, répondent de la même façon. Le régent renonce à sa prétention, et les lettres de créance sont présentées à l'empereur mineur, en présence du régent, qui les reçoit après lui.

Voilà les faits récents des États constitutionnels les plus analogues à l'Espagne par leur origine, par leur langue, par leurs institutions. (*Très-bien! très-bien!*)

Rien de plus simple, messieurs: c'est là le principe même de la monarchie. Que faut-il à la monarchie? Que, pendant les minorités, tout ce qui est dignité, hommage, manifestation publique, s'adresse à la personne du souverain; que tout ce qui est autorité, exercice réel et efficace du pouvoir, soit remis à la personne investie de la régence.

La minorité dans une monarchie, ce n'est pas la mort, ce n'est pas l'éclipse du monarque: il est inactif, il n'est pas absent. Il y a des devoirs qui s'adressent à lui, des droits qui résident en lui. Si cela n'était pas, vous verriez bientôt, dans les minorités, et surtout dans les minorités placées au milieu des révolutions, vous verriez bientôt disparaître la monarchie. (*Au centre*: Très-bien!) Lorsque cette question s'éleva au Brésil, précisément au sein d'une monarchie naissante, et naissante au milieu des révolutions, ce fut là la raison principale sentie et alléguée par toute l'Europe. Il faut que la royauté paraisse dans toutes les occasions où elle peut paraître convenablement, où elle a, non une autorité pratique et réelle à exercer, mais des hommages à recevoir, soit de ses peuples, soit des étrangers.

Et ce ne sont pas là, messieurs, des questions d'étiquette, de vaines formalités: c'est ainsi que les gouvernements se fondent; c'est ainsi que les principes se maintiennent; c'est ainsi que les sentiments sont entretenus, alimentés, échauffés dans le cœur des populations. (*Très-bien!*) Si vous voulez faire disparaître toutes les occasions de les manifester, si vous ne voulez pas que la dignité extérieure reste au monarque, ne comptez plus sur la monarchie, elle disparaîtra bientôt elle-même. (*Très-bien!*)

En élevant, je ne dirai pas cette prétention, car ce n'était pas d'une prétention qu'il s'agissait, nous avons eu l'intention de continuer un droit et un fait, un droit et un fait non-seulement français, mais européen; lorsque ce qui s'est passé à Madrid a été connu en Europe, partout, partout sans hésiter, les cabinets ont donné raison à la France; les cabinets constitutionnels comme ceux qui ne le sont pas, l'Angleterre comme les puissances continentales. Partout on a reconnu que le gouvernement du roi n'avait fait, en cela, que se conformer à ses propres précédents, aux précédents de tout le monde, aux règles de sa propre monarchie, aux règles de toutes les monarchies, constitutionnelles ou non et ceux des cabinets européens qui ont pu manifester leur opinion en Espagne l'ont fait hautement.

Voilà, messieurs, le véritable état de la question.

Aux faits que je viens de rappeler, aux raisons que je viens de donner, l'Espagne en oppose d'autres. Je ne les discute point; ce n'est pas moi qui viendrai, à moins que je n'y sois contraint, discuter à cette tribune le sens d'un article de la constitution espagnole; à l'Espagne seule il appartient d'en décider. Sans nul doute, quand l'Espagne juge à propos d'imposer certaines conditions, certaines règles à la réception des ambassadeurs ou des ministres plénipotentiaires étrangers, quand elle dit que sa constitution le lui prescrit, elle est dans son droit. (*À gauche*: Très-bien!) Personne ne prétend la contraindre à le violer. Mais son droit ne détruit pas le nôtre (*C'est évident!*), son opinion ne fait rien à la nôtre. (*Très-bien!*) Nous restons tous parfaitement libres. Eh bien, nous ne croyons pas que nous devions, que nous puissions convenablement pour nous-mêmes, utilement pour l'Espagne, avoir un ambassadeur à Madrid à de telles conditions; et nous rappelons le nôtre.

 On dit: Il ne fallait pas envoyer d'ambassadeur. J'ai dit tout à l'heure par quelles raisons nous l'avions envoyé. J'ai dit que nous n'étions point tenus de prévoir cet obstacle, que nous n'avions rencontré nulle part; j'ajoute que la crainte même de le rencontrer n'eût pas été pour nous une raison suffisante de ne pas envoyer à Madrid un ambassadeur, et de ne pas essayer de rendre à l'Espagne le service important que nous croyions et que nous voulions lui rendre par cet envoi. (*Très-bien!*)

Dans ma conviction, que je n'entends en aucune façon imposer à l'Espagne, que j'exprime pour mon pays, l'Espagne a méconnu ses propres intérêts; elle a méconnu et les intentions du gouvernement du roi et les avantages qu'elle devait en retirer.

Et ce n'est pas moi seul qui parle ainsi: l'Espagne a des alliés, des amis: qu'elle les consulte; ils lui tiendront le même langage, soyez-en certains.

Les choses étant ainsi, messieurs, que vous demande-t-on par l'amendement?

Le discours de la couronne a gardé le silence sur l'Espagne: il nous a paru que c'était, envers l'Espagne elle-même, l'attitude la plus convenable de notre part; que le meilleur service que nous pussions encore lui rendre était de ne pas faire de ceci une occasion de débat solennel et irritant.

Le gouvernement du roi n'a point provoqué le débat qui s'élève aujourd'hui; il a eu l'intention de ne point le provoquer. La Chambre entend-elle changer cette attitude du gouvernement du roi envers l'Espagne? Entend-elle substituer une diplomatie à une autre? Entend-elle faire de la diplomatie dans son adresse? En s'occupant de répondre au discours de la couronne, entend-elle répondre à l'adresse des cortès de Madrid? (*Très-bien!*) C'est de cela qu'il s'agit, messieurs. Le gouvernement du roi a suivi envers l'Espagne une certaine politique; il a pris une certaine attitude; il l'a prise dans le discours de la couronne comme dans ses autres actes. De leur côté, les cortès de Madrid ont fait une adresse, Que vous demande-t-on? De répondre dans votre adresse à celle des cortès et non pas au discours de la couronne? (*Murmures à gauche.*) Est-ce là ce que veut faire la Chambre? (*Au centre:* Non! Non!) Croit-elle que ce soit là son rôle dans les affaires extérieures du pays? Croit-elle que ce soit ainsi qu'elle doive y intervenir pour porter son jugement sur la manière dont elles sont conduites? Croit-elle que ce soit ainsi, dans une affaire pendante, dans une situation flagrante, qu'elle doive venir exercer une action imprévue, irrégulière, et entrer en conversation avec une assemblée étrangère, au lieu de répondre au discours du roi? Là est la vraie question; la Chambre en décidera. (*Approbation au centre.—Une longue agitation succède à ce discours.*)

CXVI

Discussion sur la proposition de M. Ducos, relative à l'extension des droits électoraux.

—Chambre des députés.—Séance du 15 février 1842.—

Dans la séance du 14 février 1842, M. Ducos développa une proposition tendant à faire déclarer électeurs tous les citoyens inscrits sur la liste départementale du jury. Un long débat s'éleva à ce sujet. J'y pris part le 15 février en répondant à M. Billault qui avait appuyé la proposition. Elle fut rejetée dans cette même séance.

M. GUIZOT, *ministre des affaires étrangères.*—Messieurs, au moment de prendre part à ce débat, je demande à la Chambre, je demande à l'opposition la permission d'oublier un moment le débat même, d'oublier un moment les partis qui nous divisent, leurs engagements, leurs luttes, leurs craintes et leurs espérances, de considérer la question en elle-même, uniquement en elle-même, au seul point de vue de l'intérêt social, abstraction faite de toute combinaison politique, de tout intérêt, de tout incident parlementaire ou personnel.

Quand je me place à ce point de vue, je l'avoue, messieurs, à l'instant même, la question disparaît. J'ai beau regarder, j'ai beau chercher; je ne puis trouver parmi nous, aujourd'hui, dans l'état de la société, à la réforme électorale qu'on vous propose, aucun motif réel, sérieux, aucun motif digne d'un pays libre et sensé.

Ce n'est pas la première fois, messieurs, que de telles questions se débattent. Avant nous, ailleurs que chez nous, des réformes électorales ont été proposées, discutées, accomplies. Pourquoi? Dans quelles circonstances? Sous l'empire de quelles nécessités?

La société était divisée en classes diverses, diverses de condition civile, d'intérêts, d'influences; non-seulement diverses, mais opposées, se combattant les unes les autres, la noblesse et la bourgeoisie, les propriétaires terriens et les industriels, les habitants des villes et ceux des campagnes. Il y avait là des différences profondes, des intérêts contraires, des luttes continuelles. Qu'arrivait-il alors de la répartition des droits politiques? Les classes qui ne les possédaient pas avaient à souffrir beaucoup de cette privation. La classe qui les possédait s'en servait contre les autres; c'était là son grand moyen de force dans leurs luttes continuelles. De là, ces longues, puissantes, vives réclamations, pour arriver à un partage plus égal des droits politiques, pour les faire répandre dans toutes les classes, ou, au moins, dans une plus grande partie des classes de la société. C'est là l'histoire de toutes les réformes électorales si longtemps demandées, et enfin accomplies dans les pays où la liberté s'est introduite.

Rien de semblable chez nous aujourd'hui. On parle beaucoup de l'unité de la société française, et l'on a raison; mais ce n'est pas seulement une unité géographique, c'est aussi une unité morale, intérieure. Il n'y a plus de luttes entre les classes; il n'y a plus d'intérêts profondément divers, contraires. Qu'est-ce qui sépare aujourd'hui les électeurs à 300 fr. des électeurs à 200 fr., des électeurs à 150 fr., des électeurs à 50 fr.? Qu'est-ce qui sépare les patentables à 200 fr. des patentables inférieurs? Ils ont au fond les mêmes intérêts, ils sont dans la même condition civile, ils vivent sous l'empire des mêmes lois. La similitude des intérêts s'allie aujourd'hui chez nous, ce qui n'était encore jamais arrivé dans le monde, à la diversité des professions et à l'inégalité des conditions. (*Très-bien!*) C'est là un grand fait, le fait nouveau de notre société.

Un autre grand fait en résulte; c'est que la distribution des droits politiques n'est pas, ne peut être chez nous, un objet de luttes et de compétitions perpétuelles, comme cela arrivait dans les sociétés autrement constituées. L'électeur à 300 fr. représente parfaitement l'électeur à 200 fr., à 100 fr.: il ne l'exclut pas, il le représente, il le protège, il le couvre, il ressent, il défend les mêmes intérêts. Aussi le besoin d'entrer dans l'exercice des droits politiques ne se fait pas sentir vivement dans notre société, parce que, quelque puissante que soit la vanité humaine, quelque naturel que soit le désir de l'exercice des droits politiques, quand cet exercice n'est pas nécessaire à la défense des intérêts journaliers, à la protection de la vie civile, à la sûreté de la propriété, de la liberté, de tous les biens quotidiens de l'homme, quand, dis-je, la possession des droits politiques n'est pas nécessaire à ces buts essentiels de l'état social, elle n'éveille plus dans les masses la même ardeur. (*Très-bien! très-bien!*)

Aussi ces longues et vives réclamations qui ailleurs ont abouti à de grandes réformes électorales, vous ne les entendez point parmi nous. Quoiqu'on l'ait contesté tout à l'heure et plus d'une fois à cette tribune, je n'hésite pas à affirmer que le mouvement qui a fait entrer aujourd'hui cette question dans cette enceinte n'est pas un mouvement naturel, vif, né du sentiment de la société elle-même. Je dirai tout à l'heure quels sont les vrais partisans, les partisans ardents de la réforme électorale, quels sont ceux qui en ont un désir passionné, je le dirai, mais ce n'est pas d'eux que je m'occupe en ce moment.

Je dis que le mouvement qui a produit la question dont nous nous occupons est un mouvement superficiel, factice, mensonger, suscité par les journaux et par les comités. (*Interruption aux extrémités.*) Par les journaux et par les comités. Il n'est pas sorti spontanément du sein de la société elle-même, de ses intérêts et de ses besoins. (*Au centre:* C'est vrai!)

En vérité, c'est une grande pitié que de voir ce mouvement continuel pour introduire la division, la fermentation dans une société unie et tranquille, et qui n'a que des raisons de l'être, ce travail factice pour réveiller des passions qui n'existent pas, des désirs auxquels on ne pense pas. Hier un honorable membre posait à cette tribune la question entre la fortune et l'intelligence... Ah! messieurs, s'il en était ainsi, soyez sûrs que vous verriez se produire un bien autre mouvement que celui auquel vous assistez. S'il était vrai que l'intelligence fût exclue des droits politiques, s'il était vrai que la fortune les procurât seule, que cette société-ci fût partagée en riches qui possèdent et en hommes capables qui ne possèdent pas, vous verriez alors, non pas des comités, non pas des articles de journaux, non pas quelques pétitions, mais le soulèvement de la société tout entière pour changer cet ordre de choses. (*Très-bien! très-bien!*)

Il n'en est rien, messieurs, et c'est parce qu'il n'y a pas chez nous une telle opposition entre la fortune et l'intelligence, c'est parce que chez nous les deux choses s'allient, s'acquièrent l'une par l'autre, c'est à cause de cela que vous ne voyez aucun mouvement semblable. Que de propriétaires aujourd'hui sont industriels! Que d'industriels sont propriétaires! Que de gens capables deviennent propriétaires et industriels! Toutes les classes, toutes les forces sociales s'amalgament, se combinent, vivent en paix au sein de cette grande unité morale de la société française. Il y a là une des plus sûres garanties de notre repos, et c'est parce que notre société est ainsi faite, c'est parce que l'intelligence, dans toutes les carrières, y trouve sa place, arrive à la fortune, au pouvoir, que l'intelligence est satisfaite et que la propriété n'est pas attaquée, excepté par les brouillons et les malintentionnés. (*Vif mouvement d'adhésion au centre.*)

Je n'entrevois donc pour mon compte, et je le répète avec la plus profonde conviction, je n'entrevois, à la réforme électorale qu'on vous propose, aucun motif sérieux, aucun motif qui intéresse la société elle-même. Cependant on la demande, et on la demande sérieusement. Je vais dire qui et par quels motifs.

La réforme électorale est demandée d'abord... Que la Chambre ne s'étonne pas de la liberté de mon langage; je respecte profondément, on sait, la liberté des autres; je suis de ceux qui trouvent bon que toutes les questions soient apportées à cette tribune, que toutes les choses y soient dites; j'use sans réserve du droit que j'accorde.

La première impulsion vers la réforme électorale vient des ennemis du gouvernement, de ceux qui veulent le renversement de l'ordre établi. (*Au centre*: C'est vrai! Très-bien!)

Personne n'ignore que deux, je ne veux pas dire deux partis, je dirai deux factions travaillent, parmi nous, au renversement du gouvernement, les républicains et les carlistes. (*Interruptions et réclamations diverses.*)

J'aime mieux ce nom-là, c'est à dessein que je l'emploie; j'aime mieux, quand je parle d'une faction, la désigner par un nom propre que par un principe.

M. DE LARCY.—Le principe est dans vos ouvrages!

M. le ministre des affaires étrangères.—Messieurs, au moment même où je signale ce travail de deux factions contre notre gouvernement, je me hâte de renfermer les mots dont je me sers dans leurs justes limites.

On s'est trop accoutumé à croire, par exemple, que le parti républicain, c'était les masses, les classes inférieures, le peuple; le parti se présente sous ce drapeau, il se sert de ces beaux noms, il prétend être le représentant et l'organe des classes laborieuses, du peuple, des masses. Cela n'est pas vrai. (*Très-bien!*) Quand on entre dans le sein de ces classes laborieuses et populaires qui couvrent notre sol, on peut y compter les républicains, aussi bien que dans les classes supérieures; là comme partout ils sont dans une pitoyable minorité. (*Très-bien!*) Le peuple est attaché à l'ordre établi, au gouvernement de Juillet, à ses institutions, il vit en paix sous sa protection.

Je dirai la même chose des carlistes. Il n'est pas vrai que tous les hommes que des sentiments honorables, des idées élevées attachent à leur passé, soient entrés dans une faction, que tous travaillent à ramener de nouvelles révolutions dans leur pays. Cela n'est pas vrai.

Il y en a beaucoup qui successivement comprennent et comprendront qu'il est de leur devoir de ne pas se détacher de leur pays, de ne pas rester étrangers au gouvernement et aux institutions de leur pays, qu'il est de leur devoir de reprendre leur place dans cette grande société qui a reconquis ses libertés, non pour les garder d'une manière exclusive, mais pour les répandre sur tout le monde (*Très-bien! très-bien!*), pour en faire le ciel qui couvre, le soleil qui éclaire la France. Ils comprendront leur devoir, ils useront de leur droit peu à peu, et nous attendrons patiemment, en nous passant de leur concours, mais en le désirant toutes les fois qu'il sera libre, raisonnable et d'accord avec les intérêts du pays, nous attendrons, dis-je, patiemment, qu'ils comprennent leurs intérêts et qu'ils remplissent leurs devoirs envers la France.

Je réduis donc les deux factions à leur vrai caractère; je les enferme dans leurs justes limites. Mais là je les connais, je les ai vues à l'œuvre; vous les y voyez tous les jours; vous savez le mal qu'elles vous font, vous ne savez pas tout celui qu'elles peuvent vous faire. Voyez, au moindre prétexte, dès qu'une porte s'entr'ouvre, dès qu'un côté faible se découvre dans votre politique, dès qu'un incident malheureux vient embarrasser votre situation, voyez comme elles se précipitent pour aggraver le mal, pour l'exploiter, pour le faire tourner au profit de leurs coupables desseins. Que l'embarras vienne du dehors ou du dedans, qu'il s'agisse de la crainte de la guerre ou du recensement, d'une mesure que vous avez ordonnée sans vous douter des conséquences qu'elle pouvait avoir, leur action est la même; vous avez vu ce que les factions ont fait de cette mesure si simple, si innocente. C'est ce qu'elles feront, ce qu'elles essayeront de faire de toutes choses. Méfiez-vous bien toutes les fois que vous les voyez témoigner un désir vif, toutes les fois que vous les voyez s'efforcer activement en un sens; méfiez-vous; à coup sûr, il y a un danger. (*Très-bien!*)

Vous le voyez, messieurs; dans un pays bien civilisé, bien éclairé, dans un pays fier de sa civilisation et de sa gloire, vous voyez quelle est encore la crédulité publique, vous voyez combien il est facile d'abuser ce pays, de l'entraîner hors de ses véritables intérêts. Prenez donc bien garde, ne donnez pas d'aliment à cette crédulité; ne donnez pas d'espérances, ne donnez pas des moyens d'action aux factions qui l'exploitent. C'est votre premier devoir de veiller pour leur fermer toutes les portes, pour leur enlever tous les prétextes et défendre le public, ce public encore inexpérimenté, contre les piéges qu'elles lui tendent, contre les assauts qu'elles ne cessent de lui livrer. (*Très-bien! très-bien!*)

J'ai dit quels sont les premiers apôtres de la réforme électorale; voyez si c'est à ceux-là que vous voulez céder quelque chose.

Je passe aux seconds, infiniment plus respectables et légitimes, car il ne s'agit plus que d'une opinion, d'une théorie politique. Il y a des hommes qui regardent le grand nombre des électeurs comme indispensable à la vérité du gouvernement représentatif; ils placent surtout le mérite du système électoral dans le grand nombre des électeurs; ce sont des héritiers timides et, à mon avis, aveugles, du suffrage universel, qui était, il y a quarante ou cinquante ans, la doctrine universelle de la France.

Je crois, messieurs, que ces hommes se trompent, qu'ils se font une fausse idée de nos institutions et de l'état de notre société. Le grand nombre des électeurs importait autrefois quand les classes étaient profondément séparées et très-diverses par les intérêts et les influences, quand il fallait faire, à chacune, une part spéciale et nécessairement une part considérable. Rien de semblable, je le répète, n'existe plus chez nous; la parité des intérêts et l'appui qu'ils se prêtent les uns aux autres permettent de ne pas avoir un si grand nombre d'électeurs sans que ceux qui ne possèdent pas des droits politiques aient à en souffrir.

J'ajoute que, dans une société aristocratique, en face d'une aristocratie puissante, ancienne, c'est par le nombre que la démocratie se défend; le nombre est sa principale force; il faut bien qu'à l'influence de propriétaires très-riches, de grands seigneurs, de patrons puissants, elle oppose ses masses.

Partout où l'aristocratie est puissante dans la société, soyez sûrs que le corps électoral, si le pays est libre, sera nombreux et qu'il doit être nombreux. Rien de semblable chez nous. Nous n'avons pas à nous défendre contre une aristocratie puissante. Les classes supérieures sont liées de près aux classes inférieures, elles les représentent, les protégent et ne les oppriment pas.

Une autre considération me touche beaucoup.

Je suis, pour mon compte, ennemi décidé du suffrage universel. Je le regarde comme la ruine de la démocratie et de la liberté. Et si j'avais besoin de preuves, j'en aurais une sous les yeux; je ne la développerai pas. Cependant je me permettrai de dire, avec tout le respect que je porte à un grand pays et à un grand gouvernement, que le danger intérieur, le danger social dont les États-Unis d'Amérique me paraissent menacés, tient surtout au suffrage universel; c'est là ce qui leur fait courir le risque de voir leurs libertés réelles, les libertés de tout le monde compromises, aussi bien que l'ordre intérieur de leur société. C'est le suffrage universel qui fait que la puissance politique aux États-Unis n'a pas ce degré de force, de concentration et de confiance en elle-même dont elle a besoin pour remplir sa tâche dans une société quelconque.

Non-seulement donc je n'ai pas le désir de voir le suffrage universel s'introduire parmi nous, mais je m'oppose à toutes les tendances vers ce but. Je les crois nuisibles, dangereuses pour nos libertés comme pour l'ordre public.

Je n'hésite donc pas à dire que les raisons des partisans du nombre, en fait de régime électoral, me touchent aussi peu que les raisons des factions; elles sont plus honnêtes, elles méritent une discussion approfondie, mais elles n'ont pas, à mes yeux, plus de valeur.

La réforme électorale a encore d'autres partisans très-honorables: ce sont les hommes qui y voient une amélioration propre à nous préserver d'innovations dangereuses, une satisfaction donnée à des besoins légitimes et qui donnera le droit de repousser les prétentions d'intérêts illégitimes. Je n'atténue certainement pas leur idée ni la valeur de leur argument.

Mais pour que l'argument fût réellement fort, voici ce qu'il faudrait.

Une innovation n'est une amélioration utile qu'autant qu'elle oppose à un mal réel un remède efficace, autant qu'elle donne satisfaction à un besoin réel. À mon avis, le mal dont on parle n'est pas réel en France, il n'existe pas; le besoin de réforme électorale n'est pas réel non plus; il ne se fait pas sentir, il est factice, mensonger. Comment voulez-vous que je désire, que j'approuve une satisfaction à un besoin que je n'admets pas, un remède à un mal qui ne me paraît pas vrai? Savez-vous ce que vous faites? Au lieu d'opposer un remède à un mal réel, vous donnez satisfaction (je ne voudrais pas me servir d'un mot trop vulgaire) à cette démangeaison, à ce prurit d'innovation qui est un mal réel chez nous; vous donnez satisfaction à cette démangeaison politique qui travaille, non pas la société elle-même, mais un certain nombre d'individus dispersés dans cette société. Voilà le mal que vous prétendez guérir, le besoin que vous essayez de satisfaire; c'est-à-dire que vous risquez de porter atteinte au fond de la santé pour pallier un moment un mal superficiel, une maladie de la peau. (*Hilarité générale.*) Vous compromettez, vous affaiblissez la grande société saine et tranquille pour plaire un moment à cette petite société maladive qui s'agite et qui nous agite. Ce n'est pas là de la bonne politique; vous manquez votre but au lieu de l'atteindre; vous sacrifiez la réalité à l'apparence, les vrais intérêts de la société aux besoins imaginaires. Je respecte profondément vos intentions et vos convictions; mais, je suis obligé de le dire, ce n'est pas là, à mon avis, de la bonne, de la vraie, de l'efficace politique. (*Approbation au centre.*)

Il y a encore un refuge, un dernier refuge à la réforme électorale qu'on vous propose. On dit qu'elle est insignifiante, que, si elle n'est pas bien nécessaire, si elle n'est pas bien demandée par la société, au moins elle n'a pas de grands dangers, de dangers réels.

Messieurs, c'est, je l'avoue, un singulier argument à apporter en faveur d'une réforme que son insignifiance. Je n'accorde pas l'insignifiance. Quand je ne rappellerais l'attention de la Chambre sur ce que je viens de dire, je n'accorde pas qu'une réforme qui est vivement sollicitée par les ennemis de l'ordre établi, qui serait donnée à l'erreur des partisans du nombre en matière électorale, et à l'erreur de ceux qui veulent guérir un mal qui n'existe pas, je n'accorde pas, dis-je, qu'une telle réforme soit insignifiante et qu'elle n'ait pas de dangers.

Mais je passe par-dessus tout cela, et je vais à l'ensemble de notre situation. C'est avec l'ensemble de notre situation, avec la tâche que nous avons à remplir que je veux comparer la réforme qu'on propose.

Nous avons, messieurs, une tâche plus rude qu'il n'en a été imposé à aucune époque; nous avons trois grandes choses à fonder: une société nouvelle, la grande démocratie moderne, jusqu'ici inconnue dans l'histoire du monde; des institutions nouvelles, le gouvernement représentatif jusqu'ici étranger à notre pays; enfin une dynastie nouvelle. Il n'est certainement jamais arrivé à notre époque d'avoir une pareille tâche à accomplir; jamais!

Cependant, messieurs, nous approchons beaucoup du but. La société nouvelle est aujourd'hui prépondérante, victorieuse, personne ne le conteste plus; elle a fait ses preuves; elle a pris possession du terrain social; elle a conquis en même temps et les institutions et la dynastie qui lui conviennent et qui la servent. Les grandes conquêtes sont toutes faites. Cela a été dit plusieurs fois à cette tribune, je ne puis me lasser de le répéter. Oui, toutes les grandes conquêtes sont faites, tous les grands intérêts sont satisfaits; notre premier, presque notre seul devoir, c'est d'entrer en possession de ce que nous avons conquis, de nous en assurer la ferme et complète jouissance.

Eh bien, pour réussir dans ce qui est la véritable tâche de notre temps, nous n'avons besoin que de deux choses: de stabilité d'abord, puis de bonne conduite dans les affaires journalières et naturelles du gouvernement, dans les affaires intérieures ou extérieures qui arrivent au gouvernement sans qu'il aille les chercher, par cela seul qu'il est le gouvernement du pays; la stabilité et la bonne conduite dans la vie de tous les jours, voilà les seuls vrais, les seuls grands intérêts de la France aujourd'hui. (*Au centre.* Très-bien! très-bien!)

Que faites-vous donc? Vous faites précisément le contraire de ce que veut la bonne politique de votre temps; vous altérez la stabilité des lois et des pouvoirs, la stabilité du corps électoral, la stabilité de la Chambre, la stabilité du gouvernement. Vous semez l'incertitude partout. Et pourquoi? Est-ce par une nécessité impérieuse? Est-ce en présence d'un grand mouvement, d'une force puissante? Non; c'est pour satisfaire à un besoin faux, factice, ou, pour le moins, bien douteux et bien faible.

C'est pour donner une grande place à une affaire que vous allez chercher, provoquer, qui ne vous vient pas naturellement, qui n'est pas le vœu spontané de la société et de notre temps: c'est pour cela que vous ébranlez la stabilité de vos lois et de vos pouvoirs. (*Très-bien! très-bien!*)

Messieurs, il n'est pas nécessaire d'être assis au banc des ministres et d'avoir la responsabilité des affaires de son pays, pour sentir que ce n'est pas là de la bonne politique; il suffit de prendre place sur l'un des bancs de cette Chambre; il suffit d'avoir une part, quelque petite qu'elle soit, du fardeau du gouvernement et de la responsabilité qui pèse sur nous. Comment, vous trouvez que la tâche de mettre un peu de stabilité en toutes choses, la tâche de suffire aux nécessités du gouvernement, aux affaires naturelles, obligées et inévitables du pays, vous trouvez que cela ne vous suffit pas? Vous voulez accepter toutes les questions qu'on se plaira à élever devant vous, toutes les affaires qu'on vous suscitera, réelles ou factices, vraies ou fausses?

Messieurs, gardez-vous bien d'une telle facilité; ne vous croyez pas obligés de faire aujourd'hui ceci, demain cela; ne vous chargez pas si facilement des fardeaux qu'il plaira au premier venu de mettre sur vos épaules, lorsque celui que nous portons nécessairement est d'un grand poids. Résolvez les questions obligées; faites les affaires indispensables que le temps amène naturellement, et repoussez les questions qu'on vous jette aujourd'hui à la tête légèrement et sans nécessité. (*Vive adhésion au centre.*)

Il me reste un dernier point sur lequel je serai fort court.

Sans aucun doute, j'ai le droit de compter, parmi les motifs qui font provoquer la réforme électorale, l'opposition au cabinet, le désir de le renverser. (*Mouvements divers.*) Je ne m'en plains pas, c'est parfaitement permis; et si je m'étonne de quelque chose, c'est qu'on ne le dise pas tout haut, et qu'on essaye plutôt de s'en cacher. (*Au centre.* Très-bien!)

Comment? Est-ce que par hasard les personnes qui désirent le renversement du cabinet auraient elles-mêmes le sentiment que ce serait un fait grave, plus grave que le motif par lequel elles essayent d'y pousser aujourd'hui? N'importe, je ne conteste pas, j'admets la pleine légitimité du désir et du travail: vous usez de nos institutions, c'est bien; je vais vous dire ce que nous ferons. (*Écoutez! écoutez!*)

Le cabinet, tant que la majorité de cette Chambre ne changera pas la politique générale qui l'a portée à le soutenir, le cabinet ne se laissera pas renverser par la minorité. (*Très-bien! très-bien!*) Les attaques, les embarras, les désagréments, les ennuis, ne sont pas des motifs sérieux pour des hommes qui se respectent et qui respectent la tâche dont ils sont chargés. (*Nouveau mouvement.*)

Quand le cabinet s'est formé, il s'est formé sous l'empire de deux idées: pour rétablir au dehors la bonne intelligence entre la France et l'Europe, pour faire rentrer au dedans, dans le gouvernement, l'esprit d'ordre et de conservation.

Ces deux buts peuvent certes être avoués, et valent la peine qu'on risque et qu'on souffre quelque chose pour leur accomplissement. (*Oui! oui! Très-bien!*) Nous risquerons et nous souffrirons. (*Mouvement d'approbation au centre.— Exclamations aux bancs de l'opposition.*)

Nous ferons ce que vous faites, messieurs, nous userons comme vous de nos institutions, de la plénitude de nos institutions.

Voilà la seule réponse que je doive à nos adversaires.

À nos amis j'ai encore quelque chose à dire. (*Écoutez! écoutez!*)

Voici ce que j'ai à leur dire: vous nous avez engagés et soutenus dans une tâche pesante; je suis convaincu que vous êtes décidés à nous y soutenir tant que nous serons fidèles comme vous à la cause qui est la vôtre comme la nôtre (*Oui! oui!*); mais prenez garde; prenez garde de ne pas affaiblir légèrement, par des motifs insuffisants, ce pouvoir que vous voulez soutenir; prenez garde de ne pas diminuer la force quand vous ne diminuez pas le fardeau. (*Profonde sensation*).

Vous avez, comme nous, des devoirs à remplir; vous êtes partie du gouvernement; vous avez votre part de responsabilité dans les affaires et devant le pays. Ne l'oubliez jamais. Ne vous déchargez pas facilement de ce qui vous revient dans le fardeau et dans la responsabilité.

J'ose dire, pour mes collègues et pour moi, ce que vous savez déjà, que le courage et la persévérance ne nous manqueront point. Mais nous ne pouvons rien seuls; nous avons besoin de votre aide.... (*Mouvement*), de votre aide persévérante. Je ne puis que vous répéter ce que je disais à l'instant même: ne diminuez pas légèrement la force quand vous ne diminuez pas le fardeau. Si jamais la force nous manquait, si jamais les moyens de gouvernement nous paraissaient trop faibles pour que nous continuassions d'accepter notre responsabilité, soyez certains que nous vous le dirions avant que vous vous en fussiez aperçus. (*Marques nombreuses d'assentiment aux centres.*)

CXVII

Sur la non-ratification de la convention du 20 décembre 1841 pour
l'abolition de la traite des nègres par le droit de visite.

—Chambre des députés.—Séance du 28 février 1842.—

Le droit mutuel de visite entre la France et l'Angleterre pour l'abolition de la
traite des nègres étant devenu l'occasion d'un vif débat et d'une manifestation
claire des sentiments publics, le gouvernement du roi ne crut pas devoir
ratifier la nouvelle convention conclue le 20 décembre 1841 sur l'exercice de
ce droit. De là provint, dans la situation diplomatique et parlementaire du
cabinet, un grave embarras. M. Mauguin lui ayant adressé, à ce sujet, le 28
février, des interpellations, je lui répondis:

M. GUIZOT.—Messieurs, dans le débat dont la question qui vous occupe a
déjà été l'objet, j'ai fait deux choses: j'ai maintenu, dans sa pleine liberté
constitutionnelle, la prérogative de la couronne, son droit de ratifier le traité
qu'elle avait conclu; en même temps j'ai reconnu que le sentiment manifesté
par la Chambre était un fait grave que le gouvernement du roi devait prendre
en grande considération.

J'ai agi selon ce que j'avais dit; mes paroles ont réglé ma conduite. Quand le
moment de la ratification est arrivé, la couronne, d'après les conseils de son
cabinet et du ministre des affaires étrangères en particulier, a chargé son
ambassadeur à Londres de déclarer qu'elle ne croyait pas devoir ratifier
maintenant le traité; elle a dit de plus qu'elle ne pouvait faire connaître à quelle
époque elle croirait pouvoir le ratifier: enfin elle a fait des réserves et proposé
des modifications au traité.

Que l'honorable préopinant se rassure; ces propositions n'ont point excité le
repoussement, les colères dont il vient d'entretenir la Chambre. Sans doute,
l'Angleterre a vivement regretté que le traité ne reçût pas notre ratification
immédiate; mais la situation du gouvernement du roi et les motifs qui
déterminaient sa conduite ont été compris. Les autres puissances, n'ayant
aucun motif semblable pour ne pas échanger leurs ratifications, les ont
échangées au terme fixé, et, d'un commun accord, le protocole est resté
ouvert pour la France, ouvert d'une manière indéfinie jusqu'au moment où
les négociations proposées par la France auraient atteint leur but.

Voilà exactement quelle est aujourd'hui la situation. La ratification n'a pas été
donnée; aucun délai déterminé n'a été assigné pour le moment où elle serait
donnée. Aucun engagement direct ni indirect de ratifier purement et
simplement à aucune époque n'a été contracté. Aucune des hypothèses que
l'honorable préopinant vient d'émettre à cette tribune n'a été abordée.
Personne n'a parlé ni de la dissolution de la Chambre, ni d'un changement

possible des opinions de la Chambre; non, messieurs, rien de cela n'eût été convenable ni digne de la Chambre, du gouvernement du roi, de la France, de nous-mêmes. Les choses ont été exposées dans leur pure et simple vérité; et dans un pays où le gouvernement constitutionnel est si bien connu et pratiqué, elles ont été comprises avec bon sens et sincérité, comme elles étaient exposées. Le protocole reste ouvert. La France ne s'est point séparée des autres puissances; la France, sur cette question même, toute spéciale qu'elle est, n'est point isolée en Europe. Comme l'Europe, elle veut la répression efficace de la traite; elle veut y concourir. Des motifs graves, des motifs constitutionnels ont déterminé la couronne à ne pas donner maintenant sa ratification, ce qui est son droit; droit qui n'a pas été aussi rarement exercé que l'honorable préopinant le disait tout à l'heure; les exemples de ratifications refusées, de ratifications données avec des réserves, ne manquent point dans l'histoire du droit des gens, et dans notre histoire récente, indépendamment même de celui que l'honorable préopinant citait tout à l'heure.

La situation est donc parfaitement simple: la ratification n'a pas été donnée, aucun terme précis n'a été assigné. Une négociation nouvelle est entamée pour obtenir des modifications au traité, des modifications qui satisfassent en même temps à la répression de la traite et aux sentiments manifestés par la Chambre. Sur quels points spéciaux portera cette négociation? Quelles seront les modifications proposées? Quelle en sera l'issue? Il m'est impossible de le dire aujourd'hui; il est de mon devoir de ne point aborder aujourd'hui cette question. L'affaire est pendante, la négociation est ouverte; elle sera suivie avec le désir de ne point manquer aux engagements de la France, de ne point abandonner la cause, la sainte cause qui a été l'objet du traité, et en même temps de faire leur juste part aux sentiments que la Chambre a manifestés, c'est-à-dire de garantir pleinement et l'indépendance de notre pavillon et les intérêts légitimes de notre commerce.

Voilà le but général de la négociation. Je ne puis, et la Chambre le comprend, entrer en ce moment dans aucun détail à ce sujet. J'ai voulu seulement bien caractériser la situation. Elle n'a rien d'irrégulier, rien de contraire au droit des gens; elle est délicate, elle veut être ménagée avec soin, avec prudence. Nous ne perdrons jamais de vue le double objet qu'elle se propose; c'est tout ce que j'en puis dire aujourd'hui. (*Marques d'approbation au centre.*)

CXVIII

Discussion du projet de loi portant demande d'un million de fonds secrets pour l'exercice 1842.

—Chambre des députés.—Séance du 10 mars 1842.—

M. le comte Duchâtel, ministre de l'intérieur, présenta à la Chambre des députés, le 23 février 1842, un projet de loi pour demander, selon l'usage, un crédit pour dépenses secrètes pendant l'exercice 1842. Le rapport en fut fait le 7 mars par M. Jars, député du Rhône, qui, au nom de la commission, en proposa l'adoption. Je pris la parole, à la fin du débat, pour répondre à diverses allégations inexactes, spécialement sur la conduite du gouvernement envers les consuls étrangers en Algérie, et le projet de loi fut adopté à 77 voix de majorité.

M. GUIZOT, *ministre des affaires étrangères.*—Je ne viens point rouvrir un débat sur des questions qui ont déjà été traitées devant la Chambre, que je regarde comme épuisées, du moins dans leur état actuel, et sur lesquelles on ne revient pas sans quelque inconvénient lorsque rien n'est changé d'ailleurs dans les faits, lorsqu'on n'a rien à ajouter ni à retrancher à ce qui en a déjà été dit. Cette tribune n'est pas un lieu où nous venions causer des affaires publiques pour notre seul plaisir et par voie de passe-temps. (*Interruption à gauche.—Approbation au centre.*)

M. DURAND (*de Romorantin*).—Nous ne sommes pas ici pour cela, mais pour faire les affaires du pays.

M. *le ministre.*—Je répète que, dans ma ferme conviction, cette tribune n'est pas un lieu où nous venions nous entretenir des affaires publiques par pure conversation et pour notre passe-temps. (*Interruption nouvelle.*)

M. DURAND (*de Romorantin*).—Il n'y a qu'à fermer la Chambre!

M. *le ministre.*—La Chambre sait que je ne me refuse jamais à la discussion, mais aucune des questions que l'honorable préopinant vient d'aborder n'est nouvelle à cette tribune. Elles y ont toutes été débattues dans le cours de cette session, et avec toute l'étendue qu'il a plu à la Chambre de leur accorder. Le gouvernement, l'opposition, ont dit librement, complétement ce qu'ils croyaient avoir à dire. Rien n'est changé dans l'état des faits depuis le moment où ces discussions ont eu lieu. Je le demande; lorsque rien n'est changé dans l'état des faits, doit-on renouveler sans nécessité des débats qui, par leur retentissement extérieur, par la délicatesse des questions qui s'y rattachent, ne sont jamais, je ne dirai pas sans inconvénient, mais du moins sans difficulté, dans l'intérêt du pays même.

Je ne viens donc pas, je le répète, rouvrir le débat sur ces questions. Je viens rétablir des faits qui ont été inexactement représentés ou affirmés; je viens répondre à des dénégations dénuées de tout fondement.

M. DURAND (*de Romorantin*).—Je demande la parole.

M. le ministre.—Je commencerai par rétablir la vérité sur un fait qui a déjà été expliqué plusieurs fois à la Chambre. Je veux parler de *l'exequatur* donné aux consuls étrangers qui résident à Alger. C'est l'habitude que, dans les mutations de gouvernement, sur un même territoire, ces consuls continuent à agir en vertu de *l'exequatur* et des pouvoirs qu'ils avaient auparavant. Cela s'est ainsi pratiqué en Afrique, lors de notre prise de possession, non-seulement pour le consul d'Angleterre, mais pour les consuls des autres puissances; et depuis, quand un consulat est devenu vacant, quand un nouveau consul a été appelé, il a été obligé de demander et de recevoir *l'exequatur* du gouvernement français, et il n'a pu entrer en fonctions sans l'avoir reçu. Il en résulte qu'aujourd'hui la plupart des consuls qui résident en Algérie, ayant été nommés depuis notre occupation, ont reçu *l'exequatur* du gouvernement du roi, et exercent leurs fonctions en vertu de cet *exequatur*.

Le consul anglais à Alger (et il n'est pas le seul), étant antérieur à 1830, le poste n'étant pas devenu vacant depuis, il n'y a pas eu lieu à lui donner un nouvel *exequatur*; mais j'ajoute que ce même consul ayant demandé, pour un vice-consul de sa nation, le droit de se transporter d'un point de l'Algérie sur un autre point, il lui a été répondu que, pour obtenir cette translation, le vice-consul aurait besoin d'un *exequatur* nouveau; et la translation n'a pas été autorisée et ne le sera point jusqu'à ce que le nouvel *exequatur* ait été donné. (*Marques d'adhésion au centre.*) Et le jour où le poste de consul anglais à Alger deviendra vacant, le principe qui a été appliqué à tous les autres postes le sera également à celui-ci. Aucun consul nouveau ne sera installé s'il ne demande et s'il n'obtient *l'exequatur* du gouvernement du roi.

Il n'y a donc rien eu de particulier dans ce qui a été fait à l'égard du consul anglais.

La même maxime, la même règle a été suivie pour lui et pour tous les autres consuls des puissances européennes dans l'Algérie. Je répète que ce point avait déjà été éclairci devant la Chambre, et que la réponse que j'ai l'honneur de lui faire lui avait déjà été plusieurs fois adressée.

Le second point se rapporte à la connaissance que j'ai donnée, il y a quelque temps, à la Chambre, d'une dépêche de l'ambassadeur du roi en Angleterre, sur une conversation qu'il avait eue avec lord Aberdeen, quant à nos possessions en Algérie.

Je rectifie d'abord une assertion complètement fausse. Jamais il n'est entré dans ma pensée que l'ambassadeur du roi pût adresser, et jamais il n'a adressé aucune parole, je ne dirai pas pour demander l'adhésion du gouvernement britannique à notre possession de l'Algérie, mais pour élever, pour admettre qu'on pût élever une question à ce sujet, jamais.

M. DURAND (*de Romorantin*).—Mais je n'ai pas dit le contraire.

M. *le ministre.*—On a dit tout à l'heure à cette tribune, j'ignore si c'est l'honorable préopinant ou un de ceux qui l'ont précédé, on a dit que le gouvernement du roi avait demandé l'adhésion de l'Angleterre à notre établissement en Algérie. Je nie le fait.

Dans la conversation que je rappelais à la Chambre, lord Aberdeen, spontanément, a dit à l'ambassadeur du roi à Londres, qu'en 1830 il avait fait, contre notre occupation en Algérie, des protestations, des réclamations vives, incessantes, mais que maintenant il ne reprenait pas cette position, que son attitude était différente, que dix ans de possession étaient à ses yeux un fait grave, un fait accompli, et que, sur ce sujet, il n'avait pas d'*objection* ou d'*observation* à faire; j'avoue que la différence des deux mots me touche peu.

La conversation, je le répète, n'avait pas été provoquée, les paroles ont été dites spontanément; la sanction du temps, la conquête devenant progressivement un fait accompli, voilà ce qui a frappé lord Aberdeen, ce qu'il a dit simplement et sensément; car, en vérité, c'est là un fait simple, évident, et qui ne devait pas donner lieu à un tel débat.

Il y a déjà dix ans, messieurs, le premier peut-être, j'ai dit à cette tribune: «La France a conquis Alger, la France gardera sa conquête.» Les paroles que j'ai dites, il y a dix ans, je les répète aujourd'hui; tout le monde les répète, ou est bien près de les répéter. Mais vous ne pouvez vous étonner qu'il ait fallu du temps pour en venir là; vous ne pouvez empêcher que les conquêtes aient besoin de temps; c'est ce qui est arrivé à toutes les conquêtes du monde; la sanction du temps leur donne seule une autorité, une sécurité reconnue.

Eh bien, les paroles de lord Aberdeen à l'ambassadeur du roi à Londres n'ont pas été autre chose que la reconnaissance de la sanction progressivement donnée par le temps à notre établissement en Algérie; paroles prononcées à bonne intention, dans un esprit de bonne intelligence et de paix, pour n'être pas obligé de reprendre au bout de dix ans, les mêmes réclamations, les mêmes contestations qui, en 1830, avaient été si vives.

Ce sont ces explications, spontanément données, qui m'ont été loyalement transmises par l'ambassadeur du roi à Londres. Qu'il y ait dans les termes telle ou telle variante, peu importe. Entre hommes sérieux et sensés, c'est du fond des choses qu'il s'agit; je ne viens pas élever ici une discussion de mots; je constate un grand fait, c'est que la France a conquis Alger, et que déjà douze ans de possession ont amené l'homme d'État qui avait élevé contre cette occupation les objections les plus graves, les réclamations les plus vives, à prendre, en rentrant aux affaires, une attitude toute différente, et à garder, sur cette question, le même silence qu'avait aussi gardé son prédécesseur.

Quand un temps encore plus long se sera écoulé, quand l'autorité de nouvelles années se sera encore ajoutée à celle de notre ferme intention de garder notre établissement d'Afrique, vous verrez le cabinet anglais, comme les autres cabinets, et la Porte elle-même, faire des pas nouveaux, et la sanction la plus complète, la plus définitive, l'aveu de tout le monde viendra consommer notre établissement d'Afrique, ainsi que cela est arrivé pour toutes les grandes conquêtes. Il n'y en a aucune qui ait passé dans le droit européen le lendemain même du jour où, en fait, elle avait été accomplie. Il n'y en a aucune qui n'ait eu besoin de beaucoup d'années pour être transformée en droit définitif et reconnu de tous. Ce qui arrive aujourd'hui à l'égard de l'Algérie n'a rien d'étrange; c'est l'histoire de toutes les grandes mutations de territoire; le temps seul les consacre irrévocablement.

J'en viens à quelques paroles attribuées au président du conseil des ministres à Madrid. On prétend, et quelques journaux ont dit, mais je n'ai à cet égard aucune certitude, on prétend, dis-je, que M. le président du conseil a affirmé que le gouvernement anglais, après avoir adhéré aux principes que nous avons suivis, en ce qui concerne la remise des lettres de créance de l'ambassadeur du roi à Madrid, avait rétracté son adhésion, et que le cabinet espagnol était en possession d'une dépêche dans laquelle le cabinet anglais adhérait à des maximes contraires.

Je n'hésite pas à dire que j'ai eu connaissance, connaissance officielle, de la dépêche dans laquelle lord Aberdeen écrit au ministre d'Angleterre à Madrid qu'il approuve les maximes que la France a soutenues à cet égard. La question était discutée avec détail dans cette dépêche, entre autres en ce qui touche la constitution espagnole. J'ai une trop haute idée de la fermeté d'esprit et de l'honneur du ministre des affaires étrangères de Sa Majesté Britannique pour jamais supposer qu'après avoir ainsi pensé et écrit il ait presque aussitôt rétracté son dire, et que le cabinet espagnol soit en état de produire une dépêche contraire. Comme de raison, existât-elle, elle ne serait pas venue à ma connaissance; mais je suis fermement convaincu qu'elle n'existe pas, et que le cabinet britannique persiste dans les maximes qu'il a adoptées et ouvertement professées, comme nous, sur cette question.

M. le président du conseil à Madrid paraît avoir nié également qu'aucun renseignement, aucun avis eût été donné au gouvernement espagnol par l'administration française sur des mouvements qui se préparaient dans les provinces basques, avant le mois d'octobre de l'année dernière. J'avais dit, en effet, à cette tribune, que l'administration des douanes sur la frontière avait informé le consul d'Espagne, à Bayonne, que des armes, des munitions, passaient secrètement la frontière dans un but qu'elle ne connaissait pas, qu'elle ne pouvait expliquer, mais qui semblait indiquer un projet de quelque mouvement politique.

J'ai une réponse bien simple à faire à M. le ministre des affaires étrangères à Madrid; c'est de lire la lettre même, dans laquelle, le 25 juin 1841, le consul d'Espagne à Bayonne remerciait le directeur des douanes françaises des avis qu'il lui avait donnés à ce sujet:

«Bayonne, 25 juin 1841.

«Monsieur le directeur,

«Après avoir reçu votre obligeante communication du 14 de ce mois, je me suis empressé d'en informer S. Exc. M. le ministre des affaires étrangères de Sa Majesté Catholique, et en même temps j'ai réclamé, des autorités des provinces limitrophes, toutes les données et renseignements qui seraient à leur connaissance, relativement à l'usage qu'on aurait fait du soufre et salpêtre exportés de cette place pour l'Espagne. Je comptais recevoir, dans un bref délai, le résultat de mes démarches pour vous le transmettre de suite; mais voyant le retard qu'éprouvent les réponses des autorités à qui j'ai demandé les renseignements, je ne puis différer plus longtemps de vous témoigner, monsieur le directeur, ma profonde gratitude pour les importantes nouvelles que vous avez eu la bienveillance de me communiquer.

«Agréez, etc.

«Le consul d'Espagne,
«J.-J. DE ARGUINSEGUI.

«À monsieur le directeur des douanes à Bayonne.»

J'ignore si M. le ministre des affaires étrangères à Madrid a eu connaissance de cette lettre; mais le consul d'Espagne affirme qu'il lui a transmis les renseignements qu'il avait lui-même reçus.

Je m'arrête ici, messieurs; je ne veux point rentrer, je le répète, dans les débats qu'on a essayé tout à l'heure de renouveler à cette tribune. Si la Chambre jugeait un nouveau débat nécessaire, si elle croyait, par exemple, que, malgré tout ce qui a été dit dans la discussion de l'adresse, la politique du gouvernement du roi, quant à l'Espagne, a besoin de nouvelles explications, je n'hésiterais pas à les donner; mais la Chambre se rappelle que j'ai déjà exposé, devant elle, cette politique, que j'ai discuté les faits récents dans lesquels elle s'était manifestée, et qu'aucune réplique ne s'est élevée de ces bancs; les explications que j'ai données sont restées alors, il y a trois semaines ou un mois, sans réponse. Rien n'est changé depuis, et, quant à moi, je ne sens aucun besoin de recommencer.

Sur tous les faits dont on vient de parler, j'ai rétabli la vérité; je l'ai rétablie, je pense, avec un degré d'exactitude et d'évidence qui n'est pas susceptible de contestation. C'est tout ce que j'ai à faire en ce moment; la suite de la discussion m'apprendra si j'ai quelque chose de plus à dire. (*Très-bien! très-bien!*)

CXIX

Discussion sur les missions extraordinaires ordonnées par le ministre des affaires étrangères.

—Chambre des députés.—Séance du 4 avril 1842.—

Dans la discussion du projet de loi relatif aux crédits supplémentaires et extraordinaires, demandés pour les exercices 1841 et 1842, les missions extraordinaires ordonnées par le département des affaires étrangères furent l'objet de diverses observations et attaques; notamment de la part de M. Glais-Bizoin, député des Côtes-du-Nord. Je lui répondis par les explications suivantes:

M. GUIZOT, *ministre des affaires étrangères.*—Les observations de l'honorable préopinant portent sur deux points.

Il demande d'abord que des explications soient données à la Chambre, comme elles l'ont été à la commission. Si l'honorable préopinant ou quelque autre membre voulait indiquer les objets spéciaux sur lesquels des explications lui semblent nécessaires, je serais prêt à les donner; mais je ne puis d'une manière générale et par avance, répéter ici à la Chambre tout ce que j'ai dit à la commission. Je ne demande pas mieux que de présenter à la Chambre, sur les différentes missions étrangères, tous les renseignements qu'elle désirera. J'attends qu'on me les indique.

Sur le second point, j'ai peine à croire que l'honorable préopinant lui-même puisse sérieusement supposer que j'aie avoué l'infériorité ou l'insuffisance de notre politique; ce que j'ai dit à la commission, ce que j'avais dit à la Chambre l'année dernière, ce que je répète aujourd'hui, c'est l'insuffisance de nos moyens d'information. Il est vrai que nous avons, relativement à d'autres États, des moyens d'information incomplets et précaires. L'honorable préopinant lui-même en signalait un tout à l'heure; il parlait de l'insuffisance des traitements de nos agents consulaires. Il a raison, il en résulte qu'ils sont souvent mal informés. Le nombre de nos agents consulaires ne suffit pas non plus. Il y a des points sur lesquels il importerait beaucoup d'en avoir, et où nous en avons manqué jusqu'à présent. La commission du budget l'a reconnu elle-même, comme on le verra dans son rapport. Et ce que l'honorable préopinant a dit des agents consulaires, je le dis également, sur certains points, des agents politiques. Tantôt les traitements sont insuffisants; tantôt les agents manquent. Mais c'est uniquement de l'insuffisance des informations que j'ai parlé; il en résulte de grands inconvénients pour notre politique, et nous les avons plus d'une fois rencontrés. Une puissance voisine a, dans les diverses parties du globe, des établissements beaucoup plus multipliés que les nôtres, un commerce beaucoup plus étendu et plus actif, des voyageurs libres beaucoup plus nombreux, et qui tiennent à devoir d'informer leur gouvernement de tout ce qu'ils observent. Pour nous, nous sommes obligés de suppléer à ces moyens-là, tantôt par nos seuls agents officiels, tantôt par des missions extraordinaires. Il est donc naturel, il est indispensable qu'elles soient nombreuses; et quiconque a gouverné le département des affaires étrangères en a reconnu le besoin. Pour mon compte, je suis prêt, je le répète, à donner, sur ce sujet tous les renseignements, toutes les explications que la Chambre désirera.

M. Glais-Bizoin ayant particulièrement insisté sur les missions extraordinaires dans la Plata et en Grèce, je lui répondis:

M. le ministre des affaires étrangères.—Quant à ce qui regarde Buenos-Ayres, j'aurai l'honneur de rappeler à la Chambre que cette question a déjà été plusieurs fois débattue devant elle, que tous les renseignements que je pourrais donner lui ont déjà été communiqués, et que la Chambre a pensé qu'à tout prendre la question de Buenos-Ayres a été résolue aussi bien que le comportaient les difficultés de la situation. Je ne reviendrai donc pas sur ce point; je n'aurais aucun détail de quelque valeur à ajouter à ceux dont la Chambre a déjà eu connaissance; c'est uniquement sur la question de la mission en Grèce que je désire donner à la Chambre quelques éclaircissements.

M. GLAIS-BIZOIN.—Pardon, monsieur le ministre, j'aurais une observation à faire. La solution de la question de Buenos-Ayres peut avoir été acceptée par la Chambre, à la satisfaction du cabinet; mais la question de la mission est complétement inconnue à la Chambre: je ne pense pas qu'aucun membre me démente sur ce point; la Chambre et le pays ont besoin, j'en suis convaincu, avant d'approuver la dépense occasionnée par cette mission, de connaître quels fruits elle a produits.

M. le ministre des affaires étrangères.—La mission dont parle le préopinant est complétement étrangère à mon administration, comme toute l'affaire de Buenos-Ayres que j'ai trouvée conclue et que j'ai eu à justifier devant la Chambre, ce que j'ai fait sans hésiter, quoique je n'y eusse pris aucune part. Cette mission a été du reste peu importante; elle avait pour objet de mettre un officier d'état-major en communication avec l'un des généraux insurgés dans l'intérieur de l'Amérique du Sud, et de se procurer, sur l'état de ce général et sur ses moyens d'action, des renseignements. C'est là tout ce que je connais de cette mission, qui ne mérite pas, je crois, une longue attention de la Chambre. J'en viens à la Grèce.

Au commencement de 1841, l'état de la Grèce appela l'attention la plus sérieuse du gouvernement du roi; il nous parut mauvais. La tranquillité intérieure de la Grèce semblait menacée, et par la faiblesse de l'administration publique, et par l'ébranlement de toutes les passions nationales. La Chambre se rappelle qu'à cette époque, l'île de Candie était en pleine insurrection; d'autres insurrections étaient près d'éclater sur les frontières continentales; les rapports pacifiques entre la Grèce et l'empire ottoman pouvaient être, d'un moment à l'autre, sérieusement compromis. Au dedans, des vices d'un autre genre donnaient de graves inquiétudes. L'administration semblait inerte, sans énergie, incapable non-seulement d'améliorer l'état social, mais d'exercer réellement le pouvoir.

De tout cela résultait, pour les puissances protectrices de la Grèce et qui ont fondé cet État, de véritables inquiétudes sur ses destinées futures. C'est au milieu de cette situation que la mission dont M. Glais-Bizoin vient de rappeler le souvenir a été décidée et accomplie.

Elle a eu un triple objet: d'abord de mettre le gouvernement du roi bien au courant des faits, au courant de l'état intérieur de l'administration grecque; ensuite de nous faire bien apprécier son état financier, et de nous diriger dans les importantes résolutions que nous avions à prendre à cet égard; enfin de faire entendre au gouvernement et au peuple grec des conseils amis, de les bien avertir que toute tentative de soulèvement, toute tentative d'extension de territoire pourrait avoir, pour la solidité de l'État grec, les conséquences les plus déplorables, de les contenir ainsi sans les abattre, sans leur donner le sentiment d'une contrainte étrangère, en leur donnant au contraire la ferme confiance que la consolidation et le développement de l'État grec, étaient le seul but de notre politique.

Il fallait, pour une telle mission, un homme que ses antécédents missent en rapport avec la population grecque, un homme qui eût donné à la Grèce d'éclatantes preuves de dévouement et d'affection, qui eût de l'autorité pour parler aux patriotes grecs, aux patriotes les plus animés, les plus faciles à entraîner. Le choix de l'homme qui a rempli cette mission n'a point été, comme l'honorable membre le disait tout à l'heure, un pur choix d'amitié. Sans doute l'honorable M. Piscatory est de mes amis; mais s'il n'avait eu que ce titre, je n'aurais jamais pensé à l'envoyer en Grèce. Il a reçu cette mission parce qu'il avait rendu à la Grèce de vrais services, parce qu'il pouvait se faire écouter des hommes qu'il importait le plus d'avertir.

Et sa mission a eu réellement l'effet que j'en attendais. Il a parcouru la Grèce entière; il a porté partout le sentiment de la bienveillance, de la bienveillance active de la France. Le parti national en Grèce, je me sers à regret du mot *parti*, je ne devrais pas l'employer, ce n'est pas un parti, c'est la Grèce elle-même, la Grèce a naturellement confiance dans l'amitié de la France; mais cette confiance pouvait être ébranlée; il importait qu'elle fût raffermie, et qu'elle le fût, non pas en se prêtant aux passions et aux entraînements de la Grèce, mais en les réprimant au contraire, en engageant la Grèce à les réprimer elle-même.

C'est là ce qui a été fait. Pour mon compte, je me félicite et de la mission et de ses résultats. La Grèce a été à la fois rassurée et contenue. Elle a eu confiance dans la sincérité de nos avis, et elle a eu raison, car notre conduite a été parfaitement loyale. Nous n'avons point cherché là un succès d'influence exclusive, un triomphe personnel dans la rivalité des influences européennes. Au moment même où la mission de M. Piscatory s'accomplissait, le cabinet grec a été changé; un ministère nouveau a été formé; il n'appartenait point, par son chef du moins, à ce qu'on appelle le parti français; il semblait, non pas imposé, à Dieu ne plaise que je me serve d'un tel mot, mais porté en Grèce par une influence différente de la nôtre. Nous l'avons accepté hautement, nous l'avons soutenu; nous avons fait taire toutes les rivalités, toutes les jalousies. Ce cabinet n'a pas réussi; il n'est pas resté au pouvoir; nous avons été complétement étrangers à sa chute. Et, de même que nous l'avions hautement accepté et que nous n'avions rien fait pour l'éloigner du pouvoir, de même nous avons porté à son successeur, qui passe pour appartenir au parti de la France, le même loyal appui.

Le résultat de la mission a répondu, je le répète, à l'intention qui l'avait inspirée. La Grèce est aujourd'hui à la fois plus animée et plus calme, plus confiante dans le présent et moins impatiente sur son avenir. Elle est entrée dans la voie des améliorations. La sagesse de son roi saura l'y conduire d'accord avec le zèle de ses ministres; et à mesure que ces heureux résultats se développeront, on reconnaîtra de plus en plus que l'amitié loyale et prudente de la France n'y est pas étrangère.

M. Glais-Bizoin ayant dit que le ministre ordinaire de France en Grèce eût pu et dû suffire pour atteindre le but du la mission extraordinaire dont j'avais chargé M. Piscatory, je repris la parole:

M. le ministre des affaires étrangères.—Je croyais, je l'avoue, avoir répondu d'avance à l'observation que vient de faire l'honorable préopinant.

Il oublie que la Grèce est un pays libre, très-libre, où les populations ne se gouvernent pas uniquement par les relations officielles, par les influences diplomatiques, un pays où les influences personnelles, où les souvenirs récents et populaires ont beaucoup d'influence et d'action.

Il oublie que le but de la mission de M. Piscatory était, comme je le disais tout à l'heure, d'inspirer à la population grecque confiance et modération, de la contenir dans les mouvements passionnés qu'elle ressentait, et, en même temps, d'empêcher qu'elle ne s'irritât par la crainte d'une intervention étrangère. Je rends ici, et je suis bien aise de rendre haute et pleine justice au ministre de France en Grèce; il a constamment rempli tout son devoir; il a constamment et hautement pratiqué la politique de la France; mais il n'avait pas, avec la population grecque, avec ses chefs épars sur tout le territoire, ces rapports anciens et personnels qui, dans les moments critiques, exercent tant d'influence. C'est là ce que nous avons cherché quand nous avons envoyé M. Piscatory en Grèce; et l'effet, je n'hésite pas à le redire, a prouvé que nous avions raison.

CXX

Discussion sur les relations des gouvernements français et espagnol.

—Chambre des députés.—Séance du 6 avril 1842.—

Dans la discussion des crédits supplémentaires et extraordinaires réclamés pour les exercices 1841 et 1842, M. Berville, député de Seine-et-Oise, attaqua le gouvernement au sujet des secours accordés aux réfugiés espagnols et de l'appui qu'ils avaient, selon lui, trouvé en France pour leurs tentatives contre le régent d'Espagne, le général Espartero. Je lui répondis:

M. GUIZOT, *ministre des affaires étrangères.*—Je remercie l'honorable préopinant de deux choses: la première d'avoir écarté de cette question tout autre intérêt que l'intérêt français; la seconde, de la loyauté et de la modération de son langage.

Il a fait porter ses observations sur deux points: la conduite du gouvernement français au moment de l'insurrection qui a éclaté en Espagne au mois d'octobre dernier, et l'envoi de notre ambassadeur à Madrid.

Sur le premier point, il a trouvé que nous n'avions pas suffisamment ménagé la susceptibilité du gouvernement espagnol, ni prévu et prévenu les impressions publiques en Espagne.

L'honorable préopinant a paru croire que les réfugiés qui, à cette époque, sont rentrés en grand nombre sur le territoire espagnol, y étaient rentrés par suite d'un complot auquel nous n'avions pas connivé, mais que nous n'avions pas empêché, autant que cela était en notre pouvoir.

L'honorable préopinant a oublié que les réfugiés espagnols rentraient, à cette époque, en Espagne, en vertu de l'amnistie qui venait d'être prononcée, que c'était là ce qui avait amené l'affluence des réfugiés espagnols vers la frontière, et qu'il avait fallu une suspension formelle de l'amnistie, prononcée par le gouvernement espagnol, pour arrêter ce mouvement.

L'autorité française y était complétement étrangère.

Lorsque le gouvernement espagnol, suspendant les effets de l'amnistie, s'est adressé à nous pour nous demander de faire interner les réfugiés dont la présence l'inquiétait, nous avons obtempéré à sa demande; non pas que nous nous considérions,... comment dirai-je?... comme des gendarmes obligés d'agir à la première réquisition des autorités espagnoles. En même temps que nous avons toujours voulu remplir envers le gouvernement espagnol tous les devoirs du droit des gens, nous nous sommes toujours réservé la liberté de notre jugement et de notre conduite, la liberté d'examiner si en effet tels ou tels réfugiés donnaient au gouvernement espagnol de justes raisons de plainte. C'est à l'autorité française qu'il appartient d'apprécier la conduite des réfugiés comme de déterminer le lieu où ils doivent résider. Nous avons toujours gardé, nous garderons toujours avec soin notre droit; mais, en même temps, toutes les fois que nous avons acquis la conviction que la conduite de tels ou tels réfugiés inquiétait légitimement, menaçait réellement la tranquillité de l'Espagne, nous les avons fait interner. En ceci donc nous avons fait tout ce qui se pouvait, en respectant la justice et l'hospitalité, pour ménager la susceptibilité du gouvernement espagnol.

Nous avons fait plus; nous avons continué à prendre sur notre frontière, quelque onéreuses, quelque pénibles qu'elles fussent pour notre population, toutes les précautions propres à empêcher le renouvellement de la guerre civile en Espagne. Nous avons continué de surveiller, d'interdire soigneusement l'introduction de munitions et d'armes dans les provinces basques. Nous avons continué de donner à cet égard aux autorités espagnoles d'utiles avertissements. Et ce ne sont point les seules autorités locales qui, d'elles-mêmes et confidentiellement, ont donné tel ou tel avis; elles n'ont agi que par les ordres de l'autorité centrale. Ce qu'elles ont fait dans un cas que j'ai déjà eu l'honneur de citer à la Chambre, elles l'ont fait souvent; elles le font encore aujourd'hui.

Ce que la Chambre ignore, c'est que naguère des douaniers français ont soutenu une lutte sanglante pour empêcher des réfugiés espagnols de rentrer en armes sur le territoire espagnol, et que, dans cette lutte plusieurs de nos douaniers ont été dangereusement blessés, remplissant ainsi, au péril de leur vie, des devoirs dont, à la rigueur, ils auraient pu se dispenser. Nous ne voulons pas qu'ils s'en dispensent; nous voulons faire tout ce qui se peut pour ménager la susceptibilité espagnole, et prévenir ces impressions populaires dont a parlé l'honorable préopinant. Mais il n'est pas aisé de prévenir de telles impressions dans un pays livré à des mouvements, à des incidents journaliers qu'il faut bien qualifier de révolutionnaires, dans un pays où, au milieu d'un banquet public, un capitaine général laisse porter un toast à la mort du roi! (*Exclamations.*) Cela s'est passé à Valence.

M. ODILON BARROT.—Je demande la parole.

M. le ministre.—Je n'en accuse certes point le gouvernement espagnol, mais c'est là, à coup sûr, une preuve de la fermentation anarchique dans laquelle est plongée une portion du pays. (*Agitation.*)

M. GLAIS-BIZOIN.—Ces paroles peuvent être... (*Bruit.*)

M. le ministre.—Je n'ai pas entendu l'interruption.

M. GLAIS-BIZOIN.—Je disais que ces paroles peuvent donner lieu ailleurs à la même interprétation que celles qui ont été prononcées dans une autre enceinte.

M. le ministre.—Messieurs, je ne voudrais à aucun prix, accepter, commenter à cette tribune l'assimilation que vient de faire l'honorable préopinant.

Au centre.—Très-bien!

M. GLAIS-BIZOIN.—Ce n'est pas une assimilation; je dis que c'est blâmable partout!

Je demande la parole.

M. le ministre.—Ce que j'ai dit, je l'ai dit uniquement pour prouver combien il est difficile de prévenir les emportements de la crédulité populaire dans un pays livré à de tels mouvements.

J'arrive au second objet des observations de M. Berville, et en vérité, je croyais y avoir déjà répondu dans la discussion de l'adresse, et j'ai peu de chose à ajouter à ce que j'ai dit alors.

L'honorable M. Berville reconnaît que l'envoi d'un ambassadeur a été fait dans un esprit bienveillant, pour resserrer les liens de la France et de l'Espagne; il reconnaît que le choix de l'ambassadeur, M. de Salvandy, était en harmonie avec ce dessein. Cela convenu, comment avons-nous agi quant aux lettres de créance? Nous avons agi comme nous avions agi ailleurs, selon nos maximes de droit, selon nos précédents de fait, acceptés et pratiqués par les autres nations de l'Europe. M. Berville ne me paraît pas s'être rendu un compte bien exact des faits. Selon lui, au fond, il était indifférent que les lettres de créance fussent adressées à telle ou telle personne. Messieurs, rien n'est moins indifférent que l'adresse des lettres de créance. Celles-ci, par exemple, étaient adressées à la reine d'Espagne; c'était auprès de la reine que l'ambassadeur était accrédité. S'il eût été accrédité auprès du régent, qu'aurait-il pu arriver? Il aurait pu arriver qu'une révolution, un mouvement populaire, comme ceux que nous avons vus depuis quelques années en Espagne, écartât la reine Isabelle sans écarter le régent; l'ambassadeur eût été obligé de rester à son poste... (*Léger bruit.*) J'ose dire aux honorables membres qui m'interrompent...

M. ODILON BARROT.—Personne n'interrompt.

M. le ministre des affaires étrangères.—J'ose dire aux honorables membres qu'ils sont peu au courant des maximes du droit public: quand un agent est accrédité auprès d'une personne, il reste à son poste tant que cette personne est au pouvoir, quels que soient les changements qui surviennent dans la forme du gouvernement. Et c'est là une des principales raisons pour lesquelles, dans l'intérêt de la monarchie, on accrédite en général les agents diplomatiques auprès du souverain, même mineur, même incapable d'exercer le pouvoir. On veut prêter ainsi au trône une force morale qui le protége, même au milieu des révolutions intérieures; on veut que les puissances étrangères ne soient pas compromises, par la situation de leurs agents, dans les mouvements qui pourraient troubler les régions secondaires de l'État. En nous conformant à ces maximes, à ces usages, nous avons agi dans l'intérêt de la monarchie espagnole elle-même, dans l'intérêt de cette jeune reine que nous voulions entourer de notre déférence et de notre appui.

Est-ce que ce sont là des motifs puérils, des considérations d'étiquette? Qu'aurions-nous dû faire selon l'honorable M. Berville? Nous aurions dû faire la volonté du gouvernement espagnol, et il nous en donne pour raison l'opinion d'un ministre anglais. Ce ne sont pas là nos règles de conduite.

Nous avons agi dans l'intérêt de la monarchie en Espagne comme en France, et selon notre propre jugement.

L'honorable préopinant a donc, selon moi, mal apprécié les faits et les situations. Il est également mal informé des détails.

Il nous reproche de n'avoir montré aucun esprit de conciliation, et à cet égard, il a encore cité des paroles étrangères. Un moyen d'arrangement, a-t-il dit, la remise des lettres de créance à la reine, en présence du régent, a été proposé par l'Angleterre, mais trop tard. Il y a ici une inexactitude. L'honorable ambassadeur que le roi avait envoyé en Espagne a lui-même, dès les premiers moments, fait cette ouverture; il a offert que les lettres de créance fussent remises à la reine, en présence du régent, qui les recevrait immédiatement de la main de la reine et ferait la réponse.

Et au moment même où notre ambassadeur faisait cette proposition à Madrid, je lui mandais par une dépêche télégraphique: «Ne remettez vos lettres de créance qu'entre les mains de la reine, en présence du régent.»

Ainsi ce moyen de conciliation, la France elle-même l'avait proposé au début; la France est allée, en fait de conciliation, aussi loin qu'elle le pouvait faire sans abandonner ses propres maximes, ses propres pratiques, celles de tous les États monarchiques, les intérêts de la monarchie elle-même.

Un dernier mot, messieurs. L'honorable préopinant ne connaît pas bien non plus la dernière situation, l'état actuel des faits. Il a dit que les rapports diplomatiques avec l'Espagne étaient rompus. Cela n'est pas. Nous sommes avec l'Espagne, dans une situation délicate, mais régulière...

M. BILLAULT.—Je demande la parole.

M. *le ministre.*—Nous avons un chargé d'affaires à Madrid, comme l'Espagne en a un à Paris. Il n'a pas convenu à l'Espagne de recevoir l'ambassadeur du roi aux conditions auxquelles il était envoyé. Je l'ai déjà dit dans la discussion de l'adresse; l'Espagne a été dans son droit, elle est juge de la conduite que sa constitution lui impose, comme nous sommes, nous, juges de la nôtre. Nous n'avons jugé à propos d'envoyer un ambassadeur en Espagne que d'après telles maximes et sous telles formes; elle n'a pas jugé à propos de le recevoir dans ces formes et d'après ces maximes: elle est dans son droit comme nous dans le nôtre.

Qu'en est-il résulté? Qu'il n'y a pas d'ambassadeur de France à Madrid ni d'ambassadeur d'Espagne à Paris; mais les rapports des deux États ne sont point rompus; la situation est régulière et il peut arriver tel moment où elle change par des procédés également réguliers. Je ne puis ni ne dois indiquer ici quand ou comment ce changement pourrait arriver; je me contente de dire qu'il est possible, et qu'il n'y a rien là d'inouï, ni d'irrémédiable, rien dont on ne rencontre plus d'un exemple dans les relations diplomatiques et pacifiques des États. (*Au centre*: Très-bien! très-bien!)

CXXI

Discussion sur l'affaire du *Marabout*, navire de commerce nantais, capturé par un bâtiment anglais, en vertu des conventions de 1831 et 1833 pour l'abolition de la traite des nègres.

—Chambre des pairs.—Séance du 11 avril 1842.—

M. le marquis de Boissy ayant adressé des interpellations au cabinet sur l'arrestation et le traitement qu'avait subis le navire nantais *le Marabout*, en vertu des conventions de 1831 et 1833 et du droit de visite, je donnai à la Chambre des pairs les explications suivantes.

M. GUIZOT, *ministre des affaires étrangères.*—La Chambre trouvera bon, je pense, que j'écarte de ce débat toute observation, toute récrimination purement personnelles; elles me paraîtraient peu dignes, et sont, je l'espère, inutiles. J'ai la confiance que la Chambre n'a jamais supposé que j'eusse l'intention de manquer envers elle d'égards et de ne pas lui donner les explications qu'elle a droit de recevoir dans toutes les questions d'intérêt public. Jamais je n'ai eu une telle pensée; j'ai le plus profond respect pour les droits de la Chambre et pour sa participation à de telles questions.

J'ai aussi un grand respect pour les droits personnels de chaque membre de cette Chambre; cependant je ne saurais admettre qu'un membre de la Chambre soit la Chambre tout entière, ni que le gouvernement soit tenu de répondre aux interpellations qui lui sont adressées par un membre de cette Chambre, comme si la question lui était faite par la Chambre elle-même. (*Mouvement.*)

Personne n'ignore que c'est le droit du gouvernement de juger s'il lui convient, dans l'intérêt du pays, de répondre ou de ne pas répondre aux interpellations qui lui sont adressées par l'un des membres des Chambres. J'ajouterai que, samedi dernier, lorsque des questions sur l'affaire du *Marabout* m'ont été faites, je n'étais pas en mesure d'y répondre; les pièces ne m'étaient pas encore arrivées. Je ne pouvais pas, je ne devais pas me hasarder à raconter les faits sur des témoignages incertains et avant d'en avoir pleine et entière connaissance. C'est seulement il y a trois ou quatre jours que j'ai reçu les pièces; encore sont-elles incomplètes; plusieurs, et des plus importantes, me manquent. Cependant je n'hésite pas à entrer dans l'exposé des faits.

Je dois d'abord faire observer à la Chambre, que l'arrestation du *Marabout* est le premier fait de ce genre qui se soit élevé depuis onze ans que les traités de 1831 et 1833 s'exécutent. Un grand nombre de bâtiments avaient été visités, français par des croiseurs anglais, anglais par des croiseurs français. Sans doute, dans ces visites, quelques abus ont pu être commis, quelques plaintes ont pu être élevées; jamais on n'avait été jusqu'à l'arrestation d'aucun bâtiment, jusqu'à la réclamation officiellement formée d'une indemnité devant l'un ou l'autre des gouvernements. Cela prouve du moins que les traités n'ont pas eu, pendant dix ou douze ans, des conséquences aussi graves, aussi menaçantes qu'on le prétend depuis quelques mois.

J'arrive au fait particulier du *Marabout*.

Ce bâtiment a été arrêté, en vertu des traités, au sortir de Bahia, comme suspect de se livrer à la traite des nègres. Que la suspicion fût ou non fondée, il ne m'appartient pas de le décider ici, l'arrestation a eu lieu.

La Chambre va voir quelles en ont été les suites.

Le bâtiment, dûment ou indûment arrêté, a été envoyé par le capitaine capteur devant la juridiction française la plus voisine, c'est-à-dire à Cayenne. En cela, le capitaine capteur s'est exactement conformé aux traités. Il y a, je crois, dérogé en un point important. Au lieu de conduire l'équipage français tout entier à Cayenne, comme il devait le faire aux termes du traité, il l'a transporté sur son bâtiment, puis il a envoyé le *Marabout* avec quelques hommes à Cayenne, et il a conduit le reste de l'équipage et des passagers à Rio de Janeiro. Je crois qu'en cela il s'est écarté de l'esprit et même de la lettre des traités, et que sa conduite donne lieu à de justes réclamations.

Le capitaine du *Marabout*, arrivé à Cayenne, a été traduit devant la cour royale française; la question de savoir si le *Marabout* était bien réellement ou non un bâtiment négrier a été soumise à la cour. La cour a décidé que l'arrestation était illégitime, et que le bâtiment n'était pas négrier. Ainsi les traités qui avaient donné le droit d'arrêter le bâtiment, et qui donnaient en même temps le remède à une arrestation illégitime, ont été exécutés dans leur partie utile comme dans leur partie onéreuse, et le bâtiment a été acquitté.

L'affaire ne s'est pas arrêtée là. Les traités, comme on le disait tout à l'heure, donnent au bâtiment arrêté le droit de réclamer des indemnités contre le gouvernement du capteur, s'il a été arrêté sans motifs suffisants. La question a été à l'instant même soumise au tribunal de première instance de Cayenne. Le tribunal a déclaré que le *Marabout* avait été arrêté sans motifs suffisants, et lui a alloué, contre le gouvernement anglais, une indemnité d'environ 260,000 francs, indemnité qui, de l'aveu même du propriétaire de ce bâtiment, est pleinement équivalente à la valeur du bâtiment et de sa cargaison.

Voilà les faits complets: la dernière partie, comme vous le voyez, n'avait pas été mise sous les yeux de la Chambre. La double déclaration, et de l'innocence du bâtiment proclamée par la cour royale de Cayenne, et de l'indemnité allouée contre le gouvernement anglais, était restée dans l'ombre.

Il y a là deux ordres de faits complétement différents. D'abord les faits judiciaires, dans lesquels l'administration n'a pas à intervenir; faits qui se sont accomplis, comme ils le devaient, aux termes mêmes des traités, faits dans lesquels raison a été complétement donnée au bâtiment français. Qu'a à faire maintenant le gouvernement du roi qui, je le répète, vient de recevoir tout récemment les pièces et le jugement? Il va en donner connaissance au gouvernement anglais et réclamer de lui le payement de l'indemnité allouée au capitaine du *Marabout* par le tribunal de Cayenne. Les choses suivront, en ce qui regarde l'ordre des faits judiciaires, leur cours régulier. Si le gouvernement anglais croit devoir, sans pousser plus loin les poursuites, payer l'indemnité, tout sera fini. Il peut, au contraire, vouloir user des voies judiciaires qui lui sont encore ouvertes, car le jugement rendu à Cayenne a été rendu par défaut, et le gouvernement anglais, qui est investi des mêmes droits qu'un particulier en pareille matière, peut y faire opposition, en appeler, aller en cassation, en un mot, épuiser les voies judiciaires. C'est à lui seul qu'il appartient d'en décider; c'est à lui seul qu'il appartient de décider si la raison, la justice et la bonne politique ne lui conseillent pas de payer immédiatement l'indemnité, ou s'il doit épuiser les voies judiciaires. Mais dans l'une et l'autre hypothèse, en ceci le gouvernement du roi n'a pas à intervenir. Il aura accompli son devoir quand il aura notifié le jugement au gouvernement anglais et qu'il en aura réclamé l'exécution.

Reste une seconde question purement administrative et diplomatique, la question de savoir si, indépendamment des jugements rendus, le capitaine Christie n'a pas commis dans l'arrestation même, en amenant une partie de l'équipage et des passagers du *Marabout* à Rio de Janeiro, au lieu de les conduire à Cayenne, s'il n'a pas commis, dis-je, une vexation, un abus de pouvoir qui doit donner lieu à des réclamations de la part de la France, peut-être à des mesures à l'égard du capitaine Christie et à une sorte de dommages-intérêts. À cet égard, que la Chambre soit parfaitement rassurée; cette question là non plus ne sera pas abandonnée. La Chambre ne s'attend pas à ce que je discute à cette tribune tel ou tel rapport particulier, tel ou tel acte du capitaine capteur. Le droit des Français qui ont été conduits à Rio de Janeiro, et retenus pendant deux mois au lieu d'être ramenés à Cayenne, leurs plaintes, la dérogation à certaines dispositions du traité, tous ces faits seront l'objet de réclamations diplomatiques, de la part du gouvernement du roi, auprès du gouvernement anglais.

La Chambre, je l'espère, se rend bien compte à présent de l'affaire et du point où elle est arrivée.

Une arrestation a eu lieu aux termes des traités; elle a été suivie d'un double jugement rendu aux termes des traités; les jugements seront exécutés. Si dans le mode, dans les actes de l'arrestation, quelque chose a été fait en violation des droits et des traités, si des abus ont été commis, il y aura également plainte, réclamation auprès du gouvernement anglais, et j'ai confiance que justice sera pleinement rendue par le gouvernement anglais, comme elle l'a déjà été par les tribunaux français.

Pour l'affaire du *Marabout*, il n'y a donc rien de plus à faire que ce qui a eu lieu, et il n'y a rien que de parfaitement régulier dans la situation telle qu'elle se trouve aujourd'hui.

Quant à l'affaire de *la Sénégambie*, elle est complétement différente. Il ne s'agit en aucune façon des traités de 1831 et 1833, ni de leur exécution. Ils ne sont pas applicables, ils n'ont pas été un seul instant applicables au cas dont il s'agit. Il est, non pas de principe et de droit exceptionnel, mais de droit commun, de principe général, que ce qui se passe dans les eaux mêmes d'un gouvernement se passe sur son territoire, et que la juridiction appartient au gouvernement dans les eaux duquel le fait s'accomplit. Ce n'est pas là, je le répète, un principe exceptionnel; c'est le droit commun qui s'exercerait dans l'occasion à notre profit, comme il s'exerce aujourd'hui au profit du gouvernement anglais. Sans aucun doute, si un bâtiment anglais venait dans un port français comme bâtiment négrier ou suspect de faire la traite, sans aucun doute nous pourrions, nous devrions le faire arrêter dans le port français et juger par la juridiction française. Cela est, je le répète, de droit commun, de principe général chez toutes les nations. C'est ce principe qui a été appliqué dans le cas dont il s'agit. C'est dans le port de Sainte-Marie de Bathurst, port anglais, que le bâtiment soupçonné de faire la traite a été arrêté et jugé. Il n'y a rien là, je le répète encore, que de conforme au droit commun; il n'y a rien là où les traités de 1831 et 1833 aient pu trouver leur application. Ils s'appliquent quand un bâtiment est arrêté en pleine mer et non dans les eaux particulières de telle ou telle nation.

Après cela, que l'autorité anglaise qui, dans le port de Sainte-Marie, a arrêté et fait juger *la Sénégambie*, ait eu des torts envers le gouvernement français, qu'elle n'ait pas suffisamment tenu compte de la mission qu'avait ce bâtiment, que des actes envers les Français à bord aient donné lieu à de justes plaintes, cela est vrai, et j'ai été l'organe de ces plaintes auprès du gouvernement anglais, et je les ai vivement soutenues; non pas telles que vient de l'expliquer M. le prince de la Moskowa, car si je m'étais engagé dans la question de droit, j'aurais été repoussé à l'instant en vertu du droit commun de toutes les nations. Ce dont je me suis plaint, et plaint vivement, c'est d'un manque d'égards, de procédés violents; et mes plaintes ont eu ce résultat, que des ordres ont été transmis par l'amirauté anglaise à Sierra-Leone pour que le jugement ne fût pas mis à exécution, ou que du moins la portion du jugement qui n'avait pas encore été exécutée ne le fût pas.

Ainsi, en réduisant nos plaintes à ce dont nous avions réellement le droit de nous plaindre, nous avons obtenu ce qui pouvait s'obtenir encore.

Il reste encore après cela une question d'administration intérieure; question qui se débat, qui s'examine entre le département de la marine et le département des affaires étrangères, la question de savoir si, en effet, c'est une bonne mesure d'acheter des nègres pour en former des compagnies de nègres libres.

Il faut que la Chambre sache bien comment cela se passe. Des compagnies doivent être formées de nègres libres; mais il faut se procurer des nègres quand on n'en a pas sous la main. Alors on charge un armateur, une maison de commerce, de procurer des nègres au gouvernement. Comment se les procurent-ils? Le gouvernement ne s'en enquiert pas. On lui amène des nègres, il les prend, il les affranchit et en forme des compagnies de nègres libres. Mais pour amener ces nègres, il faut les prendre quelque part. Que font les armateurs? Ils les achètent aux rois des tribus qui vendent des esclaves, c'est-à-dire qu'on fait des nègres esclaves pour les amener à l'administration française qui les libère et en fait des soldats.

Est-ce là une bonne façon de procéder? N'est-ce pas là un acte tellement sur les limites de la traite qu'il y a danger que ces limites soient dépassées? Un acte qui peut donner lieu, dans nos rapports avec les gouvernements qui se sont engagés à l'abolition de la traite, à de fâcheux conflits, à des récriminations continuelles, comme l'expérience l'a déjà prouvé? C'est là une question difficile qui s'examine depuis quelque temps entre le département de la marine et celui des affaires étrangères, et qui recevra, je l'espère, une solution qui nous mettra désormais à l'abri de complications et d'embarras pareils à ceux dont nous entretenons en ce moment la Chambre.

Quoi qu'il en soit, la Chambre voit quelle est réellement la question. Il n'y a de notre part point de droit sacrifié, point de principe violé: on a agi selon le droit commun, qui est tout aussi bien à notre profit qu'au profit de l'Angleterre. Quant aux torts dont nous pouvions avoir à nous plaindre, nous avons vivement réclamé; nous en avons obtenu le redressement autant que l'état des faits le permettait; et, au fond, la question sera résolue, je l'espère, de manière à ne plus donner lieu à de semblables et véritablement tristes difficultés.

Voilà, messieurs, sur les deux faits particuliers dont on a entretenu la Chambre, les explications que j'avais à donner. Je pourrais m'en tenir là; je ne descendrai cependant pas de la tribune sans dire quelques mots d'une question plus générale, dont l'honorable M. de Boissy a entretenu la Chambre, tout en disant qu'il ne l'en entretiendrait pas. J'ai quelques mots très-courts à dire à ce sujet, je veux parler du droit de visite. (*Mouvement d'attention.*) Je désire que la Chambre sache bien où nous en sommes aujourd'hui sur cette question, et quelle est exactement la situation.

La Chambre sait quel traité avait été conclu. Lorsque le moment de la ratification est arrivé, la ratification n'a pas eu lieu; le gouvernement du roi a donné à la couronne le conseil de ne pas ratifier; elle n'a pas ratifié.

En même temps, le gouvernement a proposé des modifications, dont quelques-unes sont considérables, au traité qui avait été conclu.

De plus, le gouvernement du roi a déclaré qu'il ne prenait aucun engagement, ni direct, ni indirect, de ratifier purement et simplement le traité, à aucune époque quelconque. Les intentions du gouvernement du roi à ce sujet ont été formellement exprimées au moment de la ratification.

Voilà les trois faits qui caractérisent la situation: refus de ratification actuelle; proposition de modification au traité conclu; déclaration qu'on ne promettait en aucune façon, ni directement, ni indirectement, de ratifier purement et simplement à aucune époque.

Cette situation a été parfaitement comprise et pleinement acceptée par les autres puissances signataires du traité; et le protocole est resté ouvert pour la France indéfiniment, sous les trois conditions, en présence des trois faits que je viens d'avoir l'honneur de vous rappeler.

Voilà exactement où nous en sommes aujourd'hui. Depuis, il n'est arrivé au gouvernement du roi aucune note, aucune instance, aucune demande, pas une parole qui l'ait pressé de ratifier le traité et de sortir de la situation qu'il avait prise.

La Chambre voit par là ce qu'elle doit penser de ces prétendues instances menaçantes adressées au gouvernement du roi pour le décider à ratifier, et de ces faiblesses dans l'avenir, de ces faiblesses en perspective que le gouvernement du roi doit commettre un jour. Il n'en est rien; il n'en sera rien.

C'est là tout ce que je peux dire, tout ce que je dois dire en ce moment sur cette question. Je ne veux me laisser entraîner par personne à pousser la discussion au delà. La Chambre comprend que je manquerais à mon devoir en le faisant. Il y a une affaire en suspens, encore ouverte, des propositions faites et ajournées. Il m'est impossible d'en dire plus que je ne fais en caractérisant la situation.

Je prie la Chambre de considérer les inconvénients de ces retours perpétuels sur cette question, quand il est évidemment impossible au gouvernement de faire autre chose et de dire plus que ce qu'il a fait et dit.

Quel peut être le but de ces retours? Mon Dieu! il y en a un qui est si évident que je n'ai pas besoin de le faire remarquer: ce sont des attaques au cabinet; ce sont des embarras, des entraves jetées dans la marche du cabinet. La Chambre trouvera tout simple, je pense, que je ne m'y prête pas. (*On rit.*)

Il y a un second inconvénient qui est bien grave, c'est d'entretenir, de fomenter des sentiments d'animosité entre deux grands peuples et deux grands gouvernements. Pour mon compte, je trouve cela peu sage, et je ne trouve pas que ce soient là des actes de bon citoyen. (*Très-bien!*)

Messieurs, en essayant, il y a quelque temps, de caractériser la politique extérieure du cabinet auquel j'ai l'honneur d'appartenir, j'ai dit qu'elle serait envers tout le monde parfaitement indépendante, qu'elle se placerait, quant à présent, en dehors de toute alliance spéciale et intime: je l'ai dit hautement, je le maintiens, et j'ose ajouter que je le pratique comme je l'ai dit.

Mais en même temps que nous avons écarté toute idée d'alliance particulière et intime, en même temps que nous avons annoncé que l'indépendance serait le caractère de notre politique, nous avons aussi parlé, et parlé sincèrement, de paix, de bonne intelligence, de notre intention de vivre en bons rapports avec toutes les puissances européennes.

Messieurs, pour vivre en bons rapports, en bonne intelligence, il ne faut pas se laisser dominer, entraîner par l'aigreur ou la crédulité publique.

Pour mon compte, je ne m'y prêterai jamais. Entre deux grands pays, entre deux grands gouvernements, les moindres actes, les moindres paroles, doivent être pleinement équitables et convenables; aucune apparence de haine ou d'injure ne doit jamais s'y mêler.

Nous prenons au sérieux ce que nous avons dit des bons rapports que nous entendons entretenir avec la Grande-Bretagne aussi bien qu'avec les autres puissances. Nous portons (et je suis sûr d'exprimer en ceci les sentiments de la Chambre et du pays), nous portons une sincère estime à la Grande-Bretagne et à son gouvernement; nous sommes avec elle dans une paix véritable, dans une bonne intelligence réelle, et nous ne souffrirons pas, autant qu'il dépendra de nous, que ces rapports, que cette bonne intelligence soient troublés par la contagion (je ne puis me servir d'une autre expression), par la contagion de l'animosité et de la crédulité populaires. (*Mouvement.*)

Je n'ajoute qu'un mot.

Ce n'est pas dans le seul intérêt, quelque grand qu'il soit, de nos bons rapports extérieurs que nous agissons ainsi; c'est aussi dans l'intérêt de la grave question, de la bonne cause qui se débat en ce moment, l'abolition de la traite.

Messieurs, c'est la France qui a eu l'honneur de commencer cette grande œuvre. Avant que l'Angleterre, avant que le parti religieux en Angleterre se mît à la tête de l'abolition de la traite, c'était la France, c'étaient les idées françaises qui avaient imprimé le mouvement. Il nous appartient de ne pas abandonner légèrement une si belle entreprise. J'ai quelquefois prouvé, j'ose le dire, que je n'hésitais pas à répudier les erreurs, les fautes, les égarements de nos pères: mais, pour rien au monde, je ne voudrais renoncer à ce qu'il y a de beau et de grand dans l'héritage qu'ils nous ont transmis; pour rien au monde je ne voudrais renoncer à l'espoir de continuer et d'accomplir les grandes et bonnes œuvres qu'ils ont commencées. L'abolition de la traite des nègres est l'une de ces œuvres.

Nous devons, et je me sers à dessein de ce mot, car c'est un devoir, nous devons la poursuivre et l'accomplir; nous ne devons pas laisser, par notre indifférence seule, se répandre et s'accréditer des idées et des sentiments qui seraient contraires à cette sainte cause. Nous devons les combattre toutes les fois que nous les rencontrons. Pour mon compte, je l'ai fait et je le ferai toujours. Je me maintiendrai toujours, à cet égard, dans la situation que j'ai eu l'honneur de mettre sous les yeux de la Chambre, situation qui réserve nos droits et notre avenir. La Chambre peut être sûre qu'il n'y aura, dans cet avenir, aucune complaisance, aucune faiblesse de la part du gouvernement du roi; mais il n'y aura, en même temps, j'ai besoin de le dire, aucun abandon de la grande tâche qui nous a été léguée et que nous avons à cœur de poursuivre jusqu'au bout (*Marques d'assentiment.*)

M. LAPLAGNE-BARRIS.—Je ne veux pas traiter les deux grandes et importantes questions qui ont été soulevées, la question du droit de visite et celle de l'abolition de la traite; je me bornerai à rappeler deux faits qui me paraissent avoir été oubliés et qui pourraient donner lieu à quelques reproches contre la marine française avant 1830.

Il est très-vrai, messieurs, que, quoique la marine française seule eût le droit de visiter les navires portant le pavillon français avant 1831, elle a pleinement rempli son devoir, et un grand nombre de condamnations ont été prononcées contre des bâtiments négriers français saisis par la marine française avant 1830. Je reconnais que, depuis 1830, la traite a considérablement diminué, qu'elle a été même au point qu'elle n'est plus, à vrai dire, exercée de la même manière; mais ce n'est pas à l'intervention du pavillon anglais que je ferai hommage de cette cessation de la traite: cela tient, selon moi, à une autre cause qu'il ne faut pas négliger.

On avait cru, avant 1830, qu'il suffisait d'envoyer des croiseurs et de saisir les bâtiments français négriers. Après 1830, on a pensé qu'il fallait compléter la mesure, et comme nos bâtiments négriers ne faisaient la traite que dans l'intérêt du commerce français, on a donné aux gouverneurs des colonies, à l'autorité métropolitaine dans les colonies, des instructions dont le résultat a été de faire exercer avec beaucoup plus d'énergie et d'efficacité qu'auparavant la surveillance; et le meilleur moyen, le moyen le plus infaillible d'arriver à l'abolition de la traite dans les colonies françaises, c'est la sévérité dans les opérations du recensement.

J'ai pris la parole pour soumettre à M. le ministre des affaires étrangères une observation sur un point qui est bien moins important, je me hâte de le dire, que ceux qui ont été traités par les orateurs précédents, mais qui ne manque pas de gravité dans l'intérêt de notre commerce maritime et de l'honneur de notre pavillon. Deux saisies ont donné lieu aux interpellations. Je m'empresse de déclarer que l'explication donnée par M. le ministre des affaires étrangères, en ce qui concerne la saisie du *Marabout*, est complétement satisfaisante; mais, en ce qui concerne la saisie de *la Sénégambie*, des doutes me restent. Je dois les soumettre à la Chambre et à M. le ministre des affaires étrangères.

Il s'agit d'un intérêt national, d'un intérêt de droit public et de droit international. Cela a donc de la gravité.

M. le ministre a dit que le navire *la Sénégambie* avait été saisi dans les eaux anglaises. Je suppose que le ministre a voulu dire: saisi dans un port anglais; car le droit de saisie de tout navire portant pavillon français, sur un soupçon quelconque et dans ce que la législation anglaise appelle les eaux anglaises, ne sera jamais reconnu par la France. Mais la question fait naître des difficultés. Si, comme je le suppose, le navire a été saisi dans un port anglais et qu'il eût commis, comme bâtiment, comme équipage, des infractions aux lois de police anglaises, en ce sens que ces lois ont pour objet de maintenir l'ordre et la paix dans les possessions anglaises, de prévenir tout attentat contre les sujets anglais, tout préjudice porté à la propriété anglaise, ce navire, s'il a commis de telles infractions, est soumis à la loi pénale anglaise.

Si *la Sénégambie* a été condamnée pour avoir fait la traite dans une possession anglaise, ou pour avoir voulu transporter des nègres dans une possession anglaise, la loi anglaise a dû l'atteindre; mais si *la Sénégambie* n'a pas été condamnée pour un crime réprimé par les lois anglaises, ou qui ne blesse pas directement, d'une manière matérielle, les intérêts de l'Angleterre, les possessions anglaises, les droits et la propriété des sujets anglais, sa condamnation a été illégale, contraire aux principes du droit public.

Remarquez qu'aucune nation, même dans les vues de l'ordre le plus élevé, dans des vues d'humanité, ne peut s'attribuer le droit d'exercer la police des mers, la police du genre humain. Elle n'a action, dans l'intérêt de l'humanité et d'après les lois qui sont destinées à protéger l'humanité, elle n'a action sur les bâtiments étrangers qu'autant qu'il y a un traité qui lui donne ce droit. Ainsi je reconnais que les croiseurs anglais ont eu, en vertu du traité, le droit de saisir *la Sénégambie*, mais à la charge de se conformer au traité. Il n'y avait pas d'attentat contre la propriété anglaise, contre les sujets anglais, et contre les lois que chaque nation a le droit de rendre et de faire observer dans l'intérêt du maintien de sa souveraineté exclusive et limitée; il n'y avait qu'un attentat qui n'aurait pas été punissable par les lois anglaises si le traité n'avait pas existé, un attentat contre les lois françaises.

Je supplie M. le ministre des affaires étrangères d'apprécier cette distinction qui me paraît importante. J'ai une grande confiance dans l'esprit de justice, d'équité et de loyauté des tribunaux anglais; mais les Anglais ont des possessions très-étendues; quelques-unes sont peu importantes: l'autorité qui y est exercée est fort grave; elle appartient à des hommes qui ne sont pas placés près de nous et que nous ne pouvons apprécier. J'avoue que je verrais un inconvénient sérieux à donner, aux juges de Sierra-Leone ou de toute autre petite colonie anglaise, le droit de saisir un bâtiment français qui serait entré dans un port, de le juger, de le confisquer par cela seul qu'il se trouverait dans le cas d'un des articles du traité, qu'il y aurait à son bord plus de caisses à eau que le traité ne le comporte, plus de planches qu'il ne devrait en porter. Il pourrait en résulter des vexations sérieuses pour le commerce français, des causes de dissentiment et d'hostilité entre les deux nations. Il vaudrait mieux, dans l'intérêt même de l'Angleterre, rentrer dans les termes du droit public, ne pas admettre que, par cela seul qu'un navire fait un acte dans un pays, alors que cet acte n'est pas dirigé contre l'intérêt matériel de ce pays, il est soumis à sa juridiction. Il me semble que cette juridiction serait dangereuse et blesserait les principes du droit public. Les Anglais ne peuvent juger un navire français, autrichien, qui n'a porté aucun préjudice à l'Angleterre, hors de leur territoire; ils ne peuvent le juger qu'en vertu de ce droit de police des mers, de police du genre humain, que nous ne leur avons reconnu dans notre traité, qu'à la condition que leurs tribunaux ne l'exerceraient pas et que les nôtres en seraient investis. Il me semble que c'est un sujet assez grave pour appeler l'attention de M. le ministre des affaires étrangères.

M. GUIZOT, *ministre des affaires étrangères.*—Je commencerai par dire en fait que *la Sénégambie* a été saisie dans un port anglais, non pas d'une manière générale dans les eaux anglaises, mais dans l'intérieur d'un port anglais; et j'ajoute que ce bâtiment s'y était rendu volontairement, qu'il n'y avait pas été poussé par les poursuites des croiseurs anglais, qu'il y était allé de sa propre volonté. Il était donc sur le territoire anglais; il était dans le cas d'un voyageur qui se rendrait sur le territoire anglais continental.

Maintenant, je ne m'en rappelle pas la date, mais il y a un statut anglais qui déclare que, dans les ports anglais, tous les navires étrangers ou anglais qui feraient la traite ou offriraient les signes extérieurs d'après lesquels on reconnaît un négrier, seraient arrêtés et punis de telle ou telle peine. Je prie l'honorable M. Laplagne-Barris, qui est un jurisconsulte si habile et si clairvoyant, de me dire ce qu'il penserait de ce cas-ci. Je suppose que le parlement britannique rendit une loi déclarant que quiconque, sur son territoire, commettrait tel acte reconnaissable à tels signes extérieurs, serait puni de telle peine. M. Barris croit-il que le gouvernement anglais, ou tout autre gouvernement, dépasserait ainsi les limites de son droit?

Certainement il ne le pense pas; il pense que la juridiction est essentiellement territoriale, et que tout gouvernement a le droit de faire, dans son propre territoire, des lois pénales qui atteignent tous les hommes, nationaux ou étrangers, qui s'y rendent volontairement.

C'est exactement ici le même cas. Le parlement britannique a rendu une loi par laquelle il punit la traite ou la tentative de traite, reconnaissable à certains signes extérieurs déterminés; il la punit sur son propre territoire, car les ports sont son propre territoire. Le cas est donc tout à fait semblable à ce qui pourrait se passer sur le continent.

Et je reprends ici la distinction que vient de vous présenter, d'une manière si lucide, l'honorable M. Laplagne-Barris. Pourquoi a-t-il fallu des traités? Pour attribuer à des croiseurs anglais le droit de visiter des bâtiments français dans la pleine mer, sur laquelle nous ne reconnaissons aucun droit particulier aux Anglais, et qui est libre pour tout le monde. Là des traités seuls pouvaient donner, à des croiseurs anglais comme à des croiseurs français, un droit qu'ils n'avaient pas naturellement. Nous avons précisément consacré par ces traités la liberté de la pleine mer. Mais quand il ne s'agit pas de la pleine mer, quand il s'agit du territoire anglais, que ce soient des terres ou des ports anglais, le principe de la juridiction territoriale subsiste dans toute sa vigueur. Nous aurions, nous, le droit de déclarer que tout bâtiment qui viendrait dans le port de Bordeaux, qu'il fût anglais, français, autrichien, serait passible de telle peine qu'il nous conviendrait d'infliger à tel acte déterminé par la loi. C'est là ce qui est arrivé. Il y a un acte du Parlement, dont je n'ai pas en ce moment la date, mais qui est une véritable loi pénale établie dans le territoire anglais, comme nous aurions le droit de la faire pour l'intérieur du territoire français.

J'admets donc en principe les distinctions qui ont été faites par le savant préopinant; mais je dis en même temps qu'elles ne sont pas applicables aux faits dont il s'agit, que, par un traité, nous avons réglé ce qui regarde la pleine mer libre, et que, par l'acte du Parlement, le gouvernement anglais a réglé ce qui lui appartenait, sa propre juridiction sur son propre territoire, juridiction applicable à tous ceux qui viennent volontairement encourir l'application de cette loi.

M. PERSIL.—J'ai bien de la peine à admettre la doctrine professée par M. le ministre des affaires étrangères, et je suis convaincu qu'après y avoir mûrement réfléchi, il verra lui-même qu'il fait à l'autorité étrangère une concession que, par esprit de justice et de nationalité, nous devrions toujours refuser.

En effet, sur quoi établirait-il le droit de la puissance anglaise de juger le navire arrêté dans un port anglais?

Ce serait, suivant lui, sur un acte du Parlement anglais qui aurait autorisé la juridiction anglaise à juger ceux qui viendraient toucher le sol anglais, les navires qui entreraient dans un des ports appartenant à la Grande-Bretagne.

Je ne comprendrais pas comment un acte de la Grande-Bretagne, un acte du Parlement, pourrait nous obliger et changer la doctrine du droit commun tel qu'il a été professé jusqu'ici. Je comprends à merveille que, s'il s'agissait d'un crime ou d'un délit commis sur le territoire anglais, on fût justiciable des tribunaux anglais. C'est là le principe du droit commun; on n'a pas besoin de le dire, toutes les lois anciennes et modernes l'ont dit. Il existe pour la France comme il existe pour l'étranger.

Un étranger sur notre sol commettrait un crime; il serait puni de la même manière que si un Français l'avait commis. Mais remarquez qu'il ne s'agit ici de rien de semblable. Le navire français, entrant dans les ports anglais, n'y commet ni crime ni délit. Il s'agit, quand il y est entré, d'une action qu'il a déjà commise. Mais là, dans le port anglais, il est complétement innocent. S'il peut y être saisi, il ne peut l'être qu'en vertu du traité de 1831. (*Dénégations au banc des ministres.*) Il ne peut pas l'être autrement. Remarquez bien que, s'il en était ainsi, les auteurs du traité de 1831 seraient coupables d'une insigne négligence; car, qu'ont-ils voulu? Que, lorsqu'un navire suspecté de faire la traite, qui va la faire ou qui la fait, est saisi ou arrêté, il soit conduit immédiatement devant ses juges naturels; et si c'est un français qui est saisi, il doit être conduit devant un tribunal français.

Eh bien, voyez ce qui arriverait s'il fallait adopter l'interprétation de M. le ministre des affaires étrangères; voilà un navire qui fait la traite ou qui est suspecté d'avoir fait la traite, et qui arrive avec toute confiance dans un port anglais. Il est saisi, et vous ne voulez pas qu'il fût dans la même situation que celui qui est pris, soit dans la zone de la croisière anglaise, soit ailleurs, et qui, aux termes du traité, doit être conduit en France! Il faut convenir que ce serait nous soumettre à une juridiction qui ne serait pas la nôtre, à un acte du Parlement qui, s'il était applicable à des Français, accuserait profondément la négligence des négociateurs de 1831 qui auraient dû stipuler, à cette époque, que l'acte du Parlement ne serait pas appliqué à ce cas-là.

Ainsi je suis d'accord avec M. le ministre des affaires étrangères sur ce point que, quand il s'agit d'un crime ou délit commis dans un port ou sur le territoire anglais, on soit jugé par le tribunal anglais; mais quand il ne s'agit pas d'un fait commis sur le territoire anglais, on ne peut être justiciable d'un tribunal anglais, pas plus que d'aucun autre, parce que le tribunal anglais ne peut juger le coupable que parce qu'il a commis le crime sur son territoire. Et ici, je le dis, l'arrestation avait été faite pour un des cas prévus dans le traité, parce qu'on avait fait la traite, et le traité n'a pas distingué où l'arrestation avait lieu, dans les ports ou ailleurs; le traité a dit que, quand un navire français serait suspecté d'avoir fait la traite et qu'il serait arrêté, le navire serait conduit dans un port français et jugé par les autorités françaises.

Voilà ce que dit le traité; eh bien, aujourd'hui, par une générosité que je condamne, vous feriez une exception au traité qui n'était pas dans son esprit.

M. LE DUC DE BROGLIE.—Je crois qu'il y a ici une méprise.

Le tribunal anglais n'a pas appliqué la législation anglaise contre la traite des noirs au navire *la Sénégambie*. Il n'a pas appliqué non plus la législation française, il a simplement appliqué ce principe incontesté et incontestable que tout esclave qui touche le sol anglais est libre de plein droit... (*Interruption.— Bruits divers.*)

Plusieurs voix.—Il n'y avait pas d'esclaves à bord!

M. LE DUC DE BROGLIE.—Je ne discuterai pas ici l'acte du gouvernement anglais. Je dis qu'il a paru ici qu'un négociant français a été sur la côte d'Afrique acheter des noirs, et qu'ayant acheté ces noirs il les a amenés... (*Dénégations.*)

M. le ministre des affaires étrangères.—C'est une erreur de fait que je vais expliquer... (*Bruit.*)

M. LE DUC DE BROGLIE.—Alors il paraît que je ne sais pas le fait, et je cède la parole à M. le ministre.

M. le ministre des affaires étrangères.—Je prie l'honorable M. Persil de me permettre de me prévaloir de ce qu'il vient de dire tout à l'heure. Il a reconnu le principe du droit commun, savoir, que la juridiction appartient au gouvernement possesseur du territoire.

M. PERSIL.—Dans lequel le crime est commis.

M. le ministre.—Permettez; le gouvernement possesseur du territoire a juridiction sur les individus qui sont sur son territoire et qui y commettent un délit prévu par les lois. Eh bien, il y a une loi rendue par le parlement britannique qui prononce que, dans toutes les possessions britanniques, tout vaisseau, sans rechercher s'il est anglais ou étranger, qui sera construit de certaine manière, d'après lesquelles on reconnaîtra l'intention de faire la traite, sera arrêté et puni de telle manière. Le délit est établi par la loi anglaise dans le territoire anglais. Il s'applique exactement comme il s'appliquerait sur terre... (*Bruit.*)

Messieurs, la question est très-délicate, en partie imprévue, et j'ai envie de l'éclaircir complètement, pour moi-même comme pour la Chambre. Si le gouvernement anglais sur son territoire continental disait: «Quiconque préparera sur mon territoire telle ou telle action, préparatifs qui seront reconnus à tels signes extérieurs que je définis dans la loi, sera puni de telle ou telle façon;» s'il rendait cette loi-là, alors quiconque irait sur le territoire anglais, et y préparerait une action définie dans la loi anglaise avec les signes extérieurs indiqués par cette loi, serait certainement justiciable des tribunaux anglais. Or, c'est le cas qui s'est présenté ici. Ce n'est pas du tout le traité du droit de visite; il n'est question ici en aucune façon de son application. C'est une loi fondée sur la juridiction territoriale qui a interdit certains actes sur le territoire; que ce territoire soit un port ou soit continental, le droit est le même. Que la personne qui commet l'acte de préparer un bâtiment avec tel ou tel signe extérieur défini dans la loi, que cette personne soit anglaise ou étrangère, elle est soumise à la juridiction et à la loi anglaises.

Voilà la doctrine qui a été soutenue. Or, je dis, et jusqu'à plus ample discussion je crois devoir persister dans cette opinion, je dis que c'est là le droit commun qui s'appliquerait à une action commise sur terre anglaise par des étrangers comme à un navire saisi dans un port anglais. C'est sur le principe de la juridiction territoriale que je me fonde, et, en maintenant ce principe pour l'Angleterre, j'entends le maintenir tout aussi bien au profit de la France. Comment! un bâtiment étranger viendrait se pavaner dans le port de Bordeaux comme négrier, et nous le souffririons par cela seul qu'il est étranger? Non, cela n'est pas soutenable. Le principe de la juridiction territoriale est un principe de droit commun applicable à tous, et c'est le seul qui soit invoqué dans cette occasion.

M. GAUTIER.—Si un bâtiment sous pavillon anglais, monté par des Anglais, entrait dans le port du Havre, et qu'on reconnût que c'est un pirate, que ferait l'autorité française? Elle saisirait le bâtiment, arrêterait l'équipage, et le traduirait devant les tribunaux français qui le condamneraient et feraient justice. Eh bien, la loi anglaise assimile la traite à la piraterie. Un bâtiment préparé pour la traite est, d'après la loi anglaise, traité comme pirate. C'est fort à tort, je crois, qu'on a suspecté *la Sénégambie* de faire la traite; mais c'est parce que ce bâtiment était suspecté de la faire et y paraissait destiné, qu'en vertu de la législation qui assimile la traite à la piraterie, il a dû être saisi dans le port anglais.

M. LE BARON CHARLES DUPIN.—Toute la difficulté est dans ce fait qu'on prétend déclarer négrier un bâtiment qui emportait des hommes pour les mettre dans un régiment français.

M. LAPLAGNE-BARRIS.—C'est moi, messieurs, qui ai fait l'attaque; permettez-moi de faire la retraite.

M. le ministre m'a fait l'honneur de m'adresser une réponse à laquelle je n'ai rien à objecter. Il a parlé d'un acte du parlement anglais qui prononçait la peine de la confiscation contre tout navire, de quelque nation qu'il fût, qui serait saisi sur le territoire anglais, ayant fait ou pouvant faire la traite. Tel est le sens des explications de M. le ministre. Je reconnais que, légalement et en droit public, un gouvernement a le droit de faire des lois de cette nature et de les appliquer à des étrangers qui se rendent volontairement sur son territoire; car vous avez remarqué, et M. le ministre vous a fait observer qu'il ne s'agissait pas d'une saisie faite dans les eaux anglaises, mais d'un bâtiment qui s'était rendu volontairement sur le territoire de l'Angleterre.

Je voulais me borner à dire que cette loi qui existe en Angleterre est sans exemple dans notre législation, et j'ose même dire dans la législation des autres peuples de l'Europe. Je voulais dire que cette loi qui punit des étrangers, et surtout des navires, pour des crimes ou délits étrangers à l'intérêt matériel de la nation qui prononce la peine, est une loi d'envahissement et de domination qui doit exciter toute la sollicitude du gouvernement.

L'honorable M. Gautier a dit que la loi anglaise considère la traite comme piraterie: tant que les autres nations n'auront pas reconnu qu'il s'agit d'un fait de piraterie, voyez où on arriverait: un pirate peut être saisi par les croiseurs de toutes les nations et par cela qu'il aurait plu au Parlement de considérer la traite comme piraterie, le croiseur anglais pourrait saisir un bâtiment français dans toutes les mers, en tous lieux. Cela n'est pas possible; la piraterie est un crime commun, semblable pour toutes les nations, réprimé par toutes et à raison duquel, à cause de sa nature et de sa gravité, toutes les nations se sont fait réciproquement concession du droit de saisir et de punir. Un pirate n'appartient à aucune nation; un négrier, quoique coupable, est français comme tout autre navire. Je crois donc que, dans l'état actuel, nos observations tombent devant ce fait énoncé par M. le ministre des affaires étrangères, qu'il y a une loi formelle en Angleterre à cet égard; mais je persiste à faire remarquer à M. le ministre que c'est une disposition tout à fait extraordinaire, en dehors des règles habituelles, que c'est un acte de suprématie, de domination, et qu'il faut se tenir en garde.

CXXII

Sur les conventions de 1831 et 1833 pour l'abolition de la traite des nègres par le droit mutuel de visite en mer.

—Chambre des pairs.—Séance du 17 mai 1842.—

Dans la discussion générale du projet de loi relatif aux crédits supplémentaires et extraordinaires des exercices 1841-1842 et des exercices clos, M. le comte Molé ayant donné, sur l'origine et l'histoire des conventions de 1831 et 1833 pour l'abolition de la traite des nègres par le droit de visite, des détails qui me parurent incomplets ou inexacts, et propres à embarrasser une situation diplomatique déjà difficile, je lui répondis en ces termes.

M. GUIZOT.—Messieurs, la Chambre voudra bien le remarquer; la question que vient d'élever M. le comte Molé est toute nouvelle, et, pour mon compte, je m'étais scrupuleusement abstenu d'y toucher. Ce n'est plus la question actuelle, le traité même du 20 décembre 1841 et les conséquences qu'il peut avoir dans l'avenir; c'est la question du passé, ce sont les négociations antérieures aux conventions de 1831 et 1833, et celles qui ont préparé le traité du 20 décembre 1841. Personne, j'ose le dire, n'est plus à l'aise que moi dans cette question, car j'ai été complétement étranger aux faits dont il s'agit. Ma responsabilité, et la Chambre sait qu'il n'est pas dans mon usage de l'éluder, ma responsabilité est engagée dans la conclusion dernière, dans la signature du traité de 1841, parce qu'en effet j'ai accepté la conclusion et conseillé la signature. Mais ma responsabilité n'est absolument pour rien dans les négociations qui ont préparé et amené ce traité; je n'y ai jamais pris aucune part. J'étais donc, et je suis aujourd'hui parfaitement en liberté et à l'aise à ce sujet.

C'est précisément la raison qui, dans l'une et l'autre Chambre, m'avait empêché de toucher, même de loin, à cette question; je n'avais pas voulu élever un moment la question du passé; je ne voulais, à aucun prix, avoir l'air d'accuser mes prédécesseurs et de rejeter sur eux le fardeau.

M. LE COMTE MOLE.—Je demande la parole.

M. le ministre des affaires étrangères.—Je m'étais étroitement renfermé dans le présent, dans les faits qui m'étaient personnels et dans la responsabilité qui s'y attachait. Mais, après le discours que la Chambre vient d'entendre, il m'est impossible de persister dans cette réserve, de ne pas entrer dans l'examen des faits antérieurs, de ne pas exposer quelles circonstances, quelles négociations ont amené cette question au point où je l'ai trouvée en 1840, quand le roi m'a fait l'honneur de me confier ses affaires en Angleterre, et en 1841, quand le traité du 20 décembre a été conclu.

En même temps, j'insiste pour que la Chambre veuille bien le remarquer; ce n'est ni par mon fait, ni de mon choix, c'est par nécessité que j'entre dans l'examen du passé, auquel, du reste, j'ai été tout à fait étranger.

Je ne remonterai point jusqu'à la Restauration; je ne pourrais discuter aucun des faits que vient de rappeler l'honorable préopinant; je me renferme dans la seule époque que je connaisse, dans ce qui s'est passé depuis 1830.

La convention de 1831, conclue par l'honorable général Sébastiani, comme ministre des affaires étrangères, se terminait par cet article (9): «Les hautes parties contractantes au présent traité sont d'accord pour inviter les autres puissances maritimes à y accéder dans le plus bref délai possible.» La France et l'Angleterre prenaient l'une envers l'autre l'engagement d'inviter les autres puissances maritimes à accéder au traité qu'elles venaient de conclure.

Je voudrais, non pour entrer dans le fond même de la question, mais pour faire bien apprécier les faits, indiquer à la Chambre l'importance et la portée de cet engagement.

Chaque puissance avait plus ou moins bien réussi, par des lois intérieures, à réprimer la traite dans ses propres colonies. Je comprends qu'on ait cru et qu'on ait dit qu'il suffisait de lois intérieures pour empêcher la traite dans les colonies de la France ou de l'Angleterre. Mais ce n'était plus de cela qu'il s'agissait; il s'agissait de réprimer la traite faite par des bâtiments français ou anglais dans les pays qui la permettaient encore, dans les pays qui recevaient encore des esclaves. Il ne s'agissait plus d'empêcher l'importation des esclaves à la Martinique, à la Guadeloupe ou dans les colonies anglaises; il s'agissait d'empêcher que des bâtiments français ou anglais ne fissent la traite au profit de Cuba, du Brésil, des autres portions du territoire américain qui continuaient à en accepter les fruits. C'est pour cela, c'est pour réprimer cette traite-là, et non pas la traite dans nos propres colonies, que l'article dont je parle a été inséré dans la convention de 1831, et que le droit de visite a été nécessaire.

Tel fut le but réel de la convention de 1831, et, un peu plus tard, de celle de 1833.

Peu après la convention de 1833, la France, comme l'Angleterre, mit la main à l'œuvre pour exécuter réellement l'art. 9, et obtenir l'accession de toutes les puissances maritimes aux conventions conclues entre elles. Le 7 février 1834 M. l'amiral de Rigny, alors ministre des affaires étrangères, écrivit la lettre que voici:

M. le comte de Rigny, ministre des affaires étrangères, à MM. les ambassadeurs et ministres du roi près les cours de Saint-Pétersbourg, Berlin, Vienne, Turin et Naples.

7 février 1834.

«Monsieur,

«La France et la Grande-Bretagne, animées du désir de mettre un terme à la traite des noirs par des moyens de répression plus efficaces, ont signé, à cet effet, le 30 novembre 1831 et le 22 mars 1833, deux conventions avec annexes dont j'ai l'honneur de vous adresser ci-joint deux exemplaires lithographiés. Ces annexes sont: 1° les instructions générales et spéciales à donner aux commandants des bâtiments de guerre respectifs; 2° des mandats destinés à les autoriser à visiter les bâtiments des deux nations dans les parages déterminés, et 3° les modèles de signaux à l'usage des croiseurs respectifs.

«Les deux gouvernements étant convenus, par un article de l'arrangement du 30 novembre, d'inviter les autres puissances maritimes à y accéder, vous voudrez bien, monsieur, simultanément avec votre collègue (le ministre, l'ambassadeur d'Angleterre), qui a dû recevoir des instructions analogues, transmettre cette invitation au gouvernement de S. M. (l'empereur, le roi de...) par une note dont vous trouverez ci-joint le projet arrêté de concert entre nous et le cabinet britannique. Vous pourrez, si M. le ministre d'Angleterre s'y trouve également autorisé, ajouter à la dernière phrase ces mots: *Et à réaliser cette accession au moyen d'un traité formel*; nous avons fait proposer cette addition au cabinet de Londres, en le faisant toutefois seul juge de la convenance.

«La Russie, l'Autriche, la Prusse, etc., dont les sujets, il faut le reconnaître, sont jusqu'ici demeurés presque entièrement étrangers à l'odieux trafic des noirs, s'associeront sans doute avec empressement aux vues philanthropiques qui ont dicté ces nouvelles conventions.

«Distinguant avec soin ce qui, dans la répression de la traite, appartient au droit privé de chaque peuple et ce qui touche au droit des gens, ce n'est que sur cette dernière partie de la question que la France et l'Angleterre ont cherché à s'entendre. Placés sur ce terrain et n'envisageant que l'intérêt de l'humanité, les deux gouvernements se sont élevés au-dessus de vaines susceptibilités qui n'ont été que trop souvent confondues avec les véritables sentiments de l'honneur national, et ils n'ont pas hésité à accorder réciproquement à leurs croiseurs le droit de visite sur les bâtiments marchands respectifs, droit sans lequel la poursuite efficace des négriers est impossible. Du reste, cette concession a été strictement renfermée dans les limites où le besoin s'en faisait sentir, et entourée de précautions sévères qui écartent jusqu'à la possibilité d'un abus.

«Mais il est facile de comprendre que cette entente nouvelle et libérale entre la France et l'Angleterre ne peut produire tous ses fruits que par l'adhésion des autres puissances maritimes, et surtout de celles qui auraient moins de moyens de surveiller l'abus qui pourrait être fait de leur pavillon dans les mers lointaines. Je compte donc, monsieur, sur tout votre zèle pour déterminer, de concert avec (M. l'ambassadeur, le ministre d'Angleterre), l'accession du gouvernement aux conventions que vous êtes chargé de lui communiquer.

«Des démarches se poursuivent dans le même but auprès de plusieurs puissances maritimes, et notamment auprès des États-Unis.

«Le Danemark qui, le premier, avait donné l'exemple de l'abolition de la traite, a aussi été le premier à répondre d'une manière favorable à la demande d'accession que la France et l'Angleterre s'étaient empressées de lui faire adresser, et il sera signé prochainement entre les trois puissances un traité formel d'accession qui contiendra en même temps quelques dispositions exceptionnelles commandées par l'infériorité des moyens de répression dont le Danemark peut disposer.

«Recevez, etc.

«DE RIGNY.»

La Chambre voit comment, presque immédiatement après la convention de 1833, l'œuvre annoncée dans celle de 1831 fut entreprise de concert par la France et l'Angleterre. Tous les cabinets sans exception qui se sont succédé depuis cette époque ont travaillé à cette même œuvre; il n'en est pas un seul qui l'ait abandonnée, pas un seul qui ne se soit appliqué à étendre les conventions de 1831 et 1833, et à les faire accepter par toutes les puissances maritimes de l'Europe.

En discutant les faits que l'honorable préopinant vient de rappeler, j'omettrai ceux sur lesquels je n'ai aucune observation à faire.

En 1836, au mois de juin, le cabinet anglais communiqua au gouvernement français un projet de traité qui contenait quelques modifications à ceux de 1831 et 1833, et, entre autres, une extension des zones où le droit de visite devait avoir lieu, extension beaucoup plus considérable que celle qui a été écrite dans le traité du 20 décembre 1841. Ce projet de traité fut communiqué au cabinet français dont l'honorable M. Thiers était alors président. L'honorable M. Thiers le communiqua au ministère de la marine, ainsi que cela s'est toujours fait, pour prendre son avis. En même temps, l'honorable M. Thiers écrivit en Espagne pour annoncer qu'il était prêt à entrer en négociation sur ce nouveau traité, et presser, en attendant, le gouvernement espagnol d'accéder aux traités de 1831 et 1833; mais, bien peu de temps après, le cabinet que présidait M. Thiers fut renversé, et ne put donner aucune suite aux négociations qu'il avait ouvertes. Je n'ajoute rien à cet égard; je tiens simplement à constater qu'il les avait ouvertes.

En 1838, l'honorable comte Molé, poursuivant l'œuvre annoncée en 1831, c'est-à-dire l'acceptation unanime par toutes les puissances de l'Europe des traités de 1831 et de 1833, écrivit à M. l'ambassadeur d'Angleterre, alors M. le comte Sébastiani, à la date du 11 février 1838:

Le comte Molé à M. le comte Sébastiani, à Londres.

12 février 1838.

«Monsieur le comte,

«La traite des noirs se continue sous les pavillons brésilien, portugais et espagnol, avec des circonstances qui font honte à l'humanité; les rapports qui nous sont parvenus à cet égard s'accordent avec les renseignements qui ont été naguère révélés au sein du parlement anglais.

«À part quelques causes secondaires que je ne relèverai pas ici, c'est, il faut le reconnaître, la poursuite même dont cet odieux trafic est l'objet qui a augmenté la cruauté de ceux qui s'y livrent; cette poursuite n'est en effet, souvent, qu'une vaine menace dont les trafiquants s'exagèrent les dangers sans renoncer à les braver. Ainsi, lorsque les forces françaises et anglaises se trouvent réunies pour empêcher la traite, ce n'est en réalité que la force anglaise qui peut agir, puisque la France n'a pu encore obtenir le droit de visite à l'égard des pavillons les plus compromis; et cependant il est certain que la présence de nos forces doit inspirer aux négriers des précautions qui malheureusement tournent toujours au détriment de leurs victimes. Un tel état de choses ne peut durer, et en attendant que les gouvernements européens se concertent sur un mode de répression plus absolu, il faut au moins que celui qui a été adopté de concert entre la France et la Grande-Bretagne devienne aussi efficace qu'il peut et doit l'être.

«Je viens, en conséquence, d'inviter les agents du roi à Madrid, à Lisbonne et à Rio de Janeiro, à appeler l'attention sérieuse et immédiate des gouvernements auprès desquels ils sont accrédités, sur les ouvertures qu'ils ont été chargés de leur faire pour obtenir leur accession, vis-à-vis de la France, aux principes arrêtés entre nous et l'Angleterre relativement à la répression de la traite, et à les presser de conclure les arrangements que nous leur avons fait proposer dans ce but.

«Je vous prie, monsieur le comte, de vouloir bien réclamer les bons offices du gouvernement de Sa Majesté Britannique pour faire appuyer les démarches que nos agents feront par suite de ces nouvelles instructions.

«Agréez, etc.

MOLÉ.»

La Chambre voit que l'honorable préopinant, comme ses prédécesseurs, et je puis me permettre d'ajouter comme ses successeurs, travaillait à l'extension, à l'universalité de la répression de la traite par le principe du droit de visite;

et ne trouvant pas auprès des gouvernements espagnol, portugais et brésilien, les dispositions désirables, il avait recours à l'intervention du gouvernement anglais, et le priait de peser sur ces gouvernements pour les déterminer à accepter les conventions conclues entre la France et l'Angleterre.

La dépêche est du 12 février 1838. Le 20 février 1838 M. le général Sébastiani répondit à M. le comte Molé:

Le comte Sébastiani à S. Exc. M. le comte Molé.

Londres, le 20 février 1838.

«Monsieur le comte,

«Par sa lettre du 12 février dernier, Votre Excellence me charge de réclamer les bons offices du gouvernement anglais pour faire appuyer par ses agents les démarches de nos légations à Madrid, à Lisbonne et à Rio de Janeiro, dans le but d'obtenir l'accession des gouvernements auprès desquels ils sont accrédités aux principes arrêtés entre la France et l'Angleterre relativement à la répression de la traite.

«Lord Palmerston a partagé entièrement l'opinion consignée dans la lettre de Votre Excellence: il s'est associé avec empressement aux efforts qu'elle est déterminée à faire pour assurer l'efficacité de la répression du trafic des esclaves; et il m'a chargé de l'assurer que des instructions seraient adressées aux missions d'Angleterre sur les trois points signalés par Votre Excellence, afin de déterminer leur loyal et sincère concours aux démarches des agents français.

«Lord Palmerston a désiré en même temps que je sollicitasse de Votre Excellence une réponse au projet de traité entre les cinq grandes puissances pour l'abolition définitive de la traite, projet transmis par l'ambassade au gouvernement du roi, le 8 juin 1836.

«Veuillez agréer, etc.

«H. SEBASTIANI.»

Pendant que l'honorable préopinant pressait ainsi, auprès des trois gouvernements les plus difficiles à persuader, l'extension du droit de visite, le nouveau projet de traité qui devait être présenté à l'Autriche, à la Prusse et à la Russie suivait son cours.

Il avait été présenté en 1836, comme je le disais tout à l'heure, au cabinet français; M. le comte Molé, sollicité de s'expliquer à ce sujet, avait dit qu'il n'avait pas encore examiné et qu'il examinerait.

Je prie la Chambre de remarquer ces deux points-ci, sur lesquels je désirerais que les idées fussent bien arrêtées. Le but indiqué par l'art. 9 de la convention de 1831 était activement poursuivi dans toute l'Europe, poursuivi par le cabinet du 15 avril comme par les cabinets précédents; et son attention était en même temps appelée sur les négociations spéciales ouvertes par la France avec les cours d'Espagne, de Portugal et du Brésil, et sur la négociation ouverte par la France, de concert avec l'Angleterre, pour proposer un nouveau traité aux trois grandes puissances du Nord.

Le 12 décembre 1838, fut signé à Londres le protocole dont je vais avoir l'honneur de donner lecture à la Chambre.

Protocole de la conférence tenue au Foreign-Office le 12 décembre 1838.

Présents: les plénipotentiaires d'Autriche, de France, de la Grande-Bretagne, de Prusse et de Russie.

«Les plénipotentiaires d'Autriche, de France, de la Grande-Bretagne, de Prusse et de Russie s'étant réunis en conférence, d'après l'invitation des plénipotentiaires de France et de la Grande-Bretagne, afin de continuer les négociations pour un concert général des puissances de l'Europe ayant pour objet la suppression de la traite des noirs, négociations qui furent commencées à Vienne l'an 1815 et continuées depuis à Vérone l'an 1822, les plénipotentiaires de France et de la Grande-Bretagne proposèrent aux plénipotentiaires des trois autres puissances, aujourd'hui réunis en conférence, le projet du traité annexe A.

«Les plénipotentiaires de France et de la Grande-Bretagne prièrent les plénipotentiaires des trois cours de transmettre ledit projet à leurs gouvernements respectifs, dans l'espoir que les arrangements renfermés dans ce projet pourraient être trouvés compatibles avec les droits et les intérêts des sujets des souverains respectifs, et propres à aider à faire cesser le trafic criminel dont il s'agit.

«Les plénipotentiaires des trois puissances se chargèrent de transmettre ledit projet de traité à leurs gouvernements respectifs et de demander des instructions à cet égard.

«Sans préjuger les déterminations que leurs cours pourraient prendre, lesdits plénipotentiaires, chacun pour sa part, déclarèrent que leurs gouvernements respectifs ont, de tout temps, partagé les sentiments d'indignation qu'inspirent au gouvernement britannique les actes criminels que les mesures dont il est question ont pour but de faire cesser.

«Les plénipotentiaires d'Autriche, de Prusse et de Russie, ajoutèrent que leurs gouvernements désirent aussi ardemment que peuvent le faire ceux de France ou de la Grande-Bretagne, d'empêcher que leurs sujets ou leurs pavillons respectifs ne participent d'une manière quelconque au trafic des noirs.

«Les plénipotentiaires de France et de la Grande-Bretagne déclarèrent que leurs gouvernements rendent une entière justice aux sentiments philanthropiques et généreux des gouvernements d'Autriche, de Prusse et de Russie, et sont les premiers à reconnaître que ni les sujets, ni les pavillons de ces trois puissances ne prennent aucune part au trafic des noirs.

«Mais le but dont les gouvernements de France et de la Grande-Bretagne se proposent l'accomplissement, au moyen du traité en question, est celui d'empêcher que les bandits et les pirates d'autres pays, qui s'adonnent à ce commerce infâme, ne puissent se prévaloir des pavillons des trois puissances, afin de poursuivre impunément leurs criminelles entreprises.

«HUMMELAUER, H. SEBASTIANI, PALMERSTON,
BULOW, POZZO DI BORGO.»

Le projet intitulé *Annexe A* et que je tiens dans mes mains est exactement le même que le traité qui a été conclu le 20 décembre 1841; à cela près que l'extension des zones y était beaucoup plus grande, car dans le projet de traité de 1838 étaient comprises toute la côte des États-Unis et toute la portion septentrionale de l'Amérique et de l'Europe au-dessus du 32e degré de latitude nord, tandis que, dans le traité de décembre 1841, toute cette portion de l'Europe et de l'Amérique au nord du 32e degré de latitude est exclue; de sorte que, dans le projet de 1841, le commerce entre l'Europe et les États-Unis d'Amérique est à peu près complétement en dehors du droit de visite, tandis que, dans le traité de 1838, il y était compris.

Voilà la seule différence essentielle qui existe entre le traité de 1838 et celui de 1841.

Ce projet de 1838 fut donc proposé, le 12 décembre 1838, aux trois cours d'Autriche, de Prusse et de Russie, par les plénipotentiaires de France et d'Angleterre. Les plénipotentiaires de France et d'Angleterre prièrent les plénipotentiaires des trois cours de transmettre ledit projet à leurs gouvernements respectifs, dans l'espoir que les arrangements qui y étaient contenus seraient trouvés compatibles avec les droits et les intérêts des sujets des souverains respectifs, et propres à faire cesser l'infâme trafic de la traite.

M. le général Sébastiani, qui venait de signer cette proposition adressée aux trois cours du Nord, au nom de la France et de l'Angleterre, transmit le protocole, le lendemain 13 décembre, au ministre des affaires étrangères, par la lettre que voici:

Le comte Sébastiani à S. Exc. M. le comte Molé.

«Londres, 13 décembre 1838.

«Monsieur le comte,

«J'avais reçu hier l'invitation de me rendre au Foreign-Office conjointement avec les représentants d'Autriche, de Prusse et de Russie. Lord Palmerston voulait communiquer aux trois cours du Nord, par l'organe de leurs ambassadeurs à Londres, le projet de traité à cinq pour la suppression de la traite que j'ai déjà eu l'honneur de faire parvenir au gouvernement du roi dans les premiers jours de juin 1836.

«Les ambassadeurs de Russie, de Prusse et d'Autriche ont assuré lord Palmerston que leurs gouvernements étaient très-disposés à concourir, avec la France et l'Angleterre, à cette négociation, et ils ont pris le projet de traité *ad referendum*.

«Lord Palmerston m'avait demandé, avant la conférence, si, dans le protocole qui en serait dressé, il pourrait présenter le plénipotentiaire de France comme s'unissant au plénipotentiaire anglais, pour engager les trois cours à accepter le projet de traité en question. Je crois qu'il est utile, en ce moment, dans une négociation secondaire, de donner aux deux cabinets le même rôle et le même langage. Je me suis toutefois réservé d'introduire dans le traité les modifications que le gouvernement du roi jugerait convenable d'y apporter. Je prierai Votre Excellence de vouloir bien me faire connaître ses intentions à cet égard, aussitôt qu'elle aura le loisir d'examiner le document imprimé que je joins à cette dépêche,

«Agréez, etc.

SEBASTIANI.»

L'honorable comte Molé, comme il vient de le dire lui-même à la Chambre, ne répondit rien à cette communication. Le cabinet qu'il présidait dura encore, si je ne me trompe, deux ou trois mois après la lettre du général Sébastiani, après le protocole, qui lui avait été envoyé, après la proposition faite au nom de la France et de l'Angleterre aux trois puissances du Nord. Je n'ai trouvé au ministère des affaires étrangères, ni à l'ambassade de Londres, aucune réponse faite à ce sujet.

La Chambre me permettra de faire ici une réflexion qui s'applique à tout le monde, qui est vraie pour et contre tout le monde.

Ce n'est pas simplement au dernier moment, ce n'est pas seulement le jour où l'on signe un traité qu'on s'engage; il n'y a personne qui ne sache, et M. le comte Molé sait mieux que personne, qu'on s'engage, dans le cours d'une négociation, soit par ses paroles, soit par son silence; le silence aussi peut être une adhésion; il est de la loyauté, il est de la prudence, quand on n'adhère pas, quand on veut refuser ou seulement objecter, d'avertir les personnes et les puissances avec lesquelles on traite, qu'en effet on n'adopte pas, qu'on a objection, qu'on n'acceptera pas ce qui est proposé. Le cours entier d'une négociation importe comme sa fin: c'est par les différents actes qui la constituent, par le silence comme par les paroles, qu'on manifeste sa pensée, et qu'on oblige soi-même et son pays.

Certes, il était naturel que le plénipotentiaire anglais et les plénipotentiaires des puissances du Nord qui avaient reçu cette proposition au nom de la France comme de l'Angleterre, et qui ne voyaient arriver, pas plus de la part de la France que de la part de l'Angleterre, aucun refus, aucune objection, qui probablement ignoraient les réserves que M. le général Sébastiani avait faites et que je ne doute pas qu'il ait faites, mais dont il n'existe aucune trace écrite ni dans le protocole, ni dans aucune pièce de la négociation, il était naturel, dis-je, et j'ajouterai, il était inévitable que ces plénipotentiaires crussent la France engagée par les propositions faites en son nom. Et ce qui a été vrai du cabinet du 15 avril l'a été également des cabinets suivants. La proposition faite en 1838, au nom de la France comme de l'Angleterre, aux trois grandes puissances du Nord, d'un traité écrit et rédigé en articles, n'était pas une proposition vague; c'était un ensemble complet de dispositions précises. Or, depuis le 12 décembre 1838 jusqu'à la fin de juillet 1840, époque à laquelle je me suis trouvé chargé de cette négociation, aucune objection, aucune observation, à ma connaissance, sur ce projet de traité, n'a été faite ni à l'Angleterre, ni aux trois puissances auxquelles il avait été proposé.

Que la Chambre donc veuille bien considérer dans quelle situation je me suis trouvé à Londres en juillet 1840, quand on m'a appelé à reprendre la négociation. Et je prie la Chambre de bien remarquer mes paroles, parce que je les pèse consciencieusement. J'ai été appelé à entendre la réponse que les trois puissances du Nord adressaient aux propositions qui leur avaient été faites deux ans auparavant par la France et l'Angleterre de concert.

J'ai en effet entendu cette réponse. L'une des puissances demandait que l'extension donnée aux zones fût réduite; c'était la Russie. Sa proposition fut examinée et la réduction demandée par elle dans l'extension des zones proposées en 1838 eut lieu. La côte septentrionale des États-Unis fut exclue du droit de visite.

C'est dans cet état, messieurs, que j'ai trouvé l'affaire. Je n'hésite pas à le dire, j'ai tenu le gouvernement français pour moralement engagé; je dis moralement engagé: il est parfaitement vrai qu'il ne l'était pas rigoureusement, qu'il pouvait refuser de signer le traité. Je n'ai pas cru qu'avec de tels antécédents, cela fût de mon devoir, ni de l'honneur de la France et de son gouvernement.

Quand la discussion du fond recommencera, ce qui, à mon avis, ne peut avoir lieu aujourd'hui et dans l'état actuel de l'affaire, je n'hésiterai pas, soit à l'une, soit à l'autre tribune, à dire toute ma pensée. Le seul fait que je tienne à mettre bien en lumière aujourd'hui, puisqu'on vient de m'y obliger, et quoique je me sois jusqu'à ce jour abstenu d'en parler, ce fait, c'est que j'ai cru la France moralement engagée; j'ai cru que cet engagement résultait de toutes les négociations conduites par tous les cabinets successifs pour étendre les conventions de 1831 et 1833 à toutes les puissances de l'Europe.

Voilà, sur la question du passé, tout ce que je veux dire. Je reprends la situation au point où elle est aujourd'hui, et maintenant c'est à l'honorable M. de Boissy, et en très-peu de mots, que je dois répondre.

Je croyais, je l'avoue, lui avoir répondu dans l'une de vos dernières séances. Qu'est-il arrivé depuis cette séance? Quels faits nouveaux sont survenus? Quels actes nouveaux ai-je à discuter ou à soutenir? Évidemment aucun. La situation, quant au traité de décembre 1841, est maintenant ce qu'elle était lorsque vous l'avez discutée dans cette enceinte.

Je n'ai donc, quant à moi, rien à ajouter ni à changer à ce que j'en ai dit alors à la Chambre; mais je suis tout prêt à le répéter et de la façon la plus nette, la plus convaincante pour l'honorable M. de Boissy lui-même: la ratification actuelle du traité du 20 décembre 1841 a été positivement refusée; en même temps aucun engagement n'a été pris, ni direct, ni indirect, de ratifier purement et simplement ce traité à aucune époque quelconque. (*Très-bien!*)

Maintenant on a dit, non pas dans cette enceinte, mais ailleurs: C'est la présence des Chambres qui a empêché, qui empêche encore la ratification du traité; quand les Chambres seront éloignées, le traité sera ratifié. Messieurs, je serais tenté de prendre ces paroles pour une injure à mon bon sens. Croyez-vous que ce soit la présence matérielle des Chambres, le fait d'un certain nombre de pairs ou de députés présents dans cette enceinte ou dans une autre, qui détermine en ceci la conduite du gouvernement, et que le jour où vous vous serez éloignés, où ces portes seront fermées, où aucune voix ne retentira plus dans cette enceinte, ce jour-là le gouvernement se regardera comme libre de faire tout ce qu'il croira pouvoir? Non, messieurs, ce n'est point votre présence matérielle, c'est votre opinion, c'est votre sentiment, c'est votre vœu connu qui influe sur le gouvernement et qui influera tout aussi bien après votre départ qu'aujourd'hui. (*Très-bien!*)

Messieurs, j'ai l'honneur d'être de ceux qui ont accepté sincèrement mon pays libre, son gouvernement libre; quand même il m'arriverait de penser, ce qui m'est arrivé plus d'une fois, que mon pays se trompe, par exagération, par entraînement, faute d'être bien informé, quand même, dis-je, cela m'arriverait, je n'en ai pas moins sincèrement et sérieusement accepté sa liberté, c'est-à-dire son influence dans ses affaires, la part d'action qui appartient à son jugement sur la conduite de son gouvernement.

Messieurs, que vous soyez absents, ou que vous soyez présents, tenez pour certain que l'influence de votre opinion, de votre sentiment, de votre vœu, est et sera la même. (*Très-bien!*)

Pour mon compte personnel, j'ai eu et j'ai encore ici deux grands devoirs à remplir: mon premier devoir, c'est de maintenir dans leur plénitude, dans leur liberté, les prérogatives de la couronne; ce serait un crime de ma part, de venir ici engager les prérogatives de la couronne avant qu'elle ait agi, devenir abdiquer, aux pieds de la tribune, son droit de faire ou de ne pas faire, selon son jugement, dans les matières qui lui sont réservées. J'ai maintenu, j'ai soutenu la liberté des prérogatives de la couronne en fait de ratification, au milieu des plus difficiles débats; je le ferai également aujourd'hui.

Mon autre devoir, c'est de respecter, c'est d'assurer la juste influence des Chambres et de l'opinion de mon pays sur la conduite et les actes du gouvernement. Je ne manquerai pas plus à ce devoir qu'à l'autre. Quand j'ai eu l'honneur de conseiller à la couronne le refus de la ratification du traité, j'ai déféré au sentiment, au vœu manifesté par les Chambres. J'ai rempli ainsi, au même moment, mon double devoir: j'ai respecté et maintenu les prérogatives du trône; j'ai respecté, dans le gouvernement de mon pays, le sentiment des Chambres et du pays lui-même.

La conduite que j'ai tenue, il y a deux mois, dans des circonstances difficiles, je la tiendrai également quand ces portes seront fermées et que la session sera close. Dans l'état actuel des faits, dans la disposition actuelle des esprits, je croirais manquer à mon devoir envers la couronne si je lui conseillais la ratification du traité. C'est tout ce que je puis dire en ce moment et dans cette enceinte. (*Marques d'approbation.*)

Maintenant, messieurs, au delà de ces paroles, quel débat peut se renouveler tant que la situation ne sera pas changée, tant qu'un fait nouveau ne se sera pas produit? Le débat ne pourrait avoir que deux conséquences: la première serait de créer des embarras au gouvernement du roi dans la situation délicate où il est placé, et d'entraver la négociation encore pendante. La seconde, de fomenter l'animosité entre deux grands peuples et deux gouvernements. Pour mon compte, je ne me prêterai ni à l'un ni à l'autre de ces résultats.

Je m'arrête donc, je me tais après ce que je viens de dire, et je crois qu'en m'arrêtant je remplis, et envers le trône, et envers mon pays, tout mon devoir. (*Très-bien! très-bien!*)

CXXIII

Sur divers incidents survenus en mer et divers griefs élevés à l'occasion de l'exercice du droit de visite pour l'abolition de la traite des nègres.

—Chambre des députés.—Séances des 19 et 20 mai 1842.—

Dans la discussion du budget du ministère des affaires étrangères pour 1843, M. Billault attaqua le cabinet sur divers incidents suscités par l'exercice du droit de visite, entre autres sur les affaires des navires *le Marabout*, *la Sénégambie*, *la Noémi-Marie*. MM. Mauguin, Thiers et Berryer prirent part au débat. Je leur répondis dans les séances des 19 et 20 mai en expliquant les faits et la conduite du cabinet.

M. GUIZOT, *en réponse à M. Billault.*—Messieurs, je veux dès l'abord rassurer complétement l'honorable préopinant. J'éviterai toute parole ambiguë, toute explication douteuse; je serai aussi catégorique qu'il en a exprimé le désir.

Il a parlé de la méfiance que lui inspire la politique générale du cabinet. J'accepte sa méfiance et je la trouve très-naturelle, car si l'honorable préopinant était aux affaires, je ressentirais une aussi profonde méfiance. (*Rire général et réclamations à gauche.*)

Notre méfiance réciproque, messieurs, c'est la dissidence même de nos opinions; c'est ce qui fait que nous sommes les uns gouvernement, les autres opposition; aucun de nous n'a le droit de s'en choquer; et pour mon compte, je ne me choque en aucune façon de l'expression dont s'est servi l'honorable membre.

J'entre dans la question même.

L'honorable préopinant a parlé d'abord des abus auxquels a donné lieu l'exercice du droit de visite, et il a dit que j'avais regardé l'affaire du *Marabout* comme le seul abus qui eût été commis depuis onze ans. L'honorable préopinant s'est trompé; jamais je n'ai dit une telle chose, et je ne pouvais pas la dire. J'ai dit que *le Marabout* était le premier exemple d'un bâtiment français arrêté et conduit devant les tribunaux par un croiseur anglais; mais je n'ai pas dit, je ne pouvais pas dire que ce fût le premier abus auquel le droit de visite eût donné lieu, car j'avais eu moi-même, pendant mon ambassade à Londres, à réclamer contre des abus pareils, et j'avais effectivement réclamé, comme la Chambre le verra.

J'ai pu dire et j'ai dit que les abus n'avaient pas été aussi nombreux, aussi énormes qu'on l'avait plusieurs fois affirmé; mais je n'ai eu garde de dire que l'affaire du *Marabout* eût été la première et la seule de ce genre.

Pour en finir sur-le-champ de cette affaire-là, l'honorable préopinant sait mieux que personne, car j'ai eu l'honneur de lui en parler dans l'intérêt des propriétaires du *Marabout*, dont il est l'avocat, l'honorable préopinant sait mieux que personne, dis-je, que j'ai réclamé et que je réclame vivement auprès du gouvernement anglais, soit pour l'indemnité allouée à l'armateur, soit contre les excès commis dans l'arrestation du bâtiment. J'ai réclamé l'exécution du jugement, pour lequel, du reste, les délais ne sont pas encore expirés; j'ai réclamé contre la conduite du capitaine qui commandait le croiseur anglais, contre celle de plusieurs hommes de son équipage, et mes réclamations ont été vives et précises, comme elles devaient l'être.

Après l'affaire du *Marabout*, l'honorable préopinant a parlé de celle de *la Sénégambie*.

Messieurs, j'ai, dans cette occasion, comme dans tout le cours de ce débat, un malheur singulier; je suis appelé à soutenir des faits qui me sont complétement étrangers, qui n'ont pas eu lieu sous mon administration, qui ne tiennent point à mes actes. L'affaire de *la Sénégambie* est dans ce cas; elle a eu lieu en 1839. Vous avez entendu à cette tribune, en 1840, l'honorable président du 1er mars la raconter, l'expliquer, montrer à la Chambre qu'il ne s'agissait nullement là des traités de 1831 et de 1833, qui n'y étaient point applicables. Je ne remettrai pas sous les yeux de la Chambre cette discussion; l'honorable M. Thiers ne retirerait certainement pas les paroles qu'il a prononcées; mais j'ai besoin que la Chambre connaisse bien la doctrine explicitement soutenue à cet égard par M. Thiers, comme chef du département des affaires étrangères; doctrine que je n'ai fait que continuer, et qui n'a pas été de mon invention, de même que le fait n'était pas mon fait.

Je reçus à Londres, de l'honorable président du 1er mars, l'ordre de réclamer à l'occasion de l'affaire de *la Sénégambie*. Je m'en acquittai, et j'en rendis compte dans des termes que je demande à la Chambre la permission de lui lire.

«Londres, 6 juillet 1840.

«Monsieur le président du conseil,

«J'ai entretenu lord Palmerston de l'affaire du bâtiment *la Sénégambie* saisi et condamné à Sierra-Leone comme soupçonné de se livrer à la traite des noirs. Je lui ai soigneusement expliqué toutes les circonstances de l'opération dont ce bâtiment était chargé, et les clauses du marché conclu entre l'administration de la marine et les armateurs. Je ne saurais dissimuler à Votre Excellence que, par leur nature même, une telle opération et de tels marchés exciteront toujours dans ce pays-ci de vives alarmes, et mettront le gouvernement du roi dans de graves embarras. Tout le monde est porté à croire que, malgré leur engagement pour un service militaire et temporaire, précédé d'un affranchissement formel, des noirs ainsi achetés sur la côte d'Afrique, probablement aux chefs des tribus du pays, sont des hommes que ces chefs ont fait esclaves pour les vendre, et qui sont enlevés violemment à leur famille et à leur patrie, comme cela arriverait pour la traite réelle et ordinaire. La différence de leur condition et de leur destination après l'achat ne paraît point effacer le vice de leur origine, et si l'on fait de ces hommes, dès qu'on les possède, des affranchis et des soldats, on a commencé par en faire des esclaves. Ce n'est pas au moment où le Parlement vient de repousser l'introduction des *hill coolies* dans l'île Maurice, comme engagés à temps et pour un travail libre, qu'on peut prétendre à continuer, sans les plus fortes réclamations, des opérations analogues à celle dont *la Sénégambie* était chargée, et je crois de mon devoir d'informer Votre Excellence que si l'administration de la marine persiste à employer ce moyen pour le recrutement des bataillons noirs dans nos colonies, on le considérera toujours ici comme une variété de la traite, et de là naîtront entre la France et l'Angleterre des plaintes et des contestations continuelles.

«Je n'en ai pas moins fortement représenté à lord Palmerston ce qu'il y a eu de violent et de contraire au droit des gens dans les procédés dont *la Sénégambie* a été l'objet, soit de la part du croiseur anglais *le Saracen*, soit à Sierra-Leone même. J'ai fait valoir la confiance dans laquelle les armateurs et l'équipage de *la Sénégambie* devaient être, quant à la légalité de l'opération qu'ils poursuivaient. Je n'ai pas élevé la question du droit de juridiction, exercé par un tribunal anglais sur un bâtiment français, comme soupçonné de se livrer à la traite. L'administration de la marine reconnaît elle-même, dans les documents qui m'ont été communiqués par Votre Excellence, qu'aux termes des traités cette question ne serait probablement pas résolue en notre faveur. Mais j'ai soutenu que, d'après les circonstances particulières de l'affaire et les exemples antérieurs, il était impossible d'admettre que *la Sénégambie* dût être considérée comme un bâtiment négrier, et que, dès lors, tous les actes commis à son égard étaient irréguliers, blessants pour notre dignité et contraires à nos droits. Enfin, je me suis élevé contre le jugement rendu, dit-on, à l'égard de l'équipage, et j'ai demandé que le gouvernement anglais donnât des ordres pour en arrêter l'exécution.

«En insistant fortement, et à plusieurs reprises, sur le vice radical et le péril continuel de l'opération confiée à *la Sénégambie*, lord Palmerston a reconnu l'irrégularité et la violence des faits que je lui signalais. Il m'a promis que des ordres seraient immédiatement donnés pour arrêter les suites du jugement rendu contre l'équipage. Il m'a dit, du reste, que les renseignements qu'il avait reçus à cet égard n'étaient pas conformes à ceux dont je lui parlais, et qu'il n'avait jamais été question ni de mise au secret, ni de travaux forcés, ni de transport à Botany-Bay, mais seulement d'un emprisonnement d'un mois. Enfin, il m'a demandé des détails précis sur les précédents semblables au voyage de *la Sénégambie* que j'avais allégués d'après le *post-scriptum* de la lettre adressée le 4 juin dernier à V. Exc. par M. le ministre de la marine, précédents qui n'avaient excité de la part des autorités anglaises, sur la côte d'Afrique, aucune réclamation. Je n'ai pu donner ces détails, car M. le ministre de la marine s'est borné à une affirmation générale. Je prie V. Exc. de vouloir bien lui demander l'indication précise, avec les noms et les dates, des voyages précédemment exécutés par des bâtiments français dans un but pareil à celui de *la Sénégambie*. J'aurai besoin d'être armé de ces faits quand je reprendrai avec lord Palmerston la conversation à cet égard.

«En attendant, j'ai l'honneur de transmettre à V. Exc. la promesse qui m'a été faite par lord Palmerston, que des ordres seraient donnés pour arrêter les suites de cette affaire, et je la prie d'agréer, etc.»

Je mets cette lettre sous les yeux de la Chambre, pour plusieurs raisons; d'abord, il faut que la Chambre sente toute la gravité des opérations pareilles à celles dont *la Sénégambie* a été chargée, et voie dans quels embarras, dans quelles fâcheuses apparences elles peuvent jeter le gouvernement du roi.

Je désire, en outre, que la Chambre sache avec quelle exactitude j'ai exécuté les instructions qui m'étaient données, avec quelle insistance j'ai réclamé et obtenu en partie, autant que cela se pouvait, dans l'état de l'affaire, le redressement des abus dont nous avions eu à souffrir.

Enfin, j'ai besoin de mettre pleinement en lumière les principes qui président, sur de telles questions, à la conduite de l'administration française, et qui, dans une autre enceinte, ont déterminé mon langage.

Le 29 juin 1840, l'honorable M. Thiers écrivait à M. le ministre de la marine, au sujet de l'affaire de *la Sénégambie*.

«..... Je reconnais qu'il y a eu dans la conduite des autorités anglaises dans la Gambie des procédés qui étaient de nature à légitimer nos plaintes. J'ai l'honneur de vous envoyer copie d'une lettre que j'ai adressée, le 11 de ce mois, à l'ambassadeur de Sa Majesté à Londres. Vous verrez que je l'ai invité à faire de sérieuses représentations au gouvernement britannique sur l'excessive rigueur des traitements auxquels avait été soumis, avant le jugement, l'équipage de *la Sénégambie*; mais je dois ajouter que, quels que soient les torts des autorités anglaises dans cette affaire, ce grief ne nous donne pas le droit d'attaquer la légalité du jugement. En effet, si la saisie de *la Sénégambie* a pu avoir lieu, comme cela est hors de doute, en vertu des lois anglaises, et sans que nous soyons fondés à prétendre que les conventions de 1831 et 1833 sur la traite aient été enfreintes, la cour de l'amirauté de Sierra-Leone a été régulièrement saisie; et il me paraît de toute impossibilité d'attaquer la validité de la décision qu'elle a prononcée.»

La Chambre voit qu'il m'était impossible de tenir un autre langage, et que, sur la question de droit, tout aussi bien que sur les procédés dont nous avons eu à souffrir, j'ai fidèlement accompli les instructions que j'avais reçues.

M. THIERS.—Je demande la parole.

M. le ministre des affaires étrangères.—C'est là la seconde des affaires sur lesquelles j'ai eu à réclamer; l'honorable M. Billault en a indiqué une troisième, celle de *la Noémi-Marie*. J'ai reçu également de M. le ministre des affaires étrangères à cette époque des instructions pour réclamer à cet égard auprès du gouvernement anglais, des instructions très-pressantes, très-sensées, faisant très-bien sentir les abus auxquels le droit de visite donnait lieu, et m'ordonnant d'insister pour que ces abus fussent réprimés.

L'honorable préopinant a eu raison de recommander vivement une telle insistance; ce que je tiens à prouver, c'est que j'ai pratiqué ce qu'il recommande aujourd'hui: je l'ai fait pour *la Noémi-Marie* comme pour *la Sénégambie.*

L'honorable préopinant a parlé d'une quatrième affaire, celle de *l'Africaine*; je n'en dirai qu'un mot. Ici le gouvernement français a non-seulement réclamé, il a obtenu pleine justice; l'officier anglais qui, en effet, s'était conduit d'une façon irrégulière et violente envers le bâtiment français, a été blâmé et puni, et le blâme dont il a été l'objet a été mis à l'ordre du jour de la marine anglaise.

Messieurs, j'ai fait le dépouillement complet des abus auxquels le droit de visite a donné lieu en onze ans; je ne peux parler que des réclamations dont il existe quelque trace au département des affaires étrangères ou de la marine, mais, celles-là, je les ai comptées; en onze ans elles s'élèvent à dix-sept. (*Bruit.*)

M. PAGES (de l'Ariége).—Je demande combien l'Angleterre en a eu à faire contre la France.

M. le ministre.—La Chambre voit que, bien loin de me refuser à aucun détail, j'entre complétement dans la question, et avec l'intention que la vérité tout entière soit bien connue. Je répète que, dans ces onze années, il y a eu dix-sept réclamations pour les abus auxquels le droit de visite avait donné lieu; réclamations de valeurs très-inégales: quelques-unes ont été considérées par le ministère français, par l'administration de la marine elle-même, comme trop peu graves pour donner lieu à de longues et opiniâtres réclamations; d'autres ont été vivement et obstinément poursuivies; plusieurs ont obtenu justice, d'autres ne l'ont pas obtenue, c'est ce qui arrive dans le cours des affaires humaines; nous serions trop heureux si nous pouvions dire ici que nous avons toujours obtenu ce que nous avons demandé: non, nous ne l'avons pas toujours obtenu; mais nous l'avons obtenu plusieurs fois, et nous avons quelquefois renoncé à le demander plus obstinément.

De tous ces faits, la Chambre concluera peut-être que, quelque réels qu'aient été les abus, quelque bien fondés que nous ayons été à réclamer, il n'y a pas eu cependant, en fait de griefs, cette multiplicité dans le nombre, ni cette énormité dans le genre, auxquelles on pourrait croire après ce qui a été dit à cette tribune et encore plus en dehors de cette enceinte.

Et comment cela aurait-il pu arriver? Je vais mettre un autre fait sous les yeux de la Chambre. On a souvent parlé du nombre très-inégal des croiseurs anglais et des croiseurs français. Messieurs, le nombre des mandats donnés aux croiseurs anglais s'élève, depuis 1833 inclusivement jusqu'à ce jour, à 152. 71 de ces mandats ont été renvoyés et ne sont plus d'aucune application; 81 n'ont pas été renvoyés et subsistent encore. Voilà pour le nombre des croiseurs anglais.

M. MAUGUIN.—M. le ministre comprend-il dans ce nombre les mandats dont l'envoi a été annoncé à Londres tout nouvellement par les journaux anglais?

M. le ministre.—Ils y sont compris. Voici maintenant les mandats donnés à des croiseurs français.

En tout 122: 60 ont été renvoyés; restent en activité 62 mandats encore entre les mains de croiseurs français.

La Chambre voit que, quoiqu'il y ait une différence, cette différence n'est pas telle qu'on l'a plusieurs fois représentée.

Voici un autre fait.

J'ai essayé de savoir combien de fois le droit de visite avait été exercé sur des bâtiments anglais par des croiseurs français et sur des bâtiments français par des croiseurs anglais. Je n'ai pu arriver à des résultats complets, ni parfaitement exacts. Les renseignements manquent à cet égard, à Paris et à Londres, dans les archives des marines française et anglaise et dans les départements des affaires étrangères des deux pays. Mais voici les résultats que j'ai recueillis quant à la station de l'Afrique occidentale.

En 1832, sept navires, dont deux français et cinq anglais, ont été visités par les croiseurs français; dans le cours de 1833, cinq; dans le cours de l'année 1835, deux; dans le cours de l'année 1838, vingt-quatre, dont huit anglais.

Les rapports des années 1834, 1836, 1839 et 1840 ne rendent pas compte des visites exercées par la station française.

Pour les bâtiments anglais, je ne peux donner de chiffres à la Chambre que pour deux années.

En 1838, dans cette même station, cinq bâtiments français ont été visités par les croiseurs anglais, pendant que huit bâtiments anglais étaient visités par les croiseurs français.

En 1839, onze bâtiments français ont été visités par les croiseurs anglais.

Je répète que je n'ai pas de renseignements plus complets et qui s'appliquent à un plus grand nombre d'années; je n'en veux tirer que cette conséquence, la même que je tirais tout à l'heure du récit des réclamations particulières, c'est que des abus sans doute ont été commis, mais pas si nombreux ni si énormes que tout le commerce français s'en soit trouvé compromis.

Dans notre forme de gouvernement, messieurs, au milieu de débats continuels, en présence d'une publicité ardente, l'un des plus grands dangers dont les hommes publics aient à se préserver, c'est l'exagération, la facilité avec laquelle on se laisse entraîner à croire et à dire des faits qui ne sont pas, à beaucoup près, aussi graves ni aussi sûrs qu'on le croit ou qu'on le dit, et qui cependant influent sur les sentiments, sur les résolutions, sur les actes, comme s'ils avaient en effet l'étendue et la gravité qu'on leur a légèrement attribuées.

C'est dans notre propre intérêt, dans notre intérêt à tous, dans l'intérêt de la sagesse et de la justice de nos actes que j'insiste sur cette observation.

J'ai répondu, messieurs, à la première partie de la discussion de l'honorable préopinant. Je passe à la seconde.

Elle se rapporte au même traité de 1841, et aux différences qui existent entre ce traité et les conventions de 1831 et de 1833. Ici, messieurs, la Chambre et l'honorable préopinant lui-même comprendront, j'en suis sûr, que je ne puis entrer dans la discussion. (*Ah! ah!*) Vous allez voir pourquoi.

Le traité de 1841 n'est pas ratifié, c'est-à-dire que ce n'est pas un acte consommé, accompli. Comment donc le discuterais-je en détail? Nous ne sommes pas réunis ici, messieurs, pour discuter un traité à faire; nous ne conduisons pas ici une négociation; nous examinons des actes accomplis, des actes qui manifestent la conduite du gouvernement et font la destinée de la France. Le traité de 1841 n'a point cette valeur. Je me créerais donc, en entrant dans une discussion comparative de ses dispositions, des difficultés inutiles, car j'examinerais des questions hypothétiques. Je me hâte d'en venir à la troisième et dernière partie de la discussion de M. Billault, et j'espère lui donner ici, en fait de clarté, pleine satisfaction.

Il s'agit de la valeur des paroles que j'ai prononcées dans une autre enceinte sur la ratification du traité.

Je prie la Chambre de bien distinguer deux choses: sur les actes accomplis je puis parler, parler en pleine liberté; c'est même mon devoir de donner à la Chambre tous les renseignements, toutes les explications qu'elle peut désirer. Sur les actes non accomplis, sur la conduite à venir, je ne suis pas aussi libre.

Voix de la gauche.—Pourquoi donc pas?

M. le ministre des affaires étrangères.—Vous allez voir que ce n'est pas du tout pour éluder la difficulté, ni pour ne pas parler catégoriquement que je fais cette distinction.

Je ne puis, messieurs, engager d'avance la prérogative de la couronne; je ne peux pas, je ne dois pas compromettre, annuler par une déclaration intempestive la liberté de la couronne de ratifier ou de ne pas ratifier un acte encore en suspens.

Dans la première discussion qui s'est élevée à ce sujet, dans la séance, si je ne me trompe, du 24 janvier, j'ai dit:

«La liberté de ratifier ou de ne pas ratifier, qu'elle qu'ait été l'expression de l'opinion de la Chambre, reste entière dans tous les cas. L'opinion de la Chambre, si la Chambre exprime son opinion, est une considération grave qui doit peser dans la balance, mais elle n'est pas décisive; la liberté du gouvernement du roi reste entière.»

Et ce que je disais alors, je le dis avec l'approbation manifeste de toute la Chambre.

La situation n'est pas changée à cet égard. Pas plus aujourd'hui que le 24 janvier dernier, je ne peux, je ne dois engager pour l'avenir, péremptoirement, la prérogative de la couronne.

Voici ce que je puis dire en respectant mon devoir. (*Écoutez! écoutez!*)

La ratification qui devait être donnée au mois de février dernier a été refusée; c'est là un fait accompli.

L'honorable M. Billault me demande: «L'intention de M. le ministre des affaires étrangères est-elle de conseiller, quand la Chambre n'y sera plus, la ratification du traité tel qu'il est?» À cela je réponds péremptoirement non; le traité ne sera à aucune époque ratifié tel qu'il est, du moins avec mon avis. (*Sensation prolongée.*)

Je demande à l'honorable M. Billault s'il trouve que c'est bien là une réponse directe à sa question?

M. BILLAULT.—Oui, pour la première question.

M. le ministre.—Messieurs, je ne ferais pas ici cette réponse si auparavant je ne l'avais faite ailleurs. Je ne dirais pas ici ce que je viens de dire, si je n'avais annoncé ailleurs l'intention de ne ratifier à aucune époque le traité tel qu'il est. (*Mouvement.*)

Maintenant, messieurs, après une explication que j'ai droit, je pense, de qualifier de claire et catégorique, je n'ai plus, sur la situation actuelle, que peu de mots à dire, et la Chambre me pardonnera si je ne fais guère que répéter ce que j'ai dit dans une autre enceinte.

Je me suis trouvé dans cette occasion en présence d'un double devoir. Quand j'ai autorisé, ou, pour parler d'une façon plus constitutionnelle, quand j'ai conseillé à la couronne d'autoriser la signature du traité, je l'ai fait parce que j'ai considéré la France comme moralement engagée par la proposition de ce traité faite en son nom, point par moi, comme la Chambre le sait, mais faite réellement au nom de la France comme de l'Angleterre, aux trois puissances du Nord, le 12 décembre 1838. En voyant que cette proposition n'avait été ni à cette époque, ni depuis, désavouée ni modifiée en aucune manière, j'avoue que j'ai considéré la France comme moralement engagée. J'ai donc été d'avis de la signature du traité.

Le traité signé, la discussion ouverte, l'opinion, le sentiment, le vœu des Chambres se sont manifestés; un autre devoir s'est alors élevé pour moi. Je sais la juste part d'influence indirecte qui appartient aux Chambres sur l'exercice des droits constitutionnels dévolus à un autre pouvoir; c'est par ce motif que j'ai conseillé de ne point donner la ratification au mois de février, que je conseille aujourd'hui de ne point ratifier le traité tel qu'il est. Je crois ainsi remplir mon devoir envers toutes les institutions, tous les pouvoirs constitutionnels de mon pays; envers la couronne, en maintenant la plénitude de sa prérogative, qui doit rester libre et ne jamais s'engager irrévocablement ni d'avance; envers les Chambres, en leur reconnaissant, autant qu'il appartient à mes conseils, la part d'influence qu'elles doivent avoir dans les actes du gouvernement. (*Très-bien! Très-bien!*)

Maintenant, messieurs, si les circonstances changent, si les faits, si l'état des esprits changent, qui pourra, qui osera dire qu'il ne faudra pas en tenir compte?

Vous le voyez, je traite la question avec une entière sincérité, je n'élude aucune des difficultés de la situation.

Personne à coup sûr ne peut dire, personne n'a le droit de dire que, quel que fût un jour le changement des faits et de l'état des esprits, quelques modifications qui fussent apportées au traité, quelques graves que fussent ces modifications, il ne faudrait y avoir aucun égard. Eh bien, messieurs, je ne vais pas plus loin; c'est à cela que je me borne. Je n'ai pas dit autre chose dans une autre enceinte; c'est là tout ce que je répète dans celle-ci. Et non-seulement j'ai le droit de dire cela, mais c'est mon devoir, et si je tenais un autre langage, je manquerais à mes devoirs envers cette Chambre aussi bien qu'envers la couronne.

Je crois donc que je ne laisse ici aucune incertitude, ni sur la conduite passée, ni sur la conduite présente, ni sur les intentions du cabinet, ni sur les chances de l'avenir. J'ai épuisé la question. Si on me fait d'autres objections, j'y répondrai. (*Mouvement général.*)

———

M. GUIZOT, *en réponse à MM. Mauguin, Thiers et Berryer.*—Messieurs, l'honorable préopinant[3] a parlé de sincérité, j'étais sûr d'en avoir fait preuve, et il l'a reconnu lui-même en retirant l'expression dont il s'était servi. Maintenant j'irai plus loin. La Chambre va voir si la sincérité n'a pas été et n'est pas, de ma part, aussi complète, aussi pure qu'il est possible de le demander.

Ce n'est pas moi qui ai élevé cette discussion ni dans cette Chambre ni dans l'autre. (*Rires à gauche.*)

Plusieurs voix.—Je le crois bien!

M. le ministre.—Les honorables membres qui sourient ne savent pas ce que je veux dire. Quand je dis que ce n'est pas moi qui ai élevé cette discussion, je veux dire que ce n'est pas moi qui ai entamé l'histoire des négociations par lesquelles le traité du 20 décembre a été préparé. Ce n'est pas moi qui ai essayé de me décharger du fardeau et de le reporter sur mes prédécesseurs.

Quand la discussion s'est engagée dans l'adresse sur le fond même de la question et du traité, j'en ai accepté la responsabilité sans dire un seul mot, sans rechercher un seul fait qui pût prouver à la Chambre que la responsabilité était du moins partagée. Je me suis tu complétement sur le passé; j'ai tout défendu pour mon propre compte, sous mon propre nom. Et il a fallu, chose étrange! que la discussion fût élevée par ceux-là même sur qui je n'avais pas essayé de la porter.

C'est un fait que je tiens à bien constater et pour la Chambre et pour le pays. (*Chuchotements.*)

J'entre dans ce champ que je n'ai pas ouvert.

Il est évident aujourd'hui, par les faits qui sont connus de tout le monde et ne sont contestés par personne, que le traité avait été préparé par d'autres que moi, qu'il en avait été question quatre ans avant que j'en entendisse parler, que plusieurs cabinets en avaient successivement entendu parler. Quels ont été leurs actes? La Chambre les connaît, je n'ai qu'à les reproduire et à les apprécier.

C'est en 1836 qu'en vertu de l'art. 9 de la convention de 1831 et en exécution de la lettre adressée en 1834 par l'honorable M. de Rigny, comme ministre des affaires étrangères, aux représentants du roi près les grandes cours de l'Europe, pour leur annoncer qu'une nouvelle négociation allait s'ouvrir, et que peut-être un nouveau traité, un traité formel serait rédigé pour faire entrer toutes les grandes puissances continentales dans la coalition de la civilisation contre la traite des nègres, c'est en exécution de ce premier acte, dis-je, qu'en 1836 l'ambassadeur du roi à Londres a communiqué au cabinet français un projet de traité, le nouveau projet de traité dont il s'agit.

Comme je l'ai dit, comme M. Thiers le reconnaissait hier, après avoir reçu cette communication de l'ambassadeur du roi à Londres, il a communiqué lui-même le projet de traité au ministre de la marine, et l'a consulté sur le mérite de ses dispositions. Au même moment, ou peu de jours après, l'honorable M. Thiers écrivait à l'ambassadeur du roi à Madrid:

«Monsieur le comte,

«Le gouvernement anglais nous a fait proposer dernièrement d'ouvrir à Londres des conférences pour amener un traité général sur la répression de la traite entre les cinq grandes cours; nous sommes disposés à entrer dans cette négociation, mais nous désirerions conclure auparavant nos négociations séparées avec les diverses cours, pour obtenir leur accession aux principes consacrés par nos conventions sur le traité avec l'Angleterre.»

Voilà le premier et le seul acte du cabinet du 22 février 1836, sur la première ouverture à lui faite, au nom de l'Angleterre.

Il se dit disposé à entrer dans la négociation; la conférence est acceptée.

Ce cabinet s'est retiré, je crois, cinq ou six semaines après.

Sous le cabinet du 15 avril, plusieurs fois l'ambassadeur d'Angleterre en France, l'ambassadeur du roi à Londres, ont sollicité du cabinet une réponse aux premières ouvertures qui avaient été faites en 1836.

L'honorable président du cabinet a répondu qu'il n'avait pas encore examiné, qu'il examinerait, et en même temps il poursuivait auprès des cours d'Espagne, du Brésil et du Portugal leur accession aux conventions de 1831 et de 1833.

Il annonçait, il indiquait du moins l'autre négociation qui se poursuivait pour faire entrer les trois grandes cours du nord dans le traité général.

M. le comte Molé écrivait à M. le comte Sébastiani, le 12 février 1838:

«Monsieur le comte,

«La traite des noirs se continue sous le pavillon brésilien, portugais et espagnol, avec des circonstances qui font honte à l'humanité. Les rapports qui nous sont parvenus à cet égard s'accordent avec les renseignements qui ont été naguère révélés au sein du parlement anglais. À part quelques causes secondaires que je ne révélerai pas...»

La lettre est dans *le Moniteur*, je ne la lis pas tout entière. Voici la phrase qu'il est important de remarquer.

«Un tel état de choses ne peut durer, et en attendant que les gouvernements européens se concertent sur un mode de répression plus absolu, il faut au moins que celui qui a été adopté de concert entre la France et la Grande-Bretagne devienne aussi efficace qu'il peut et doit l'être.»

Je ne cite cette phrase que pour indiquer que la négociation se poursuivait, qu'on y faisait une sérieuse attention, qu'il s'agissait d'obtenir un mode de répression plus absolu.

M. DE SALVANDY.—Je demande la parole. (*Mouvement.*)

M. *le ministre.*—C'est dans cet état de choses que, le 12 décembre 1838, intervint à Londres un fait que l'honorable préopinant a appelé, avec raison, un fait considérable, un fait énorme, le protocole dont il faut bien que je redonne lecture à la Chambre:

«Les plénipotentiaires d'Autriche, de France, de la Grande-Bretagne, de la Prusse et de la Russie s'étant réunis en conférence, d'après l'invitation des plénipotentiaires de la France et de la Grande-Bretagne, afin de continuer les négociations pour un concert général des puissances de l'Europe ayant pour objet la suppression de la traite des noirs, négociations qui furent commencées à Vienne l'an 1815, et continuées depuis à Vérone l'an 1822, les plénipotentiaires de France et de la Grande-Bretagne proposèrent aux plénipotentiaires des trois autres puissances, aujourd'hui réunies en conférence, le projet de traité annexe A.»

C'est le projet de traité dont il s'agit.

«Les plénipotentiaires de France et de la Grande-Bretagne prièrent les plénipotentiaires des trois cours de transmettre ledit projet à leurs gouvernements respectifs, dans l'espoir que les arrangements renfermés dans ce projet pourraient être trouvés compatibles avec le droit et les intérêts des sujets des souverains respectifs, et propres à faire cesser le trafic criminel dont il s'agit.

«Les plénipotentiaires des trois puissances se chargèrent de transmettre ledit projet de traité à leurs gouvernements respectifs et de demander leurs instructions à cet égard, sans préjuger la détermination que leurs cours pourraient prendre. Lesdits plénipotentiaires, chacun pour sa part, déclarèrent que leurs gouvernements ont de tout temps partagé les sentiments d'indignation qu'inspirent les actes criminels que les mesures dont il est question ont pour but de faire cesser. Les plénipotentiaires d'Autriche, de Prusse, et de Russie ajoutèrent que leurs gouvernements désirent aussi ardemment que peuvent le faire ceux de la France ou de la Grande-Bretagne, d'empêcher que leurs sujets ou leurs pavillons respectifs ne participent, d'une manière quelconque, au trafic des noirs. Les plénipotentiaires de France et d'Angleterre déclarent que leurs gouvernements rendent une entière justice aux sentiments philanthropiques et généreux des gouvernements d'Autriche, de Prusse et de Russie, et sont les premiers à reconnaître que ni les sujets ni les pavillons de ces trois puissances ne prennent aucune part au trafic des noirs.

«Mais le but dont les gouvernements de la France et de la Grande-Bretagne se proposent l'accomplissement, au moyen du traité en question, est celui d'empêcher que les bandits et les pirates d'autres pays, qui s'adonnent à ce commerce infâme, ne puissent se prévaloir des pavillons des trois puissances, afin de poursuivre impunément leurs criminelles entreprises.

«HUMMELAUER, H. SEBASTIANI, PALMERSTON,
BULOW, POZZO DI BORGO.»

Voilà le fait. Le gouvernement en a été informé; il avait eu lieu le 13 décembre; l'ambassadeur en a rendu compte le 13. Le gouvernement français n'a pas répondu; il n'a donné à son ambassadeur aucune instruction, il ne l'a en aucune façon désavoué. Le cabinet qui n'a pas désavoué son ambassadeur a duré, si je ne me trompe, deux mois ou deux mois et demi après avoir reçu la nouvelle de l'événement, et j'ajoute que lorsque le protocole est arrivé à Paris, c'est-à-dire le 15 décembre, autant qu'il m'en souvient, la session dans laquelle la grande lutte de la coalition a eu lieu n'était pas ouverte.

Messieurs, voilà les faits. Maintenant, voici la question.

Peut-on dire, a-t-on pu croire qu'il n'y avait là, envers les trois puissances du continent, de la part du gouvernement français, aucun engagement moral?

En vérité, j'éprouve quelque embarras à poser cette question. Comment! un ambassadeur, un homme qui représente son gouvernement, fait un acte, une proposition formelle; non pas la simple proposition d'entrer dans une conférence; il propose un traité écrit, rédigé en articles, avec les annexes, avec tous les moyens d'exécution; il le propose, non pas seul, il le propose de concert avec la Grande-Bretagne aux trois autres cours; et cela ne serait rien!

Messieurs, renversez la situation; supposez que nous fussions, nous, la Grande-Bretagne, et que la Grande-Bretagne fût la France; supposez que lord Palmerston eût fait ce que le comte Sébastiani a fait: dirions-nous qu'il n'y a pas eu engagement moral? Dirions-nous à l'Angleterre: Vous ne vous êtes pas engagée avec nous, envers nous; ce que vous avez proposé de concert avec nous, au même moment que nous, vous n'y êtes pas engagée?

Pour moi, messieurs, je n'ai aucun doute sur la réponse.

Je change encore de situation. Je me mets à la place des trois puissances auxquelles la proposition a été faite de concert, au nom de la France et de l'Angleterre. Eût-on été bien venu à leur dire qu'on n'était pas moralement engagé envers elles, que ce qu'on leur avait proposé, on ne le leur avait pas proposé, qu'on n'était pas obligé de tenir ce qu'on leur avait proposé?

Encore une fois, quand je pose ainsi la question, j'entends à l'instant la réponse de tout le monde.

Je poursuis les faits.

J'arrive à Londres; je suis appelé, en juillet 1840, à une conférence avec les ambassadeurs des trois puissances continentales. Pourquoi y suis-je appelé? Pour entendre leur réponse à la proposition qui leur avait été faite, pas pour autre chose, uniquement pour entendre leur réponse définitive.

Leur réponse, c'est l'adhésion à la proposition de 1838, moyennant un changement dans l'étendue des zones, étendue à laquelle l'une des trois cours demandait une restriction qui n'a pas fait de difficultés. Voilà l'adhésion donnée par les puissances auxquelles la proposition avait été faite.

En 1841, au mois de décembre, lorsque, sans avoir été au-devant, sans avoir recherché l'exécution de l'engagement qui avait été pris, sans en avoir parlé, lorsque j'ai été sommé de le tenir, de tenir les paroles que d'autres avaient, je ne veux pas dire données, mais proposées, j'avoue que je me suis cru moralement engagé.

M. DUPIN.—Je demande la parole. (*Mouvement.*)

M. *le ministre.*—Et je suis convaincu que si je ne m'étais pas tenu pour moralement engagé, si j'avais dit que je ne l'étais pas, j'aurais excité en Europe un immense étonnement. J'ai donc signé. Là est ma responsabilité, et je l'accepte sans hésiter. Le traité signé, qu'est-il arrivé? Il est arrivé un grand événement, une manifestation évidente de l'opinion, du sentiment, du vœu de cette Chambre et de l'autre Chambre, je dirai, sans hésiter, du pays. Je me suis arrêté. Je devais le faire. Un gouvernement, un cabinet se croit engagé; il agit sous sa responsabilité; tant que le traité n'est pas ratifié, rien de définitif. La manifestation de l'opinion des Chambres a lieu, le cabinet s'arrête; il profite de ce qu'il n'y a rien de définitif, de ce que la ratification n'est pas donnée; il écoute cet avertissement. Lui, il a tenu son engagement; l'engagement qui lui a été transmis, il l'a tenu. Maintenant il rencontre l'opinion des Chambres, le sentiment du pays; je le répète, il s'arrête, il en tient compte. Qu'y a-t-il là, je le demande, qui ne soit parfaitement régulier, parfaitement constitutionnel, parfaitement dans les devoirs moraux comme politiques d'un cabinet, d'un ministre? Aussi n'ai-je pas éprouvé le moindre embarras moral. J'ai senti la gravité, la difficulté de la situation; mais un embarras moral, je n'en ai éprouvé aucun; j'ai dit hautement à l'Europe: Ce qu'on vous avait proposé, je l'ai tenu autant qu'il était en moi; l'engagement moral auquel j'avais cru, je l'ai acquitté; mais rien n'est encore définitif; l'opinion des grands pouvoirs publics de mon pays, l'opinion de mon pays se manifeste; vous voyez! c'est un de ces obstacles devant lesquels un gouvernement sensé s'arrête. (*Au centre*: Très-bien!)

Ce que j'ai fait, je l'ai dit ouvertement, simplement, aux gouvernements avec lesquels je traitais, avec lesquels je m'étais cru moralement engagé. Ils l'ont compris, non-seulement les gouvernements constitutionnels, accoutumés à des difficultés pareilles, mais les gouvernements absolus eux-mêmes l'ont compris.

Qu'ont-ils fait?

Ils ont dit: Vous ne voulez pas ratifier; nous comprenons vos raisons; mais sans doute vous ne voulez pas abandonner la grande cause de l'abolition de la traite; vous ne vous considérez pas comme impuissants pour agir encore au profit de cette cause; vous ne voulez pas vous séparer complétement, hautement de nous dans la lutte engagée pour cette cause; eh bien, nous allons laisser le protocole ouvert. Vous ne demandez pas sans doute à vous isoler, à isoler la France dans cette grande cause; nous laissons le protocole ouvert: l'avenir amènera ce qu'il pourra. (*Mouvement à gauche.*)

Ce que je dis là, messieurs, c'est réellement, sérieusement, sincèrement, ce qui est arrivé. Je vous l'ai dit dès le premier jour.

Quand on a laissé le protocole ouvert, on m'a demandé: «—Pouvez-vous dire à quelle époque vous ratifierez?»

J'ai dit: «—Non, je ne puis pas dire cela.»

«—Pouvez-vous dire que vous ratifierez un jour le traité purement et simplement, tel qu'il est?»

J'ai dit: «—Non, je ne puis pas vous dire cela; je ne puis m'engager à cela.»

«—Y a-t-il des modifications possibles au traité?»

«—Oui! il y en a.»

J'en ai indiqué de grandes. Ne croyez pas, en effet, que celles que j'ai indiquées soient légères; ne croyez pas que ce soient, comme on parlait l'autre jour, des modifications de phrases, de rédaction. Non! je ne puis pas dire en quoi elles consistent; je ne le dois pas, personne ne me le demandera; l'honorable M. Jacques Lefebvre le reconnaissait tout à l'heure; personne ne peut me le demander; mais j'affirme que les modifications que j'ai indiquées sont importantes, qu'elles touchent au fond de la question.

Et ne croyez pas, quand le débat s'est élevé, quand j'ai vu devant moi l'opinion des Chambres et du pays, que j'aie méconnu sa gravité: j'ai bien vu qu'il y avait là autre chose encore que le traité de 1841; que les conventions de 1831 et de 1833 allaient aussi être mises en question. (*Très-bien!*)

Qu'ai-je donc pensé? J'ai pensé qu'il fallait laisser toutes ces questions entières, et attendre; attendre, soit le changement des dispositions du pays, soit des modifications profondes au traité, acceptées par tout le monde.

On ne me reprochera certainement pas d'avoir pensé et de dire qu'il fallait attendre pour voir si les dispositions des Chambres et du pays étaient bien réellement, bien profondément, bien durablement ce qu'elles paraissaient être. C'est le premier devoir d'un gouvernement sensé de faire cette épreuve; c'est le premier devoir d'un gouvernement sensé de mettre les Chambres et le pays à cette épreuve. Qui ne sait qu'il y a eu une foule d'émotions publiques, de dispositions très-vives, très-générales, et cependant passagères? Je ne dis pas qu'il en soit ainsi de celle-ci, je ne le sais pas; mais cela peut arriver, et les gouvernements sensés doivent mettre à cette épreuve les grands pouvoirs publics et le pays lui-même. (*Très-bien! très-bien!*)

Une autre considération m'a frappé. Dans l'extrême complication de cette affaire, dans la complication des conventions de 1831 et de 1833 avec le traité de 1841, dans la complication qui s'élevait, au même moment, entre les États-Unis et l'Angleterre, partout la même question se trouvait agitée; il m'a paru que dans cette complication et des questions et des États, le temps pouvait amener des moyens de solution favorables et honorables; honorables pour la France, favorables pour l'abolition de la traite, pour la répression effective de la traite.

Voilà le double motif pour lequel j'ai trouvé bon que le protocole restât ouvert. Il m'a paru que les puissances, en laissant le protocole ouvert, sans aucune condition, sans aucun engagement quelconque de la part de la France, faisaient elles-mêmes, pour la France, un acte honorable, un acte de confiance et d'union; pour la grande cause de l'abolition de la traite des noirs, un acte de persévérance et de fidélité.

Eh bien, pour mon compte, je n'aurais voulu manquer ni à l'un ni à l'autre de ces caractères de la situation; pour mon compte, je me serais reproché de ne pas accepter sincèrement, sérieusement, ce protocole ouvert, par égard pour la France, par égard pour les difficultés de son gouvernement, par égard pour les chances possibles de l'avenir, et par fidélité à la cause de l'abolition de la traite.

Voilà le sens du protocole ouvert, le sens dans lequel il a été laissé ouvert, le sens dans lequel je l'ai entendu: on peut le contester; mais j'affirme à la Chambre que, soit de la part des puissances, soit de la part de la France, il n'y a rien eu, dans cet acte, que de parfaitement honorable, de parfaitement amical, de parfaitement conforme à tous les grands intérêts et du pays et de la question. (*Sensation prolongée.*)

Voilà, je pense, les deux plus grandes difficultés de la question et de la situation déblayées, l'engagement moral et le protocole ouvert.

Que reste-t-il à présent? Des difficultés d'un ordre très-inférieur, des difficultés subalternes, passez-moi l'expression, des difficultés qui tiennent à la situation du cabinet, à la situation personnelle du ministre des affaires étrangères. Elles sont réelles ces difficultés-là, je n'entends pas les dissimuler, je les sens, elles pèsent sur moi plus que sur personne.

Savez-vous ce qu'on fait aujourd'hui! On vient s'armer de ces difficultés-là, on vient les envenimer, on vient les aggraver (*Rumeur à gauche.—Au centre:* Très-bien! c'est cela!), au risque d'aggraver les grandes difficultés dont je parlais tout à l'heure, les difficultés du pays et de la question. (*Voix au centre.* Oui! oui! c'est cela!)

Eh bien, j'accepte ce nouveau combat, ce nouveau terrain, et la Chambre verra que je ne serai pas, sur celui-ci, moins sincère ni moins sérieux que sur l'autre.

Oui, les difficultés sont réelles. Il y en a envers la Chambre et le public, il y en a envers l'étranger. Qu'est-ce qu'on me demande? On m'a demandé, et l'honorable M. Billault avait posé la question d'une manière dont je lui sais gré, on m'a demandé: «Avez-vous l'intention de ratifier le traité tel qu'il est?» J'ai répondu catégoriquement: «Non,» et je renouvelle ma réponse.

Maintenant, on me dit: «Ratifierez-vous jamais un traité quelconque, quelle que soit la situation, quelles que soient les modifications qu'on pourrait y apporter?»

Comment voulez-vous que je réponde? C'est absolument impossible. Comment! je viendrais ici, moi, ministre des affaires étrangères, vous dire:— Non, quels que soient les changements de la situation dans une question si compliquée pour les choses et pour les peuples, quelles que soient les modifications qui puissent être apportées au traité, non, nous n'en entendrons plus parler.—Messieurs, cela, je le sens bien, débarrasserait beaucoup la Chambre et moi-même; mais cela ne se peut pas; gouvernement, Chambre, pays, nous sommes tous engagés dans cette situation; nous n'en pouvons, nous n'en devons sortir que raisonnablement et honorablement. La Chambre a pleine sécurité, la Chambre sait que le traité, tel qu'il est, je ne conseillerai pas de le ratifier. Maintenant, que résultera-t-il de la situation telle qu'elle existe, des modifications qui ont été indiquées, des modifications nouvelles qui pourraient être indiquées, des divers intérêts engagés dans la question? Qu'est-ce qui sortira de la situation des États-Unis vis-à-vis de l'Angleterre?

On croit que, pour les États-Unis, le droit de visite a quelque chose d'inouï dont ils n'ont jamais voulu entendre parler. On se trompe.

En 1824, une convention a été conclue entre l'Angleterre et les États-Unis pour établir le droit de visite; elle a été conclue, elle a été signée, elle a été ratifiée en Angleterre par le cabinet anglais, par M. Canning; ce n'est que quand elle est retournée à Washington pour recevoir la ratification définitive du sénat, qui, comme vous le savez, concourt aux actes diplomatiques et dont l'adhésion est nécessaire, ce n'est qu'alors que le sénat a fait dans le traité quelques changements, les uns de rédaction, un ou deux autres plus importants, dont à son tour l'Angleterre n'a pas voulu; et la convention signée, conclue, ratifiée par l'une des deux puissances, et modifiée, sur quelques points, par le sénat américain, est restée sans effet. (*Mouvement à gauche.*) Mais enfin elle avait eu lieu, elle avait été signée, elle avait été conclue, elle avait été aussi loin que le traité du 20 décembre 1841; elle s'est arrêtée au même point.

Je rappelle ce fait uniquement pour indiquer à la Chambre qu'il y a là plus d'un moyen de solution, qu'il y a là une multitude d'éléments que le temps peut féconder, dont le temps peut faire sortir quelque chose de raisonnable, quelque chose d'utile et d'honorable pour le pays, et, en même temps, quelque chose de favorable à l'abolition, à la répression de la traite.

Voilà ce que nous voulons, ce que nous pouvons attendre, ce qu'il est de notre devoir d'attendre.

Après l'engagement que nous avons pris, nous manquerions à tous nos devoirs de prudence, de bonne conduite des affaires, de respect pour les prérogatives de la couronne, pour la cause de l'abolition de la traite si nous allions plus loin. Voilà pourquoi nous en restons là. Et qu'on ne parle plus de sincérité: quand on dit ce que j'ai eu l'honneur de dire à cette tribune et sur le passé, et sur le présent, et sur les difficultés de l'avenir, on a le droit de parler de sincérité à tout le monde, et personne n'a le droit d'élever un doute.

Au centre:—Très-bien! très-bien!

Après ce discours, qui fut suivi d'une longue agitation, M. de Salvandy prit la parole pour expliquer la conduite du cabinet de M. Molé, dont il avait fait partie, dans cette question. Je lui répondis:

M. GUIZOT.—S'il ne s'agissait que d'un débat purement personnel, la Chambre peut être sûre que je ne reprendrais pas la parole; mais il y a ici une question de conduite, de principe, d'intérêt public que je ne peux pas laisser passer sans en dire un mot définitif.

Dans une autre enceinte, la première fois que j'ai été forcé d'aborder ce côté de la question, je me suis exprimé ainsi:

«C'est dans cet état que j'ai trouvé l'affaire; je n'hésite pas à le dire, j'ai tenu le gouvernement français pour moralement engagé; il est vrai qu'il ne l'était pas rigoureusement, qu'il pouvait refuser de signer le traité; mais je n'ai pas cru qu'avec de tels antécédents cela fût de mon devoir ni de l'honneur de la France et de son gouvernement.»

La Chambre sait que je n'ai entendu en aucune façon ni éluder ni atténuer la responsabilité qui m'appartient. Oui, je pouvais refuser de signer le traité; je l'ai signé parce que j'ai cru qu'avec tous les antécédents de l'affaire la France était moralement engagée. (*Interruption à gauche.*)

M. MAUGUIN.—Elle ne l'était pas.

M. le ministre.—J'ai cru qu'avec tous les antécédents de l'affaire le gouvernement était moralement engagé, et que l'inconvénient de manquer à cet engagement eût été très-grave. La question de la valeur de l'engagement, valeur morale, je le répète, il ne s'agit pas d'une valeur officielle, subsiste donc tout entière. (*Interruption à gauche.*) Il faut bien, messieurs, que ce langage et ces distinctions soient admis, car c'est là ce qui fait que, dans les négociations diplomatiques, on n'écrit pas tout, on ne signe pas tout; on n'agit pas comme dans les actes de la vie civile; on s'en rapporte aux paroles les uns des autres, aux engagements moraux qui ont une valeur. (*Nouvelle interruption.*)

M. le président.—Je ne puis laisser aller la discussion comme cela, vous demanderez la parole après M. le ministre si vous le voulez.

M. le ministre.—La vivacité avec laquelle la question est accueillie prouve qu'il faut qu'elle soit vidée jusqu'au fond, et que rien ne reste qui n'ait été dit et entendu.

Je dis, messieurs, que, dans la série des actes d'une négociation, lorsqu'il intervient un acte comme celui dont la Chambre a connaissance, une proposition faite par les plénipotentiaires de deux gouvernements à trois autres gouvernements, et non désavouée d'aucune manière ni à aucune époque par les deux gouvernements qui l'ont faite, il faut bien qu'on ait le droit d'appeler cela un engagement moral, car, s'il n'en était pas ainsi, il n'y aurait aucun engagement moral possible. (*Approbation aux centres.*—*Murmures à gauche.*)

C'est un de ces engagements qui ne lient pas un pays. Un pays n'est pas même lié lorsqu'un traité n'est que conclu et signé; le pays n'est lié que lorsque le traité est ratifié. Jusque-là, en effet, la signature peut être refusée. J'ai le premier proclamé ces principes, je les ai pratiqués, et j'en accepte la complète responsabilité. Mais, messieurs, encore une fois, dans le cours d'une négociation, avant que le pays soit lié, avant que le gouvernement lui-même soit lié, il y a des actes qui lient moralement les négociateurs. (*Vive interruption.*)

M. MAUGUIN.—Nouveaux ministres, nouvelle politique!

M. le président.—M. Mauguin, vous n'avez pas la parole. Je ne souffrirai pas qu'on interrompe.

M. MAUGUIN.—On n'a pas besoin de changer les ministres, alors!

M. le ministre.—Je ne conteste en aucune façon qu'un ministère qui fût venu après celui du 15 avril, et qui eût retiré la proposition, qui l'eût désavouée, n'en eût eu le droit; de même que le cabinet du 29 octobre avait le droit, comme je l'ai dit, de refuser la signature. Je n'ai pas besoin qu'on me rappelle ces principes, je viens de les proclamer. Mais je dis, et l'impression que la Chambre a ressentie tout à l'heure lorsque je lui lisais simplement les actes et que je faisais appel à son sentiment instinctif, cette impression est la meilleure preuve que, lorsque deux gouvernements ont fait une proposition formelle à trois autres gouvernements, ils sont moralement engagés envers ces gouvernements-là. (*Vive dénégation à gauche.*)

M. MAUGUIN.—Ce sont les ministres, et non pas les gouvernements.

M. BERRYER.—Il n'y avait pas d'instruction, ou plutôt il y avait instruction contraire.

M. le ministre.—Quand une telle proposition a été faite, qu'elle n'a pas été faite à l'insu du gouvernement, et qu'elle n'a pas été désavouée, ni retirée, elle a certainement une grande valeur morale. (*Nouvelle interruption.*)

M. MAUGUIN.—Il faut qu'on rappelle l'ambassadeur.

M. le ministre.—Mais on ne l'a pas rappelé.

M. le président.—M. le ministre seul a la parole, personne ne peut l'avoir maintenant.

M. le ministre.—En vérité, messieurs, si je cherchais à envenimer ce débat, si je l'avais provoqué, je comprendrais la vivacité qu'on y apporte. Mais je discute une question d'un grand intérêt public, et je n'ai pas la moindre envie que mon pays soit engagé légèrement; je n'ai pas la moindre envie qu'il ne conserve pas jusqu'au bout la liberté de discuter ses intérêts, et de les faire prévaloir dans les négociations. Je vous disais tout à l'heure que le gouvernement avait le droit de ne pas signer ce qu'il avait proposé, qu'il avait le droit de ne pas ratifier ce qu'il avait signé; mais, je dis en même temps que, dans les négociations, dans les rapports de gouvernement à gouvernement, une proposition pareille, faite officiellement par un plénipotentiaire qui n'est pas désavoué, a une valeur immense (*Réclamations aux extrémités*), et il n'y a que les peuples, que les gouvernements qui ne se respectent pas... (*Violentes et nouvelles réclamations.*)

M. MAUGUIN.—Je demande la parole.

M. le ministre des affaires étrangères.—Il n'y a que les gouvernements qui ne se respectent pas qui puissent ne pas tenir compte de telles paroles et de telles propositions.

Si je venais vous dire que j'ai été lié à ce point que je n'ai pas été libre de ne pas signer, si je venais vous dire que j'ai été lié à ce point que je n'ai pas été libre de ne pas ratifier, vous auriez pleinement raison. Mais j'affirme ma liberté, j'accepte ma responsabilité, et dès lors, véritablement, il est étrange que vous veniez contester la valeur de l'engagement moral contracté auparavant. (*Approbation au centre.*)

Comment! à un homme qui n'élude rien, qui ne méconnaît aucune difficulté, qui ne refuse aucune des parties de sa responsabilité, on vient dire qu'une proposition officiellement faite et non désavouée par un, deux, trois ministères, on vient dire que cela n'est rien!

Une voix à gauche.—Ce sont des paroles.

M. le ministre.—Que ces paroles n'ont aucune valeur! messieurs, il n'y a pas de négociations, il n'y a pas de diplomatie, il n'y a pas de rapports internationaux, si votre doctrine était admise.

Voix nombreuses au centre.—Très-bien! C'est vrai! c'est incontestable! (*Agitation aux bancs de l'opposition, et interruption de quelques minutes.*)

M. le ministre des affaires étrangères.—Messieurs, en soutenant la doctrine que je soutiens, je crois soutenir l'honneur de mon pays (*Nouvelle interruption à gauche.—Au centre. Oui! oui!*), l'autorité de ses démarches et l'autorité des paroles de ceux qui parlent ou agissent en son nom.

Je suis de ceux qui pensent qu'aucune démarche faite au nom de la France, aucune parole dite au nom de la France, n'est insignifiante ni légère, et que plus vous attacherez d'importance et de gravité aux paroles et aux actes qui ont lieu au nom du pays, plus vous grandirez le pays en Europe, plus vous lui rendrez les rapports internationaux faciles et sûrs.

Croyez-le bien, ce n'est pas en montrant que les paroles ne sont rien, que les démarches ne comptent pour rien, que les propositions sont sans valeur, qu'il est indifférent d'avoir proposé ou de n'avoir pas proposé, d'avoir désavoué ou de n'avoir pas désavoué, ce n'est pas en agissant ainsi que vous faciliterez les négociations de la France; ce n'est pas ainsi que vous ferez respecter les engagements pris envers la France. Persuadez-vous bien ceci: c'est que vous ne ferez jamais trop d'attention à vos paroles, jamais trop d'attention aux paroles et aux démarches de ceux qui vous représentent. Persuadez-vous bien que, plus on vous verra scrupuleux et exacts dans ce que vous aurez dit ou fait, plus on vous respectera, et meilleurs deviendront vos rapports. (*Marques d'approbation.*)

Je comprends parfaitement ce que disait tout à l'heure à cette tribune l'honorable M. de Salvandy. Sans doute on a eu des motifs très-graves, M. le comte Sébastiani d'accepter et de proposer, et M. le comte Molé de ne pas désavouer; la situation de l'Europe, l'affaire de Belgique pendante, je comprends que ces motifs aient déterminé le cabinet d'alors à ne pas désavouer ce qu'avait proposé l'ambassadeur. Mais on ne prend pas de telles résolutions gratuitement et sans en supporter les conséquences.

M. MAUGUIN.—Je demande la parole.

M. *le ministre.*—On ne consent pas à accepter ce qui a été fait dans une situation difficile pour le retirer huit jours après et n'en tenir aucun compte. La responsabilité consiste à accepter les conséquences de ce qu'on a fait; elle consiste à ne pas prétendre que, lorsqu'on a eu une bonne raison pour ne pas désavouer, on peut ensuite, huit jours, trois mois, deux ans après, n'en tenir aucun compte, et agir comme si on avait désavoué. Non, quand on a pris une résolution, on en porte les conséquences; quand on n'a pas désavoué en pareil cas, on a avoué.

Et ne croyez pas que je vienne ici faire peser sur mon pays un engagement fatal. Non certes; car, comme je le disais tout à l'heure, j'ai été le premier à reconnaître que l'engagement n'était pas définitif. (*Interruption.*)

C'est inconcevable; je ne dis rien qui puisse blesser personne. (*À gauche.*—On approuve!)

Je dis que c'est dans l'intérêt de l'autorité de mon pays, dans l'intérêt de la valeur de ses engagements, dans l'intérêt de son crédit en Europe, de sa bonne position extérieure, que je maintiens les principes que je développe ici.

L'honorable M. de Salvandy a fait valoir tout à l'heure ce qu'avait répondu la Russie. Mais nous, nous n'avions rien à répondre, nous avions proposé: la Russie, elle, n'avait pas proposé. (*Exclamations diverses.*) C'était à elle, c'était aux trois puissances que la proposition avait été faite: nous l'avions faite, nous.

M. DURAND (*de Romorantin*). En tiers.

M. *le ministre.*—Nous avions fait à deux la proposition adressée à trois; certainement la position des deux et la position des trois n'était pas la même; il était naturel que les trois vinssent faire des observations, demander des changements: c'est ce qui est arrivé. Je sais que l'honorable comte Sébastiani, avec sa prudence et sa sagacité accoutumées... (*Nouvelles exclamations aux extrémités.*)

Messieurs, je vous en demande pardon, mais vous vous décidez bien vite sur de telles questions, vos impressions sont bien vives, et permettez-moi de vous dire que vous n'avez pas pensé à toutes les difficultés, à toutes les faces de la question.

M. le comte Sébastiani ne siége pas en ce moment à sa place; mais, s'il était là, je le dirais, comme je le dis en son absence; oui, à mon avis, dans la situation où nous étions, avec toutes les difficultés qui pesaient alors sur le gouvernement, l'honorable comte Sébastiani a bien fait. (*Mouvements divers.*) Il a fait, en acceptant une grande responsabilité, tout ce qui était en lui pour aider son gouvernement à supporter les difficultés de la situation; il a, lui, rempli son devoir; il a acquitté son rôle; c'était à son gouvernement à voir ce qu'il avait à faire après, à le soutenir ou à le désavouer.

Maintenant on a parlé des réserves qu'a faites l'honorable général Sébastiani, qui écrivait à son gouvernement qu'il s'était réservé le droit d'introduire des modifications dans le traité; mais l'honorable M. de Salvandy se trompe, ces réserves ne sont pas dans le protocole.

M. DE SALVANDY.—Je ne l'ai pas dit.

M. *le ministre.*—Ces réserves n'ont été nulle part exprimées aux trois puissances auxquelles la proposition avait été faite; nulle part. La proposition a été faite, à en juger par tous les actes officiels, sans réserve, comme une proposition concertée d'avance entre la France et l'Angleterre, et adressée aux trois autres puissances. Les réserves pouvaient conserver leur valeur vis-à-vis de l'Angleterre, mais elles n'en avaient pas, ou du moins elles en avaient très-peu à l'égard des trois autres puissances qui ne les connaissaient pas.

Je ne veux rien dire qui aggrave les difficultés de la situation, rien qui introduise des difficultés personnelles; comme je le disais en commençant, j'ai été forcé à entrer dans ce débat; je ne l'ai pas élevé; je m'étais borné à dire d'une manière générale, et sans rappeler aucun acte, aucune pièce, aucune personne, que j'avais trouvé le traité préparé. Le débat donc qui s'était élevé entre les divers ministères, entre les diverses personnes qui ont pris part au traité, j'ai été forcé d'y entrer, et la Chambre me rendra la justice que je n'ai pas cherché à éluder, à atténuer ma part de responsabilité dans ce grand acte. Mais j'ai cru, puisqu'on m'y forçait, que je devais hautement établir les faits et montrer la part de responsabilité de chacun.

Maintenant quelques membres de cabinets qui ont signé, qui ont laissé signer, qui n'ont pas désavoué le protocole du 12 décembre, veulent avoir été complétement étrangers au traité; ils ne veulent y être entrés pour rien; ils ne veulent avoir aucune part dans la responsabilité de cet acte. J'avoue qu'à leur place ce n'est pas ainsi que j'agirais: je prendrais ma part de la responsabilité, je la prendrais au commencement comme je la prends à la fin. La mienne est à la fin, je ne la discute pas, je l'accepte. Si elle était au commencement, je la prendrais également. Je ne puis admettre qu'un acte comme celui que la Chambre connaît, un acte dans lequel les puissances auxquelles on l'avait adressé ont été sincères, un acte dont elles n'ont connu aucun désaveu, pour lequel on ne leur a demandé aucune modification, je ne puis admettre que cet acte-là ait été insignifiant à leur égard; je ne puis admettre qu'elles ne soient pas autorisées à nous dire qu'elles nous ont crus engagés par notre propre proposition. Je répète devant la Chambre, je dirais volontiers devant Dieu que si c'était là, à cette époque de l'affaire, que se trouvât ma part de responsabilité, si c'était là que les faits me l'avaient assignée, je la prendrais et l'accepterais hautement.

Maintenant, messieurs, j'écarte ce passé, je sors de cette discussion, j'en viens à la situation actuelle. Voyons où nous nous trouvons.

Nous sommes encore libres... (*Légère rumeur*), le traité n'est pas ratifié. Officiellement, diplomatiquement, nous sommes libres. Les puissances étrangères avec lesquelles nous avons été dans le cours de la négociation, moralement engagés... engagés plus ou moins, je ne discute pas la limite, mais enfin elles ont eu le droit de nous croire, dans une certaine mesure, moralement engagés envers elles; eh bien! aujourd'hui, dis-je, ces mêmes puissances, en vertu de la force de nos institutions, en vertu du poids de l'opinion publique sur le gouvernement, reconnaissent notre liberté.

Pour Dieu, messieurs, ne pensons qu'à sortir honorablement et raisonnablement d'une situation difficile; que cette seule considération nous préoccupe. C'est par là que je termine, c'est le dernier et seul appel que j'adresse à la Chambre. Une grande responsabilité pèse sur le cabinet et sur moi en particulier. Je l'ai acceptée, je l'accepte pleinement sans aucune hésitation. J'ai dit à la Chambre la position que nous avons prise, j'ai dit à la Chambre ce que nous pouvons faire et ne pas faire. J'ai pris le seul engagement que je puisse prendre: c'est de ne pas conseiller la ratification du traité tel qu'il est; j'ai annoncé que, par les complications de la question et de tous les éléments qui s'y rattachent, il était possible, probable, que le temps amènerait à cette situation difficile une solution raisonnable et honorable. C'est à la Chambre à voir si elle veut aider le gouvernement dans ce travail, ou si elle veut l'aggraver pour lui. (*Agitation générale.*)

CXXIV

Sur les relations commerciales de la France et des États-Unis d'Amérique, et sur la conduite des agents diplomatiques et consulaires français.

—Chambre des députés.—Séance du 21 mai 1842.—

En octobre 1841, les États-Unis d'Amérique avaient modifié les tarifs de leurs règlements de douane au détriment du commerce étranger. Dans la discussion du budget de 1843, M. Legentil, député de la Seine, éleva, à cette occasion, des plaintes, non-seulement contre la mesure américaine, mais contre la négligence ou l'inefficacité des agents diplomatiques et consulaires français. Je lui répondis:

M. GUIZOT.—L'honorable préopinant a raison. Les mesures prises récemment par les États-Unis d'Amérique et les nouvelles mesures annoncées sont très-graves; elles pourraient être, elles ont déjà été très-fâcheuses pour notre commerce, et le gouvernement du roi en est aussi préoccupé que le commerce lui-même.

Mais, comme le disait tout à l'heure l'honorable préopinant, nous ne pouvons nous armer ici d'un droit; les États-Unis sont les maîtres de faire chez eux, pour leur législation intérieure, pour leurs tarifs, les lois dont ils croient avoir besoin.

Quels moyens avons-nous de lutter contre ces tarifs quand ils nous deviennent nuisibles? Nous n'en avons que deux, les négociations et les représailles.

Les négociations! je voudrais que l'honorable préopinant, je voudrais que la Chambre tout entière put connaître la vivacité, l'insistance des représentations, je ne veux pas me servir d'un autre mot qui serait blessant, des représentations adressées au gouvernement des États-Unis par le gouvernement français, non pas hier, non pas depuis deux mois, mais depuis six mois, depuis un an, depuis qu'il a été question des mesures dont il s'agit. Le ministre du roi à Washington n'a cessé d'agir auprès du gouvernement des États-Unis; il est entré en relation avec les hommes considérables du pays, avec les représentants des différents États, et il a essayé, il essaye tous les jours de se servir des intérêts divers de ces différents États pour agir sur le gouvernement fédéral lui-même.

Quel sera le résultat de ces représentations, de ces négociations? Il m'est impossible de le dire aujourd'hui à la Chambre. Les États-Unis, personne ne peut se le dissimuler, sont dans un état de crise intérieure, de crise financière très-grave: ils se croient obligés de changer leur système de législation commerciale; ils ont cherché, dans l'exhaussement des tarifs et dans la protection de la fabrication intérieure, des ressources qu'ils n'y avaient pas cherchées auparavant. Les représentations que nous pourrons leur adresser, les représailles dont nous pourrons user, seront-elles suffisantes pour les faire revenir sur les mesures qui ont déjà été prises, ou pour les arrêter dans les mesures nouvelles qu'ils veulent adopter? J'y ferai tout ce qui sera en mon pouvoir; les agents du roi emploieront tous les moyens légitimes, réguliers; mais encore une fois, l'honorable préopinant le sait comme moi, il m'est impossible de répondre du résultat des négociations.

Quant aux représailles, le préopinant a posé lui-même le principe; les représailles sont bonnes si elles pèsent davantage à celui contre qui elles sont faites qu'à celui qui les fait. Ainsi, sans aucun doute, si nous pouvons user de représailles qui infligent aux États-Unis une perte, une souffrance plus grande que celle que nous en ressentirons nous-mêmes, il n'y a pas à hésiter; quand les moyens de négociation seront épuisés, s'il est évident que ces moyens ne suffisent pas, il faudra bien employer les représailles, mais à la condition qu'elles seront plus nuisibles aux États-Unis qu'à nous-mêmes.

Eh bien, les deux grands moyens de représailles que nous avons, c'est d'augmenter les droits sur la navigation américaine, et les droits d'importation sur les matières premières venant des États-Unis.

Quant aux droits d'importation sur les matières premières, qui sont les éléments de notre grande industrie, il serait très-grave d'élever ces droits, le droit sur les cotons, par exemple.

M. DE BEAUMONT.—Je ne l'ai pas conseillé.

M. le ministre des affaires étrangères.—Il faut bien que j'examine la question, que je parle des divers moyens de représailles. L'honorable préopinant dit qu'il n'a pas indiqué celui dont je viens de parler. Je crois qu'il a raison de ne pas l'indiquer, car l'aggravation de ce droit nous serait probablement plus nuisible à nous qu'aux États-Unis.

Quant aux droits de navigation, c'est autre chose. La Chambre me permettra de ne pas exprimer d'opinion arrêtée à ce sujet. (*Oui! oui!*) J'ai fait et je fais examiner à fond la question en ce moment; je la fais examiner par les hommes les plus éclairés en cette matière, éclairés soit par l'étude scientifique, soit par l'expérience, par la pratique. Quand j'aurai recueilli leur avis, quand je serai entouré de toutes les lumières qu'ils peuvent me donner, je proposerai au gouvernement du roi les mesures qui me sembleront praticables, toujours guidé par ce principe que les représailles ne seront bonnes qu'autant qu'elles pèseront sur les États-Unis plus que sur nous-mêmes.

C'est là, messieurs, quant aux États-Unis et à nos relations avec eux, tout ce qu'il m'est permis de dire en ce moment. Je puis assurer à l'honorable préopinant que je sens, comme lui, toute la gravité de la situation, que le gouvernement du roi en est fortement préoccupé, et que nous ferons tout ce qui sera en notre pouvoir pour en détourner les maux; s'il n'était pas possible de les détourner, nous donnerions le plus tôt possible au commerce tous les avis qui pourraient lui être utiles.

Je prie toujours la Chambre de bien remarquer qu'il s'agit ici de mesures intérieures que le gouvernement des États-Unis a le droit de prendre, contre lesquelles nous n'avons aucun droit précis à invoquer, et que nous ne pouvons attaquer que par la voie des représentations ou par celle des représailles.

Avant de descendre de la tribune j'ai quelques mots à dire sur les observations de M. de Beaumont. Je crois pouvoir assurer que nos agents apportent, en ce qui concerne les voyageurs français à l'étranger, beaucoup de zèle et d'assiduité, qu'ils se donnent toutes les peines possibles pour leur épargner les embarras et leur procurer les agréments du voyage.

J'ajoute que les Français ne sont pas, à cet égard, dans une autre situation que les autres étrangers; ils ne sont pas soumis à des précautions particulières, ils n'ont pas de mesures spéciales à prendre ou à subir; ils sont dans la condition générale: et j'affirme que nos agents se donnent beaucoup de peine pour leur en épargner les ennuis.

Il est très-vrai que, dans certains cas, sur certains points, nous n'avons pas un nombre d'agents suffisant, ni des agents suffisamment rétribués. J'ai déjà eu l'honneur de le dire plusieurs fois à la Chambre, les agents de plusieurs autres États sont, sur plusieurs points, plus nombreux et mieux rétribués que les nôtres: aussi peuvent-ils faire plus de démarches et exercer plus d'action.

La Chambre sait que, dans le budget qui lui est actuellement présenté, je lui ai proposé de remédier sur quelques points à cet inconvénient. À mesure que je reconnaîtrai ces inconvénients, je mettrai sous les yeux, du gouvernement d'abord et des Chambres ensuite, les remèdes que je croirai possibles.

Quant aux consuls, l'honorable préopinant parlait tout à l'heure de la convenance qu'il pourrait y avoir à ce qu'ils fussent nommés et dirigés par le ministre du commerce.

Je lui représenterai que cela est impossible. Il n'y a que le ministre des affaires étrangères qui puisse accréditer au dehors des agents. Le ministre du commerce est un ministre tout intérieur, qui n'agit que dans les limites du royaume. Le ministre des affaires étrangères est le seul qui ait action au dehors, qui ait des rapports avec les gouvernements étrangers, et qui puisse accréditer et soutenir auprès d'eux soit des agents politiques, soit des agents commerciaux.

J'ajoute que, partout où nous avons des agents politiques, nos consuls ne s'occupent pas de politique; ils n'ont rien à démêler avec la politique, ils ne s'occupent que de commerce. C'est là où nous n'avons pas d'agents politiques, là où les consuls sont en même temps agents commerciaux et agents politiques qu'il faut bien qu'ils s'occupent de politique, et qu'ils donnent à l'État les renseignements politiques dont il a besoin. Il est vrai que cela est quelquefois nuisible, et qu'il vaudrait mieux que partout les agents commerciaux et les agents politiques fussent distincts; mais cela coûterait fort cher, et la Chambre sait à quel prix elle pourrait procurer au pays cet avantage-là.

Je sens l'importance d'avoir des agents consulaires bien au courant des intérêts commerciaux, qui transmettent au gouvernement tous les renseignements commerciaux possibles; et, à ce sujet, je dirai à l'honorable préopinant que les consuls sont assujettis à donner, tous les semestres, des renseignements spéciaux et complets sur les faits de production, de consommation et de commerce des différents pays dans lesquels ils résident; j'ajouterai que ces renseignements sont en effet transmis tous les six mois, qu'ils sont communiqués à M. le ministre du commerce. Nous avons, par exemple, et M. le ministre du commerce a entre les mains tous les tarifs de tous les pays étrangers. Sans nul doute il serait très-utile de les faire traduire et de les publier; mais c'est une assez grande dépense, pour laquelle nous n'avons pas d'argent: il n'y a pas de fonds au budget.

Un membre.—Demandez-en!

M. le ministre.—Je ne demande pas mieux. Je suis d'avis qu'il serait de la plus grande utilité de publier régulièrement, non-seulement ces tarifs, mais la plupart des renseignements commerciaux transmis par les consuls. C'est au gouvernement à faire le choix, à démêler les renseignements qui doivent être publiés et ceux qui ne doivent pas l'être. Je suis d'avis d'une publication régulière de ces états, et je m'engage volontiers à demander à la Chambre des fonds pour cette publication. (*Très-bien!*).

M. CHAIX-D'EST-ANGE.—Je demande à dire un mot de ma place. C'est à propos de ces contrefaçons qui affligent notre commerce, et dont l'existence vient d'être signalée à MM. les ministres. Je voulais signaler cet état de choses avec tous ses dangers.

À l'étranger, on contrefait nos produits, nos noms, nos marques; on inonde le monde de produits mal fabriqués qui portent les marques et les noms de nos fabricants, et l'on discrédite ainsi nos meilleures maisons. C'est là, messieurs, un inconvénient très-grave qui vient d'être justement signalé à l'attention de la Chambre et à celle du gouvernement.

Mais voici ce qui arrive: c'est qu'en France on veut faire la même chose, et rendre la pareille aux étrangers; on contrefait leurs produits et leurs marques pour un commerce, par exemple, qui a pour l'exportation plus d'importance qu'il ne semble d'abord en avoir, c'est le commerce des parfumeries. Les produits étrangers de ce genre sont contrefaits en France, on y met le nom et la marque anglaise. Les maisons anglaises se plaignent, elles font des procès, et les tribunaux français condamnent à des indemnités.

M. CHÉGARAY.—Ils font bien.

M. CHAIX-D'EST-ANGE.—J'entends un honorable magistrat me dire: Ils font bien. Je ne le crois pas; mais je ne dis pas le contraire, de sorte que ce n'était pas la peine de m'interrompre. Seulement voici l'objet de mon observation.

Si nos cours royales font très-bien de condamner, il faudrait que les maisons françaises qui sont contrefaites pussent obtenir à l'étranger la même justice. Eh bien, c'est cet état de choses que je veux signaler, et je trouve que cet esprit de justice qu'on approuve, en disant que nos cours royales font très-bien, devrait trouver de l'écho ailleurs. Je voudrais que nos intérêts fussent assez bien défendus à l'étranger pour qu'ils y obtinssent la même justice que ceux des étrangers en France.

Je demande donc l'égalité, la réciprocité; ou bien que nous puissions user ici de représailles par la contrefaçon, ou bien qu'on n'ait pas le droit de nous contrefaire à l'étranger. (*Très-bien! très-bien!*)

M. le ministre des affaires étrangères.—Je dirai que plusieurs fois déjà nous avons réclamé, auprès de quelques gouvernements étrangers, contre l'impunité dont ces contrefaçons jouissaient chez eux; mais il faut les amener à un changement dans leur législation intérieure. Ce changement, nous l'avons sollicité et nous persisterons à le solliciter; mais pour atteindre au but il faut deux choses: d'abord que les étrangers changent leur législation, et ensuite que nos négociants entament des procès, qu'ils portent leurs plaintes et en acceptent les charges et les lenteurs.

M. Chégaray, député des Basses-Pyrénées, examina l'état de nos relations commerciales avec l'Espagne, dans leurs rapports avec les anciens traités et avec nos intérêts actuels.

M. le ministre des affaires étrangères.—Je veux dire un seul mot en réponse à l'honorable M. Chégaray.

Nous sommes depuis longtemps en réclamation auprès du gouvernement espagnol pour l'exécution des anciens traités, et les dernières propositions de loi qui ont eu lieu à Madrid me donnent l'occasion de renouveler nos plaintes de la manière la plus vive.

Nous avons ici, comme dans la question des États-Unis, la voie des représentations et la voie des représailles. Seulement, la voie des représailles nous est, quant à présent, plus difficile en Espagne qu'ailleurs, car c'est au nom de nos anciens traités que nous réclamons. Si nous violions nous-mêmes ces traités, si nous en sortions, ce qui aurait lieu par les représailles, nous nous ôterions l'argument que nous employons en ce moment; il faut donc que l'inutilité de cet argument soit démontrée pour que nous en venions aux représailles.

M. GLAIS-BIZOIN.—Je demande la parole. (*Aux voix! aux voix!*)

M. *le président.*—Avant de mettre le chapitre aux voix, il est nécessaire que M. Glais-Bizoin explique son amendement.

La parole est à M. Glais-Bizoin.

M. Glais-Bizoin proposa le rejet de l'augmentation de 15,000 fr. réclamée pour le traitement de l'ambassadeur de France à Naples.

M. GUIZOT, *ministre des affaires étrangères.*—Je dois répondre aux observations de l'honorable préopinant.

Il a dit que tous nos agents pourraient également produire des preuves que leur traitement ne suffit pas à la situation qu'ils occupent; il a parlé des fonctionnaires publics en général. Je bornerai ma réponse à ce qui concerne nos agents à l'extérieur; ce sont les seuls dont j'aie à parler aujourd'hui.

La preuve que cette assertion n'est pas exacte, c'est que je ne réclame pas pour tous les ambassadeurs et agents, et que la plupart d'entre eux se contentent parfaitement de la situation que le budget leur a faite.

Quant à l'ambassadeur de Naples, j'ai mis sous les yeux de la commission les renseignements les plus détaillés pour prouver que son traitement était insuffisant, complétement insuffisant pour les dépenses de sa situation. La commission a été convaincue par les détails que j'ai mis sous ses yeux, et si je pouvais les mettre sous les yeux de la Chambre, je ne fais pas le moindre doute que sa conviction serait la même.

L'ambassadeur de France à Naples a un traitement très-inférieur à celui des autres ministres étrangers près la même cour. Aussi, c'est sur sa propre fortune, en grevant sa propre fortune, qu'il a suffi jusqu'ici aux dépenses de sa situation.

Les renseignements que j'ai donnés à la commission ont porté la conviction dans son esprit, et je n'hésite pas à affirmer à la Chambre que l'augmentation est nécessaire pour que notre ambassadeur puisse suffire aux charges qui lui sont imposées.

La Chambre vota l'augmentation demandée.

M. *le président.*—La Chambre passe à la délibération du budget du ministère de l'instruction publique.

M. ÉTIENNE.—Je demande la parole sur un chapitre qui ne se trouve pas au budget des affaires étrangères. (*Hilarité.*)

Je voulais rappeler qu'en 1839 un crédit de 500,000 francs avait été voté pour la construction du palais de l'ambassade à Péra. Ces 500,000 fr. ont été employés; ont-ils suffi à l'achèvement du palais, ou bien un nouveau crédit sera-t-il demandé dans l'exercice prochain?

M. le ministre des affaires étrangères.—La somme de 500,000 francs n'a pas suffi pour la construction du palais; il sera nécessaire d'y ajouter, au moins d'après les renseignements que j'ai reçus jusqu'à présent, la somme de 560,000 fr. (*Rires à gauche.*) Je n'ai pas voulu demander ce crédit supplémentaire à la Chambre avant d'avoir complétement recueilli les renseignements qui en démontrent la nécessité. Il m'a paru que, puisqu'il y avait eu erreur dans l'évaluation primitive, il fallait que les causes de cette erreur fussent mises sous les yeux de la Chambre avec la plus évidente clarté. Je me suis donc décidé, malgré quelques inconvénients attachés à cette résolution, à attendre des renseignements plus complets pour proposer à la Chambre ce nouveau crédit supplémentaire.

CXXV

Sur le projet de loi relatif à la régence.

—Chambre des députés.—Séance du 18 août 1842.—

Après la mort du duc d'Orléans (13 juillet 1842), les Chambres furent convoquées en session extraordinaire. Elle s'ouvrit le 26 juillet. Un projet de loi fut présenté le 9 août à la chambre des députés pour régler la question de la régence. Le rapport en fut fait le 16 août par M. Dupin. La discussion s'ouvrit le 18. M. de Lamartine attaqua le projet et réclama pour les femmes le droit à la régence. Je lui répondis immédiatement. Après un long et solennel débat dans les deux Chambres, le projet présenté par le gouvernement fut adopté.

M. GUIZOT.—Messieurs, en entrant dans ce débat, je veux en écarter sur-le-champ ce qui tout à l'heure a été près d'y rentrer par les discours de quelques-uns des honorables préopinants; je veux dire ces perspectives de parti, ces pressentiments sinistres qui s'étaient élevés dans beaucoup d'esprits au moment où le malheur nous a frappés. Rien de semblable n'y peut aujourd'hui prendre place. Sans doute la gravité de la question, les difficultés possibles de l'avenir ont de quoi nous préoccuper fortement. À Dieu ne plaise que je dise un mot, un seul mot qui puisse affaiblir l'impression du vide immense que laisse au milieu de nous le noble prince que nous avons perdu. (*Très-bien! très-bien!*) Les meilleures lois ne le remplaceront pas. (*Marques prolongées et très-vives d'assentiment.*) Mais en gardant toute notre tristesse, nous pouvons, nous devons avoir pleine confiance. Je renvoie ceux qui en douteraient au spectacle auquel nous assistons tous depuis un mois. Ce sentiment national si profond, si rapide, si unanime, qui a éclaté avec notre malheur, ce sentiment européen qui a si bien répondu au sentiment national, ce deuil de notre prince royal porté avec une douleur si vraie par toute la France, accepté avec une émotion si sincère par toute l'Europe, voilà notre réponse aux alarmes, aux craintes ou aux espérances sinistres.

Oui, la dynastie de Juillet a essuyé un affreux malheur; mais de son malheur même est sortie à l'instant la plus évidente démonstration de sa force (*Mouvement*), la plus éclatante consécration de son avenir. (*Très-bien!*) Plus l'épreuve qu'elle subissait a paru grave, plus la nécessité de sa présence et la grandeur de sa mission ont été vivement et universellement senties. (*Très-bien!*) Elle a reçu partout, chez nous, hors de chez nous, le baptême des larmes royales et populaires. (*Nouvelles marques d'approbation.*) Et le noble prince qui nous a été ravi a appris au monde, en nous quittant, combien sont déjà profonds et assurés les fondements de ce trône qu'il semblait destiné à affermir. (*Mouvement.*) Il y a là une joie digne encore de sa grande âme et de l'amour qu'il portait à sa patrie. (*Sensation.*)

J'écarte donc complétement toute perspective sinistre, toute préoccupation étrangère à la question même. Non, nous n'avons pas besoin d'apporter, à la dynastie que nous soutenons, des forces extraordinaires, des forces d'emprunt, contraires aux intérêts et aux libertés du pays. Nous pensons, comme vous, que c'est dans les intérêts, dans les libertés du pays qu'elle doit pousser, qu'elle a déjà poussé ses racines; ce n'est que là que nous les cherchons. (Très-bien! très-bien!) Nous nous sentons parfaitement libres de faire une loi dégagée de toute préoccupation extraordinaire: l'avenir nous appartient; notre loi le réglera; le règle-t-elle sagement? Voilà toute la question. Que la Chambre soit libre comme nous; nous ne demandons à personne une concession, une complaisance; nous invitons la Chambre à voter cette loi aussi librement, aussi sévèrement que toute autre mesure politique, sans rien accorder aux circonstances, aux exigences du moment: nous n'en avons pas besoin. (Très-bien! très-bien!).

Avons-nous le droit de faire cette loi?

Question étrange, à ne consulter que le simple bon sens! Quand il survient dans la vie d'un peuple quelque circonstance extraordinaire, quelque grande question imprévue, par qui convient-il, selon le simple bon sens, qu'elle soit traitée et décidée?

Évidemment par les pouvoirs les mieux instruits des intérêts de la société, les plus exercés à la gouverner.

Les premières conditions d'un bon gouvernement, ce sont l'expérience et l'autorité que donne l'expérience prouvée. (Très-bien!) Quand on a sous la main des pouvoirs qui réunissent ces conditions, les écarter au moment où l'on a le plus besoin d'eux, pour appeler un pouvoir extraordinaire, un pouvoir nouveau venu, messieurs, c'est de la folie!

Si des pouvoirs vous regardez aux affaires elles-mêmes, vous arrivez au même résultat. Quand une affaire extraordinaire survient, comment doit-elle être traitée, résolue? Elle doit être mise, autant qu'il se peut, en harmonie avec l'état permanent et régulier de la société; elle doit être adaptée aussi promptement, aussi complétement qu'il se peut, à ce qui était hier, à ce qui sera demain. L'esprit de suite, le ménagement prudent des transitions; le maintien du lien continu qui doit unir tous les actes, tous les jours de la vie sociale, c'est là une nécessité impérieuse. Il n'y a que les pouvoirs permanents, les pouvoirs habituels de la société qui soient en état et en disposition de résoudre les affaires avec cette mesure, avec ce bon sens, en tenant compte de tout, en adaptant leurs décisions aux intérêts réguliers et permanents de la société. (Très-bien!)

Supposez, après les trois journées, une assemblée spéciale, une convention nationale convoquée pour accomplir politiquement la révolution de juillet: que serait devenue la France?

Je n'hésite pas à le dire: la façon dont la révolution de Juillet a été saisie et accomplie par les pouvoirs constitutionnels ordinaires, tels qu'ils pouvaient être en ce moment, a fait le salut de la France, et fera sa gloire dans l'avenir. (*Approbation.*)

Et aujourd'hui nous n'aurions pas le droit, nous pouvoirs constitutionnels, établis, éprouvés depuis douze ans, nous n'aurions pas le droit de fonder une loi de régence, quand nos devanciers ont fait une royauté en 1830! (*Mouvements divers.*) Messieurs, cela choque le simple bon sens, cela est contraire aux plus évidentes leçons de l'expérience du monde et de la nôtre.

On parle de principes, de la souveraineté nationale, de limites assignées au droit et à l'action du gouvernement, même libre et constitutionnel.

Si l'on veut dire par là que la société et le gouvernement ne sont pas une seule et même chose, que le gouvernement, même libre et constitutionnel, n'a pas le droit de tout faire, qu'il peut arriver tel jour, telle occasion où la société ait droit et raison de se séparer de son gouvernement, on exprime une grande vérité, que j'admets pour mon compte pleinement, que de nos jours, après ce qui s'est passé en 1830, il n'y a pas grand mérite à reproduire, et qui n'est, en ce moment, d'aucune application.

 Mais si on prétend qu'il existe ou qu'il doit exister au sein de la société deux pouvoirs, l'un ordinaire, l'autre extraordinaire, l'un constitutionnel, l'autre constituant, l'un pour les jours ouvrables (permettez-moi cette expression), l'autre pour les jours fériés, (*On rit.*) en vérité, messieurs, on dit une chose insensée, pleine de dangers et fatale. Le gouvernement constitutionnel, c'est la souveraineté sociale organisée. Hors de là, il n'y a plus que la société flottant au hasard, aux prises avec les chances d'une révolution. On n'organise pas les révolutions; on ne leur assigne pas une place et des procédés légaux dans le cours des affaires de la société. Aucun pouvoir humain ne gouverne de tels événements; ils appartiennent à un grand maître, Dieu seul en dispose; (*Mouvement.*) et quand ils éclatent, Dieu emploie, pour reconstituer la société ébranlée, les instruments les plus divers.

J'ai vu, dans le cours de ma vie, trois pouvoirs constituants: en l'an VIII, Napoléon; en 1814, Louis XVIII; en 1830, la chambre des députés. Voilà la vérité, la réalité: tout ce dont vous avez parlé, ces votes, ces bulletins, ces appels au peuple, ces registres ouverts, tout cela, c'est de la fiction, du simulacre, de l'hypocrisie. (*Marques très-vives d'approbation au centre.—Murmures aux extrémités.*)

Eh bien, ces trois pouvoirs constituants que nous avons vus, les seuls qui aient vraiment constitué quelque chose, quelque chose qui ait duré, avaient-ils été prévus, avaient-ils été organisés d'avance? Non, ils ont été des instruments entre les mains du grand maître.

Soyez tranquilles, messieurs; nous, les trois pouvoirs constitutionnels, nous sommes les seuls organes légitimes et réguliers de la souveraineté nationale. Hors de nous, il n'y a, je le répète, qu'usurpation ou révolution. (*Approbation.*)

J'ai écarté toutes les préoccupations de parti; j'ai écarté toutes les prétentions d'une fausse science; j'aborde maintenant la loi elle-même.

On lui reproche d'être incomplète.

Je réponds qu'elle l'a voulu, et qu'en le voulant elle a cru faire acte de sagesse.

C'est une vaine et dangereuse prétention que celle de prévoir et de régler d'avance, en pareille matière, tous les cas possibles, toutes les hypothèses imaginables; on se crée ainsi des difficultés qu'on n'est pas chargé de résoudre, et on les résout mal. (*Au centre.* C'est vrai.) On ne fait pas de la politique par voie de prophétie (*Rire approbatif au centre.*), loin de la nécessité et des faits. C'est déjà bien assez d'avoir la sagesse nécessaire au présent, avec le fardeau de la responsabilité sur les épaules et le flambeau des faits devant les yeux. (*Mouvement.*)

La loi résout-elle toutes les questions que le besoin actuel des affaires et des circonstances de la société nous commande de résoudre? Les résout-elle selon l'intérêt du pays?

Voilà tout ce qu'on a le droit de lui demander, et tout ce qu'elle doit faire. J'affirme qu'elle le fait.

Deux questions dominent ici toutes les autres.

La régence sera-t-elle déférée de droit et en vertu d'un principe général, ou bien par voie d'élection et en vertu d'un acte spécial des pouvoirs constitutionnels?

Voilà la première question.

Voici la seconde: Dans l'une ou l'autre hypothèse, à qui la régence sera-t-elle déférée?

Je pose les deux questions dans leur simplicité; je vais les prendre l'une après l'autre.

Il faut qu'il soit bien entendu que la régence déférée, non pas de droit ni en vertu d'un principe général, mais dans chaque cas de minorité, et par un acte spécial des trois pouvoirs, c'est la régence élective.

Eh bien, nous pensons que la régence élective n'est en harmonie ni avec notre ordre politique ni avec notre ordre social...

M. DE TOCQUEVILLE.—Je demande la parole.

M. le ministre.—Je dis que la régence élective n'est nullement en harmonie avec notre ordre politique.

Messieurs, le mérite et la véritable efficacité du gouvernement constitutionnel consistent, comme le disait très-bien votre honorable rapporteur, dans la bonne répartition des rôles et des forces entre les pouvoirs.

La royauté a pour mission spéciale de porter dans le gouvernement l'action et la fixité; elle est pouvoir exécutif et pouvoir perpétuel.

Je n'hésite pas à dire que, dans l'ensemble de nos institutions et de notre état social, la royauté n'a pas trop de force pour accomplir cette double mission.

Quand le roi est mineur, inévitablement la royauté est plus faible, et comme pouvoir exécutif et comme pouvoir perpétuel; elle est, soit en réalité, soit dans l'opinion, plus faible que ne le prévoit et ne le veut le régime constitutionnel.

Irons-nous l'affaiblir encore? Irons-nous fortifier le principe mobile aux dépens du principe stable, accroître la force d'impulsion variable aux dépens de la force d'action fixe? C'est là ce qu'on vous demande en vous demandant de rendre la régence élective.

Nous, en établissant la régence de droit, nous conservons aux divers pouvoirs leur rôle, leur situation, leurs forces, ainsi que la charte l'a prévu et réglé; nous maintenons la distribution des forces entre les différents pouvoirs, telle que l'a établie le régime constitutionnel complet et dans sa vigueur.

Vous, en établissant la régence élective, vous entendez changer la distribution des forces entre les pouvoirs, vous entendez altérer l'équilibre constitutionnel; vous entendez porter au sein de l'un de ces pouvoirs une force nouvelle, et l'y porter au moment même où le pouvoir royal est naturellement affaibli.

Non-seulement cela est, mais l'honorable M. de Lamartine, tout à l'heure, vous demandait formellement de le faire en vous disant bien ce que c'était, en vous expliquant bien que vous aviez là un moyen d'augmenter votre pouvoir, un moyen de rompre l'équilibre constitutionnel régulier. (*Voix diverses.* Oui! oui!—Non! non!) Je ne suppose pas, et personne, je crois, ne soutiendrait que, quand la Charte a réglé les fonctions et les forces des pouvoirs, elle a trop fait pour la royauté ou trop pour la Chambre des députés; non, je respecte davantage la Charte; je tiens les pouvoirs pour bien et légitimement distribués; je veux maintenir cette distribution; vous, vous voulez la rompre au profit du pouvoir électif, du pouvoir mobile... (*Murmures à gauche.*)

En vérité, je m'étonne de ces murmures, je croyais que vous professiez tout haut cette intention dont l'honorable M. de Lamartine vient de vous louer. (*Réclamations.*) Nous ne mettons, nous, ni réticence ni hypocrisie; nous disons les choses telles qu'elles sont. Eh bien, nous croyons que l'équilibre établi par la Charte est bon, nous voulons le maintenir; vous voulez l'altérer, pendant les minorités, au profit de l'un des grands pouvoirs.

M. LHERBETTE.—Je demande la parole.

M. le ministre des affaires étrangères.—Nous ne croyons pas cela bon, et c'est pour cela que nous disons que la régence élective ne convient pas à notre ordre politique; elle ne convient pas davantage à notre état social.

On parle beaucoup, messieurs, de la démocratie moderne, et quand on fait des lois pour elle, on oublie souvent sa nature et ses vrais intérêts.

C'est la nature, c'est l'intérêt, c'est l'honneur d'une grande société démocratique d'obéir à des principes généraux, à des droits fixes et préétablis.

Dans la société, la démocratie fait une large part aux volontés individuelles; dans le gouvernement, au contraire, elle restreint tant qu'elle peut leur empire et leur action; et c'est un profond instinct de sa nature et de son intérêt qui la fait agir ainsi.

Dans les monarchies absolues, il y a une volonté individuelle grande, haute, forte, qui peut abuser beaucoup du pouvoir, beaucoup, mais qui, enfin, est capable de l'exercer.

Dans les sociétés aristocratiques, il y a un certain nombre de volontés individuelles vouées aux fonctions, aux affaires publiques, et qui se concertent aisément pour les diriger avec intelligence et suite: elles peuvent abuser aussi; mais enfin elles sont là, capables de prendre et d'exercer le pouvoir.

Dans les grandes sociétés démocratiques, tous les individus sont petits, faibles, passagers. Voilà pourquoi la démocratie, dans son juste instinct, leur fait une petite part dans le gouvernement: elle a raison; ils y porteraient leur petitesse, leur mobilité, leur faiblesse.

La démocratie veut des principes généraux, des lois fixes, immuables, auxquelles elle puisse obéir avec sûreté et dignité.

C'est ainsi que les grandes sociétés démocratiques modernes veulent et peuvent être organisées.

Eh bien, ce qu'on vous demande de faire, au milieu de la plus grande société démocratique moderne, c'est d'introduire dans l'élément monarchique, dans sa représentation temporaire, le principe électif, c'est-à-dire de donner, aux défauts et aux imperfections de la démocratie, une grande facilité pour pénétrer jusque dans cette partie du gouvernement qui est destinée à les contre-balancer et à les combattre. (*Très-bien!*)

Messieurs, ai-je donc raison de dire que ce que l'on vous demande est aussi contraire à notre état social qu'à notre ordre politique, aussi contraire aux intérêts de la démocratie qu'aux intérêts de la royauté? On vous demande d'affaiblir la royauté pendant la minorité du roi pour abaisser et compromettre la démocratie pendant le même temps et par la même épreuve: cela est-il bon, messieurs?

Je n'hésite pas, pour mon compte, et avec la plus grande conviction, à repousser la régence élective comme une mauvaise institution, mauvaise pour notre gouvernement, mauvaise pour notre société; je n'hésite pas à maintenir la régence de droit comme la conséquence naturelle de la Charte et de l'état social de la France.

Maintenant la régence de droit une fois admise, à qui sera-t-elle déférée? Qui sera régent de droit?

La réponse est simple. Celui qui serait roi, si le trône était vacant. (*Mouvements divers.*)

Je ne puis pas faire une autre réponse que celle-là: Celui qui serait roi, si le trône était vacant. C'est lui qui, par nos institutions, est présumé le plus capable d'exercer la royauté; c'est lui qui est en même temps le plus intéressé à ce que la royauté soit bien exercée et demeure intacte, car c'est à lui qu'elle peut revenir.

Ainsi les grandes raisons, les raisons simples qui dominent la politique, ces raisons-là sont décisives en faveur de la régence masculine.

Mais les femmes, les mères!

Messieurs, la Chambre permettra que je traite cette question simplement et sévèrement. Je porte un trop profond respect à la noble princesse dont la pensée est ici dans tous les cœurs, et elle a l'esprit trop haut pour que je ne croie pas lui rendre l'hommage le plus digne d'elle en disant ce que je regarde comme la vérité, et comme l'intérêt de ses fils aussi bien que du pays.

Jetons d'abord un coup d'œil sur les lois providentielles du monde, sur ces lois qu'on peut appeler d'institution divine, tant elles sont généralement et constamment adoptées par les hommes.

En voici une. Les femmes sont vouées à la famille; leur destinée, c'est le développement individuel dans les affections de la vie domestique et les relations de la vie sociale. Le pouvoir politique n'y entre pas naturellement. De tout temps et en tout pays, sauf un petit nombre d'exceptions, ce principe a été adopté et pratiqué.

Plusieurs voix à gauche.—Au contraire!

M. le ministre.—Je dis: Sauf un petit nombre d'exceptions. Les honorables préopinants ne peuvent pas supposer que je les ignore. (*Rires au centre.*)

M. CHAPUYS-MONTLAVILLE.—Vous les connaissez très-bien; seulement vous oubliez de les citer.

M. le ministre.—Je vais vous dire quelle a été, à mon avis, la cause, l'origine de ces exceptions, de ces dérogations au droit commun.

Elles sont provenues précisément de l'empire des principes et des idées de famille, du respect pour les droits et les existences de famille. C'est parce que la royauté était considérée comme un patrimoine, c'est parce que le principe de l'hérédité royale était poussé jusqu'à ses dernières conséquences, que les femmes ont été quelquefois, dans un petit nombre de pays, appelées par exception, je pourrais dire par hasard, au pouvoir politique et à la royauté.

Maintenant, là où ces motifs d'exception n'existent pas, là où il n'y a plus de telles causes, là où la royauté n'est pas un pouvoir patrimonial, mais un pouvoir public, là où le principe de l'hérédité royale n'a pas été poussé jusqu'à cette extrême conséquence, d'être appliqué aux femmes, irez-vous, par voie d'exception, par voie d'élection, donner aux femmes le pouvoir politique contre le droit commun, contre le bon sens humain, contre les lois providentielles qui régissent le monde? (*Réclamations à gauche.*)

Voilà la question posée dans sa vérité, et, pour mon compte, je dis que la poser ainsi, c'est la résoudre.

À cette idée générale, simple, qui a été, je le répète, la règle commune du monde, on oppose des considérations historiques, pratiques, morales. Je ne les réfuterai pas; j'en indiquerai d'autres plus fortes, à mon avis, et qui concluent en sens opposé.

M. de Lamartine vous en a cité lui-même quelques-unes; il a parlé de l'esprit militaire bon à conserver dans un grand pays continental, et qui certes n'appelle pas le pouvoir politique des femmes. Il a parlé de nos institutions, de nos libertés, de la liberté de la presse. J'accepte ce qu'il en a dit. Seulement, j'avoue que je n'ai pas, comme lui, l'espérance que la licence de la presse s'arrête devant une femme; je souhaite me tromper, mais je ne l'espère pas. (*On rit.*)

Voici d'autres considérations qui ont échappé à l'honorable M. de Lamartine, et qui, à mon avis, ont bien leur poids.

L'esprit de cour s'est fort affaibli chez nous; je ne m'en plains pas (*Rires à gauche*), je dis le fait. Savez-vous, messieurs, ce qui a fait la force des régences féminines en France, je pourrais presque dire ce qui a fait les régences féminines? C'est l'esprit féodal d'abord, l'esprit de cour plus tard. Dans l'enceinte d'un château ou d'un palais, le pouvoir d'une femme est possible; hors de là, il ne l'est pas. (*Interruption.*)

Voici encore un autre motif. Il y a des exemples du pouvoir politique entre les mains des femmes dans les monarchies absolues, dans des sociétés aristocratiques ou théocratiques; dans les sociétés démocratiques, jamais. L'esprit et les mœurs de la démocratie sont trop rudes et ne s'accommodent pas d'un tel pouvoir.

Voyez notre situation en Europe, la place que nous y occupons et les rapports dans lesquels nous pouvons nous trouver. Par un hasard singulier, le pouvoir politique, excepté en Russie, à l'extrémité de l'Europe, ne peut être en des mains féminines que dans l'occident de l'Europe, en Angleterre, en Espagne, en Portugal. Supposez qu'en France aussi, par la régence, le pouvoir politique soit entre les mains d'une femme; il pourrait arriver que tous les États de l'Europe occidentale fussent gouvernés par des femmes. (*Rires à gauche.*)

Je fais la Chambre juge du sentiment qui se manifeste de ce côté. La Chambre croit-elle que ce fût là une force pour nous? La Chambre croit-elle qu'en présence de presque toute l'Europe virilement gouvernée, le pouvoir entre les mains des femmes, dans les quatre États occidentaux de l'Europe, fût une source de force, de fixité, de sûreté? Non, la Chambre ne le pense pas.

Les raisons en sont si simples que j'aurais honte de les développer devant la Chambre.

Et cela se ferait, comme vous le disait tout à l'heure l'honorable M. de Lamartine lui-même, quand vous avez des institutions nouvelles à fonder, une dynastie nouvelle à fonder! À l'une des époques les plus graves et les plus difficiles qui puissent survenir dans la vie d'une nation! Vous accepteriez ce surcroît de difficultés, ce surcroît de chances pour la faiblesse du pouvoir! La Chambre est trop sage, elle est trop pénétrée du sentiment des vraies mœurs de ce pays-ci pour admettre une pareille idée; je n'hésite pas à dire que la régence des femmes n'a pas plus de chances d'être acceptée dans cette enceinte que la régence élective. Elle dénaturerait également et nos institutions et notre société.

Messieurs, j'ai fini, je résume les caractères de la loi.

Elle est en harmonie avec notre ordre social, avec notre ordre politique, avec notre situation actuelle et ses intérêts les plus pressants; elle consolide la monarchie, la Charte, la dynastie et la révolution de 1830; toutes les propositions contraires compromettent ou affaiblissent l'un ou l'autre de ces intérêts, ou tous ensemble. Que la Chambre en décide.

On a parlé, à cette occasion, de l'union de toutes les opinions dynastiques, de l'oubli momentané de toutes les luttes ministérielles. On a eu raison. Évidemment, dans le projet que vous discutez, aucune pensée d'intérêt ministériel n'est entrée dans l'esprit du cabinet. La loi n'est pas plus favorable au cabinet qu'à l'opposition. Elle a été faite pour elle-même, dans la seule vue du bien de l'État, abstraction faite de tout parti, de tout ministère, de toute lutte, de toute prétention, de toute rivalité; nous ne demandons rien de plus. (*Vives et nombreuses marques d'approbation.*)

FIN DU TOME TROISIÈME.

Milton Keynes UK
Ingram Content Group UK Ltd.
UKHW010741080324
438959UK00004B/285